COLLECTION TEL

Jean Starobinski

Jean-Jacques Rousseau
La transparence et l'obstacle

SUIVI DE

Sept essais sur Rousseau

Gallimard

Cet ouvrage a paru dans la
« Bibliothèque des Idées » en avril 1971.

AVERTISSEMENT

Par rapport à la précédente édition (1957), le texte que nous publions ici présente de nombreuses modifications de détail. Les remaniements n'affectent toutefois pas l'ouvrage dans sa structure d'ensemble.

Les citations renvoient désormais au texte de l'édition critique des *Œuvres complètes* (publiées sous la direction de Bernard Gagnebin et Marcel Raymond à la Bibliothèque de la Pléiade ; quatre volumes parus sur cinq). Si nous avons modernisé l'orthographe de Rousseau, nous avons généralement respecté sa ponctuation. Souvent incorrecte au regard de la norme actuelle, elle indique un phrasé aux segments larges. Nous y reconnaissons le « souffle » propre à Rousseau.

Les sept études rassemblées à la fin de ce volume ont paru en des lieux divers, entre 1962 et 1970. « Jean-Jacques Rousseau et le péril de la réflexion » ne figure pas ici : cet essai fait partie de *L'Œil vivant* (Gallimard, 1961 ; seconde édition, 1968) ; « L'interprète et son cercle » appartient à *La relation critique* (Gallimard, 1970).

Genève, septembre 1970.

AVANT-PROPOS

Ce livre n'est pas une biographie, bien qu'il s'astreigne à respecter, dans son dessin général, la chronologie des attitudes et des idées de Rousseau. Il ne s'agit pas davantage d'un exposé systématique de la philosophie du citoyen de Genève, bien que les problèmes essentiels de cette philosophie fassent ici l'objet d'un examen assez suivi.

A tort ou à raison, Rousseau n'a pas consenti à séparer sa pensée et son individualité, ses théories et son destin personnel. Il faut le prendre tel qu'il se donne, dans cette fusion et cette confusion de l'existence et de l'idée. On se trouve ainsi conduit à analyser la création littéraire de Jean-Jacques comme si elle représentait une action imaginaire, et son comportement comme s'il constituait une fiction vécue.

Aventurier, rêveur, philosophe, antiphilosophe, théoricien politique, musicien, persécuté : Jean-Jacques a été tout cela. Si diverse que soit cette œuvre, nous croyons qu'elle peut être parcourue et reconnue par un regard qui n'en refuserait aucun aspect : elle est assez riche pour nous suggérer elle-même les thèmes et les motifs qui nous permettront de la saisir à la fois dans la dispersion de ses tendances et dans l'unité de ses intentions. En lui prêtant naïvement notre attention, et sans trop nous hâter de condamner ou d'absoudre, nous rencontrerons des images, des désirs obsessionnels, des nostalgies, qui dominent la conduite de Jean-Jacques et orientent ses activités d'une façon à peu près permanente.

Autant qu'il était possible, nous avons limité notre tâche à l'observation et à la description des structures qui appartiennent en propre au monde de Jean-Jacques Rousseau. A une critique contraignante, qui impose du dehors ses valeurs, son ordre, ses classifications préétablis, nous avons préféré une lecture qui s'efforce simplement de déceler l'ordre ou le désordre interne des textes qu'elle interroge, les symboles et les idées selon lesquels la pensée de l'écrivain s'organise.

Cette étude, néanmoins, est davantage qu'une « analyse intérieure ». Car il est évident qu'on ne peut interpréter l'œuvre de Rousseau sans tenir compte du monde auquel elle s'oppose. C'est par le conflit avec une société inacceptable que l'expérience intime acquiert sa fonction privilégiée. On verra même que le domaine propre de la vie intérieure ne se délimite que par l'échec de toute relation satisfaisante avec la réalité externe. Rousseau désire la communication et la transparence *des cœurs; mais il est frustré dans son attente, et, choisissant la voie contraire, il accepte — et suscite — l'*obstacle, *qui lui permet de se replier dans la résignation passive et dans la certitude de son innocence.*

Jean-Jacques Rousseau

La transparence et l'obstacle

I

DISCOURS SUR LES SCIENCES ET LES ARTS

Le *Discours sur les Sciences et les Arts* commence pompeusement par un éloge de la culture. De nobles phrases se déploient, qui décrivent en raccourci l'histoire entière du progrès des lumières. Mais une soudaine volte-face nous met en présence de la discordance de l'être et du paraître : « Les sciences, les lettres et les arts... étendent des guirlandes de fleurs sur les chaînes de fer dont ils [les hommes] sont chargés [1]. » Bel effet de rhétorique : un coup de baguette magique renverse les valeurs, et l'image brillante que Rousseau avait mise sous nos yeux n'est plus qu'un décor menteur — trop beau pour être vrai :

> Qu'il serait doux de vivre parmi nous, si la contenance extérieure était toujours l'image des dispositions du cœur [2].

Le vide se creuse derrière les surfaces mensongères. Ici vont commencer tous nos malheurs. Car cette fêlure, qui empêche la « contenance extérieure » de correspondre aux « dispositions du cœur » fait entrer le mal dans le monde. Les bienfaits des lumières se trouvent compensés, et presque annulés par les vices innombrables qui découlent du mensonge de l'apparence. Un élan d'éloquence avait décrit la montée triomphale des arts et des sciences ; un second coup d'éloquence nous entraîne maintenant en sens inverse, et nous montre toute l'étendue de la « corruption des mœurs ». L'esprit humain triomphe, mais l'homme s'est perdu. Le contraste

1. *Discours sur les Sciences et les Arts. Œuvres complètes* (en abrégé *O. C.*) (Paris Bibliothèque de la Pléiade, 1959 ; quatre volumes parus sur cinq), III, 7. Nous avons modernisé partout l'orthographe de Rousseau.
2. *Ibid.*

est violent, car ce qui est en jeu n'est pas seulement la notion abstraite de l'être et du paraître, mais la destinée des hommes, qui se divise entre l'innocence reniée et la perdition désormais certaine : le paraître et le mal ne font qu'un.

Le thème du mensonge de l'apparence n'a rien d'original en 1748. Au théâtre, à l'église, dans les romans, dans les journaux, chacun à sa manière dénonce des faux-semblants, des conventions, des hypocrisies, des masques. Dans le vocabulaire de la polémique et de la satire, point de termes qui reviennent plus souvent que *dévoiler* et *démasquer*. On a lu et relu *Tartuffe*. Le perfide, le « vil flatteur », le scélérat déguisé appartient à toutes les comédies et à toutes les tragédies. Au dénouement d'une intrigue bien conduite, il faut des traîtres confondus. Rousseau (Jean-Baptiste) restera dans la mémoire des hommes pour avoir écrit :

> *Le masque tombe, l'homme reste*
> *Et le héros s'évanouit* [1].

Ce thème est assez répandu, assez vulgarisé, assez automatisé pour que le premier venu puisse le reprendre et y ajouter quelques variations, sans grand effort de pensée. L'antithèse être - paraître appartient au lexique commun : l'idée est devenue locution.

Pourtant quand Rousseau rencontre l'éblouissement de la vérité sur la route de Vincennes, et pendant les nuits d'insomnie où il « tourne et retourne [2] » les périodes de son discours, le lieu commun reprend vie : il s'enflamme, il devient incandescent. L'opposition de l'être et du paraître s'anime pathétiquement et confère au discours sa tension dramatique. C'est toujours la même antithèse, empruntée à l'arsenal de la rhétorique, mais elle exprime une douleur, un déchirement. Malgré toute l'emphase du discours, un sentiment vrai de la *division* s'impose et se propage. La rupture entre l'être et le paraître engendre d'autres conflits, comme une série d'échos amplifiés : rupture entre le bien et le mal (entre les bons et les méchants), rupture entre la nature et la société, entre l'homme et ses dieux, entre l'homme et lui-même. Enfin, l'histoire entière se divise en un *avant* et un *après* : auparavant il y avait des patries et des citoyens ; maintenant il n'y en a plus. Rome, une fois encore, fournit l'exemple : la vertueuse république, fascinée par l'éclat de l'apparence,

1. Jean-Baptiste Rousseau, « Ode à la Fortune », *Odes*, II, 6, str. 12.
2. *Confessions*, liv. VIII. *O. C.*, I, 352.

s'est perdue par son luxe et ses conquêtes. « Insensés, qu'avez-vous fait [1] ? »

Dirigée contre le prestige de l'opinion, déplorant la déchéance de Rome désormais livrée aux rhéteurs, la déclamation obéit à toutes les règles du genre oratoire. Pour un concours d'Académie, rien n'y manque : apostrophes, prosopopées, gradations. Il n'y a pas jusqu'à l'épigraphe qui ne révèle la présence de la tradition littéraire. *Decipimur specie recti* [2]. D'emblée le thème essentiel nous est offert sous la garantie d'une sentence romaine. Mais la citation est opportune. Ce qu'elle annonce, c'est que subjugués par l'illusion du bien, captifs de l'apparence, nous nous laissons séduire par une fausse image de la justice. Notre erreur ne fait pas compte dans l'ordre du savoir, mais dans l'ordre moral. Se tromper, c'est se rendre coupable alors que l'on croit faire le bien. Malgré nous, à notre insu, nous sommes entraînés vers le mal. L'illusion n'est pas seulement ce qui trouble notre connaissance, ce qui voile la vérité : elle fausse tous nos actes et pervertit nos vies.

Cette rhétorique sert de véhicule à une pensée amère, obsédée par l'idée de l'impossibilité de la communication humaine. Dans le premier *Discours*, Rousseau fait déjà entendre la plainte qu'il répétera inlassablement dans les années de la persécution : les âmes ne sont pas visibles, l'amitié n'est pas possible, la confiance ne peut jamais durer, aucun signe certain ne permet de reconnaître la disposition des cœurs :

> On n'ose plus paraître ce qu'on est ; et dans cette contrainte perpétuelle, les hommes qui forment ce troupeau qu'on appelle société, placés dans les mêmes circonstances, feront tous les mêmes choses si des motifs plus puissants ne les en détournent. On ne saura donc jamais bien à qui l'on a affaire : il faudra donc, pour connaître son ami, attendre les grandes occasions, c'est-à-dire attendre qu'il n'en soit plus temps, puisque c'est pour ces occasions mêmes qu'il eût été essentiel de le connaître.
>
> Quel cortège de vices n'accompagnera point cette incertitude? Plus d'amitiés sincères ; plus d'estime réelle ; plus de confiance fondée. Les soupçons, les ombrages, les craintes, la froideur, la réserve, la haine, la trahison se cacheront sans cesse sous ce voile uniforme et perfide de politesse, sous cette urbanité si vantée que nous devons aux lumières de notre siècle [3].

Qu'être et paraître fassent deux, qu'un « voile » dissimule les vrais sentiments, tel est le scandale initial auquel Rousseau

1. *Discours sur les Sciences et les Arts. O. C.*, III, 14.
2. Horace, *De Arte Poetica*, vers 25.
3. *Discours sur les Sciences et les Arts. O. C.*, III, 8-9.

se heurte, telle est la donnée inacceptable dont il cherchera l'explication et la cause, tel est le malheur dont il souhaite d'être délivré.

Ce thème est fécond. Il ouvre la possibilité d'un développement inépuisable. De l'aveu même de Rousseau, le scandale du mensonge a donné l'impulsion à toute sa réflexion théorique. Bien des années après le premier *Discours*, en se retournant sur son œuvre pour l'interpréter et pour faire « l'histoire de ses idées », il déclarera :

> Sitôt que je fus en état d'observer les hommes, je les regardais faire, et je les écoutais parler ; puis, voyant que leurs actions ne ressemblaient point à leurs discours, je cherchai la raison de cette dissemblance, et je trouvai qu'être et paraître étant pour eux deux choses aussi différentes qu'agir et parler, cette deuxième différence était la cause de l'autre [1]...

Prenons acte de cette déclaration. Mais posons aussi quelques questions.

Sitôt que je fus en état d'observer les hommes: Rousseau se donne ici le rôle de l'observateur, il se campe dans l'attitude du naturaliste philosophe, qui traduit ses observations en concepts, et qui remonte inductivement aux raisons et aux causes premières. En s'attribuant ce goût de l'analyse désintéressée, Rousseau ne « rationalise »-t-il pas des émotions beaucoup plus troubles, des sentiments beaucoup plus intéressés ? Ne prend-il pas le ton du savoir abstrait, dans l'intention plus ou moins consciente de compenser et de dissimuler certaines déceptions et certains échecs tout personnels ? Rousseau lui-même nous autorise à poser ces questions. Bien avant que la psychologie moderne n'ait dirigé notre attention vers les sources affectives et les substructures inconscientes de la pensée, le Rousseau des *Confessions* nous invite à chercher l'origine de ses propres théories dans l'expérience émotive, et le Rousseau des *Rêveries* dira même : dans l'expérience rêvée : « Ma vie entière n'a guère été qu'une longue rêverie [2]. »

La discordance de l'être et du paraître s'est-elle donc révélée à Rousseau au terme d'un acte d'attention critique ? Est-ce une calme comparaison qui a donné l'éveil à sa pensée ? Le lecteur pourrait être tenté d'en douter. Sachant combien le thème du paraître était devenu monnaie courante dans le vocabulaire intellectuel de l'époque, il hésitera à

1. *Lettre à Christophe de Beaumont. O.C.*, IV, 966.
2. *Phrases écrites sur des cartes à jouer*, appendice aux *Rêveries du Promeneur solitaire*, édition critique par Marcel Raymond (Genève, Droz, 1948), 167 ; *O. C.*, I, 1165.

admettre que la réflexion de Rousseau y ait trouvé son point de départ authentique et son impulsion originelle. S'il était jamais possible de saisir cette pensée dans sa source et dans son origine, ne faudrait-il pas remonter à un niveau psychique plus profond, à la recherche d'une émotion première, d'une motivation plus intime ? Or nous y retrouverons le maléfice de l'apparence, non plus à titre de lieu commun rhétorique ou en qualité d'objet soumis à l'observation méthodique, mais sous les espèces de la dramaturgie intime.

« LES APPARENCES ME CONDAMNAIENT »

Relisons le premier livre des *Confessions.* « Je me suis montré tel que je fus [1] » (tel qu'il croit avoir été, tel qu'il veut avoir été). Il ne se soucie pas de retracer l'historique de ses idées ; il se laisse envahir par le souvenir affectif : son existence ne lui semble pas constituée comme une chaîne de pensées, mais comme une chaîne de sentiments, un « enchaînement d'affections secrètes [2] ». Si le thème du paraître mensonger n'était qu'une superstructure intellectuelle, il ne tiendrait guère de place dans les *Confessions.* Or c'est le contraire qui est vrai.

Sans doute n'est-il pas sans importance que la conscience de soi date pour Jean-Jacques de sa rencontre avec la « littérature » : « J'ignore ce que je fis jusqu'à cinq ou six ans : je ne sais comment j'appris à lire ; je ne me souviens que de mes premières lectures et de leur effet sur moi : *c'est le temps d'où je date sans interruption la conscience de moi-même.* Ma mère avait laissé des romans [3] »... La rencontre de soi coïncide avec la rencontre de l'imaginaire : elles constituent une même découverte. Dès l'origine, la conscience de soi est intimement liée à la possibilité de devenir un autre. (« Je devenais le personnage dont je lisais la vie [4]. ») Mais si dangereuse que Rousseau estime cette méthode d'éducation — qui éveille le sentiment avant la raison, la connaissance de l'imaginaire avant celle des choses réelles — le paraître ne s'y impose pas comme une influence maléfique. L'illusion sentimentale, éveillée par la lecture, comporte certes un risque, mais le risque, dans le cas particulier, s'accompagne d'un privilège

1. *Confessions*, liv. Ier. *O. C.*, I, 5.
2. *Confessions*, première rédaction. *Annales Jean-Jacques Rousseau*, IV (Genève, 1908), 3 ; *O. C.*, I, 1149.
3. *Confessions*, liv. Ier. *O. C.*, I, 8.
4. *Op. cit.*, 9.

précieux : Jean-Jacques se forme comme un être *différent.* « Ces émotions confuses que j'éprouvais coup sur coup n'altéraient point la raison que je n'avais pas encore ; mais elles m'en formèrent une *d'une autre trempe* [1] »... La singularité de Jean-Jacques a sa source dans les fantasmes fascinants suscités par l'illusion romanesque. C'est ici la première donnée biographique qui vienne confirmer la déclaration du préambule : « Je ne suis fait comme aucun de ceux que j'ai vus [2]. » Jean-Jacques désire et déplore sa différence : c'est un malheur et un motif d'orgueil tout ensemble. Si les émois fictifs, si l'exaltation imaginaire l'ont rendu différent, il ne portera contre ceux-ci qu'une condamnation ambiguë : ces romans sont un vestige de la mère perdue.

Nous allons rencontrer un souvenir d'enfance qui décrit la rencontre du paraître comme un bouleversement brutal. Non, il n'a pas commencé par observer la discordance de l'être et du paraître : il a commencé par la subir. La mémoire remonte à une expérience originelle de la malfaisance de l'apparence ; Jean-Jacques en retrace la révélation « traumatisante », à laquelle il attribue une importance décisive : « Dès ce moment je cessai de jouir d'un bonheur pur [3]. » A cet instant se produit la catastrophe (la « chute ») qui détruit la pureté du bonheur enfantin. A dater de ce jour, l'injustice existe, le malheur est présent ou possible. Ce souvenir a la valeur d'un archétype : c'est la rencontre de l'accusation injustifiée. Jean-Jacques paraît coupable sans l'être réellement. Il paraît mentir, alors qu'il est sincère. Ceux qui le châtient agissent injustement, mais parlent le langage de la justice. Et ici, la punition physique n'aura pas les conséquences érotiques de la fessée appliquée par Mlle Lambercier : Jean-Jacques n'y découvre pas son corps et son plaisir ; il y découvre la solitude et la séparation :

J'étudiais un jour seul ma leçon dans la chambre contiguë à la cuisine. La servante avait mis sécher à la plaque les peignes de mademoiselle Lambercier. Quand elle revint les prendre, il s'en trouva un dont tout un côté de dents était brisé. A qui s'en prendre de ce dégât? personne autre que moi n'était entré dans la chambre. On m'interroge ; je nie d'avoir touché le peigne. M. et mademoiselle Lambercier se réunissent ; m'exhortent, me pressent, me menacent ; je persiste avec opiniâtreté ; mais la conviction était trop forte, elle l'emporta sur toutes mes protestations, quoique ce fût la première fois qu'on m'eût trouvé tant d'audace à mentir. La chose fut prise au sérieux ; elle méritait de

1. *Op. cit.*, 8.
2. *Op. cit.*, 5.
3. *Op. cit.*, 20.

l'être. La méchanceté, le mensonge, l'obstination parurent également dignes de punition...

Il y a maintenant près de cinquante ans de cette aventure, et je n'ai pas peur d'être aujourd'hui puni derechef pour le même fait. Hé bien! je déclare à la face du Ciel que j'en étais innocent...

Je n'avais pas encore assez de raison pour sentir combien *les apparences me condamnaient*, et pour me mettre à la place des autres. Je me tenais à la mienne, et tout ce que je sentais, c'était la rigueur d'un châtiment effroyable pour un crime que je n'avais pas commis [1].

Rousseau est ici en situation d'accusé. (Dans le premier *Discours* il joue le rôle de l'accusateur, mais dès qu'il rencontrera la contradiction il se retrouvera en situation d'accusé.) L'expérience dont nous venons de lire la description ne confronte pas abstraitement la notion de réalité et la notion d'apparence : c'est l'opposition bouleversante de l'*être-innocent* et du *paraître-coupable*. « Quel renversement d'idées! Quel désordre de sentiments! Quel bouleversement [2] »... En même temps que se révèle confusément la déchirure ontologique de l'être et du paraître, voici que le mystère de l'injustice se fait intolérablement sentir à cet enfant. Il vient d'appprendre que l'intime certitude de l'innocence est impuissante contre les preuves apparentes de la faute ; il vient d'apprendre que les consciences sont séparées et qu'il est impossible de communiquer l'évidence immédiate que l'on éprouve en soi-même. Dès lors, le paradis est perdu : car le paradis, c'était la transparence réciproque des consciences, la communication totale et confiante. Le monde lui-même change d'aspect et s'obscurcit. Et les termes dont Rousseau se sert pour décrire les conséquences de l'incident du peigne cassé ressemblent étrangement aux mots par lesquels le premier *Discours* dépeint le « cortège de vices » qui fait irruption dès qu'on « n'ose plus paraître ce qu'on est ». Dans les deux textes, Rousseau parle d'une disparition de la *confiance*, puis évoque un *voile* qui s'interpose :

Nous restâmes encore à Bossey quelques mois. Nous y fûmes comme on nous représente le premier homme encore dans le paradis terrestre, mais ayant cessé d'en jouir. C'était *en apparence* la même situation, et en effet une tout autre manière d'être. L'attachement, le respect, l'intimité, la *confiance* ne liaient plus les élèves à leurs guides ; nous ne les regardions plus comme des dieux qui lisaient dans nos cœurs : nous étions moins honteux de mal faire, et plus craintifs d'être accusés : nous commencions à nous cacher, à nous mutiner, à mentir. Tous les

1. *Confessions*, liv. Ier. *O. C.*, I, 18-20.
2. *Ibid.*

vices de notre âge corrompaient notre innocence et enlaidissaient nos jeux. La campagne même perdit à nos yeux cet attrait de douceur et de simplicité qui va au cœur. Elle nous semblait déserte et sombre ; elle s'était comme couverte d'un *voile* qui nous en cachait les beautés [1].

Les âmes désormais ne se rejoignent plus et prennent plaisir à se cacher. Tout est troublé, et l'enfant puni découvre cette incertitude de la connaissance d'autrui dont il se plaindra dans le premier *Discours* : « On ne saura donc jamais bien à qui l'on a affaire. » La catastrophe est d'autant plus grande, pour Jean-Jacques, qu'elle le sépare « précisément des gens qu'il chérit et qu'il respecte le plus [2] ». La rupture constitue un péché originel, mais un péché d'autant plus cruellement imputé que Jean-Jacques n'en est pas responsable.

De fait, il faut remarquer que dans tout le récit de l'incident du peigne, personne ne porte la responsabilité de l'intrusion initiale du mal et de la séparation. C'est un concours malheureux de circonstances. Un simple malentendu. Nulle part Rousseau ne dit que les Lambercier sont méchants et injustes. Il les décrit, au contraire, comme des êtres « doux », « fort raisonnables » et d'une « juste sévérité ». Seulement ils font erreur ; *ils ont été trompés par l'apparence de la justice*, (selon la sentence liminaire du premier *Discours*) et l'injustice se produit comme par l'effet d'une fatalité impersonnelle. Les « apparences » sont contre Rousseau. La « conviction était trop forte ». Il n'y a donc nulle part de coupable ; il n'y a qu'une imputation de crime, un paraître-coupable qui a surgi comme par hasard et qui a précipité automatiquement la punition. Les personnes sont toutes innocentes, mais leurs relations sont corrompues par le paraître et par l'injustice.

Le maléfice de l'apparence, la rupture entre les consciences mettent fin à l'unité heureuse du monde enfantin. L'unité devra désormais se reconquérir, se retrouver ; les personnes séparées devront se réconcilier : la conscience chassée de son paradis devra entreprendre un long voyage avant de faire retour dans la félicité ; il lui faudra chercher un autre bonheur, totalement différent, mais où son premier état lui serait non moins totalement restitué.

La révélation du mensonge de l'apparence est subie à la façon d'une blessure. Rousseau découvre le paraître en victime du paraître. A l'instant où il aperçoit les limites de sa subjectivité, elle lui est imposée comme *subjectivité calom-*

1. *Ibid.* Sur le thème de la transparence chez Rousseau, voir P. Burgelin, *La Philosophie de l'Existence de J.-J. Rousseau.* Paris, 1952, pp. 293-295 et *passim.*
2. *Ibid.*

niée. Les autres le méconnaissent : le moi souffre son apparence comme un déni de justice qui lui serait infligé par ceux dont il voulait être aimé.

La structure « phénoménale » du monde n'est donc qu'indirectement mise en question. La découverte du paraître, ici, n'est nullement le résultat d'une réflexion sur la nature illusoire de la réalité perçue. Jean-Jacques n'est pas un « sujet » philosophique qui analyse le spectacle du monde extérieur, et qui le révoque en doute comme une apparence formée par l'entremise trompeuse des sens. Jean-Jacques découvre que les autres ne rejoignent pas sa vérité, son innocence, sa bonne foi, et c'est ensuite seulement que la campagne s'obscurcit et se voile. Avant qu'il ne s'éprouve distant du monde, le *moi* a subi l'expérience de sa distance par rapport aux autres. Le maléfice de l'apparence l'atteint dans son existence même, avant d'altérer la figure du monde. « C'est dans le cœur de l'homme qu'est la vie du spectacle de la nature [1]. » Quand le cœur de l'homme a perdu sa transparence, le spectacle de la nature se ternit et se trouble. L'image du monde dépend du rapport entre les consciences : elle en subit les vicissitudes. L'épisode de Bossey se termine par la destruction de la transparence du cœur et, simultanément, par un adieu à l'éclat de la nature. La possibilité quasi divine de « lire dans les cœurs » n'existe plus, la campagne se voile et la lumière du monde s'obscurcit.

Le « voile » est tombé entre Rousseau et lui-même. Il lui a caché sa nature première, son innocence. Et certes, alors, Jean-Jacques s'est mis à faire le mal (« nous étions moins honteux de mal faire... nous commencions à nous cacher [2] »...) mais il n'est pas responsable de l'entrée du mal dans le monde, et s'il commence à *se* cacher, c'est parce que d'abord la vérité *s'est* cachée. Son histoire avait commencé autrement. L'enfance avait d'abord été confiance et transparence totales. La mémoire peut encore l'y replonger, et le rendre à la limpidité d'un monde plus clair ; mais il ne peut faire qu'elle n'ait été perdue et que tout ne soit obscurci :

> Nous ne voyons ni l'âme d'autrui, parce qu'elle se cache, ni la nôtre, parce que nous n'avons point de miroir intellectuel [3].

Il faut vivre dans l'opacité [4].

1. *Émile*, liv. III. *O. C.*, IV, 431.
2. *Confessions*, liv. Ier. *O. C.*, I, 21.
3. *Lettres morales*. *O. C.*, IV, 1092.
4. On dira peut-être qu'il faut éviter de recourir aux *Confessions*, si l'on cherche des documents concernant l'expérience *initiale* de Rousseau ; l'idée directrice des *Confessions* est de répondre à une inculpation calomnieuse, et l'on pourrait objec-

LE TEMPS DIVISÉ ET LE MYTHE DE LA TRANSPARENCE

Ce moment de crise — où s'abaisse le « voile » de la séparation, où le monde se ternit, où les consciences deviennent opaques les unes pour les autres, où la défiance rend à jamais l'amitié impossible, — ce moment a sa date dans une histoire : il marque le début d'un trouble dans le bonheur enfantin de Jean-Jacques. Alors commence une nouvelle époque, un autre âge de la conscience. Et ce nouvel âge se définit par une découverte essentielle : pour la première fois la conscience a un passé. Mais en s'enrichissant de cette découverte, elle découvre aussi une pauvreté, un manque essentiels. En effet, la dimension temporelle qui se creuse derrière l'instant présent n'est devenue perceptible que par le fait même qu'elle se dérobe et se refuse. La conscience se tourne vers un monde antérieur, dont elle aperçoit tout ensemble qu'il lui a appartenu et qu'il est à jamais perdu. Au moment où le bonheur enfantin lui échappe, elle reconnaît le prix infini de ce bonheur interdit. Il ne reste plus alors qu'à construire poétiquement le mythe de l'époque révolue : autrefois, avant que le voile ne se soit interposé entre le monde et nous, il y avait des « dieux qui lisaient dans nos cœurs », et rien n'altérait la transparence et l'évidence des âmes. Nous demeurions avec la vérité. Dans la biographie personnelle comme dans l'histoire de l'humanité, ce temps est situé plus près de la naissance, au voisinage de l'origine. Rousseau est l'un des premiers écrivains (il faudrait dire poètes) qui aient repris le mythe platonicien de l'exil et du retour pour l'orienter vers l'état d'enfance, et non plus vers une patrie céleste.

ter que le thème de l'accusation injustifiée, loin d'appartenir authentiquement à l'enfance de Rousseau, est la projection rétrospective de l'obsession d'un persécuté. Mais il se trouve que le premier texte que nous possédions de lui — une lettre à un cousin, écrite avant l'âge de vingt ans — est précisément un acte de disculpation : « Par tout cela tu peux connaître le caractère maudit de celui qui t'a incité à me faire ces reproches... A ce portrait reconnais l'indignité de son procédé et reviens des faux préjugés où tu es tombé à mon égard. » *Correspondance générale de Jean-Jacques Rousseau* (Paris, Armand Colin, 1924-1934, 20 vol. et tables) éditée par T. Dufour et P.-P. Plan, I, 1 ; *Correspondance complète de Jean-Jacques Rousseau* (Genève, Institut et Musée Voltaire, 12 vol. parus), édition critique par R. A. Leigh, I, 1-2. La lettre commence par la constatation d'une distance et d'un malentendu, contre lesquels Rousseau lutte pour rétablir une amitié compromise. Il se plaint d'être devenu un étranger pour son cousin : « Quoique tu m'écrives de la façon dont tu écrirais à un étranger, je ne laisse pas de te répondre à notre manière accoutumée, c'est donc sur ce ton que je tâcherai de t'éclairer sur les reproches que tu me fais dans ta lettre »... Singulier début, où s'exprime de façon rudimentaire, mais nette, l'expérience de la séparation des consciences et le grief de méconnaissance que Rousseau finira par adresser à tous ses contemporains.

Lorsqu'il s'agit d'évoquer le temps de la transparence, le premier *Discours* développe des images singulièrement analogues à celles que l'on trouve dans le récit des *Confessions.* Comme dans l'épisode de Bossey, il parle de la présence proche des « dieux » ; c'est un temps où des témoins divins demeurent parmi les hommes et lisent dans leurs cœurs ; c'est un monde où les consciences humaines se reconnaissent d'un seul regard :

> C'est un beau rivage, paré des seules mains de la nature, vers lequel on tourne incessamment les yeux, et dont on se sent éloigner à regret. Quand les hommes innocents et vertueux aimaient à *avoir les dieux pour témoins de leurs actions*, ils habitaient ensemble sous les mêmes cabanes ; mais bientôt devenus méchants, ils se lassèrent de ces incommodes spectateurs [1]...
>
> Avant que l'art eût façonné nos manières et appris à nos passions à parler un langage apprêté, nos mœurs étaient rustiques, mais naturelles; et *la différence des procédés annonçait, au premier coup d'œil, celle des caractères.* La nature humaine, au fond, n'était pas meilleure ; mais les hommes trouvaient leur sécurité dans la facilité de *se pénétrer réciproquement* [2].

Préalablement à toute théorie et à toute hypothèse sur l'état de nature, il y a l'intuition (ou l'imagination) d'une époque comparable à ce que fut l'enfance avant l'expérience de l'accusation injustifiée. L'humanité n'est alors occupée qu'à vivre tranquillement son bonheur. Un infaillible équilibre ajuste l'être et le paraître. Les hommes se montrent et sont vus tels qu'ils sont. Les apparences extérieures ne sont pas des obstacles, mais des miroirs fidèles où les consciences se rencontrent et s'accordent.

Le regret se retourne vers une « vie antérieure ». Mais s'il nous détache du monde « contemporain », il ne nous fait pas quitter le monde humain ni le paysage terrestre ; à l'horizon du bonheur antérieur, il y a cette même nature et cette même végétation qui nous environnent aujourd'hui ; il y a cette forêt que nous avons mutilée, mais dont il reste encore des étendues intactes où je puis m'enfoncer... Sans qu'il soit nécessaire d'invoquer la surnaturelle intervention d'un démon tentateur et d'une Ève tentée, l'origine de notre déchéance est explicable par des raisons tout humaines. Parce que l'homme est perfectible, il n'a cessé d'ajouter ses inventions aux dons de la nature. Et dès lors l'histoire universelle,

1. *Discours sur les Sciences et les Arts*, *O. C.*, III, 22.
2. *Op. cit.*, 8.

alourdie du poids sans cesse croissant de nos artifices et de notre orgueil, prend l'allure d'une *chute* accélérée dans la corruption : nous ouvrons les yeux avec horreur sur un monde de masques et d'illusions mortelles, et rien n'assure l'observateur (ou l'accusateur) qu'il soit lui-même épargné par la maladie universelle.

Le drame de la chute ne précède donc pas l'existence terrestre ; Rousseau transporte le mythe religieux dans l'histoire elle-même ; il la divise en deux âges : l'un, temps stable de l'innocence, règne tranquille de la pure nature ; l'autre, histoire en devenir, activité coupable, négation de la nature par l'homme.

Or si la chute est notre œuvre, si elle est un accident de l'histoire humaine, il faut admettre que l'homme n'est pas naturellement condamné à vivre dans la défiance, dans l'opacité, et dans les vices qui les escortent. Ceux-ci sont l'œuvre de l'homme, ou de la société. Il n'y a donc rien là qui nous empêche de refaire ou de défaire l'histoire, en vue de retrouver la transparence perdue. Aucune défense surnaturelle ne s'y oppose. L'essence de l'homme n'est pas compromise, mais seulement sa *situation* historique. « Peut-être voudrais-tu pouvoir rétrograder [1] ? » La question reste en suspens, mais en tout cas il n'y a pas d'épée flamboyante qui nous interdise l'accès du paradis perdu. Pour quelques-uns (sur de lointains rivages) qui n'en sont point encore sortis, peut-être est-il temps encore de « s'arrêter [2] ». Et même si, par une fatalité purement humaine, le mal est irréversible, même s'il nous faut admettre qu'un « peuple vicieux ne revient jamais à la vertu », l'histoire nous propose une tâche de résistance et de refus. Le moins que nous puissions faire, si nous ne pouvons « rendre bons ceux qui ne le sont plus », c'est de « conserver tels ceux qui ont le bonheur de l'être [3] ». Parce que l'avènement du mal a été un fait historique, la lutte contre le mal appartient aussi à l'homme dans l'histoire.

Qu'une action soit possible, qu'une libre décision puisse nous consacrer au service de la vérité voilée, Rousseau n'en doute pas. Mais quant à la nature de cette décision et de cette action, il perçoit plusieurs appels et les exprime successivement (ou simultanément) dans son œuvre : réforme morale personnelle (*vitam impendere vero*), éducation de l'individu (*Émile*), formation politique de la collectivité (*Économie*

1. *Discours sur l'Origine de l'Inégalité. O. C.*, III, 133.
2. *Ibid.*
3. *Préface de Narcisse. O.C.*, II, 971-972.

politique, *Contrat social*). A quoi s'ajoute, chez Jean-Jacques, une hésitation qui oriente son désir tantôt dans le sens d'une régression temporelle, tantôt dans le sens du présent le plus proche, refuge d'une conscience qui se suffit à elle-même ; plus rarement dans le sens d'un dépassement vers le futur. Tour à tour, il s'adonnera à la rêverie « arcadienne » d'un retour à la forêt primitive ; ou bien il plaidera pour une stabilisation conservatrice, où l'âme et la société sauvegarderaient ce qu'il leur reste encore de pur et d'originel ; ou encore il tracera « l'idée du bonheur futur du genre humain [1] », ou enfin il construira hors du temps une Cité vertueuse, des *Institutions politiques* idéales. De tant de desseins dissemblables, qu'il est si difficile d'accorder d'une façon entièrement satisfaisante, il faut retenir cette seule chose qu'ils ont en commun : leur *unité d'intention*, qui vise à la sauvegarde ou à la restitution de la transparence compromise. Dans l'appel passionné que Rousseau adresse à ses contemporains, il peut n'y avoir rien de plus qu'une invitation à cultiver la morale de la bonne volonté et de la bonne conscience, et on peut y lire aussi une invitation à transformer la société par l'action politique effective. Cette ambiguïté est embarrassante. Mais d'une façon non ambiguë, Rousseau d'abord nous appelle à vouloir le *retour de la transparence*, pour nous et dans nos vies. Il n'y a pas à se méprendre sur ce désir, aussi puissant qu'il est simple. Le malentendu commencera au moment où ce désir se verra confronté à des tâches concrètes, à des situations problématiques. Car entre le désir de transparence et la transparence possédée, le passage n'est pas instantané, l'accès n'est pas immédiat. Si l'on entreprend de se libérer du mensonge, on ne peut éviter de se poser tôt ou tard la question des *moyens* (qui sont divers et contradictoires) et de l'*action*, qui peut échouer comme elle peut réussir, et qui risque de nous faire retomber dans le monde du mensonge et de l'opacité.

SAVOIR HISTORIQUE ET VISION POÉTIQUE

Mais à quelle distance sommes-nous de la transparence perdue ? Quelles épaisseurs nous en séparent ? Quel est l'espace à franchir pour la retrouver ?

Dans le *Discours sur l'Origine de l'Inégalité*, Rousseau

1. *Dialogues*, II. *O. C.*, I, 829.

interpose « des multitudes de siècles ». L'éloignement est immense, et la lumière du premier bonheur semble presque s'effacer dans la distance des âges. Que peut-on savoir d'une période si reculée ? La raison ne peut s'empêcher de formuler quelques doutes : le temps de la transparence a-t-il vraiment eu lieu, ou n'est-ce là qu'une fiction que nous inventons, pour pouvoir reconstruire spéculativement l'histoire à partir d'une origine ? En un passage du second *Discours* où Rousseau surveille manifestement sa pensée, n'en vient-il pas à supposer que l'état de nature « n'a peut-être point existé » ? L'état de nature n'est donc que le postulat spéculatif que se donne une « histoire hypothétique », principe sur lequel la déduction pourra prendre appui, en quête d'une série de causes et d'effets bien enchaînés, pour construire l'explication génétique du monde tel qu'il s'offre à nos yeux. Ainsi procèdent presque tous les hommes de sciences et les philosophes de l'époque, qui croient n'avoir rien démontré s'ils ne sont remontés aux sources simples et nécessaires de tous les phénomènes : ils se font donc les historiens des origines de la terre, de la vie, des facultés de l'âme, des sociétés. En donnant à la spéculation le nom d'observation, ils espèrent être quittes de toute autre preuve.

De fait, à mesure que Rousseau développe sa fiction « historique », celle-ci perd son caractère d'hypothèse : une sorte d'assurance et d'ivresse viennent abolir toute prudence intellectuelle : la description de cet état premier, tout proche encore de l'animalité, devient l'évocation enchantée d'un « lieu où vivre ». Une nostalgie élégiaque s'émeut à l'idée de cette vie errante et « saine », de son équilibre sensitif, de sa juste suffisance. Image trop impérieuse, trop profondément satisfaisante, pour ne pas correspondre, dans l'esprit de Rousseau, à la stricte vérité historique. Une certitude prend corps, qui est d'essence poétique, mais qui se trompe sur sa nature : elle veut parler le langage de l'histoire, et prendre à témoin l'érudition la plus sérieuse. La conviction s'impose irréfutablement : tels furent sans conteste les débuts de l'humanité, tel fut bien le premier visage de l'homme. Rousseau se raconte l'histoire objective d'un Age de la transparence pour légitimer sa nostalgie. La certitude de Rousseau est celle de quelqu'un qui se souvient ; elle se gagne au contact, et ses disciples ne verront plus en lui l'auteur d'une « histoire hypothétique », mais le voyant (*Seher*, dira Hölderlin) qui détient la *mémoire* d'un passé très ancien, d'un temps plus beau. Dans l'ode inachevée intitulée *Rousseau*, Hölderlin écrit :

auch dir, auch dir
Erfreuet die ferne Sonne dein Haupt,
Und Strahlen aus der schönern Zeit. Es
Haben die Boten dein Herz gefunden [1].

pour toi aussi, pour toi aussi
Le lointain soleil éclaire ton front de sa joie,
Et les rayons venus d'une époque plus belle. Ils
Ont, les messagers, trouvé ton cœur.

Hölderlin fait ici de Rousseau l'un de ces « interprètes » à qui il est donné d'être touchés par la lumière d'un âge à venir ou d'un passé disparu.

LE DIEU GLAUCUS

Peut-on dire encore que la transparence originelle a disparu ? Retrouvée dans la mémoire, n'est-elle pas alors reprise dans la transparence propre de la mémoire, et par-là même, sauvée ? Nous a-t-elle tout à fait désertés ou sommes-nous encore à son voisinage ? Rousseau hésite entre deux réponses contradictoires. A un moment donné, le mythe bifurque en deux versions. La première affirme que l'âme humaine a *dégénéré*, qu'elle s'est défigurée, qu'elle a subi une altération à peu près totale, pour ne jamais retrouver sa beauté première. La seconde version, au lieu d'une déformation, évoque une sorte d'occultation : la nature primitive persiste, mais *cachée*, entourée de voiles superposés, ensevelie sous les artifices, et pourtant toujours intacte. Version pessimiste et version optimiste du mythe de l'origine. Rousseau les soutient toutes deux, alternativement, et parfois même simultanément. Il nous dit que l'homme a irrémédiablement détruit son identité naturelle, mais il proclame aussi que l'âme originelle, étant indestructible, reste à jamais identique à elle-même sous les apports externes qui la masquent.

Rousseau reprend à son compte le mythe platonicien de la statue de Glaucus :

Semblable à la statue de Glaucus que le temps, la mer et les orages avaient tellement *défigurée*, qu'elle ressemblait moins à un dieu qu'à une bête féroce, l'âme humaine altérée au sein de la société par mille causes sans cesse renaissantes, par l'acquisition d'une multitude de

1. Friedrich Hölderlin « Rousseau ». *Sämtliche Werke* (Stuttgart, Kohlhammer, 1953), II, 12-13.

connaissances et d'erreurs, par les changements arrivés à la constitution des corps, et par le choc continuel des passions, a, pour ainsi dire, *changé d'apparence* au point d'être *presque méconnaissable* [1].

Mais il y a ici un *pour ainsi dire* et un *presque* qui rendent tous les espoirs. L'image de la statue de Glaucus, dans le contexte de Rousseau, garde quelque chose d'énigmatique. Son visage a-t-il été rongé et mutilé par le temps, a-t-il à jamais perdu la forme qu'il avait en sortant des mains du sculpteur ? Ou bien a-t-il été recouvert d'une croûte de sel et d'algues, sous laquelle la face divine conserve, sans aucune perte de substance, son modelé originel ? Ou encore le visage originel n'est-il qu'une fiction destinée à servir de norme idéale pour qui veut interpréter l'état actuel de l'humanité ?

Ce n'est pas une légère entreprise de démêler ce qu'il y a d'originaire et d'artificiel dans la nature *actuelle* de l'homme, et de bien connaître un état qui n'existe plus, qui n'a peut-être point existé, qui probablement n'existera jamais, et dont il est pourtant nécessaire d'avoir des notions justes pour bien juger de notre *état présent* [2].

Rester ce qu'on était ; se laisser altérer par le changement : nous touchons ici à des catégories qui sont pour Rousseau l'équivalent des catégories théologiques de la perdition et du salut. Rousseau ne croit pas à l'enfer, mais en revanche il croit que la perte de la ressemblance est un malheur essentiel, tandis que rester semblable à soi-même est une façon de sauver sa vie, ou du moins une promesse de salut. Le temps historique, qui n'exclut pas pour Rousseau l'idée du développement organique, reste chargé de culpabilité ; le mouvement de l'histoire est un obscurcissement, il est responsable d'une déformation plutôt que d'un progrès qualitatif. Rousseau appréhende le changement comme une corruption [3] : dans le cours du temps, l'homme se défigure, il se déprave. Ce n'est

1. *Discours sur l'Origine de l'Inégalité*, préface. *O. C.*, III, 122. Cf. Platon, *République*, X, 611.
2. *Op. cit.*, 123.
3. Certains aspects, à première vue surprenants, du conservatisme politique de Rousseau s'expliquent par le fait que le changement, dans la structure d'un État, équivaut presque immanquablement à une déchéance : « Qu'on juge du danger d'émouvoir une fois les masses énormes qui composent la monarchie française! Qui pourra retenir l'ébranlement donné, ou prévoir tous les effets qu'il peut produire ?... Que le gouvernement actuel soit encore celui d'autrefois, ou que durant tant de siècles il ait changé de nature insensiblement, il est également imprudent d'y toucher. Si c'est le même, il le faut respecter ; s'il a dégénéré, c'est par la force du temps et des choses, et la sagesse humaine n'y peut plus rien. » (*Jugement sur la Polysynodie. O. C.*, III, 638). La pensée de Rousseau se rapproche sur ce point de celle de Montesquieu. Même prudence, même alternative entre la conservation de l'institution primitive et sa dégénérescence, même hésitation à passer à l'action au nom d'un progrès...

pas seulement son apparence, mais son essence même qui devient *méconnaissable*. Cette version sévère (et pour ainsi dire calviniste) du mythe de l'origine, Rousseau la propose en divers moments de son œuvre. L'on décèle, à la source de cette idée, une angoisse très réelle, avivée par le sentiment de l'irréparable. Rousseau a maintes fois affirmé que le mal était sans retour, qu'une fois franchi un certain seuil fatal, l'âme était perdue et n'avait d'autre ressource que d'accepter sa perte. Un « naturel étouffé », nous dit-il, ne revient jamais, et « l'on perd alors à la fois ce qu'on a détruit et ce qu'on a fait [1]. »

Infortunés! que sommes-nous devenus? Comment avons-nous cessé d'être ce que nous fûmes [2]?

Déformation où, semble-t-il, plus rien ne subsiste de la forme originelle. Lui-même, il s'est senti atteint et menacé :

Les goûts les plus vils, la plus basse polissonnerie succédèrent à mes aimables amusements, sans m'en laisser même la moindre idée. Il faut que, malgré l'éducation la plus honnête, j'eusse *un grand penchant à dégénérer* ; car cela se fit très rapidement, sans la moindre peine, et jamais César si précoce ne devint si promptement Laridon [3].

A ce passage, qui suit de près l'épisode de Bossey, on peut ajouter un texte de la fin de la vie de Rousseau, témoignage d'autant plus significatif qu'il date d'une époque où celui-ci ne cesse d'affirmer sa permanente fidélité à soi-même :

Peut-être sans m'en apercevoir ai-je *changé moi-même plus qu'il n'aurait fallu*. Quel naturel résisterait sans *s'altérer* à une situation pareille à la mienne [4] ?

Question à laquelle il se hâte de répondre par la négative. Car précisément, au moment où tout a changé pour lui, au moment où il croit vivre dans un rêve, Rousseau s'oppose de toutes ses forces à l'angoisse de l'altération intérieure, et lutte pour la sauvegarde de son identité. Quelque chose a

1. *La Nouvelle Héloïse*, partie V, lettre III. *O. C.*, II, 564. Et déjà, dans l'*Épître à Parisot* :

Il n'est rien, que le temps ne corrompe à la fin
Tout jusqu'à la sagesse est sujet au déclin.

(*O. C.*, II, 1138)

2. *La Nouvelle Héloïse*, IIIe partie, lettre XVI. *O. C.*, II, 336.
3. *Confessions*, liv. Ier. *O. C.*, I, 30-31.
4. *Rêveries*, sixième Promenade. *O. C.*, I, 1055.

changé, mais son âme est restée la même. Il rejette au dehors la responsabilité de l'altération. Ce sont les autres qui ont subi la métamorphose la plus surprenante, et qui, méconnaissables eux-mêmes, défigurent son image et ses œuvres. Lui-même, il est resté ce qu'il était. Ses sentiments n'ont changé que parce que les réalités extérieures ne sont plus les mêmes :

> Mais les choses ont bien changé de face... aussitôt que mes malheurs ont commencé. J'ai vécu dès lors dans une génération nouvelle qui ne ressemblait point à la première, et mes propres sentiments pour les autres ont souffert des changements que j'ai trouvés dans les leurs. Les mêmes gens que j'ai vus successivement dans ces deux générations si différentes se sont pour ainsi dire assimilés successivement à l'une et à l'autre [1].
>
> ...Moi le même homme que j'étais, le même que je suis encore [2].

Sous le masque que les autres imposent du dehors à son visage, Jean-Jacques n'a pas cessé d'être Jean-Jacques. Au moment où il est le plus sombrement obsédé par la persécution, il riposte en se racontant à lui-même la version optimiste du mythe de l'origine : rien n'a été perdu, le temps n'a pas altéré l'essentiel, il n'a rongé qu'en surface, le mal vient du dehors mais reste au-dehors. Le visage de Glaucus est demeuré intact sous l'écume qui le défigure. Jean-Jacques applique alors à lui-même (et à lui seul) une idée qu'il avait auparavant formulée au sujet de l'homme en général, et qui opposait à la notion de la *nature perdue* celle de la *nature cachée*, d'une nature que l'on peut masquer mais qui ne sera jamais détruite. Trop puissante et peut-être trop divine pour que nous puissions la transformer ou la supprimer, elle élude nos entreprises profanatrices et se réfugie dans les profondeurs, où elle n'est que dissimulée sous des enveloppes extérieures. Elle est oubliée, mais non réellement perdue, et si la mémoire nous la fait entrevoir au fond du passé, c'est que nous sommes déjà près de la délivrer de ses voiles et de la retrouver présente et vivante en nous-mêmes.

> Les maux de l'âme [...] *altérations externes* et passagères d'un être immortel et simple, s'effacent insensiblement et le laissent *dans sa forme originelle* que rien ne saurait changer [3].

Alors Rousseau invoque avec confiance une « nature que rien ne détruit », il devient le poète de la permanence dévoilée.

1. *Op. cit.*, 1054.
2. *Rêveries*, première Promenade. *O. C.*, I, 996.
3. *La Nouvelle Héloïse*, partie III, lettre XXII. *O. C.*, II, 389.

Il découvre en lui-même la proximité de la transparence originelle ; et cet « homme de la nature » qu'il avait cherché dans la profondeur des âges, il en retrouve maintenant les « traits originels » dans la profondeur du moi. Celui qui sait rentrer en soi-même peut voir resplendir à nouveau le visage du dieu submergé, délivré de la « rouille » qui le masquait :

D'où le peintre et l'apologiste de la nature aujourd'hui si *défigurée* et si calomniée peut-il avoir tiré son modèle, si ce n'est de son propre cœur? Il l'a décrite comme il se sentait lui-même. Les préjugés dont il n'était pas subjugué, les passions factices dont il n'était pas la proie, n'offusquaient point à ses yeux comme à ceux des autres ces premiers traits si généralement oubliés ou méconnus. Ces traits si nouveaux pour nous et si vrais, une fois tracés trouvaient bien encore au fond des cœurs l'attestation de leur justesse, mais jamais ils ne s'y seraient remontrés d'eux-mêmes si l'historien de la nature n'eût commencé par ôter la rouille qui les cachait. Une vie retirée et solitaire, un goût vif de rêverie et de contemplation, l'habitude de rentrer en soi, et d'y rechercher dans le calme des passions ces premiers traits disparus chez la multitude pouvaient seuls les lui faire retrouver. En un mot, il fallait qu'un homme se fût peint lui-même pour nous montrer ainsi l'homme primitif [1]...

La connaissance de soi équivaut à une réminiscence, mais ce n'est nullement par un effort de mémoire que Rousseau retrouve ces « premiers traits », qui appartiennent pourtant à un monde antérieur. Pour découvrir l'homme de la nature et pour en devenir l'historien, Rousseau n'a pas eu à remonter au commencement des temps : il lui a suffi de se peindre lui-même et de se rapporter à sa propre intimité, à sa propre nature, dans un mouvement à la fois passif et actif, se cherchant lui-même, s'abandonnant à la rêverie. Le recours à l'intériorité atteint la même réalité, déchiffre les mêmes normes absolues que l'exploration du passé le plus reculé. Ainsi ce qui était premier dans l'ordre des temps historiques se retrouve comme ce qui est le plus profond dans l'expérience actuelle de Jean-Jacques. La distance historique n'est plus que distance intérieure, et cette distance est bientôt franchie, pour celui qui sait s'abandonner pleinement au sentiment qui s'éveille en lui. Désormais la nature (comme la présence de Dieu pour saint Augustin [2]), cessant d'être ce qu'il y a de plus lointain derrière nous, s'offre comme ce qui est le plus central en nous. On le voit, la norme n'est

1. *Dialogues*, III. *O. C.*, I, 936.
2. Cf. H. Gouhier, « Nature et Histoire chez Rousseau », *Annales J.-J. Rousseau*, XXXIII, 1953-1955 ; repris dans : *Les Méditations métaphysiques de Jean-Jacques Rousseau* (Paris, Vrin, 1970), chap. I, 11-34.

plus transcendante, elle est immanente au moi. Il suffit d'être sincère, d'être soi, et dorénavant l'homme de la nature n'est plus le lointain archétype auquel je me réfère, il coïncide avec ma propre présence, avec mon existence elle-même. La transparence ancienne résultait de la présence naïve des hommes sous le regard des dieux ; la nouvelle transparence est un rapport intérieur au moi, une relation de soi à soi ; elle se réalise dans la limpidité du regard sur soi-même, qui permet à Jean-Jacques de se peindre tel qu'il est. Une *image* peut alors surgir, qui équivaut (Rousseau nous l'assure) à l'histoire authentique de l'espèce entière et qui ressuscite le passé perdu pour le révéler comme le présent éternel de la nature. Les hommes y retrouvent la certitude d'une commune ressemblance. (« Chaque homme porte la forme entière de l'humaine condition », disait Montaigne.) Parce que Jean-Jacques a su s'abandonner à lui-même, les hommes se reconnaîtront à leur tour. Derrière leurs fausses vérités, ils retrouvent une présence oubliée, une forme qui demeurait intacte sous les voiles ; les voici délivrés de l'oubli...

On peut donc ressaisir la nature première de l'homme sans avoir à remonter aux origines réelles, et sans s'aventurer dans les reconstructions historiques. Rousseau s'en explique d'une façon fort nette dans le second *Discours*, où on le voit renoncer assez facilement à toute assertion sur les « véritables origines », pour se réserver le droit d'éclairer, par voie d'hypothèse, la *nature des choses* :

> Il ne faut pas prendre les recherches dans lesquelles on peut entrer sur ce sujet pour des vérités historiques, mais seulement pour des raisonnements hypothétiques et conditionnels, plus propres à éclaircir la *nature* des choses qu'à montrer la *véritable origine* [1]...

Mais la nature de l'homme peut-elle être saisie indépendamment de l'histoire humaine ? Rousseau hésite. De fait, s'il ne peut se passer de la notion d'une nature humaine essentielle, il ne peut davantage renoncer à l'idée d'un devenir historique, qui lui permet de donner une explication plausible de l'altération que l'humanité a subie en s'éloignant de ses bienheureuses origines. Rousseau voudrait tout ensemble se réserver la possibilité d'accuser la perversion dont la société est responsable, et garder le droit de proclamer la permanence de la bonté originelle. Il y a là une double affirmation, qui peut passer pour contradictoire, et qu'on n'a pas manqué de reprocher à Jean-Jacques. Car dans la mesure où la société

1. *Discours sur l'Origine de l'Inégalité. O. C.*, III, 132-133.

est œuvre humaine, on doit admettre que l'homme est coupable et porte la faute de tout le mal qu'il s'est fait à lui-même ; mais d'autre part, dans la mesure où l'homme ne cesse pas d'être un enfant de la nature, il conserve une innocence indestructible. Comment concilier l'affirmation : « L'homme est naturellement bon », et cette autre affirmation : « Tout dégénère entre les mains de l'homme ? »

UNE THÉODICÉE QUI DISCULPE L'HOMME ET DIEU

Cassirer l'a bien montré[1] : les postulats de Rousseau permettent de résoudre le problème de la théodicée, sans imputer l'origine du mal ni à Dieu ni à l'homme pécheur.

> Il [n'est] pas nécessaire de supposer l'homme méchant par sa nature, lorsqu'on [peut] marquer l'origine et le progrès de sa méchanceté. Ces réflexions me conduisirent à de nouvelles recherches sur l'esprit humain considéré dans l'état civil, et je trouvai qu'alors le développement des lumières et des vices se faisait toujours en même raison, non dans les individus, mais dans les peuples ; distinction que j'ai toujours soigneusement faite, et qu'aucun de ceux qui m'ont attaqué n'a jamais pu concevoir[2].

Le mal se produit par l'histoire et la société, sans altérer l'essence de l'individu. La faute de la société n'est pas la faute de l'homme essentiel, mais celle de l'homme en relation. Or, à la condition de dissocier l'homme essentiel et l'homme en relation, à la condition de séparer sociabilité et nature humaine, on peut attribuer au mal et à l'altération historique une situation *périphérique* par rapport à la permanence centrale de la nature originelle. Le mal, dès lors, pourra se confondre avec la passion de l'homme pour ce qui lui est extérieur, pour le dehors, le prestige, le paraître, la possession des biens matériels. Le mal est extérieur et il est la passion de l'extérieur : si l'homme se livre tout entier à la séduction des biens étrangers, il sera tout entier soumis à l'empire du mal. Mais rentrer en soi sera pour lui, en tout temps, la ressource du salut. Rousseau ne se contente donc pas de réprouver l'extériorité, comme presque tous les moralistes l'avaient fait avant lui : il l'incrimine dans la définition même du mal. Cette condamnation n'est que la contrepartie

1. Ernst Cassirer, « Das Problem Jean-Jacques Rousseau », *Arch. für Geschichte der Philosophie*, 1932.
2. *Lettre à Christophe de Beaumont. O. C.*, IV, 967.

d'une disculpation qui prétend sauver — une fois pour toutes — l'essence intérieure de l'homme. Repoussé à la périphérie de l'être, rejeté dans le monde de la relation, le mal n'aura pas le même statut ontologique que la « bonté naturelle » de l'homme. Le mal est voile et voilement, il est masque, il a partie liée avec le factice, et il n'existerait pas si l'homme n'avait la dangereuse liberté de nier, par l'artifice, le donné naturel. C'est entre *les mains* de l'homme, et non dans son *cœur*, que tout dégénère. Ses mains travaillent, changent la nature, font l'histoire, aménagent le monde extérieur, et produisent à la longue la différence entre les époques, la lutte entre les peuples, l'inégalité entre les « particuliers ».

Dans une même page (préface de *Narcisse*), Rousseau protestera contre la « fausse philosophie » qui prétend que « les hommes sont partout les mêmes », mais il soutiendra que les vices du monde contemporain « n'appartiennent pas tant à l'homme, qu'à l'homme mal gouverné [1] ». Contradiction significative. Rousseau, de la sorte, affirme en même temps la permanence d'une innocence essentielle, et le mouvement de l'histoire, qui est altération, corruption morale, dégénérescence politique, et qui promeut l'état de conflit et l'injustice parmi les hommes [2].

Dans les théories du progrès qui seront proposées plus tard, on verra intervenir une hypothèse assez analogue, qui visera à concilier le postulat de la permanence de la nature humaine avec l'idée d'un changement collectif. « L'homme reste le même, l'humanité progresse toujours », dira Gœthe. On a contesté la validité du pessimisme historique du second *Discours*, et l'on a admis plus volontiers la thèse optimiste de Gœthe. Cependant, du point de vue philosophique, le problème est identique. Chez l'un comme chez l'autre, il faut concilier la stabilité de la nature humaine et la mobilité du développement réel de l'histoire ; il faut expliquer pourquoi l'homme (en tant qu'individu) possède le privilège de demeurer « le même », tandis que l'humanité (en tant que collectivité) est soumise au changement.

Rousseau cependant n'a besoin de l'histoire que pour lui demander l'explication du mal. C'est l'idée du mal qui donne au système sa dimension historique. Le devenir est le mouvement par lequel l'humanité se rend coupable. L'homme n'*est* pas naturellement vicieux ; il l'est *devenu*. Le retour au bien coïncide alors avec la révolte contre l'histoire, et, en

1. *Préface de Narcisse. O. C.*, II, 969.
2. Voir, au livre IV de l'*Émile*, la position que prend Rousseau sur l'idée de progrès. *O. C.*, IV, 676.

particulier, contre la situation historique actuelle. S'il est vrai que la pensée de Rousseau est révolutionnaire, il faut aussitôt ajouter qu'elle l'est au nom d'une nature humaine éternelle, et non pas au nom d'un progrès historique. (Il faudra *interpréter* l'œuvre de Rousseau pour voir en elle un facteur décisif dans le progrès politique du XVIIIe siècle.) Nous allons le voir, sa pensée sociale, consciente de la nécessité d'affronter le monde et « les hommes tels qu'ils sont », vise surtout à instaurer, ou à restaurer la souveraineté de l'immédiat, c'est-à-dire le règne d'une valeur sur laquelle la durée n'a pas de prise.

3l

II

CRITIQUE DE LA SOCIÉTÉ

Rousseau prend place, dans son siècle, parmi les écrivains qui contestent les valeurs et les structures de la société monarchique. Si différents qu'ils aient été, la contestation crée entre ces auteurs une ressemblance et leur donne un air de fraternité : chacun d'eux pourra être considéré, à quelque titre, comme un ouvrier ou un annonciateur de la prochaine Révolution. Ainsi s'explique la réconciliation posthume de Rousseau et de Voltaire, leur commune apothéose, leur promotion au rang de divinité *bifrons* ou de dyade tutélaire. La gravure populaire les immortalisera côte à côte, travestis en génies lampadophores, un candélabre à la main, répandant devant eux les lumières, et rayonnants d'éclat luciférien.

Rousseau veut saisir le principe du mal. Il met en cause la société, l'ordre social dans son ensemble. L'effort critique, chez lui, ne se disperse pas et ne se donne pas pour tâche d'affronter une à une les multiples manifestations du mal. Il remonte à une cause générale, qui le dispense d'attaquer isolément tel abus particulier, telle usurpation, telle imposture. (Au reste, il est trop égocentrique pour prendre le rôle du redresseur de torts. Voltaire a son affaire Calas, et dix autres semblables. Rousseau est débordé par l'affaire Rousseau.)

Rousseau fait l'histoire de ses pensées : il a observé une discordance entre les actes et les paroles des hommes ; cette différence s'explique par une autre différence, celle de l'être et du paraître ; mais il faut encore en chercher la cause. Rousseau la formule ainsi :

> Je la trouvai dans notre ordre social, qui, de tout point contraire à la nature que rien ne détruit, la tyrannise sans cesse, et lui fait sans cesse réclamer ses droits. Je suivis cette contradiction dans ses conséquences, et je vis qu'elle expliquait seule tous les vices des hommes et tous les maux de la société [1].

Dans ce passage, qui résume très fermement la substance des deux *Discours*, Rousseau définit de la façon la plus claire l'objet et la portée de sa critique sociale : la contestation concerne la société en tant que celle-ci est contraire à la nature. Cette société *négatrice* de la nature (de l'ordre naturel) n'a pas supprimé la nature. Elle entretient avec elle un conflit permanent, d'où naissent les maux et les vices dont souffrent les hommes. La critique de Rousseau amorce donc une « négation de la négation » : elle *accuse* la civilisation, dont la caractéristique fondamentale est sa *négativité* par rapport à la nature. La culture établie nie la nature, telle est l'affirmation pathétique des deux *Discours* et de *l'Émile*. Les « fausses lumières » de la civilisation, loin d'éclairer le monde humain, voilent la transparence naturelle, séparent les hommes les uns des autres, particularisent les intérêts, détruisent toute possibilité de confiance réciproque, et substituent à la communication essentielle des âmes un commerce factice et dénué de sincérité ; ainsi se constitue une société où chacun s'isole dans son amour-propre et se protège derrière une apparence mensongère. Paradoxe singulier qui, d'un monde où la relation économique entre les hommes semble plus étroite, en fait effectivement un monde d'opacité, de mensonge, d'hypocrisie :

> Je me plains de ce que la philosophie relâche les liens de la société qui sont formés par l'*estime et la bienveillance mutuelles*, et je me plains de ce que les sciences, les arts et tous les autres objets de commerce resserrent les liens de la société par l'*intérêt personnel*. C'est qu'en effet on ne peut resserrer un de ces liens que l'autre ne se relâche d'autant. Il n'y a donc point en ceci de contradiction [2].

Rousseau confronte ici, de façon significative, deux types de relation, qui s'opposent comme la transparence à l'opacité. L'estime et la bienveillance constituent un lien par lequel les hommes se rejoignent *immédiatement* : rien ne s'interpose

1. *Lettre à Christophe de Beaumont. O. C.*, IV, 966-967.
2. *Préface de Narcisse. O. C.*, II, 968.

entre les consciences, elles s'offrent spontanément dans une entière évidence. En revanche, les liens aménagés par l'intérêt personnel ont perdu ce caractère immédiat. Le rapport ne s'établit plus directement de conscience à conscience : il passe désormais par des choses. La perversion qui en résulte provient non seulement du fait que les choses s'interposent entre les consciences, mais aussi du fait que les hommes, cessant d'identifier leur intérêt avec leur existence personnelle, l'identifient désormais avec les *objets* interposés qu'ils croient indispensables à leur bonheur. Le moi de l'homme social ne se reconnaît plus en lui-même, mais se cherche au dehors, parmi les choses ; ses moyens deviennent sa fin. L'homme tout entier devient chose, ou esclave des choses... La critique de Rousseau dénonce cette aliénation et propose pour tâche un retour à l'immédiat.

La société civilisée, en développant toujours davantage son opposition à la nature, obscurcit le rapport immédiat des consciences : la perte de la transparence originelle va de pair avec l'aliénation de l'homme dans les choses matérielles. L'analyse de Rousseau, sur ce point, préfigure celles de Hegel et de Marx ; elle leur ressemble d'autant plus qu'elle prend appui sur une description du devenir historique de l'humanité. En effet, le *Discours sur l'Origine de l'Inégalité* est une histoire de la civilisation comme progrès de la négation du donné naturel, progrès auquel correspond une dégradation de l'innocence originelle. L'histoire des techniques est exposée en étroite liaison avec l'histoire morale de l'humanité. Mais, à la différence de l'effort philosophique du XIXe siècle, et en contraste avec les prétentions positivistes de certains de ses contemporains, Rousseau cherche à fonder un jugement moral concernant l'histoire, plutôt qu'à établir un savoir anthropologique. C'est en moraliste qu'il écrit l'histoire de la morale. D'où l'aspect ambigu de sa démonstration. Les stades par où l'homme a passé, l'état auquel il aboutit doivent d'abord être établis comme des faits ; une fois établis, ils doivent être acceptés : l'humanité a subi des transformations inéluctables, elle en est fatalement arrivée à son état présent, voilà qui est hors de contestation. Mais la validité du fait ne nous permet pas de préjuger du droit. Les faits historiques ne justifient rien, l'histoire n'a pas de légitimité morale, et Rousseau n'hésite pas à condamner, au nom des valeurs éternelles, le mécanisme historique dont il a montré la nécessité, et qu'il a étendu aux fonctions morales elles-mêmes.

Ayant retracé la progression de la culture et l'ayant définie comme négation de la nature, Rousseau oppose à la culture un refus, une nouvelle négation, qui est la conséquence d'un jugement moral et qui se réclame d'un absolu éthique. L'indignation de Rousseau (lui-même homme « naturel ») contre la société (création historique) est l'expression pathétique de ce conflit. Il prend la parole pour dire non à l'anti-nature. La situation présente, avec son luxe et sa misère, est à la fois historiquement motivée, et moralement inacceptable. Rousseau comprend la société de son temps, mais il lui oppose une réprobation scandalisée. La pensée de Rousseau ne pourra donc pas s'arrêter là. Car comprendre un monde opaque n'est pas encore retrouver ou rétablir la transparence. Loin d'équivaloir pour Rousseau à une adhésion intellectuelle, la compréhension n'établit « le fait » que pour lui opposer aussitôt « le droit ». Il proteste contre la méthode de Grotius : sa « manière de raisonner est d'établir toujours le droit par le fait [1] ». Rousseau juge et condamne, au nom du droit, les faits dont il prouve la nécessité historique. Et comme il lui faut, pour réaliser l'idéal de la transparence, un monde où le fait coïncide avec le droit, il cherchera ce monde tantôt en deçà de l'histoire, dans les « anciens temps » où le progrès corrupteur n'existe pas encore, — tantôt au-delà, dans un futur abstrait où le désordre actuel serait surmonté par un ordre plus parfait.

L'INNOCENCE ORIGINELLE

Avant que les arts et les lumières se soient propagés, le *fait* humain n'est pas assez développé pour s'opposer à un droit encore inexprimé : l'homme primitif est « bon » parce qu'il n'est pas assez actif pour faire le mal. C'est un jugement rétrospectif du moraliste qui décide de cette bonté. L'homme de la nature, lui, vit « naïvement » dans un monde amoral, ou prémoral. La différence du bien et du mal n'existe pas pour sa conscience bornée. Il n'y a donc pas véritablement accord entre le fait et le droit : leur conflit ne s'est pas encore élevé. Dans l'horizon limité de l'état de nature, l'homme vit dans un équilibre qui ne l'oppose encore ni au monde ni à lui-même. Il ne connaît ni le travail (qui l'opposera à la nature), ni la réflexion (qui l'opposera à lui-même et à ses semblables) :

> Ses désirs ne passent point ses besoins physiques... Son imagination ne lui peint rien ; son cœur ne lui demande rien. Ses modiques besoins se trouvent si aisément sous sa main, et il est si loin du degré de connais-

1. *Contrat social*, liv. Ier, chap. II. *O. C.*, III, 353.

sances nécessaire pour désirer d'en acquérir de plus grandes, qu'il ne peut avoir ni prévoyance, ni curiosité... Son âme, que rien n'agite, se livre au seul sentiment de son existence actuelle [1].

Dans cette suffisance parfaite, l'homme n'a pas besoin de transformer le monde pour satisfaire ses besoins. C'est là une variante « animale » et « sensitive » de l'idéal stoïcien d'autarcie. L'homme ne sort pas de lui-même, il ne sort pas de l'instant présent ; en un mot, il vit dans l'*immédiat.* Et si chaque sensation est nouvelle pour lui, cette discontinuité apparente n'est qu'une façon de vivre la *continuité* de l'immédiat. Rien ne s'interpose entre ses « désirs bornés » et leur objet, l'intercession du langage est à peine nécessaire ; la sensation ouvre directement sur le monde, au point que l'homme sait à peine se distinguer de ce qui l'entoure. L'homme connaît alors un contact limpide avec les choses, et que l'erreur ne trouble pas encore : les sens, limités à eux-mêmes, non contaminés par le jugement et la réflexion, ne subissent aucune distorsion. De même que Rousseau donne rétrospectivement la qualification morale de la bonté à la situation prémorale, il attribue rétrospectivement une valeur de vérité à l'expérience préréflexive, qu'il suppose parfaitement passive. A cet état où l'homme est supposé vivre en deçà de la distinction du vrai et du faux, Rousseau accorde le privilège de la possession immédiate de la vérité. De l'aveu même de Rousseau, c'est bien là un état d'enfance, et qu'un enfant d'aujourd'hui pourrait encore vivre si on le ne « corrompait » précocement. Émile est « tout entier à son être actuel, mais jouissant d'une plénitude de vie qui semble vouloir s'étendre hors de lui... Ses sens encore purs sont exempts d'illusions [2]. »

La façon dont Rousseau parle de la « vérité des sens » n'est pas différente de ce que propose la philosophie de Condillac, pour qui l'erreur ne commence qu'au moment où nous jugeons les données sensibles :

Il n'y a ni erreur, ni obscurité, ni confusion, dans ce qui se passe en nous, non plus que dans le rapport que nous en faisons au-dehors... Si l'erreur survient, ce n'est qu'autant que nous jugeons [3].

1. *Discours sur l'Origine de l'Inégalité. O. C.*, III, 143-144.
2. *Émile*, liv. II. *O. C.*, IV, 370. Ce rapprochement entre Émile et le sauvage du second *Discours* est suggéré par Georges Poulet dans les *Études sur le Temps humain.* On remarquera que le Jean-Jacques des *Dialogues* — « indolent », « bon » mais incapable de l'effort qui constitue la « vertu » — a plus d'un trait commun avec le « sauvage ».
3. Condillac, *Essai sur l'Origine des Connaissances humaines*, I, I, II, § 11.

La sensation a toujours raison, mais elle ne sait pas qu'elle a raison [1].

TRAVAIL, RÉFLEXION, ORGUEIL

Mais, de même que l'enfant, en grandissant, quitte le monde de la sensation pour entrer dans le « monde moral », puis dans le monde social, de même l'homme primitif perd le paradis de la pure sensibilité, d'une façon progressive et irréversible. Dans ce processus, Rousseau attribue un rôle capital à la lutte contre les obstacles naturels. Les modifications psychologiques ne surviendront qu'après l'utilisation des outils. Chronologiquement, c'est le travail et le *faire* instrumental qui précèdent le développement du jugement et de la réflexion.

Telle fut la condition de l'homme naissant ; telle fut la vie d'un animal borné d'abord aux pures sensations, et profitant à peine des dons que lui offrait la nature, loin de songer à lui rien arracher ; mais il se présenta bientôt des difficultés ; il fallut apprendre à les vaincre... Les armes naturelles qui sont les branches d'arbres, et les pierres, se trouvèrent bientôt sous sa main. Il apprit à surmonter les obstacles de la nature, à combattre au besoin les autres animaux, à disputer sa subsistance aux hommes mêmes, ou à se dédommager de ce qu'il fallait céder au plus fort [2].

De nouveaux obstacles obligeront les hommes à agencer de nouveaux outils, moins « naturels » que les branches et les pierres : la distance s'accroît ainsi entre la nature et l'homme, distance créée par l'*artifice* auquel celui-ci recourt pour mieux dominer son milieu :

Des années stériles, des hivers longs et rudes, des étés brûlants qui consument tout, exigèrent d'eux une nouvelle industrie. Le long de la mer et des rivières ils inventèrent la ligne et le hameçon, et devinrent pêcheurs et ichtyophages. Dans les forêts ils se firent des arcs et des flèches [3]...

De cette lutte qui oppose activement l'homme au monde résultera son évolution psychologique. La faculté de comparer le rendra capable d'une réflexion rudimentaire : il

1. Rousseau n'a pas toujours proclamé la « vérité des sensations » Dans les moments où il « platonise », il discrédite les sens comme des puissances d'erreur : « Ce sont si l'on veut cinq fenêtres par lesquelles notre âme voudrait se donner du jour ; mais les fenêtres sont petites, le vitrage est terne, le mur épais, et la maison fort mal éclairée.» (*Lettres morales. O. C.*, IV, 1092.)
2. *Discours sur l'Origine de l'Inégalité. O. C.*, III, 164-165.
3. *Op. cit.*, 165.

saura apercevoir des différences entre les choses, il se saura différent des animaux, il se verra dans sa supériorité, et déjà surgit un vice : l'orgueil.

Cette application réitérée des êtres divers à lui-même, et des uns aux autres, dut naturellement engendrer dans l'esprit de l'homme les perceptions de certains *rapports*. Ces relations... produisirent enfin chez lui *quelque sorte de réflexion*.

Les nouvelles lumières qui résultèrent de ce développement augmentèrent sa supériorité sur les autres animaux, en la lui faisant connaître... C'est ainsi que le premier regard qu'il porta sur lui-même *y produisit le premier mouvement d'orgueil* [1].

Rousseau enchaîne de la sorte toute une série de « moments » qui se conditionnent les uns les autres, et que l'homme parcourt du fait de sa perfectibilité. A l'obstacle naturel s'oppose le travail ; celui-ci provoque la naissance de la réflexion, laquelle produit « le premier mouvement d'orgueil ».

Avec la réflexion finit l'homme de la nature et commence « l'homme de l'homme ». La chute n'est autre que l'intrusion de l'orgueil ; l'équilibre de l'être sensitif est rompu ; l'homme perd le bienfait de la coïncidence innocente et spontanée avec lui-même. Si la nature « nous a destinés à être sains, j'ose presque assurer que l'état de réflexion est un état contre nature, et que l'homme qui médite est un animal dépravé [2] ». Alors va commencer la division active entre le *moi* et l'*autre* ; l'amour-propre vient pervertir l'innocent amour de soi, les vices naissent, la société se constitue. Et tandis que la raison se perfectionne, la propriété et l'inégalité s'introduisent parmi les hommes, le mien et le tien se séparent toujours davantage. La rupture entre être et paraître marque désormais le triomphe du « factice », l'écart toujours plus grand qui nous éloigne non pas seulement de la nature extérieure, mais de notre nature intérieure.

Chacun commença à regarder les autres et à vouloir être regardé soi-même [3].

Il fallut pour son avantage se montrer autre que ce qu'on était en effet. Être et paraître devinrent deux choses tout à fait différentes, et de cette distinction sortirent le faste imposant, la ruse trompeuse, et tous les vices qui en sont le cortège [4].

L'homme s'aliène dans son apparence, Rousseau présente le paraître à la fois comme la *conséquence* et comme la *cause*

1. *Op. cit.*, 165-166.
2. *Op. cit.*, 138.
3. *Op. cit.*, 169.
4. *Op. cit.*, 174.

des transformations économiques. De fait, Rousseau lie profondément le problème moral et le problème économique. L'homme social, dont l'existence n'est plus autonome mais relative, invente sans cesse de nouveaux désirs qu'il ne peut satisfaire par lui-même. Il lui faut des richesses et du prestige : il veut posséder des objets et dominer des consciences. Il ne croit être lui-même que lorsque les autres le « considèrent » et le respectent pour sa fortune et son apparence. Catégorie abstraite, d'où toutes sortes de maux concrets pourront découler, le *paraître* explique à la fois la division intérieure de l'homme civilisé, sa servitude, et le caractère illimité de ses besoins. C'est l'état le plus éloigné du bonheur que l'homme primitif éprouvait en s'abandonnant à l'immédiat. Pour l'homme du paraître, il n'y a plus que des moyens, et lui-même se trouve réduit à n'être qu'un moyen. Aucun de ses désirs ne peut être assouvi immédiatement ; il doit passer par l'imaginaire et le factice ; l'opinion des autres, le travail des autres lui sont indispensables. Comme les hommes ne cherchent plus à satisfaire leurs « vrais besoins », mais ceux qu'a créés leur vanité, ils seront constamment hors d'eux-mêmes, étrangers à eux-mêmes, esclaves les uns des autres. Le langage de Rousseau, quand il dénonce les aliénations de l'état social, préfigure nettement Kant et Hegel, tout en restant à bien des égards un langage de moraliste stoïcien [1]. Dans ce qui sonne ici comme une anticipation des philosophies modernes de l'histoire, on retrouve tous les thèmes de la sagesse antique :

> De libre et indépendant qu'était auparavant l'homme, le voilà par une multitude de nouveaux besoins assujetti, pour ainsi dire, à toute la nature, et surtout à ses semblables dont il devient l'esclave en un sens, même en devenant leur maître ; riche, il a besoin de leurs services ; pauvre, il a besoin de leurs secours, et la médiocrité ne le met point en état de se passer d'eux. Il faut donc qu'il cherche sans cesse à les intéresser à son sort, et à leur faire trouver en effet ou en apparence leur profit à travailler pour le sien : ce qui le rend fourbe et artificieux avec les uns, impérieux et dur avec les autres [2]...

Le despotisme s'imposera comme la forme extrême de la servitude désormais universelle, où l'homme est esclave à la fois de son semblable et de ses propres besoins. Accablés par la tyranie, les hommes retrouvent une nouvelle sorte d'égalité, mais dans l'écrasement et la nullité : « C'est ici que tous les

1. Rousseau met en parallèle le « repos et la liberté » de l'homme sauvage avec « l'ataraxie du stoïcien » (*op. cit.*, 192).
2. *Op. cit.*, 174-175.

particuliers redeviennent égaux parce qu'ils ne sont rien [1] »... Le cercle se referme : partis de l'égalité dans l'indépendance présociale, nous aboutissons à l'égalité parfaitement servile de la société despotique. Un processus s'est développé, où l'homme s'est produit lui-même, mais en subissant une dégradation morale parallèle à son progrès intellectuel et technique. Il a fait de lui-même un être factice, sans cesser d'aggraver le conflit qui l'oppose à la nature.

LA SYNTHÈSE PAR LA RÉVOLUTION

Cette situation est-elle sans issue ? Nous laisse-t-elle sans possibilité de dépassement ? Quand Engels [2] interprétera le *Discours sur l'Origine de l'Inégalité*, il mettra l'accent sur le moment final du texte de Rousseau : les hommes asservis, soumis à la violence brutale du despote, recourent à leur tour à la violence pour se libérer et pour renverser le tyran :

> Le despote n'est le maître qu'aussi longtemps qu'il est le plus fort... Sitôt qu'on peut l'expulser, il n'a point à réclamer contre la violence. L'émeute qui finit par étrangler ou détrôner un sultan est un acte aussi juridique que ceux par lesquels il disposait la veille des vies et des biens de ses sujets. La seule force le maintenait, la seule force le renverse ; toutes choses se passent ainsi selon l'ordre naturel [3].

Il y a donc un « ordre naturel » dans cette histoire où l'homme s'éloigne de son « état naturel ». Ainsi, ajoute Engels, l'inégalité se transforme finalement en égalité, mais ce que réalise la révolution finale n'est plus l'ancienne égalité naturelle de l'homme primitif dénué de langage, mais l'égalité plus haute du contrat social. Les oppresseurs sont opprimés. Les termes antérieurs sont à la fois conservés et dépassés. Les hommes accomplissent alors la négation de la négation. Cette interprétation hégélienne et marxiste suppose que l'on puisse lire le *Contrat social* comme la suite, voire comme le dénouement du *Discours sur l'Origine de l'Inégalité.*

Une telle mise en perspective de l'œuvre de Rousseau est assurément séduisante. Elle est recevable à la condition que l'on mette bout à bout les deux œuvres, selon le fil d'une séquence continue.

On objectera sans doute qu'à examiner isolément le second *Discours*, la situation révolutionnaire qui survient au terme

1. *Op. cit.*, 191.
2. Friedrich Engels, *Anti-Dühring* (Zürich, 1886), 131.
3. *Discours sur l'Origine de l'Inégalité. O C.*, III, 191.

de l'histoire ne provoque aucun changement décisif. Elle est infructueuse : elle n'inaugure qu'une *immobilité* dans le mal, diamétralement contraire à l'immobilité dans l'innocence qui caractérisait l'état de nature. La révolution contre le despote n'instaure pas une nouvelle justice ; ayant perdu l'égalité dans l'indépendance naturelle, l'homme connaît maintenant l'égalité dans la servitude : Rousseau ne fait pas appel à l'espoir et ne nous dit pas comment les hommes pourraient surmonter leur destin et conquérir l'égalité dans la liberté civile (dont il sera question dans le *Contrat social*). Il ne s'attend qu'à de « courtes et fréquentes révolutions », c'est-à-dire à un état d'anarchie permanente. L'humanité, à l'ultime degré de sa déchéance morale, est incapable d'échapper au désordre de la violence. On assiste à une fin de l'histoire, mais à une fin chaotique : le mal est désormais sans appel [1].

D'autre part, à considérer séparément le *Contrat social*, rien n'y vient évoquer les circonstances historiques présentes ou futures. L'hypothèse du contrat se situe au commencement de la vie sociale, à la sortie de l'état de nature. Il n'y est pas question de détruire une société imparfaite pour établir la liberté égalitaire. Rousseau évite ainsi le problème pratique du passage d'une société antécédente à la société parfaitement juste. (Ce problème, il l'envisagera plus sérieusement, quand il s'agira de donner des conseils aux Polonais.) D'un seul coup, sans passer par des étapes intermédiaires, il nous fait accéder à la décision qui fonde le règne de la volonté générale et de la loi raisonnable. Cette décision a un caractère inaugural, mais non pas révolutionnaire. Bien qu'il pose nettement le problème du législateur, Rousseau ne situe pas son hypothèse juridique dans une phase déterminée de l'histoire concrète de l'humanité · il ne précise pas le genre d'action qui pourra rendre possible sa réalisation. Le pacte social ne s'accomplit pas dans la ligne d'évolution décrite par le second *Discours*, mais dans une autre dimension, purement normative et située hors du temps historique. L'on repart du commencement légitime, *ex nihilo*, sans se poser la question des conditions de la réalisation de l'idéal politique. L'histoire ainsi recommencée débute raisonnablement par l'aliénation de la volonté de tous aux mains de tous, au lieu de débuter par l'affirmation possessive : « ceci est à moi. » Cette société échapperait ainsi d'emblée à la malchance historique qui, par un enchaînement nécessaire et fatal, a con-

1. Notons toutefois une indication rapide, mais nette, d'une éventualité plus favorable : ces « nouvelles révolutions dissolvent tout à fait le gouvernement *ou le rapprochent de l'institution légitime* » (*O. C.*, III, 187).

damné l'humanité réelle à déchoir et à se corrompre irréversiblement. Elle constitue le modèle idéal au nom duquel il devient possible de porter jugement contre la société corrompue [1].

LA SYNTHÈSE PAR L'ÉDUCATION

L'interprétation d'Engels unit le *Contrat* au second *Discours* en passant par l'idée de révolution (la « négation de la négation »). Kant, et plus récemment Cassirer, considèrent également la pensée théorique de Rousseau comme un tout cohérent. Ils y trouvent la même dialectique, le même rythme ternaire de la pensée. Mais pour arriver à la réconciliation des termes opposés, ils ne passent pas par l'idée de révolution mais assignent une importance décisive à l'*éducation.* Le moment final est le même, c'est la réconciliation de la nature et de la culture dans une société qui retrouve la nature et dépasse les injustices de la civilisation. Les deux interprétations diffèrent essentiellement sur ce qui constitue la transition entre le second *Discours* et le *Contrat.* Rousseau n'ayant pas explicité cette transition, l'exégète doit la construire, à l'aide des indices qu'il peut rencontrer, et dont aucun n'est décisif. Un certain arbitraire est inévitable, puisqu'il faut penser la pensée de Rousseau au-delà de ce qu'il a affirmé. Engels choisit de passer par les deux ou trois dernières pages du second *Discours*, où Rousseau évoque le retour de l'égalité et la révolte des esclaves. Kant et Cassirer choisissent d'intercaler l'*Émile* et les théories pédagogiques de Rousseau, pour établir le lien nécessaire entre les analyses du second *Discours*

1. Cf. *Émile*, liv. V. *O. C.*, IV, 837. Rousseau est certainement sincère lorsqu'il se défend d'avoir voulu troubler l'ordre établi et renverser les institutions de la France monarchique. Dans les *Lettres de la Montagne* (Ire partie, lettre VI) il assure que le *Contrat social*, loin de proposer l'image d'une cité qui devrait supplanter la société existante, se borne à décrire ce que fut la République de Genève avant les troubles qui l'ont corrompue. Dans les *Confessions*, en revanche, le *Contrat* nous est présenté comme une œuvre de réflexion abstraite, pour laquelle Rousseau n'a pas voulu « chercher d'application ». Il n'a fait qu'user pleinement du « droit de penser », que les hommes possèdent universellement... Seulement n'oublions pas que les *Confessions*, les *Dialogues*, les *Rêveries* recomposent le passé pour lui donner la couleur d'une innocente rêverie. Un Rousseau innocent n'a écrit que des œuvres innocentes. Dans cette perspective, les écrits politiques semblent perdre leur portée : ils ne sont plus que le témoignage des élans d'une belle âme. Ce qui avait été théorie politique est dorénavant interprété comme une expression du moi : « Son système peut être faux ; mais en le développant il s'est peint lui-même au vrai » (*Dialogues*, III. *O. C.*, I, 934). Tout se résorbe dans la poésie de l'aveu personnel. Rousseau ne veut plus que son œuvre indique une action possible ; elle ne désigne que son auteur, elle est portrait indirect, elle peint une effervescence généreuse, mais qu'on ne devrait pas juger comme si elle tirait à conséquence dans le domaine politique.

et la construction positive du *Contrat*. Révolution ou éducation : c'est le point capital sur lequel s'opposent cette lecture « marxiste » et cette lecture « idéaliste » de Rousseau, une fois leur accord établi sur la nécessité d'une interprétation globale de sa pensée théorique.

Kant est l'un des premiers à affirmer que la pensée de Rousseau suit un plan rationnel : ceux qui l'accusent de se contredire ne la comprennent pas. Rousseau, selon Kant [1], n'a pas seulement dénoncé le conflit de la culture et de la nature, mais il en a cherché la solution. Rousseau s'est efforcé de penser les conditions d'un progrès de la culture « qui permît à l'humanité de développer ses dispositions (*Anlagen*) en tant qu'espèce morale (*sittliche Gattung*) sans désobéir à sa détermination (*zu ihrer Bestimmung gehörig*), de façon à surmonter le conflit qui l'oppose à elle-même en tant qu'espèce naturelle (*natürliche Gattung*) ». Nous retrouvons la nature, au moment où l'art et la culture atteignent leur plus haut point de perfection : « L'art achevé devient à nouveau nature. » Ce que Kant nomme art, c'est l'*institution* juridique, l'ordre libre et raisonnable auquel l'homme décide de conformer son existence. La fonction suprême de l'éducation et du droit, tous deux fondés sur la liberté humaine, est de permettre à la nature de s'épanouir dans la culture. Désormais (ajoutera Cassirer [2]), les hommes retrouvent l'immédiat dont ils jouissaient auparavant dans leur existence naturelle [3]. Mais ce qu'ils découvrent maintenant, ce n'est plus seulement l'immédiat primitif de la sensation et du sentiment, mais l'immédiat de la volonté autonome et de la conscience raisonnable.

D'ailleurs, dès la fin du premier *Discours*, Rousseau laissait entrevoir la possibilité d'une réconciliation : si les hommes, et surtout les princes, le veulent bien, la séparation pourrait être surmontée, une véritable communauté pourrait se rétablir... Le mal ne réside pas essentiellement dans le savoir et dans l'art (ou la technique), mais dans la désintégration de l'unité sociale. On constate, dans les circonstances actuelles, que les arts et les sciences favorisent cette désintégration et l'accélèrent. Cependant rien n'empêche qu'ils ne servent à

1. Dans un essai de 1786 : *Muthmasslicher Anfang der Menschengeschichte* (Conjectures sur les débuts de l'histoire humaine), *Gesammelte Schriften* (Berlin, Reimer, 1912), VIII, 107 et sq.
2. E. Cassirer, *op. cit.*, 498.
3. Eric Weil souligne la même idée : « L'homme peut vivre dans l'indépendance naturelle, il peut vivre dans la dépendance totale de la loi, qui est liberté parce qu'elle est dépendance immédiate de la nécessité de la raison, de même que la dépendance de l'homme naturel était immédiate à la nature » (« J.-J. Rousseau et sa politique », in *Critique*, n° 56, janvier 1952, p. 9).

des fins meilleures. Aussi le propos de Rousseau n'est-il pas de bannir sans recours les arts et les sciences, mais de restaurer la totalité sociale, en faisant appel à l'impératif de la *vertu*, seule capable de créer la cohésion nécessaire :

> ... C'est alors seulement qu'on verra ce que peuvent *la vertu, la science et l'autorité* animées d'une noble émulation et *travaillant de concert* à la félicité du genre humain. Mais tant que la puissance sera seule d'un côté, les lumières et la sagesse seules d'un autre, les savants penseront rarement de grandes choses, les princes en feront plus rarement de belles, et les peuples continueront d'être vils, corrompus et malheureux [1].

Ce que Rousseau déplore, c'est que le pouvoir politique et la culture visent à des fins discordantes. Car il est prêt à absoudre la culture, à la condition qu'elle devienne partie intégrante d'une totalité harmonieuse, et n'engage plus les hommes à rechercher des avantages et des plaisirs séparés. Il ne rêve donc nullement d'abolir la science ; il conseille au contraire de la conserver, mais en supprimant le conflit qui oppose actuellement « la puissance » et « les lumières »... Rousseau en appelle aux princes et aux académies (par politesse sans doute envers l'Académie de Dijon). Mais derrière la courtisanerie de certaines formules, on perçoit nettement le vœu d'un retour à l'unité, d'un réveil de la confiance, d'une communication reconquise. Alors, rien de ce que les hommes ont pensé et inventé ne serait rejeté, tout serait repris dans le bonheur d'une vie réconciliée.

1. *Discours sur les Sciences et les Arts. O. C.*, III, 30. Mais c'est dans la première version du *Contrat social* que l'idéal de synthèse est formulé le plus nettement. Rousseau nous invite à chercher « dans l'art perfectionné la réparation des maux que l'art commencé fit à la nature » (*O. C.*, III, 288).

III

LA SOLITUDE

Si les interprètes se contredisent, c'est parce que Rousseau n'a fait qu'esquisser la possibilité d'une synthèse qui rétablirait l'unité perdue. Cette possibilité se fait pressentir dans un horizon très indistinct, comme le point virtuel où les lignes disjointes devraient venir se rencontrer. Rousseau a pensé historiquement le problème des origines de l'inégalité, mais il ne s'est pas préoccupé de résoudre le problème « eschatologique » de la fin de l'inégalité [1] dans l'histoire humaine. Le *Contrat social* est un postulat sans point de repère historique : il pose la nécessité d'une liberté civile qui résulterait de l'aliénation, consentie par tous les hommes, de l'indépendance naturelle. Conduite rigoureusement, la réflexion philosophique eût obligé Rousseau à s'interroger sur les conditions d'une synthèse qui intéresserait l'ensemble de la société. Pour cela, il eût fallu non pas seulement rêver le moment parfait où la société s'épanouit dans la liberté, mais formuler les moyens d'action concrète qui permettraient d'y accéder. Mais pour penser patiemment les conditions historiques d'un retour à l'unité, il eût fallu que Rousseau fût capable de s'oublier lui-même. Et un Rousseau capable de se déprendre de lui-même n'est plus Jean-Jacques Rousseau. Il est trop pressé d'atteindre à ce bonheur que l'histoire ne peut lui assurer dès maintenant. Cette réconciliation qu'il ne peut qu'entrevoir dans un passé ou dans un avenir lointains, ne pourrait-elle se produire pour lui seul, ici même, de son

1. Plus exactement : de l'inégalité abusive, car Rousseau est partisan d'une inégalité « proportionnée », ou, si l'on préfère, d'une « méritocratie », où les avantages seraient conférés en fonction des mérites et des services rendus à la « patrie ».

vivant ? Tout ce passe comme si l'impatience de Jean-Jacques transportait le problème au niveau de sa propre vie, pour y chercher une solution *immédiate*. Après l'effort que Rousseau a accompli pour formuler une pensée concernant le monde et l'histoire universelle, le voici qui se replie sur le plan de la subjectivité, comme repoussé vers l'intériorité par l'urgence même des questions qu'il a posées en termes historiques et sociaux. L'époque n'est pas prête à résoudre ces problèmes, et Jean-Jacques n'est pas désireux de se quitter lui-même et de sortir dans le monde de l'action. Y aurait-il quelque chose à faire, la tâche ne concerne pas le monde extérieur mais le moi.

Après avoir posé les problèmes dans la dimension historique, Rousseau en vient à les vivre dans la dimension de l'existence individuelle. Cette œuvre qui commence comme une philosophie de l'histoire s'achève en « expérience » existentielle. Elle annonce à la fois Hegel et son contradicteur Kierkegaard. Deux versants de la pensée moderne : la marche de la raison dans l'histoire, le tragique d'une recherche du salut individuel.

L'auteur du second *Discours* s'interroge : que vais-je faire de ma vie ? Il lui semble qu'on n'attend pas de lui un nouvel ouvrage littéraire où il résoudrait les antithèses qu'il a si violemment confrontées. Ce qui est requis de lui, pense-t-il, c'est que son existence devienne un exemple, que ses principes deviennent visibles dans sa vie même. A lui d'abord de montrer ce qu'est la nature et cette unité primitive que la civilisation compromet. La décision ne concerne et n'engage désormais que lui seul, et non pas la collectivité humaine dont il a si brillamment analysé l'évolution.

A ce point, l'on se demandera si toute la théorie historique de Rousseau n'est pas une construction destinée à justifier un choix personnel. S'agit-il pour lui de vivre selon ses principes ? Tout au contraire, n'a-t-il pas forgé des principes et des explications historiques à seule fin d'excuser et de légitimer son étrange vie, sa timidité, sa maladresse, son humeur inégale, cette Thérèse si fruste avec qui il s'est mis en ménage ? Le conflit que Jean-Jacques dénonce dans l'histoire a aussi tous les aspects d'un conflit personnel. Il faut constater l'équivoque, et ne pas chercher à s'en défaire pour la commodité de l'interprétation.

Rousseau est seul. Les personnages qu'il rencontre sont tous masqués. « Tous mettent leur être dans le paraître [1]. »

1. *Dialogues*, III. *O. C.*, I, 936.

Il médite solitairement sur le destin collectif des hommes. Toutefois sa méditation n'est pas désintéressée, puisqu'elle lui permettra de mettre sur le compte de l'histoire et de la société les fautes de sa vie personnelle. Il démontrera qu'il a raison d'être seul et singulier. Il se préoccupera moins de prouver la vérité de son système que le bien-fondé de son attitude. Peu à peu, l'apologie personnelle se substituera à la pensée spéculative...

Au moment où il s'en prend aux vices de la société, il n'a personne à ses côtés et ne veut avoir aucun allié. Il se rend d'autant plus solitaire qu'il élève une protestation plus générale. (D'autres diront : il se veut solitaire, ce qui l'oblige à élever la protestation la plus générale.) Sa critique, qui s'en prend à un mal radical, ne veut rien avoir de commun avec la critique que les « philosophes » dirigent de leur côté contre les institutions abusives. Car la critique des philosophes n'est encore, aux yeux de Rousseau, qu'une expression du mal social. Loin d'en être l'ennemie, elle en est le produit le plus élaboré et le plus empoisonné ; elle travaille activement pour le pire. Non seulement les « philosophes » ne font pas exception à la vanité et à la corruption universelles, mais ils tirent profit de ce monde mauvais qui tend à sa propre destruction. Leur influence ne fait qu'aggraver la séparation des consciences et le morcellement de l'unité civique. (Plus tard, Rousseau reprendra la même idée sous une forme paranoïaque. Il imaginera une ligue persécutrice où entreraient à la fois les philosophes et les pouvoirs publics : les Encyclopédistes et Choiseul sont donc complices dans le mal. Au lieu de se combattre, ils s'entraident.)

Les philosophes font encore partie du monde qu'ils critiquent. Rousseau pourra les accuser tout ensemble d'être intéressés à la *conservation* des institutions vicieuses, et d'être les *destructeurs* des liens sociaux véritables. Parasites d'une société qui se désagrège, ils jettent le ridicule sur les notions qui devraient lier les hommes à l'intérieur d'un ordre plus juste. « Ils sourient dédaigneusement à ces vieux mots de patrie et de religion [1]. » Mais ce n'est là chez eux qu'une « fureur de se distinguer », un moyen de réussite sociale dans une société qui elle-même a cessé d'être une patrie, et qui se moque de sa propre religion. Dans les salons, où triomphent l'apparence et l'opinion, l'on peut tout dire mais l'on ne croit rien de ce que l'on dit : les protestations des philosophes font partie du

1. *Discours sur les Sciences et les Arts. O. C.*, III, 19.

bavardage social, discours inauthentiques sur un monde inauthentique.

Pour ne pas être le pire de ces discoureurs, Rousseau se sépare et cherche à faire exception. Si son refus avait visé l'arbitraire des institutions, l'injustice du pouvoir absolu, l'absurdité de certains usages et de certains abus, rien encore ne l'éloignait décisivement des Encyclopédistes, rien ne faisait de sa solitude le complément nécessaire de sa pensée : il n'eût été solitaire que par humeur, par maladie, par narcissisme, et sa solitude, simple détail biographique, ne nous eût intéressé que médiocrement. Entre la solitude de Rousseau et sa pensée, aucun lien profond ne serait intervenu.

Mais la révolte de Rousseau, dirigée contre l'essence même de la société contemporaine, est d'une telle envergure que, pour soutenir sa validité, elle doit venir d'un homme qui s'est exclu lui-même de la société. Il ne peut garantir le sérieux de son défi qu'en prenant pied — seul et contre tous — dans un lieu extérieur à la société mensongère. Le mal étant coextensif à l'univers social, le mensonge et l'hypocrisie prévalent aussi loin que s'étend la société. Il faut donc à tout prix en sortir, il faut devenir une *belle âme.*

La véhémence et l'absolu de sa critique entraînent Rousseau dans la solitude. (D'autres diront : voulant être seul, il allègue pour excuse le mal radical qui pervertit la vie en commun.) S'il souhaite qu'on le prenne au sérieux, il va devoir être beaucoup plus qu'un écrivain d'opposition : il se voit obligé de devenir la vivante opposition. Sa critique ne comptera vraiment qu'au moment où sa vie tout entière sera la *contradiction* exemplaire.

Celui qui devient écrivain pour dénoncer le mensonge de la société se met dans une situation paradoxale. En se faisant auteur, et surtout lorsqu'il inaugure sa carrière par un prix d'académie, il entre dans le circuit social de l'opinion, du succès, de la mode. Il est donc, d'entrée de jeu, suspect de duplicité et contaminé par le péché qu'il attaque. A mesure que sa solitude deviendra plus absolue, Rousseau se confirmera de plus en plus dans l'idée que son début littéraire fut le commencement d'une malédiction : « Dès cet instant je fus perdu [1]. » Le seul rachat possible consiste à faire acte public de séparation : un arrachement devient nécessaire, et un perpétuel dégagement tiendra lieu de justification. Je vous parle, mais je ne suis pas l'un des vôtres. J'appartiens à un

[1] *Confessions*, liv. VIII. *O. C.*, I, 351.

autre monde, à une autre patrie. Vous ne savez plus ce qu'est une patrie, et moi, je suis citoyen de Genève. Non, je ne suis même pas citoyen de Genève, car les Genevois ne sont plus ce qu'ils étaient. Votre Voltaire est venu les corrompre. Je suis simplement : le citoyen [1]... Devenu homme de lettres, l'accusateur ne sera jamais assez excusé de sa compromission avec le mal, qui se perpétue en lui tant que continue l'acte d'écrire. L'excuse elle-même, aussi longtemps qu'elle est publique, est encore un lien avec le monde de l'opinion, et n'efface pas la faute. A la limite, il faudrait faire silence, devenir nul pour les autres. Mais Rousseau ne pourra pas se taire, il ne pourra faire autrement que d'*écrire* sa volonté de devenir nul...

Le problème qui se pose à Rousseau consiste donc à supprimer un écart perpétuellement renaissant entre sa vie et ses principes. Il faut que toute sa conduite s'oppose à l'artifice du monde corrompu qu'il dénonce, et auquel pourtant il participe encore trop. Il doit faire en sorte que sa protestation ne passe pas pour le langage ordinaire de la littérature. Il annonce périlleusement, dans de trop belles paroles, une vérité qui condamne la vaine éloquence et proclame la vertu d'une sagesse silencieuse.

La proposition : la société est contraire à la nature, a pour conséquence immédiate : *je* m'oppose à la société. C'est le *je* qui prend à sa charge la tâche de refuser une société qui est négation de la nature. La *négation de la négation* devient ainsi fondamentalement, une attitude vécue (au lieu d'intervenir comme un processus historique, ou du moins comme le projet d'une action historique). La société est collectivement négation de la nature ; Jean-Jacques sera solitairement et individuellement négation de la société. Nous voilà renvoyés des théories historiques de Rousseau à l'individu Jean-Jacques ; de l'analyse spéculative de l'évolution humaine aux problèmes intérieurs d'une existence. Passage illogique d'une catégorie à l'autre, d'une tentative de savoir objectif à l'expérience subjective ; et rien pourtant ne saurait être plus logiquement enchaîné, selon cette logique de la morale qui veut l'accord des actes et des paroles. Jean-Jacques inscrira son salut personnel sur le fond de la perdition collective qu'il dénonce.

On a insisté sur l'accent « moderne » ou « romantique » de l'invidualisme de Rousseau. On en montrerait aisément les

1. Peu de temps après avoir écrit la lettre par laquelle il renonce à la citoyenneté genevoise, Rousseau demande à Du Peyrou de l'appeler citoyen.

sources antiques et surtout stoïciennes. Vivre en accord avec soi-même et avec la nature, c'est un précepte que Rousseau a pu trouver chez Sénèque ou chez Montaigne. Il ne fait que reprendre, mais dans un singulier élan de passion, un très ancien lieu commun de morale :

> J'appliquai toutes les forces de mon âme à briser les fers de l'opinion, et à *faire* avec courage tout ce qui me paraissait bien, sans m'embarrasser aucunement du jugement des hommes [1].

Rousseau ne veut pas être considéré comme un déclamateur et un sophiste : il conformera ses actes à ses paroles, il vivra sa vérité sans se laisser influencer par le jugement des autres. Il entrera ainsi dans une solitude justifiée : il sera seul à avoir raison contre tous les autres. Il pourra rendre compte raisonnablement de sa solitude, la fonder sur des valeurs universelles. Mais cette décision n'apporte pas à Rousseau le contentement intérieur — l'ataraxie — que promet la sagesse antique. Elle le voue au conflit et au déchirement. De fait, il est à peu près impossible que Rousseau puisse vivre ce qu'il pense sans une extrême tension et un perpétuel malentendu dans son commerce avec les autres. Sa résolution de vivre vertueusement équivaut à la recherche délibérée du malheur. *Comment vivre, contre tous les hommes, une vérité universelle ?* N'y a-t-il pas une contradiction radicale entre le repli dans la solitude et l'appel à l'universel ? Suis-je encore justifié par l'universel, quand je prends le parti de ne « m'embarrasser aucunement du jugement des hommes »?

Rousseau ne peut ni pardonner à ce monde mensonger, ni le quitter tout à fait. Il s'en écarte, mais se retourne pour l'accuser. Il renie le monde sans mourir au monde. Il est désormais captif d'un rôle qui l'oblige à *se montrer* vertueux au yeux du public. Il conserve ce dernier lien qui lui permet de venir dire qu'il a rompu tous les liens avec l'opinion. Le mouvement de reprise de soi, les actes singuliers par lesquels Rousseau reprend possession de sa liberté sont destinés à faire voir Jean-Jacques (en même temps qu'ils font voir la vérité qu'il a choisie). Ainsi l'option pour la solitude ne s'accomplit pas entièrement : par son exhibitionnisme, Rousseau reste pris au piège de la société. Il le sait lui-même, il en souffre et il ne cesse de s'en punir. Mais pour apporter à sa pensée théorique la preuve de l'existence vécue, il ne peut se passer

1. *Confessions*, liv. VIII. *O. C.*, I, 362. Kierkegaard à son tour dira : « La transparence de l'existence exige d'être ce qu'on enseigne. » *Journal*, trad. K. Ferlov et J.-G. Gateau (Paris, Gallimard, 1957), vol. IV, 149.

de témoins : sa manière de vivre devra être publiée comme l'ont d'abord été ses idées. Sa réforme personnelle, par laquelle il entend s'affranchir de la servitude de l'opinion, n'atteindra complètement son but qu'à la condition d'émouvoir l'opinion : « Ma résolution fit du bruit [1]... » Et ses ennemis diront qu'il n'a construit son système que pour mettre en valeur la singularité de sa personne.

Admettons cette double perspective : Rousseau conforme sa vie aux exigences de sa pensée théorique ; mais inversement, il adapte son système aux exigences de sa « sensibilité », c'est-à-dire à son besoin de satisfactions affectives. Dans « l'allure singulière » qu'il adopte, il y a un mouvement d'orgueil et un comportement destiné à appeler les regards ; c'est sur quoi la critique n'a pas manqué de l'accabler. Mais Rousseau est le premier à en convenir ; la plus sévère critique et la plus ironique vient de Rousseau lui-même. C'est de lui-même que nous apprenons à nous méfier de lui. Ce qui apparaît comme un héroïque sacrifice à l'exigence de la vertu n'est quelquefois qu'un sophisme du cœur : l'accusation se trouve dans le texte même des *Confessions* [2]. Rousseau est le premier à soulever le reproche de la mauvaise foi. Il est vrai qu'il n'inculpe que sa raison, dont il se désolidarise. En employant les arguments de la « froide raison », il lui est advenu de plaider des causes dont le but ultime n'était pas le service d'une vérité rationnelle, mais la satisfaction d'un intérêt vital assez obscur ou d'une « libido » pathologique.

Dans le discours passionné de Rousseau, dans ses anathèmes raisonnables contre la réflexion, on perçoit une ivresse qui altère le droit exercice de la raison, mais on doit y reconnaître aussi le désir de faire entrer les zones obscures de l'expérience vécue dans la lumière d'une raison vraiment souveraine. La confusion, chez Rousseau, du *pathos* et du *logos*, peut recevoir une double interprétation : là où il semble que le pathos vient pervertir le logos, il faut voir aussi l'effort (jamais complètement couronné de succès) d'une conscience qui veut s'arracher à son pathos pour accéder à la sérénité du logos — « dans le calme des passions [3] ». Le mouvement même par lequel Rousseau s'arrache à la passion est encore un sou-

1. *Op. cit.*, 364-365.
2. Voir en particulier, au liv. IX des *Confessions*, la façon dont Rousseau critique les « sophismes » par lesquels il se disculpait de son amour pour Mme d'Houdetot.
3. Rappelons cette remarque de Joubert : « Dans les écrits de J.-J. Rousseau par exemple, l'âme est toujours mêlée avec le corps et elle ne s'en sépare jamais. » (*Carnets*, éd. A. Beaunier, vol. II, 496). Mais aussi, et avec une nuance de dérision : « Rousseau a donné des entrailles et des mamelles aux mots. » (*Ibid.*, 729.)

bresaut de la passion : il est trop constamment accablé par le sentiment du trouble intérieur pour n'avoir pas le désir d'accéder à la clarté raisonnable. Mais la raison qu'il revendique n'est pas la raison des raisonneurs, source de certitude intellectuelle : il ne désire clarifier ses idées que pour mieux trouver la justification de son existence. Une vie dont la singularité demeurerait injustifiable est condamnée à la déraison absolue : à l'insignifiance. Ce qui importe, c'est d'*échapper* à ce non-sens ; en revanche, Jean-Jacques dédaigne de s'*établir* dans la raison commune, telle que les autres la prônent. Car il ne veut pas sacrifier sa solitude, mais la sauver, et c'est à la vérité rationnelle — à la fois intime, universelle, et méconnue des autres hommes — qu'il attribue le pouvoir sanctifiant [1].

On n'a pas assez souligné, dans le récit de la « réforme personnelle », le curieux mélange de fierté et d'ironie. Il affirme hautement la grandeur de son entreprise, et s'en moque aussitôt comme d'une duperie. C'est un acte inouï de courage, et c'est un accès de fièvre et de « sot orgueil ». Rousseau autorise ainsi une double interprétation de sa « réforme ». En un sens, le défi solitaire qu'il lance à la société peut être interprété comme l'*idéologie* d'un timide et d'un malade qui espère tirer le meilleur parti possible de son inadaptation, au point d'en faire son plus haut titre de gloire. Il ne peut pas vivre parmi les autres ? Eh bien, que son éloignement et sa mine embarrassée aient au moins la signification d'une conversion passionnée à la vertu ! Puisqu'il se sent mal à l'aise dans les salons, qu'il attire donc leur attention en claquant la porte ! « Vous avez beaucoup vécu dans l'opinion des autres [2] », lui écrira Mirabeau. Mais en un autre sens, il s'est agi de transformer une carrière d'écrivain en un destin héroïque : dégager la vie hors de l'aventure littéraire, ajuster sévèrement la conduite réelle à l'idéal de vertu qui s'était d'abord imposé par son attrait livresque, et enfin, fort de cette vérité conquise par l'existence, déployer une pensée *écrite* dont le thème paradoxal sera le refus de la littérature. « L'ouvrage que j'entreprenais ne pouvait s'exécuter que dans une retraite absolue [3]. » Pour la première fois, le problème du dépassement « existentiel » de la littérature se pose en dehors des directions offertes par la spiritualité religieuse traditionnelle : le renon-

1. Sur le rôle dévolu à la raison, voir l'ouvrage de Robert Derathé, *Le rationalisme de J.-J. Rousseau* (Paris, 1948).
2. *Correspondance générale*, DP, vol. XVI, 239.
3. *Rêveries*, troisième Promenade. *O. C.*, I, 1015.

cement aux vanités du monde, la conversion à « un autre monde moral [1] » n'acheminent pas Rousseau vers l'Église, mais vers la Forêt et vers la vie errante.

Mais tandis que ceux qui se réfugient dans l'Église peuvent garder le silence (car l'Église parle alors en leur nom, pour justifier leur silence, par la bouche des saints et des docteurs), Rousseau qui n'a de justification qu'en lui-même ne pourra jamais entrer dans le silence. Il n'aura jamais fini de reprendre la parole car il n'aura jamais fini d'expliquer le vrai sens de sa solitude. Il sait en effet qu'elle peut aussi être interprétée comme la solitude du méchant et de l'orgueilleux. « Il n'y a que le méchant qui soit seul [2] » déclare Diderot. Rousseau, qui s'est senti visé, lui répondra tout le reste de sa vie, car l'équivoque ne lui est pas tolérable.

La lutte n'eût pas été si tragique pour Rousseau, s'il n'eût été question pour lui que de se singulariser et de manifester sa différence. Il ne doit pas seulement (en habit d'Arménien) jouer le rôle de l'autre, mais, en face d'une société mauvaise, manifester ce qui est radicalement *autre que le mal*, c'est-à-dire faire apparaître aux regards des hommes le *bien* qu'ils ont méconnu. La tension tragique, chez Rousseau, ne résulte pas seulement de la séparation et de la rupture elles-mêmes, mais de la nécessité de faire coïncider à tout moment sa solitude avec le bien et la vérité essentiels, tels qu'il les reconnaît en son for intérieur, mais tels aussi qu'ils puissent être reconnaissables par tous. Nous ne sommes donc pas simplement en présence de la revendication irrationnelle d'une conscience qui prétendrait se poser en s'opposant ; la subjectivité de Rousseau réclame des privilèges, non pas seulement pour être pleinement *reconnue* par les autres (ce qui est déjà beaucoup quand on est un fils d'artisan genevois égaré parmi les maréchaux de France et les fermiers généraux), non pas pour imposer au monde le spectacle d'une singularité irréductible, mais pour se faire accepter comme l'interprète légitime d'une vérité que les autres ont laissé tomber dans l'oubli. Rousseau veut donner à sa parole solitaire le sens d'un défi négateur et d'une *prophétie*. En s'opposant aux autres, Rousseau ne cherche pas uniquement à imposer son *moi* singulier, mais il fait l'effort héroïque de coïncider avec les valeurs universelles : liberté, vertu, vérité, nature.

Rousseau s'établit dans la solitude afin de pouvoir parler légitimement au nom de l'universel. Il quitte la grande ville, il rompt avec ses « soi-disant amis ». Cherche-t-il refuge dans

1. *Ibid.*
2. *Confessions*, liv. IX. *O. C.*, I, 455.

le « mystère » ou dans la « profondeur spirituelle » de l'existence subjective ? Nullement : il ne faut pas attribuer à Rousseau un romantisme qu'il ne fait que préfigurer d'assez loin. L'intuition subjective, si elle n'a nullement le caractère intellectuel qu'elle avait chez Descartes et chez Malebranche, leur ressemble cependant en ceci, qu'elle prétend déboucher sur l'universel, et que cet universel, par surcroît, n'est pas essentiellement irrationnel ou suprarationnel. *Rentrer en soi-même*, c'est à coup sûr se rapprocher d'une plus grande clarté rationnelle et d'une évidence *immédiatement* sensible, par opposition au non-sens qui règne dans la société. Les incertitudes de Rousseau sur la valeur de la raison s'éclairent si l'on aperçoit que la raison ne lui paraît dangereuse que dans la mesure où elle prétend saisir la vérité d'une façon non immédiate, c'est-à-dire par des arguments successifs, par une suite ou une « chaîne » de raisonnements. Quand Rousseau fait le procès de la raison, il s'en prend surtout à la raison discursive. Il redevient rationaliste sitôt qu'il peut s'en remettre à une raison intuitive, capable d'illumination immédiate. Le choix essentiel ne se donne pas entre la raison et le sentiment, mais entre la voie médiate et l'accès immédiat. Rousseau opte pour l'immédiat et non pour l'irrationnel. La certitude immédiate peut appartenir tour à tour au sentiment, à la sensation, ou à la raison. A la condition que l'immédiat soit sauvegardé, Rousseau n'établit pas de précellence entre les « immédiats sensibles » et les « immédiats rationnels [1] ». Au contraire, raison et sentiment se révèlent dès lors parfaitement conciliables. Rousseau ne s'en prend qu'à la raison raisonnante (à ce que Kant appellera l'entendement), qui inspire « les insensés jugements des hommes [2] ». Cette raison instrumentale emprisonne les hommes dans la subjectivité trouble de l'opinion et de l'illusion. Rousseau en dénoncera l'absurdité ; au regard d'une raison plus profonde, les fausses clartés du raisonnement commun sont un non-sens.

Par un paradoxe qu'on n'a cessé de lui reprocher, Rousseau se fait un étranger pour protester contre le règne de l'aliénation, qui rend les hommes étrangers les uns aux autres. La décision par laquelle il épouse la cause de la vérité absente l'entraîne à revendiquer le destin de l'exilé ; et le mouvement par lequel il devient le défenseur de la transparence perdue (ou méconnue) est aussi le mouvement par lequel il devient un errant. Exilé, errant, mais par rapport au monde de l'alié-

1. Sur la distinction entre l'immédiat sensible et l'immédiat rationnel, cf. Jean Wahl, *Traité de Métaphysique* (Paris, Payot, 1953), 498 et sq.
2. *Rêveries*, troisième Promenade. *O. C.*, I, 1015.

nation, et pour lui faire honte. En réalité, il prétend avoir « fixé » ses idées, « réglé son intérieur pour le reste de sa vie ». Il a établi sa demeure dans la vérité, et c'est pourquoi il va devenir un sans-demeure, un homme qui fuit d'*asile en asile*, de *retraite en retraite*, à la périphérie d'une société qui a voilé la nature originelle de l'homme et faussé toute communication entre les consciences. Parce qu'il rêve de transparence totale et de communication immédiate, il lui faut couper tous les liens qui pourraient l'attacher à un monde trouble, où passent des ombres inquiétantes, des faces masquées, des regards opaques.

Le voile qui était tombé sur la nature, l'opacité qui avait envahi le paysage de Bossey disparaîtront quand Rousseau aura conquis la solitude. Le bonheur perdu lui sera rendu. Partiellement, il est vrai, car s'il retrouve l'*éclat* du paysage et de la nature, c'est au prix d'une rupture plus décisive avec ses semblables. A condition de se tenir à l'écart de la société, la solitude de Rousseau est un retour à la transparence :

> Les vapeurs de l'amour-propre et le tumulte du monde *ternissaient* à mes yeux la fraîcheur des bosquets et *troublaient* la paix de la retraite. J'avais beau fuir au fond des bois, une foule importune me suivait partout et *voilait* pour moi toute la nature. Ce n'est qu'après m'être détaché des passions sociales et de leur triste cortège que je l'ai retrouvée avec tous ses *charmes* [1].

Une fois la société oubliée, une fois banni tout souvenir et tout souci de l'opinion des autres, le paysage reconquiert aux yeux de Jean-Jacques le caractère d'un site originel et premier. C'est là qu'est le *charme* retrouvé, l'enchantement véritable. Rousseau peut alors rencontrer la nature de façon immédiate, sans qu'aucun objet étranger ne s'interpose : nulle trace intempestive du travail humain, nul stigmate d'histoire ou de civilisation :

> J'allais alors d'un pas plus tranquille chercher quelque lieu sauvage dans la forêt, quelque lieu désert où rien ne montrant la main des hommes n'annonçât la servitude et la domination, quelque asile où je pusse croire avoir pénétré le premier et où nul tiers importun ne vînt s'interposer entre la nature et moi [2].

Et dans cette nature redevenue immédiatement sensible, sauvée de la malédiction de l'opacité, Rousseau va revêtir le rôle prophétique : il annonce la vérité cachée :

1. *Rêveries*, huitième Promenade. *O. C.*, I, 1083.
2. Troisième lettre à Monsieur de Malesherbes. *O. C.*, I, 1139-1140.

Enfoncé dans la forêt, j'y cherchais, j'y trouvais l'image des premiers temps dont je traçais fièrement l'histoire ; je faisais main basse sur les petits mensonges des hommes, j'osais *dévoiler* à nu leur nature, suivre le progrès du temps et des choses qui l'ont défigurée [1]...

Mais pour quelqu'un qui veut rejoindre purement la nature, Rousseau prend trop de plaisir à proclamer qu'il s'est écarté des vains plaisirs du monde. Nous l'avons déjà souligné, l'oubli n'est pas complet et le détachement n'est pas total. S'il ne regrette pas le monde, il s'en souvient pour le condamner. Au moment où il s'enfonce dans la forêt et où il se réfugie dans les vérités fondamentales, il ne perd pas de vue l'univers factice qu'il refuse, les « petits mensonges » qu'il méprise. Il ne jouit de l'immédiat qu'en proférant l'anathème sur le monde des instruments et des relations médiates. Il ne s'est donc pas éloigné au point d'oublier l'erreur des autres, et si « les passions sociales » ne le possèdent plus, il n'en reste pas moins l'antagoniste de la société corrompue. Si paradoxal que cela paraisse, au plus profond de son isolement, il reste relié à la société par la révolte et la passion antisociale : l'agressivité est une attache.

La seule façon, pour Jean-Jacques, de conjurer l'opacité menaçante, c'est de devenir lui-même la transparence, c'est de la vivre, tout en demeurant visible et offert aux regards des autres, ces prisonniers de l'opacité. Alors seulement l'acte par lequel s'annonce une vérité universelle et l'acte par lequel le moi se montre deviennent un seul et même dévoilement. La vérité, pour se manifester, a besoin d'être vécue par un « témoin ». (Kierkegaard écrira : « Se rapporter existentiellement à l'idéal ne se voit jamais, car cette sorte d'existence est celle du témoin de la vérité [2]. ») Or le témoin vit une double relation : sa relation avec la vérité, et celle qui l'unit à la société devant laquelle il témoigne. Il n'en aura jamais fini de rendre ses comptes. D'où tient-il le droit de s'ériger en témoin ? Et si la société est le mensonge, pourquoi conserver ces douteuses attaches ?

Il devra donc prouver qu'il *est* réellement celui qui possède le droit de lancer pareil défi [3]. Il lui faut conquérir la certi-

1 *Confessions*, liv. VIII. *O. C.*, I, 388.

2. Kierkegaard, *Journal* (1849), trad. Ferlov et Gateau, vol. III (Paris, Gallimard, 1955), 15.

3. Tenir un discours public quand on a renoncé au monde : ce paradoxe s'atténue quand ce discours est celui d'un mourant. Or Rousseau se croit mourant ; sa parole est celle d'un homme auquel la mort a accordé un bref sursis : « Je ne commençai de vivre que quand je me regardai comme un homme mort ! » (*Confessions*, liv. VI, *O. C.*, I, 228). Toutes les fois qu'il prend la plume, son hypocondrie le met très sincèrement dans l'état de celui qui prononce ses dernières paroles. Il

tude d'une relation essentielle avec la vérité, c'est-à-dire confondre l'existence personnelle avec l'*essence* même de la vérité, produire une parole où le moi ne s'affirmerait que pour disparaître dans une transparence impersonnelle, à travers laquelle des valeurs éternelles se manifesteraient : liberté, vertu... De ce qu'a de précaire et de conjectural l'expérience subjective, Rousseau ne peut s'accommoder. Il s'empresse de l'ériger en absolu, car c'est seulement sous la garde de l'absolu qu'il peut surmonter son inquiétude et sa peur d'être coupable. Pour accéder à cela, les paroles vertueuses, les ruptures purificatrices, les refus douloureux ne sont pas encore assez ; il ne suffit pas d'avoir vendu sa montre, abandonné l'épée et le linge fin, fui les grandes villes. Il faut donner d'autres preuves encore, accepter d'autres sacrifices, résister à l'épreuve des malheurs, des persécutions, des « orages » les plus terribles. Jamais le « témoin de la vérité » n'aura conquis la certitude définitive de ce qu'il est et de la vérité qu'il prétend apporter aux hommes, jamais il ne sera quitte des preuves que l'on attend de lui. Il y aura, chez Rousseau, un appel angoissé du malheur, parce que le malheur est une consécration. Le témoin de la vérité attend le martyre comme la preuve suprême de sa mission :

J'espère qu'un jour on jugera de ce que je fus par ce que j'aurai su souffrir... Non, je ne trouve rien de si grand, rien de si beau, que de souffrir pour la vérité. J'envie la gloire des martyrs [1].

Kierkegaard, qui fut aussi tenté par l'idée du martyre, s'exprime dans des termes singulièrement analogues : « Après tout, il n'y a qu'une chose à faire pour servir la vérité : souffrir pour elle [2]. »

La critique de la société se renverse ainsi en une épiphanie de la conscience personnelle. Non qu'il s'agisse par principe

a donc le droit de parler : un chant du cygne n'est pas un acte de vanité sociale. Qu'on prête attention à ses *ultima verba*... Ce n'est pas là seulement un acte de séduction pathétique ; c'est une excuse envers soi-même. L'imminence de la mort rend fatale la rupture avec le monde.

1. A. M. de Saint-Germain, 26 février 1770. *Correspondance générale*, DP, XIX, 261.

2. Kierkegaard, *loc. cit.* Mais la souffrance de Rousseau ne lui paraissait pas assez profonde : « Il lui manque l'idéal, l'idéal chrétien qui en l'humiliant pouvait lui enseigner combien peu après tout il souffre à côté des saints ; et l'idéal qui pourrait le maintenir dans l'effort en l'empêchant de sombrer en rêverie et paresse de poète. C'est un exemple qui nous montre toute la dureté qu'il y a pour l'homme de mourir au monde. » *Journal*, trad. K. Ferlov et J.-G. Gateau (Paris, Gallimard, 1957), vol. IV, 252-253. Sur Kierkegaard et Rousseau, voir Ronald Grimsley, *Sören Kierkegaard and French Literature*, University of Wales Press, 1966.

de donner à l'existence individuelle une valeur supérieure à celle de l'existence collective. La société n'est pas mauvaise parce que les hommes y vivent en commun, mais parce que les mobiles qui les associent les rendent irrémédiablement étrangers à la transparence originelle. C'est à l'opacité du mensonge et de l'opinion que Rousseau en veut, et non pas à la société comme telle. Aussi ne cherche-t-il pas la solitude pour elle-même (du moins s'en défend-il) : la solitude est nécessaire parce qu'elle permet d'accéder à la raison, à la liberté, à la nature... A supposer qu'une société puisse s'édifier dans la transparence, à supposer que tous les esprits consentent à s'ouvrir les uns pour les autres et qu'ils abdiquent toute volonté secrète et « particulière » — c'est l'hypothèse du *Contrat social* — rien alors ne permet de préférer l'individu à la société. Bien au contraire : dans une organisation sociale qui favoriserait la communication des consciences, dans une harmonie fondée sur la « volonté générale », rien ne serait plus pernicieux que le repli de l'individu sur lui-même et sur sa volonté particulière. En préférant son intérêt propre, il introduirait un défaut dans l'harmonie du corps social. La faute incomberait alors à la résistance de l'individu et non pas à la loi collective. La critique traditionnelle a voulu voir une mystérieuse rupture entre le *Contrat social* et le reste de l'œuvre : Rousseau n'y fait pas droit à la revendication du bonheur personnel, qui lui paraît ailleurs si précieux. En fait, Rousseau reste profondément fidèle au principe de la transparence. Si la transparence se réalise dans la volonté générale, il faut préférer l'univers social ; si elle ne peut s'accomplir que dans la vie solitaire, il faut préférer la vie solitaire. Les hésitations de Rousseau, ses « oscillations », concernent uniquement le lieu, le moment et les conditions où la transparence pourra lui être rendue. Il désespère de la société parisienne et se réfugie à l'Ermitage : a-t-il définitivement opté pour l'existence individuelle ? Non, puisque aussitôt il se met à rêver à des *Institutions politiques*. Une transparence solitaire reste une transparence fragmentaire, et Rousseau veut qu'elle soit totale.

Ajoutons ici une remarque qui ne concerne pas les intentions de Jean-Jacques, mais les conséquences, imprévisibles pour lui, de sa pensée et de sa vie. On a vu que sa préoccupation essentielle s'est détournée de l'histoire et de la philosophie sociale, pour se reporter presque tout entière sur les exigences de sa sensibilité personnelle. Mais force nous est de reconnaître que ce repli dans la singularité, loin d'affaiblir l'influence historique de Rousseau, l'a au contraire renforcée.

Si Rousseau a changé l'histoire (et non seulement la littérature), cette action ne s'est pas opérée seulement sous l'effet de ses théories politiques et de ses vues sur l'histoire : elle résulte, pour une part peut-être plus considérable, du mythe qui s'est élaboré autour de son existence exceptionnelle. Il était sans doute sincère en s'éloignant du monde, en souhaitant devenir nul pour les autres : mais sa façon de se détourner du monde a transformé le monde. L'on sait que, vers la fin de sa vie, il ne s'est plus soucié de l'avenir des nations, sinon pour s'inquiéter de ce qu'y deviendrait sa mémoire. Serait-il enfin réhabilité ? Les générations à venir sauraient-elles reconnaître son innocence ? La seule chose qui semble importer à l'auteur des *Dialogues* et des *Rêveries*, ce n'est pas que l'humanité future réforme ses lois, mais qu'elle change d'attitude à l'égard de Jean-Jacques. Bientôt même s'éteindra en lui l'espoir que la postérité lui rende justice. Il n'en appelle qu'à sa conscience et à Dieu. Mais cet homme qui se désintéresse de l'histoire n'en agit que plus profondément sur elle.

« FIXONS UNE BONNE FOIS MES OPINIONS [1] »

En devenant le héraut de la vérité, Jean-Jacques espère se lier par sa tâche et s'obliger ainsi à stabiliser son propre personnage. Le récit des *Confessions*, pour expliquer l'élan qui jette Jean-Jacques dans la carrière des lettres, en cherche le motif moins dans la conviction intellectuelle que dans un *besoin* du cœur. Ce besoin est multiple : ce qu'il cherche, c'est bien la vérité, mais c'est aussi l'ivresse de la tension héroïque, et la gloire qui couronnera cet héroïsme. Le besoin essentiel, cependant, semble être celui de s'installer dans une identité à toute épreuve. Prenant le rôle du défenseur de la vertu, Rousseau s'oblige à réaliser son unité, qu'il recevra de l'unité même de la vertu. Le besoin d'unité habite à la fois l'élan vers la vérité et la revendication orgueilleuse. Parce que Rousseau veut *fixer* sa vie, il lui donnera pour fondement ce qu'il y a de plus immuable — la Vérité, la Nature — et pour s'assurer dorénavant d'être fidèle à lui-même, il proclamera hautement sa résolution, il prendra le monde entier à témoin. Oui, cet homme cherche sincèrement la vérité ; oui, son âme est toute gonflée d'orgueil : il ne peut

1. *Rêveries*, troisième Promenade. *O. C.*, I, 1016. Rousseau ajoute : « Et soyons pour le reste de ma vie ce que j'aurai trouvé devoir être après y avoir bien pensé. »

pas conquérir autrement son identité, devenir enfin Jean-Jacques Rousseau, le citoyen, l'homme de la nature.

La passion de la vérité n'est donc pas « désintéressée » ; elle ne s'achèvera pas en un savoir concernant le monde ; elle inaugurera pour Jean-Jacques le temps de la volonté ferme et de la conviction inébranlable. C'est une façon de mettre fin à l'instabilité qui l'a dominé pendant si longtemps. Il a vécu errant pendant trente-huit ans. Le temps est venu d'en finir avec cette vie vagabonde, avec les demi-mensonges et les demi-lâchetés. Il a joué, avec un succès variable, un assez grand nombre de personnages : le précepteur, le musicien, l'intendant, le diplomate. Il s'est laissé séduire par des maîtres douteux ; il a subi trop d'influences. Il va redevenir enfin ce qu'il est : un « citoyen », un étranger, mais qui confond sa cause avec celle de la Vertu. Il va « s'assumer » ; il sera simplement un homme du peuple qui vit de son travail, et il obligera le monde (le grand monde, les nobles, la haute bourgeoisie) à s'étonner de ce spectacle extraordinaire : un homme qui gagne son pain en travaillant, et qui adopte scandaleusement la condition artisanale au moment précis où ses succès lui permettraient de songer à la fortune et aux pensions. Il leur fera honte, à ces oisifs, en refusant leurs dons et en s'obstinant à gagner sa vie « à tant la page ».

En protestant contre le mensonge de la société, Rousseau cherche à réaliser sa propre permanence. Mais aussitôt l'on aperçoit que, pour accomplir cette tâche, Rousseau n'a pas confiance en ses propres forces. Il cherche des appuis ailleurs qu'en lui-même. Combien de fois n'a-t-il pas déjà « dérivé [1] », trahissant ses meilleures résolutions ? Combien de fois n'a-t-il pas été déjeté hors de sa voie ? Cette fois, il recourt à l'universel : il en appelle aux valeurs les plus élevées, il prend à témoin l'humanité entière. Il se met ainsi sous bonne garde. Voudrait-il abandonner son entreprise, on ne le lui permettrait pas. Au lieu de recourir à sa seule volonté, il se confie à une contrainte transcendante, qui ne lui fera grâce d'aucune faiblesse. Il faudra marcher droit, car la Vertu le veut ainsi, et les hommes éclateraient de rire au premier faux pas.

D'avoir rompu tous les ponts l'aide grandement. L'excès même de sa protestation, l'exagération de sa vertu ne lui laissent plus d'autres liens qu'avec les valeurs absolues et rendent désormais tout compromis impossible. Il s'est si bien séparé de la société qu'il n'a plus d'autre abri que la Vérité

1. L'expression se trouve dans la deuxième lettre à Malesherbes. *O. C.*, I, 1136.

incorruptible. La fatalité et les malheurs qui s'abattent sur lui (ou qu'il provoque) finissent par tourner à son avantage, en ce sens qu'il lui assurent une identité continue, et qu'ils fixent son personnage dans le rôle du *juste persécuté*. Jean-Jacques s'oblige ainsi — dans un mouvement d'abandon plutôt que de volonté — à ne plus vivre que pour une seule cause : de cette cause unique il fera le fondement de sa propre unité. Pour compenser sa faiblesse, il recherche la complicité d'une force extérieure, qui l'oblige à se résigner, avec une joie souvent très évidente, à l'accablement d'un destin inexorable. Il se répète l'injonction augustinienne : rentrer en soi-même. Mais pour accomplir cette conversion interne, pour goûter pleinement l'inhérence à soi, il a besoin que sa décision lui soit imposée par une hostilité externe : la maladie joue quelquefois ce rôle, avant que Rousseau n'accuse le destin ou la malveillance de « ces messieurs ». Il n'a plus à choisir sa place et il ne risque pas d'hésiter devant le choix : *on* a choisi pour lui, et il ne lui reste qu'à se montrer égal à son destin. Il leur fera voir qu'il est capable de se suffire à lui-même. Qu'on l'exclue de tout, qu'on le chasse de partout, on ne fait que le réduire à s'entretenir avec lui-même. Il ne peut qu'y gagner. La persécution est une voie de salut : que Rousseau se le répète si constamment, ce n'est pas seulement parce qu'il y trouve une consolation, c'est peut-être aussi l'aveu d'une intention secrète de mettre à profit l'hostilité externe :

> La persécution m'a élevé l'âme. Je sens que l'amour de la vérité m'est devenu cher par ce qu'il me coûte. Peut-être ne fut-il d'abord pour moi qu'un système, il est maintenant ma passion dominante [1].

Grâce à la persécution, l'idéal abstrait de la vérité devient valeur vécue ; le « sur-moi sadique » de Jean-Jacques lui dicte un courage sans défaillance. D'être en butte à une adversité *constamment* néfaste lui vaut en retour la *constance* de son défi. La persécution semble donc avoir été attendue comme un secours qui permettrait à la conscience de s'affermir en elle-même. Cet homme qui se livre follement aux tentations les plus contradictoires et aux élans les plus disparates invoque la pesée du destin, implore volontairement la réclusion à vie, afin de se donner, dans la résignation au malheur irrémédiable, le centre de gravité qui lui manque.

1. *Annales J.-J. Rousseau*, IV (1908), 244 ; voir *O. C.*, I, 1164.

MAIS L'UNITÉ EST-ELLE NATURELLE?

Pourtant, Rousseau critiquera plus tard « l'ardent enthousiasme » par lequel il s'est voué à l'unité. N'a-t-il pas fait violence à sa nature spontanée ? Dans son élan vers la vérité abstraite et générale, ne s'est-il pas rendu infidèle à sa vérité propre, qui consistait dans cette faiblesse, dans cette mobilité, dans cette instabilité qu'il aurait voulu surmonter? La vocation publique de la Nature n'a-t-elle pas mis Jean-Jacques en contradiction avec sa propre nature ? Au moment où il cherche à fonder l'unité de son existence, le voici donc qui devient le prisonnier de la tension et du paradoxe intérieurs.

Épictète (que Rousseau pratiquait) nous conseille de jouer notre vie comme un rôle de théâtre [1]. Mais ce rôle, nous ne le choisissons pas ; nous devons nous attacher à celui qui nous a été imparti. Selon la morale stoïcienne, l'homme doit se vouloir lui-même, mais se vouloir tel que le Destin ou Dieu le veulent. L'effort de fiction par lequel le sage joue son personnage rejoint l'acte d'humilité par lequel il accepte un rôle qui lui est imposé d'avance. Il ne s'invente pas, il s'efforce seulement de se montrer *égal* à sa partie, d'être bon acteur dans une *commedia dell'arte* dont il ne pourra changer ni les péripéties, ni le dénouement. Son jeu est affaire de style seulement. Il lui appartient de jouer avec aisance, avec grandeur, et même avec liberté, un rôle qu'il n'est pas libre de choisir ni de modifier. La vertu stoïcienne devient ainsi une sorte de virtuosité, car il faut une merveilleuse adresse pour trouver le juste équilibre entre l'entière soumission à la nécessité et le talent de « faire bonne figure » dans la situation imposée. Le point où cet équilibre se réalise est-il saisissable ? Un peu trop de jeu, et la constance du sage devient mensonge, creuse ostentation. Un peu moins de cette fierté théâtrale, et l'acceptation du destin devient lâcheté. Nul doute qu'au moment de sa réforme, Jean-Jacques n'ait cru réaliser cet équilibre. Il a su qu'il jouait, et ne s'en est pas caché ; mais il avait la conviction de jouer enfin son vrai rôle, d'entrer dans son vrai personnage. La réforme de Jean-Jacques ne commence-t-elle pas par le plus extérieur, par le plus voyant ? « *Je commençai ma réforme par ma parure;* je quittai la dorure et les bas blancs, je pris une perruque ronde,

1. Épictète, *Manuel*, XVII.

je posai l'épée, je vendis ma montre [1] »... Le premier geste est le plus ostentatoire : il refuse théâtralement ce qui donne à la vie civilisée l'aspect d'un théâtre. Mais ce geste d'acteur correspond à la volonté d'être fidèle à soi-même : « *Pour être toujours moi-même* je ne dois rougir en quelque lieu que ce soit d'être mis selon l'état que j'ai choisi [2]. »

Pourtant, au moment où il écrit ses *Confessions*, Rousseau met sa réforme sur le compte d'une sorte d'ivresse. Non, ce n'était pas l'équilibre d'une sagesse assurée, ni la virtuosité d'une parfaite correspondance entre l'être et le paraître. L'impulsion initiale est venue du dehors. Lors de la conversation de Vincennes, Diderot joue le rôle du Serpent tentateur qui invite à goûter au fruit défendu. Le récit des *Confessions*, manifeste une étrange ambivalence à l'égard des circonstances qui marquent le début de la carrière d'écrivain. D'une part tout semble s'expliquer par une illumination et une métamorphose intérieures. (« A l'instant de cette lecture je vis un autre univers et je devins un autre homme [3]. ») Mais d'autre part Rousseau incrimine des influences étrangères, des suggestions néfastes, auxquelles il a eu la faiblesse de céder. (Diderot « m'exhorta de donner l'essor à mes idées et de concourir au prix. Je le fis, et dès cet instant je fus perdu. Tout le reste de ma vie et de mes malheurs fut l'effet inévitable de cet instant d'égarement [4]. ») L'événement a donc un double visage. D'un côté Rousseau s'est senti visité par un « feu vraiment céleste [5] » ; et le récit des *Confessions* s'enflamme à ce souvenir : tout s'éclaire de la lumière même de la vérité. Seulement les mêmes faits, revécus et repensés à Wootton ou à Monquin, révèlent brusquement leur face d'obscurité et de perdition : au moment où il s'abandonnait à « l'enthousiasme de la vérité, de la liberté, de la vertu », il entrait sans s'en douter dans la zone d'ombre de sa vie, un destin néfaste s'emparait de lui. Les *Confessions* font coexister cette double interprétation du passé. A quelques lignes d'intervalle, les mêmes événements nous sont présentés comme des actes d'inspiration souveraine ou comme les maillons d'une destinée implacable.

Qu'il ait été visité par le ciel, ou influencé par des amis malveillants, l'une et l'autre explication invoque une sorte d'aliénation : une force étrangère (persécutrice ou inspira-

1. *Confessions*, liv. VIII. *O. C.*, I, 363.
2. *Op. cit.*, 378.
3. *Op. cit.*, 351.
4. *Ibid.*
5. *Confessions*, liv. IX. *O. C.*, I, 416.

trice) a contraint Rousseau d'être infidèle à lui-même. Victime des méchants ou illuminé par l'enthousiasme du Bien : dans un cas comme dans l'autre, il n'était plus lui-même. Ainsi du moins lui apparaissent, vues à distance, ces années d'effervescence et d'activité fiévreuse.

L'ambiguïté des perspectives est surprenante. Les *Confessions* racontent l'effort héroïque entrepris par Jean-Jacques pour s'arracher à l'aliénation de l'opinion et du jugement d'autrui, mais le récit apologétique de la « réforme personnelle » lui donne aussi le sens d'une aliénation subie. Ivresse, folie, feu céleste, mauvais sort : il a été poussé hors de lui-même dans l'élan même où il prétendait se retrouver et fonder son unité. Une sorte d'outrance incontrôlée l'a entraîné malgré lui dans la carrière des lettres. Cette quête de l'unité a été pour Jean-Jacques une dérive hors de sa vraie « nature ». Celle-ci voulait le repos, l'oisiveté, l'insouciance, le libre abandon aux désirs contradictoires. Il n'était pas fait pour autre chose. La passion de la vérité l'a précipité dans un monde redoutablement étranger. Dans quel lieu désert s'est-il donc avancé ? Qui donc est-il devenu, à la fois éloigné de lui-même et séparé des autres ? Le Rousseau des *Confessions*, en revenant sur ces années de fièvre, semble ne plus pouvoir comprendre et ne sait sur quel jugement s'arrêter : il admire son courage, il s'apitoie ironiquement sur ses illusions, il s'effraye d'être devenu un autre ; c'était l'époque de l'intimité avec le sacré, et c'était aussi l'époque de la pire infidélité et de l'erreur.

Dans *Le Persifleur* (qui date d'avant la « réforme »), Rousseau s'était dépeint mobile, variable, inconstant, incapable de s'arrêter à une forme stable :

> Quand Boileau a dit de l'homme en général qu'il changeait du blanc au noir, il a croqué mon portrait en deux mots ; en qualité d'individu, il l'eût rendu plus précis s'il y eût ajouté toutes les autres couleurs avec les nuances intermédiaires. Rien n'est si dissemblable à moi que moi-même, c'est pourquoi il serait inutile de tenter de me définir autrement que par cette variété singulière ; elle est telle dans mon esprit qu'elle influe de temps à autre jusque sur mes sentiments. Quelquefois je suis un dur et féroce misanthrope, en d'autres moments, j'entre en extase au milieu des charmes de la société et des délices de l'amour. Tantôt je suis austère et dévot, et pour le bien de mon âme je fais tous mes efforts pour rendre durables ces saintes dispositions : mais je deviens bientôt un franc libertin, et comme je m'occupe alors beaucoup plus de mes sens que de ma raison, je m'abstiens constamment d'écrire dans ces moments-là... En un mot, un protée, un caméléon, une femme sont des êtres moins changeants que moi. Ce qui doit dès l'abord ôter aux curieux

toute espérance de me reconnaître quelque jour à mon caractère : car ils me trouveront toujours sous quelque forme particulière qui ne sera la mienne que pendant ce moment-là ; et ils ne peuvent pas même espérer de me reconnaître à ces changements, car comme ils n'ont point de période fixe ils se feront quelquefois d'un instant à l'autre, et d'autres fois je demeurerai des mois entiers dans le même état. C'est cette irrégularité même qui fait le fond de ma constitution [1].

Un être imprévisible, et qui se vante d'être une énigme pour les autres. Il lui plaît d'être inconnaissable (alors que plus tard il se plaindra d'être méconnu). Il est l'homme de tous les changements et de la plus complète irrégularité... Mais aussitôt Rousseau apporte un démenti à ce qu'il vient d'affirmer : au paragraphe suivant, il avoue l'existence d'un rythme intérieur, d'une alternance plus régulière et plus constante. Ses changements ne sont donc plus tout à fait dénués de « période fixe »; il reconnaît la constance d'une loi cyclique, et par-delà ces cycles eux-mêmes, il évoque, sur le ton du badinage, la présence *permanente* d'une « folie » plus ou moins masquée :

Avec tout cela, à force de m'examiner, je n'ai pas laissé que de démêler en moi certaines dispositions dominantes et certains retours presque périodiques qui seraient difficiles à remarquer à tout autre qu'à l'observateur le plus attentif, en un mot qu'à moi-même : c'est à peu près ainsi que toutes les vicissitudes et les irrégularités de l'air, n'empêchent pas que les marins et les habitants de la campagne n'y aient remarqué quelques circonstances annuelles et quelques phénomènes qu'ils ont réduits en règle pour prédire à peu près le temps qu'il fera dans certaines saisons. Je suis sujet, par exemple, à deux dispositions principales, qui changent assez constamment de huit en huit jours, et que j'appelle mes âmes hebdomadaires : par l'une je me trouve sagement fou ; par l'autre follement sage, mais de telle manière pourtant que *la folie l'emportant sur la sagesse dans l'un et dans l'autre cas*, elle a surtout manifestement le dessus dans la semaine où je m'appelle sage, car alors le fond de toutes les matières que je traite, quelque raisonnable qu'il puisse être en soi, se trouve presque entièrement absorbé par les futilités et les extravagances dont j'ai toujours soin de l'habiller. Pour mon âme folle, elle est bien plus sage que cela, car bien qu'elle tire toujours de son propre fonds le texte sur lequel elle argumente, elle met tant d'art, tant d'ordre, et tant de force dans ses raisonnements et dans ses preuves qu'une folie ainsi déguisée ne diffère presque en rien de la sagesse [2].

Derrière toutes les variations du *Persifleur*, il y a donc une constante secrète, qu'il appelle sa *folie* : il isole, pour lui

1. *Le Persifleur. O. C.*, I, 1108-1109.
2. *Op. cit.*, 1109-1110.

conférer dérisoirement la continuité, le principe même de la discontinuité et du changement. Bien sûr, Rousseau fait ici la roue devant le lecteur ; il fait montre, sous l'influence toute proche de Diderot et celle plus lointaine de Montaigne, d'une désinvolture dont il ne saura pas soutenir le ton très longtemps. Mais nous retrouvons, dans les *Dialogues* (c'est-à-dire plus de vingt ans plus tard), un autoportrait qui n'est pas sans analogie avec celui du *Persifleur*. Rousseau insiste à nouveau sur sa variabilité, sur la légèreté des motifs et des mobiles qui le font changer d'humeur :

Il n'a guère assez de suite dans ses idées pour former de vrais projets ; mais enflammé par la longue contemplation d'un objet il fait parfois dans sa chambre de fortes et promptes résolutions qu'il oublie ou qu'il abandonne avant d'être arrivé dans la rue. Toute la vigueur de sa volonté s'épuise à résoudre ; il n'en a plus pour exécuter. Tout suit en lui d'une première inconséquence. La même opposition qu'offrent les éléments de sa constitution se retrouve dans ses inclinations, dans ses mœurs et dans sa conduite. Il est actif, ardent, laborieux, infatigable ; il est indolent, paresseux, sans vigueur ; il est fier, audacieux, téméraire ; il est craintif, timide, embarrassé ; il est froid, dédaigneux, rebutant jusqu'à la dureté ; il est doux, caressant, facile jusqu'à la faiblesse, et ne sait pas se défendre de faire ou souffrir ce qui lui plaît le moins. En un mot il passe d'une extrémité à l'autre avec une incroyable rapidité sans même remarquer ce passage ni se souvenir de ce qu'il était l'instant auparavant [1]...

Ici encore, la variabilité s'explique à partir d'une cause constante, d'une qualité permanente que Rousseau appelle sensibilité, ou passion. De sorte que l'extrême mobilité se résorbe dans « une vie égale, simple et routinière [2] ». Toutes ces irrégularités de conduite sont les agitations d'un « naturel ardent », qui imprime sa marque aux actions les plus diverses. Jean-Jacques ne cesse d'affirmer qu'il y a en lui une unité sous-jacente, qui s'exprime dans la *spontanéité* de la variation et du changement d'humeur ; il faut savoir lire, à force de sympathie, cette unité de caractère, comme il est nécessaire de voir dans son œuvre l'exécution d'un projet unique. Pour faire sentir cette permanence dans la mobilité, Rousseau reprend, au début du second *Dialogue*, une métaphore dont il s'était servi dans *Le Persifleur* : la périodicité des changements atmosphériques [3] :

1. *Dialogues*, II. *O. C.*, I, 817-818.
2. *Op. cit.*, 865.
3. L'importance de ces « comparaisons atmosphériques » a été soulignée par Marcel Raymond, « J.-J. Rousseau. Deux aspects de sa vie intérieure ». *Annales J.-J. Rousseau*, XXIX, 1941-1942 ; repris dans *Jean-Jacques Rousseau. La quête de soi et la rêverie* (Paris, Corti, 1962), 31 sq.

Je l'ai suivi dans sa plus constante manière d'être, et dans ces petites inégalités, non moins inévitables, non moins utiles peut-être dans le calme de la vie privée que de *légères variations de l'air et du vent dans celui des plus beaux jours* [1].

Tel il se décrit dans *Le Persifleur* et dans les *Dialogues*, c'est-à-dire, la première fois, avant de s'abandonner vertigineusement à l'exaltation d'écrire, et, la seconde fois, au moment où il s'efforce d'échapper à la « triste destinée » et à l'enchaînement auxquels il s'est livré en devenant un écrivain... Auparavant, il vagabondait librement, il était errant, il attendait quelque grande occasion de fixer son personnage, de se montrer au public et d'établir sa demeure dans la gloire. Mais après les « six ans » où le « feu céleste » l'a visité, où la gloire l'a contraint d'habiter des demeures étrangères (châteaux de princes du sang ou de maréchaux de France, ermitages de fermiers généraux), Jean-Jacques est à nouveau un errant et un vagabond. Cette fois, ce n'est plus le vagabondage de l'attente et de la quête aventureuse du succès, c'est le vagabondage de la fuite. Il fuit pour échapper à la malédiction de la gloire qu'il a conquise ; il cherche à en sortir. Peut-être, au début, sa fuite loin de la gloire n'était-elle pas absolument sincère ; peut-être se réjouissait-il d'entendre la rumeur grandir derrière lui, tandis qu'il s'éloigne vers d'autres asiles. Mais la rumeur le rejoint et devient cette grêle de pierres qui s'abat sur sa maison. Non, la gloire ne peut pas être une demeure ; elle condamne Jean-Jacques à l'absence de demeure. Il cherche maintenant, mais en vain, une île où il pût être oublié, où il pût, s'abandonnant doucement aux impulsions contradictoires de son désir, satisfaire sa vraie nature. Si seulement il lui était permis de retrouver le vagabondage innocent, l'instabilité sans conséquences de ses années de jeunesse. Si seulement il pouvait briser le maléfice et obtenir qu'on le laisse vivre à sa guise, selon sa faiblesse et sa paresse... Dans l'asile de la rue Plâtrière, il essaie de recomposer cette insouciance (bien que le souci de la persécution et de la diffamation l'obsède) ; il se décrit alors comme il s'était décrit dans *Le Persifleur* : muable, sensible, en paix avec soi-même, obéissant docilement à un rythme secret analogue à celui qui fait les variations de l'air dans une belle journée. Sans doute s'agit-il ici d'une tentative de conjurer le sort : le bonheur, la paix intérieure, Rousseau les proclame pour leur donner plus de réalité et pour faire tête à la menace qu'il sent peser sur lui. Et quand il

1. *Dialogues*, II. *O. C.*, I, 795.

recompose le souvenir de sa jeunesse, il en fait le temps de la rêverie voluptueuse et de l'émerveillement innocent parce qu'il a besoin d'avoir un passé qui soit un refuge, alors que tant de documents nous apprennent que sa jeunesse a été hantée par le souci et par l'angoisse, beaucoup plus souvent que les *Confessions* ne veulent le reconnaître. Rousseau force la réalité, pour composer le mythe de son existence : la libre rêverie de sa jeunesse a été interrompue par un maléfice *étranger* ; il s'est laissé arracher à son bonheur, et maintenant il revient à lui-même. L'eau qui s'était troublée redevient limpide à la fin, mais moins de reflets la traversent ; sa transparence est plus vide, plus froide...

LE CONFLIT INTÉRIEUR

L'extrême variabilité n'implique pas que la conscience se trouve en état de conflit. Le Rousseau protée du *Persifleur*, le Jean-Jacques infiniment variable des *Dialogues* vivent une succession d'instants dissemblables, mais en chacun de ces instants ils adhèrent à eux-mêmes, ne fût-ce que le temps de sentir survenir un nouvel aspect du moi. Ils subissent ce changement comme une loi qui leur serait imposée. Ils ne sont pas les maîtres de leurs métamorphoses. Ils changent comme le ciel change (et parfois : parce que le ciel change). Ils se contentent d'assister à leur métamorphose, sans s'insurger contre elle. Aussi peuvent-ils se dire en paix avec eux-mêmes :

> L'uniformité de cette vie et la douceur qu'il y trouve montrent que son âme est en paix [1].

La variabilité se réduit à l'uniformité et à la paix : il n'y a là qu'une apparence de paradoxe. Les mouvements les plus contradictoires, s'ils sont vécus successivement, si le moi y consent pleinement, n'impliquent aucune lutte intérieure. Ils ne sont contradictoires que pour un regard qui les jugerait du dehors, c'est-à-dire pour un spectateur sévère qui exigerait la parfaite cohérence. Une conscience consentante, qui subit le changement sans lui résister, reste en parfait accord avec soi : les instants ont beau être dissemblables, elle ne sort pas de sa coïncidence avec elle-même. Pour sentir sa contradiction, il faudrait qu'elle fasse sienne la perspective du juge intransigeant qui, du dehors, réclame

1. *Op. cit.*, 865.

l'unité cohérente. Or rien ne l'empêche de contester l'autorité du témoin extérieur dont elle ne veut pas subir la loi. Si sa conduite était tenable, elle éviterait indéfiniment l'état de conflit. Elle ne serait en lutte ni contre elle-même ni contre le regard étranger qu'elle récuse. Elle continuerait à vivre *dans* la contradiction sans souffrir de sa contradiction ; elle se saurait dissemblable à elle-même sans s'opposer intérieurement à sa propre variabilité.

La réforme personnelle est le moment où Rousseau prend conscience du caractère incohérent de toute sa vie, et s'efforce de maîtriser cette incohérence. Sa libre variabilité lui apparaît brusquement comme une contradiction qu'il a pour tâche de supprimer. Il lui devient soudain intolérable que sa conduite, ses discours, ses sentiments ne soient pas régis par des principes constants. Il jette sur lui-même le regard du juge exigeant ; il appelle sur lui l'attention de tous les hommes, devant lesquels il s'engage à réaliser son unité, à fixer ses idées. Il se donne ainsi pour but une fidélité à laquelle il n'était pas accoutumé ; il se raidit dans une attitude vertueuse. Dès lors, le conflit surgit et va s'exaspérer. Car Jean-Jacques n'a pas détruit pour autant sa « nature » muable et inconstante ; il s'est imposé le devoir de la dompter, mais elle est toujours présente. Il va falloir désormais lutter, créer de toutes pièces la *force* sans laquelle il n'y a pas d'âme vertueuse, se montrer radicalement différent d'un passé frivole ou veule. La mobilité primesautière n'est plus compatible avec la paix intérieure : tout changement sera une défaillance, toute variation prendra le sens d'une vacillation, et deviendra l'origine d'un remords. La dictée de l'instant n'a plus sa justification en elle-même ; elle ne sera légitime que si elle se rattache à une séquence cohérente, car à moins de s'inscrire dans la continuité d'une conduite vertueuse, elle représente une faiblesse coupable. Ainsi la conscience reconnaît en elle-même le risque d'un désaccord, elle voit s'ouvrir en elle une profondeur qui naît du conflit et du danger qu'elle affronte. (Mais c'est là définir l'exigence même de l'esprit, qui ne s'éveille qu'à partir du moment où la conscience, au nom du but supérieur qu'elle vise, n'accepte plus de coïncider naïvement avec chacun de ses instants successifs.)

Au moment donc où Rousseau entreprend de résister au mensonge du monde, il se met dans la nécessité de résister à lui-même. L'exigence terroriste de la vertu, au nom de laquelle il s'oppose à une société perverse et masquée, crée en lui la conscience d'une division intérieure, d'un défaut d'unité. Force lui sera de constater la différence qu'il y a entre la facilité de l'impulsion immédiate et la tension de l'effort vertueux. (Rousseau ne tardera pas à en faire l'aveu : il est incapable d'accomplir cet effort, Jean-Jacques n'est pas vertueux ; il est esclave de ses sens, il vit dans l'innocence de la spontanéité immédiate, il n'a pas la force de s'opposer à lui-même.) La réforme personnelle, par laquelle il espère sceller son unité intérieure, lui sera l'occasion de découvrir combien problématique est l'unification de soi. Il avait cru en finir avec la vie errante et l'incertitude, il avait cru pouvoir enfin *fixer* ses idées et sa conduite : mais la décision qui devait expulser l'erreur est en réalité le commencement d'une aventure difficile qui met la vérité en question. L'acte qui aurait dû tout conclure ne conclut rien ; par sa violence même, il donne naissance à de nouvelles tensions et à de nouveaux vertiges. Le décret de la volonté, tendu vers l'unité, rend plus évidente et plus active une faiblesse intérieure qui la met en péril. Rousseau, qui avait espéré obtenir une stabilité d'autant plus solide qu'elle lui serait garantie par des valeurs plus élevées, apercevra peu à peu qu'il s'est rendu vulnérable et qu'il a appelé le danger. Car c'est le danger de l'échec et non pas la sécurité qui naît pour lui de ce recours aux justifications absolues.

Le danger est double : d'une part, nous l'avons vu, Rousseau ne peut manifester son opposition au mensonge du monde qu'en lui empruntant ses armes corrompues, son langage, — la littérature ; et d'autre part, les valeurs sévères sur lesquelles il souhaite fonder dorénavant son existence sont menacées intérieurement par l'instabilité, la faiblesse, la tentation des jouissances immédiates. Toute la dispersion qui était le mode naturel de sa vie devient une puissance ennemie, qu'il faut vaincre, mais qui ne se laissera jamais surmonter.

En écrivant le neuvième livre des *Confessions*, Rousseau désavoue les années d'exaltation où il avait voulu devenir le « témoin de la vérité » :

> Qu'on cherche l'état du monde le plus contraire à mon naturel, on trouvera celui-là. Qu'on se rappelle un de ces courts moments de ma vie où je devenais un autre, et cessais d'être moi ; on le trouve encore dans le temps dont je parle ; mais au lieu de durer six jours, six semaines, il dura près de six ans, et durerait peut-être encore, sans les circonstances particulières qui le firent cesser, et me rendirent à la nature, au-dessus de laquelle j'avais voulu m'élever [1].

1. *Confessions*, liv. IX. *O. C.*, I, 417.

La réforme, Jean-Jacques s'en avise, n'était que l'un des changements brusques dont il était coutumier ; mais elle était destinée à mettre fin à tous les changements ; elle a ainsi introduit en lui la plus violente contradiction. Rousseau entre en guerre contre le mensonge universel, et le nouvel axe qu'il entendait donner à sa vie et à sa parole ne coïncidait plus avec la ligne sinueuse et variable de sa vraie « nature ». A la discontinuité de cette nature première, il ajoute l'inconséquence plus grave de vouloir s'élever au-dessus de celle-ci. Au lieu de vivre dans un éparpillement d'instants dispersés, il découvre la tension et l'insatisfaction. Sans cesser de subir la variabilité intérieure, les à-coups imprévisibles de l'humeur, il en fait le motif d'un déchirement essentiel. Car il ne parvient ni à répudier les données instables de l'expérience immédiate, ni à les intégrer dans l'unité de l'exigence morale. (Nous verrons Rousseau tenter cette conciliation dans son projet de *Morale sensitive* ; mais nous verrons aussi ce qui en rend la réussite impossible.)

Ayant pris la défense de la notion abstraite de nature et de vertu, ayant ensuite cherché la réalisation « existentielle » de son idéal, Rousseau se trouve en conflit avec sa propre nature empirique. Chacune de ses faiblesses naturelles, chacune de ses sautes d'humeur devient un témoignage à charge contre la sincérité de son plaidoyer vertueux et contre le bien-fondé de l'exemple qu'il prétend offrir au monde. Il ne peut échapper à la diversité contradictoire de sa vie spontanée : elle persiste en lui comme une menace hostile, à laquelle il oppose une exigence d'unité cohérente qui ne pourra jamais être satisfaite. Dès lors, tout est menacé, tout est mis en péril : les termes opposés entre lesquels la tension s'exerce sont mis en question l'un par l'autre. La recherche de l'unité cohérente est une menace pour la spontanéité de l'expérience immédiate, et celle-ci, bien que compromise dans son surgissement authentique, reste assez puissante pour faire échouer la poursuite de l'unité « contre-nature » et pour la rendre dérisoire. Le repos n'est plus possible. Cette tension engendre un mouvement qui ne peut plus s'arrêter. Si Rousseau veut finalement revenir à sa nature variable, s'il veut se livrer à l'empire du sensible et du sentiment immédiat, il ne pourra plus en jouir innocemment : il devra se justifier, s'expliquer ; il devra donc écrire, c'est-à-dire passer par la médiation du langage et de la littérature. Fût-ce même pour dénoncer son erreur, il ne pourra faire autrement que de s'enfoncer encore plus profondément dans l'erreur. Le retour à la nature ne pourra lui-même s'accomplir qu'avec l'outrance qui avait caractérisé l'effort contraire. Pour avoir désiré l'unité qui le délivrerait des oscillations imprévisibles de son humeur, Jean-Jacques a déclenché un mécanisme d'oscillations extrêmes, dont l'amplitude l'entraînera au-delà des limites tolérables. La « révolution » qui emporte Jean-Jacques en sens contraire ne lui rendra pas la stabilité qu'il n'a pu conquérir d'une autre façon. Voué désormais aux oscillations majeures de l'esprit, il ne pourra pas retrouver le calme relatif et les oscillations de moindre amplitude qui furent son lot avant que la vocation littéraire ne l'eût entraîné :

> Si la révolution n'eût fait que me rendre à moi-même et s'arrêter là, tout était bien ; mais malheureusement elle alla plus loin et m'emporta rapidement à l'autre extrême. Dès lors mon âme en branle n'a plus fait que passer par la ligne de repos, et ses oscillations toujours renouvelées ne lui ont jamais permis d'y rester [1].

On se demande alors si la notion même de nature garde un sens. Ce mouvement oscillatoire ne permet pas le repos, le retour stable à l'état naturel. Y a-t-il même un état naturel ? Ce sera, tout au plus, un lieu virtuel, à mi-distance des extrêmes : mais en ce lieu le mouvement ne s'arrête pas ; *moi-même*, ce n'est rien d'autre qu'une image entrevue que la vitesse du passage rend confuse et évanouissante. Je ne puis désormais penser à *moi-même* que comme à ce qui me manque, à ce qui ne cesse de se dérober. Je suis toujours hors de moi, hors du repos dans l'identité stable... Ou bien opérons un changement sémantique radical, qui permettra de nommer nature (ou vérité, ou essence) le mouvement même par lequel j'échappe au repos : l'oscillation retrouve de la sorte une validité dont elle semblait dépourvue ; *moi-même*, ce n'est pas ce repos que je ne peux jamais atteindre, *je suis* au contraire l'inquiétude qui m'interdit le repos. Ma vérité se manifeste en m'arrachant à ce que je tenais pour un donné primitif (aussitôt repris que donné) où je croyais trouver mon « vrai moi ». Dès lors tous mes gestes, toutes mes erreurs, toutes mes fictions, tous mes mensonges annoncent *ma* nature : je suis authentiquement cette infidélité à un équilibre qui me sollicite toujours et qui se refuse toujours. (« Tout mouvement nous descouvre », disait Montaigne.) Il n'y a pas de folie ou de délire qui ne se résorbe dans la totalité du moi, totalité dont tous les aspects sont également contestables, également illégitimes, et dont l'ensemble fonde la

1. *Ibid.* Voir le commentaire de B. Munteano, dans « La solitude de J.-J. Rousseau », in *Annales J.-J. Rousseau*, XXXI, 1946-1949.

valeur et la légitimité irréductibles du sujet. C'est pourquoi tout devra être raconté, confessé, dévoilé, afin qu'un *être* unique se manifeste à partir de la plus complète dispersion.

LA MAGIE

Dans la page même des *Confessions* où Rousseau décrit son enthousiasme de vertu comme un « sot orgueil » et comme « l'état le plus contraire à [son] naturel », il affirme aussi : « Cette ivresse avait commencé dans ma tête, mais elle avait passé dans mon cœur. Le plus noble orgueil y germa sur les débris de la vanité déracinée. Je ne jouai rien ; je devins en effet tel que je parus [1]. »

Sot orgueil ou noble orgueil ? État contraire à la nature ou transformation sincère ? Rousseau, en jugeant son passé, laisse subsister l'équivoque. Il a été infidèle à sa « vraie nature », mais il n'a pas menti, il n'a pas porté de masque. Il est réellement devenu ce qu'il paraissait, sans réserve et sans duplicité. Rousseau suggère ici, plutôt qu'un dédoublement interne, une sorte d'éclipse de la personnalité « normale » : il est parvenu à s'identifier — pour un temps plus ou moins long — avec une personnalité « inventée ». Rousseau met toutes ses ressources, toutes ses énergies au service de cette personnalité fictive : il ne pourra pas être accusé de jouer, puisqu'il se donne tout entier à son rôle et au destin que ce rôle l'oblige à subir. Ce qui signale ici la fiction, ce n'est pas que Rousseau ne se donne pas assez à son rôle, mais c'est plutôt qu'il s'y livre trop, avec une outrance parfois inimaginable. Un homme masqué ne se solidariserait pas si complètement avec son rôle, il sauvegarderait en lui-même une part d'ironie et de désintéressement ; il maintiendrait un perpétuel pouvoir de dégagement et se donnerait le droit de changer de masques au besoin. Mais Rousseau, au contraire, est trop désireux de se confondre entièrement avec son personnage ; il se veut vertueux au point de ne plus pouvoir échapper à la fatalité de la vertu. Loin de préserver en lui la part d'une liberté désintéressée et joueuse, il passe à l'excès contraire, et se refuse toute liberté de mouvement, toute retraite possible, toute option différente. Il sera vertueux et il ne sera que cela...

Pour expliquer son ivresse de vertu, Rousseau la compare à « ces moments » de sa jeunesse où il devenait « un autre ».

1. *Confessions*, liv. IX. *O. C.*, I, 416.

La décision par laquelle il prétend se fixer et s'attacher à une identité vertueuse ressemble à ces accès de mythomanie où il s'était projeté dans la rêverie chimérique et dans l'existence pseudonyme. Maintenant qu'il se voue à la vérité, maintenant qu'il veut être Jean-Jacques Rousseau, citoyen de Genève, il répète le coup de « folie » où il devenait Vaussore de Villeneuve ou l'Anglais Dudding. Il n'est pas moins sincère, il n'est pas moins « délirant ».

Il est étrange de voir Rousseau avouer une si complète équivalence entre l'aventure courue sous un faux nom et la tension par laquelle il prétend habiter véridiquement son vrai nom. Mais si l'on se rapporte aux pages où Rousseau raconte ses aventures pseudonymes, l'on s'aperçoit qu'elles ne sont pas explicables par la psychologie de la dissimulation. A de très rares exceptions près, il ne s'est jamais agi pour lui de cacher sa véritable identité, mais au contraire de conquérir une nouvelle identité avec laquelle il pût se confondre sans retour. Il ne se masquait pas pour duper les autres, mais pour changer sa propre vie. Quand Rousseau ment, il croit à son mensonge, comme en lisant la *Jérusalem délivrée* il se sent devenir le Tasse, comme il était devenu Romain en lisant Plutarque. Rousseau s'absorbe dans sa fiction au point de ne plus laisser d'intervalle entre l'ancienne « réalité » qu'il abandonne et la fiction qui le fascine. Il se dépersonnalise pour entrer dans son nouveau personnage, et la métamorphose s'accomplit sans laisser aucun résidu. Il est convaincu d'avoir « un polype au cœur », comme l'hystérique est persuadé que sa jambe est paralysée. Il ne sait pas, ou ne veut pas savoir qu'il simule. « C'est lui-même qu'il s'agit de mystifier [1] », écrit Marcel Raymond en commentant l'épisode du concert où Rousseau se fait passer pour le compositeur Vaussore de Villeneuve [2]. Il ne se contente pas de jouer le personnage de Vaussore, il veut l'être, il veut en posséder les talents et le savoir-faire musical : il le devient si complètement qu'il a hâte d'en fournir la démonstration immédiate en organisant le concert qui tournera à la catastrophe. Un imposteur craindrait d'avoir à donner ses preuves ; mais Rousseau, tout au contraire, se prête joyeusement à l'expérience, parce qu'il va enfin *vivre* sa nouvelle identité, laisser agir son nouveau moi. Non seulement, Jean-Jacques s'est transporté tout entier

1. Marcel Raymond, *op. cit.*, 21.
2. On remarquera que Vaussore est l'anagramme de Rousseau, tandis que de Villeneuve est le « titre nobiliaire » (probablement fantaisiste) du musicien Venture, qui exerçait le prestige le plus intense sur Rousseau. L'identité fictive que Rousseau allègue à Lausanne est un hybride : c'est la greffe d'un moi remanié sur le nom de l'*autre* admiré.

dans son rôle, mais il s'attend à ce que ce rôle l'entraîne, lui commande les gestes et les paroles efficaces, lui fasse savoir la musique, conduire un orchestre... Rousseau se confie et s'abandonne à son personnage. Dans cette façon de devenir un autre, on peut certes voir un coup de force de la volonté ; mais ce coup de force se double d'une passivité vertigineuse. Ce qui a commencé par un acte de la volonté se continue en une sorte d'hypnose, où il ne s'agit plus que de *laisser faire* ce que le rôle Vaussore commande de faire. On peut parler ici de comportement magique, parce que la magie consiste précisément à provoquer des forces que l'on laisse ensuite agir sur soi ; ces forces opèrent par elles-mêmes, elles échappent à notre contrôle ; une fois suscitées, elles nous délivrent de la nécessité de vouloir et de diriger nos actes. Il suffit alors de consentir à ce qui nous arrive. L'acte magique, commencé par nous, s'achève sans nous.

Telle est la métamorphose magique de Jean-Jacques : le coup de force initial le livre à une identité fictive qu'il ne lui reste plus qu'à subir. Il passe ainsi du domaine des actes volontaires à celui de la *destinée* où (sa folle tête le lui persuade) le talent, la gloire, le bonheur vont lui arriver comme de merveilleuses récompenses. Remarquons surtout que le recours à la magie constitue pour Rousseau une façon d'atteindre aux *fins* sans mettre en œuvre les *moyens* normaux : il rejoint son but par la vertu d'un saut instantané qui élude le contact avec l'obstacle et supprime toutes les étapes intermédiaires. La magie est le royaume des actes immédiats ; elle rend inutile la laborieuse médiation du travail et de l'étude. Marcel Raymond l'a souligné : le désir de Rousseau cherche à s'accomplir sans accepter les gênes que la condition humaine lui impose [1]. Il veut être instantanément compositeur et musicien, sans avoir eu à apprendre, par l'effet d'une grâce immanente qui résulterait de l'intensité même du désir.

Le concert de Lausanne est un échec ; mais *Le Devin* réussira, mais les *Discours* et l'*Héloïse* séduiront les âmes sensibles... A l'appel de la magie, une parole et un pouvoir réels s'éveillent en Rousseau : il va bel et bien être possédé par son rôle. Telle est sa chance : il n'est plus trahi par son personnage, comme il l'avait été à Lausanne ; il peut s'y abandonner pleinement. Il a été lâché par la fiction Vaussore ; mais il ne sera pas lâché par la fiction Jean-Jacques Rousseau : et ce rôle qui l'entraîne à la gloire l'entraînera aussi dans le malheur...

1. *Op. cit.*, 22.

L'ivresse même qui, lors de la réforme, accompagne son effervescence de vertu en annonce la nature magique. Ce qui a commencé comme un choix délibéré se transforme en jouissance passive. Au sommet de l'élan volontaire, Rousseau ne domine plus son exaltation et se trouve emporté par une vague vertigineuse. Lui qui sait si bien qu'il n'y a pas de vertu sans force, il se livre au paradoxe d'une ivresse vertueuse, où sa volonté désarmée se laisse submerger : il n'a plus qu'à se laisser dicter sa vertu. Mais cette vertu *inspirée* n'est qu'une rêverie fascinante ; l'énergie de l'âme est tout entière absorbée par la griserie de la fascination. Le règne de la vertu, au lieu d'être fondé sur la volonté lucide, s'évanouit ainsi dans l'inconsistance d'une exaltation qui s'épuise en elle-même.

Il n'en reste pas moins que l'exaltation exige la solitude, s'élance vers le sacrifice et peut-être le martyre. Jean-Jacques n'y voit plus le visage de son propre désir : il y reconnaît le commandement inéluctable du destin. Le même homme qui se complaisait dans les métamorphoses d'un protée, l'aventurier qui courait les routes sous le nom de Vaussore ou de Dudding, le même Rousseau, maintenant qu'il est décrété de prise de corps et qu'il fuit Montmorency, le voici qui ne sait plus comment faire pour cacher son vrai nom, alors qu'il y va de sa liberté. La main lui tremble, au moment, où il s'apprête à donner une fausse signature. Il n'a pas le droit de désobéir à la vertu, il ne mentira pas, il s'exposera au danger et subira son destin :

> Je dois pourtant vous dire qu'en passant à Dijon il fallut donner mon nom, et qu'ayant pris la plume dans l'intention de substituer celui de ma mère, il me fut impossible d'en venir à bout ; la main me tremblait si fort que je fus contraint deux fois de poser la plume ; enfin le nom de Rousseau fut le seul que je pus écrire, et toute ma falsification consista à supprimer le J d'un de mes deux prénoms [1].

Acte de courage et de défi, mais où Rousseau se comporte comme la victime d'un enchantement. Il y a, dans cette sincérité forcée, la même outrance « compulsive », la même paralysie de la volonté, le même envoûtement magique que dans les moments d'égarement où Rousseau devenait « un autre » et se laissait entraîner par son rôle.

Nous avons vu, d'une part, que la réforme personnelle introduit dans l'âme de Jean-Jacques la contradiction et le

1. A Mme de Luxembourg, 17 juin 1762. *Correspondance générale*, DP VII 304.

conflit ; mais d'autre part nous venons de constater chez lui le singulier pouvoir de s'identifier à peu près complètement avec le personnage qu'il désire paraître : il parvient à vivre authentiquement tel rôle qui n'était d'abord qu'une chimère de son esprit. Tout au long du récit de sa réforme personnelle, Rousseau fait alterner l'une et l'autre explication, au risque de déconcerter le lecteur : il s'est éloigné de lui-même dans un « effort contraire à son naturel » ; en revanche, ce qui n'était au départ qu'un principe arbitrairement choisi est *devenu* une passion sincère, l'affectation de vertu s'est transformée en véritable ivresse. L'idée anticipe sur le sentiment, mais celui-ci ne se laisse pas longtemps devancer : il se hâte de combler son retard, et toute l'énergie du moi se met au service de cet « idéal du moi » qui n'était d'abord qu'une fiction. Relisons tels fragments que nous avons déjà rencontrés ; nous y trouverons, très nettement exprimé, le processus par lequel une authenticité se crée à partir d'un dédoublement inauthentique. Le moi entre alors dans une vérité dont il est l'auteur, dans une identité qui ne préexistait pas en lui :

> Mes sentiments se montèrent avec la plus inconcevable rapidité au ton de mes idées [1].

Tout le tempérament de Rousseau est dans la *rapidité* dont il parle ici, et qui décrit l'impétuosité d'une âme qui transporte sa vie au niveau où n'accédait que sa réflexion... Écoutons cet autre aveu :

> Je sens que l'amour de la vérité m'est *devenu* cher par ce qu'il me coûte. Peut-être ne fut-il d'abord pour moi qu'un système : il est maintenant ma passion dominante [2].

Un système intellectuel *devient* une passion ; l'idéologie prend forme d'expérience vécue, non pas seulement parce que la morale exige que chacun vive selon ses principes mais parce que le sentiment désire s'identifier avec les idées qui promettent une justification supérieure.

Les *Confessions* nous disent à la fois l'échec et la vérité de cette transformation du moi. Ce qui n'était d'abord qu'affectation de vertu prend peu à peu le caractère de la noblesse et de la vertu vraies ; mais au terme de cet effort, il n'en reste

1. *Confessions*, liv. VIII. *O. C.*, I, 351.
2. *Annales J.-J. Rousseau*, IV (1908), 244 ; voir *O. C.*, I, 1164.

pas moins que Jean-Jacques ne se sent plus coïncider avec lui-même :

Jeté malgré moi dans le monde sans en avoir le ton, sans être en état de le prendre et de m'y pouvoir assujettir, *je m'avisai d'en prendre un à moi qui m'en dispensât.* Ma sotte et maussade timidité que je ne pouvais vaincre ayant pour principe la crainte de manquer aux bienséances, je pris pour m'enhardir le parti de les fouler aux pieds. Je me fis cynique et caustique par honte ; j'affectai de mépriser la politesse que je ne savais pas pratiquer. Il est vrai que cette âpreté, conforme à mes nouveaux principes, s'ennoblissait dans mon âme, y prenait l'intrépidité de la vertu, et c'est, je l'ose dire, *sur cette auguste base* qu'elle s'est soutenue mieux et plus longtemps qu'on n'aurait dû l'attendre d'un effort si contraire à *mon naturel.* Cependant malgré la réputation de misanthropie que *mon extérieur* et quelques mots heureux me donnèrent dans le monde, il est certain que dans le particulier *je soutins toujours mal mon personnage* [1].

Les mots sont révélateurs : le mouvement par lequel l'âme conquiert sa *base* est en même temps celui qui l'oblige à sentir sa division. Cette page nous montre comment l'être s'invente, pour se rassembler tout entier dans sa fiction. La désinvolture arbitraire (*je m'avisai d'en prendre un...*) ouvre la voie aux sentiments les plus nobles. Mais, sitôt parvenu à s'établir sur sa base, l'être défaille dans la contradiction (que dessine le mouvement même de la phrase et de la page). L'homme qui critiquait si amèrement la discordance de l'être et du paraître dans l'humanité civilisée perçoit maintenant en lui-même le contraste qui oppose son *extérieur* et son *naturel.* Il se sent être la faiblesse qu'il nie. Le scandale qu'il accusait dans le monde s'est déplacé dans sa vie ; le mal qu'il dénonçait fiévreusement au-dehors s'est intériorisé. Prendre parti pour la vertu n'a donc pas mis fin à la discordance de l'être et du paraître : c'est ici seulement que le problème devient *mon* problème. La base que je me suis donnée manque sous mes pieds, et tout est remis en question.

En théorie, les choses se conciliaient beaucoup mieux. Dans l'une de ses lettres à Sophie, Jean-Jacques écrivait :

Quiconque a le courage de paraître ce qu'il est deviendra tôt ou tard ce qu'il doit être [2].

Pareille formule accorde merveilleusement l'idée d'une permanence naturelle du moi et l'idée d'une transformation de soi commandée par le devoir moral. La sincérité, c'est-à-dire la simple affirmation transparente de l'être naturel, a

1. *Confessions*, liv. VIII. *O. C.*, I, 368-369.
2. *Correspondance générale*, DP, III, 101 ; L (éd. Leigh), V, 2.

pour effet de transformer celui-ci et de le faire *devenir* ce qu'il doit être. En s'avouant tel qu'il est, il devient un autre, il prend un nouveau visage. La tautologie de l'aveu est le principe d'une genèse et d'une métamorphose. On ne saurait mieux dire que la sincérité sauve l'âme et la transfigure. Rousseau formule sans doute ici une morale toute profane, mais elle ne se comprend qu'en référence à un modèle religieux. L'acte volontaire par lequel je parais ce que je suis joue le rôle théologique du Christ médiateur qui régénère l'âme du croyant. Seulement, selon Rousseau, paraître ce que je suis est un acte immédiat, qui me transforme sans que j'aie à agir explicitement sur moi pour me modifier, et sans que j'aie à recourir à une puissance ou à une grâce qui me serait extérieure. La grâce qui me transfigure est immanente à ma conscience. Je ne sors pas de moi pour devenir ce que je dois être.

Nous aurons à reprendre plus tard le problème de la sincérité. Qu'il suffise ici de lui assigner sa place dans l'ensemble de la situation vécue par Jean-Jacques.

La sincérité est réconciliation avec soi-même : c'est une issue hors de la division intérieure. Mais cette division intérieure n'est pas originelle ; elle n'est que l'écho intériorisé de la révolte par laquelle Jean-Jacques s'oppose à une société inacceptable. Même pour une analyse qui se voudrait purement « existentielle » (et non sociologique ou marxiste), le problème de la révolte possède, en quelque sorte, un droit de priorité et d'antériorité par rapport au problème de la sincérité. Le souci de sincérité, chez Jean-Jacques, constitue une réponse *partielle* — au niveau du moi, et rien qu'à ce niveau — à une situation qui dès l'origine déborde le moi et concerne ses rapports avec la société de 1750. Mais alors même qu'elle oblige la conscience à se détourner de la vie sociale pour se préoccuper de ses conflits particuliers, la sincérité s'attend à ce que les autres lui prêtent attention. Tournée vers les problèmes du dedans, elle vise indirectement le dehors : il vaut la peine de se décrire sincèrement, parce que dans la société avec laquelle on a rompu il pourrait y avoir *déjà* des hommes capables de nous comprendre. La sincérité ébauche la restauration d'un rapport social, non sur le plan de l'action politique, mais sur celui de la compréhension humaine. En quoi l'effusion sincère se manifeste comme un état d'âme prérévolutionnaire — et qui risque de supplanter toute action véritable, pour les « belles âmes » qui se satisfont de leur propre enthousiasme.

IV

LA STATUE VOILÉE

Le *Morceau allégorique* [1] s'achève par un rêve philosophique dont le symbolisme assez traditionnel (les prototypes étant Scipion et Poliphile) n'apparaît certes pas comme le produit d'une authentique « imagination onirique ». Les Romantiques sauront mieux s'y prendre. Mais ce texte n'en possède pas moins une valeur de premier plan. Si naïve et si peu originale que soit l'imagerie du *Morceau allégorique*, elle figure très clairement — peut-être trop clairement — les moments successifs d'un avènement de la vérité. Le fragment n'a pas été achevé, et Rousseau ne le destinait sans doute pas à la publication. Mais nous verrons qu'il y formule un mythe auquel il tient davantage qu'on ne croirait à première vue.

Un philosophe s'est endormi après avoir contemplé l'univers et médité sur l'existence de Dieu. Son rêve l'a conduit dans « un édifice immense formé par un dôme éblouissant que portaient sept statues colossales » :

> Toutes ces statues à les regarder de près étaient horribles et difformes, mais par l'artifice d'une perspective adroite, vues du centre de l'édifice chacune d'elles changeait d'apparence et présentait à l'œil une figure charmante.

D'emblée, nous rencontrons le thème de l'illusion et de l'apparence trompeuse, comme dans le premier *Discours*. Ce lieu où règne la séduction néfaste du paraître est un temple,

1. *Œuvres et Correspondance inédites de J.-J. Rousseau*, publiées par G. Streckeisen-Moultou (Paris, 1861), 171 et sq. ; voir *O. C.*, IV, 1044-1054.

et c'est le séjour de l'humanité. La scène se passe dans un décor solennel où l'homme est en rapport avec le sacré. Et l'on découvre les rites d'une étrange religion : au centre se trouve un autel, sur lequel est dressée « une huitième statue, à qui tout l'édifice est consacré ». Mais cette statue reste « toujours environnée d'un voile impénétrable ». Nulle ressemblance pourtant avec la jeune divinité qui domine le frontispice de l'*Encyclopédie* et dont le corps charmant transparaît sous le voile ténu qu'elle retient à peine. La femme voilée de l'*Encyclopédie* s'avance avec la lumière d'un soleil naissant et disperse au-devant d'elle les ténèbres, qui font de grosses volutes inoffensives au sommet de la planche dessinée par Cochin. En revanche, au début du rêve de Rousseau, nous sommes encore dans le règne de l'erreur et de l'opinion déraisonnable. Le moment de l'illumination viendra plus tard. Aux pieds de la grande statue voilée montent les denses fumées d'un culte absurde :

> Elle était perpétuellement servie du peuple et n'en était jamais aperçue ; l'imagination de ses adorateurs la leur peignait d'après leurs caractères et leurs passions et chacun d'autant plus attaché à l'objet de son culte qu'il était plus imaginaire ne plaçait sous ce voile mystérieux que l'idole de son cœur.

Point de rayons autour de cette étrange statue ; elle est une puissance de mal, qui se dresse dans une atmosphère nocturne. Le rêveur entrevoit vaguement des scènes monstrueuses, il assiste aux crimes d'une Sodome immense :

> L'autel qui s'élevait au milieu du temple se distinguait à peine au travers des vapeurs d'un encens épais qui portait à la tête et troublait la raison ; mais tandis que le vulgaire n'y voyait que les fantômes de son imagination agitée le philosophe plus tranquille en aperçut assez pour juger de ce qu'il ne discernait pas ; l'appareil d'un continuel carnage environnait cet autel terrible ; il vit avec horreur le monstrueux mélange du meurtre et de la prostitution.

Pour évoquer « poétiquement » l'atmosphère du mal, Rousseau multiplie comme à plaisir tous les symboles classiques de l'opacité, du mensonge, de la dissimulation criminelle. L'horreur de ce spectacle, tel qu'il nous est décrit, consiste moins dans les crimes eux-mêmes que dans l'épaisseur du mystère qui les entoure. (Nous aurons l'occasion d'y revenir : le *caché*, le *mystérieux* sont presque toujours chargés de valeur négative pour Rousseau ; sous sa plume, et surtout quand il écrira les *Dialogues*, « *mystère* » et « *mal* » sont des termes à peu près synonymes.) Le culte de la statue, qui asservit les hommes à leur subjectivité déraisonnable, prend la forme du crime universel : il se déroule dans la *pénombre*, aux pieds de la statue *voilée* de l'idole ; les victimes sont fascinées par leur *illusion* et les prêtres-bourreaux, *cachant* leur cruauté « sous un air modeste et recueilli », réussissent à *aveugler* les hommes en leur bandant les yeux ; ils ont d'ailleurs également le pouvoir de punir leurs victimes récalcitrantes en les *défigurant* aux yeux des autres :

Ils commençaient par bander les yeux à tous ceux qui se présentaient à l'entrée du temple, puis les ayant conduits dans un coin du sanctuaire ils ne leur rendaient l'usage de la vue que quand tous les objets concouraient à la fasciner. Que si, durant le trajet quelqu'un tentait d'ôter son bandeau, à l'instant ils prononçaient sur lui quelques paroles magiques qui lui donnaient la figure d'un monstre sous laquelle abhorré de tous et méconnu des siens il ne tardait pas d'être déchiré par l'assemblée.

Rousseau donne ici libre cours à une phobie qui hantera ses dernières années (mais qui existe en lui dès l'adolescence) : l'idée de la métamorphose par la diffamation. Il exprime sa propre terreur de recevoir le masque du monstre et de ne pouvoir s'en délivrer : la vindicte universelle va s'abattre sur un innocent que l'*on* a déguisé en coupable.

Les efforts de délivrance seront des actes de dévoilement, destinés à détruire les maléfices de la statue voilée. Trois personnages vont apparaître successivement. Chacun d'eux agira seul, mais dans l'intérêt de l'humanité entière. Rousseau décrit allégoriquement l'entreprise du *héros libérateur* ; car le symbole est ici celui même de l'*Aufklärung* : le héros rend la vue aux hommes aveuglés, il rend visible ce qui était voilé, il apporte la lumière.

Le premier personnage, qui est peut-être un double du philosophe (il est « exactement vêtu comme lui ») rend la vue à quelques hommes, mais sans oser pourtant s'attaquer à la statue. Le sort qui l'attend sera précisément la diffamation mortelle :

Cet homme dont le port était grave et posé n'allait point lui-même à l'autel, mais touchant subtilement au bandeau de ceux qu'on y conduisait, sans y causer de dérangement apparent, il leur rendait l'usage de la vue.

Les ministres du temple vont s'emparer de lui et « l'immoler » sur-le-champ « aux acclamations unanimes de la troupe aveuglée ».

A ce martyr de la vérité en succède un second : un vieillard qui se prétend aveugle et qui en réalité ne l'est pas. Nous reconnaissons Socrate. Son geste sera plus hardi : il osera dévoiler la statue, mais sans réussir à faire triompher la vérité :

> Sautant légèrement sur l'autel, [il] découvrit d'une main hardie la statue et l'exposa sans voile à tous les regards. On voyait peintes sur son visage l'extase avec la fureur ; sous ses pieds elle étouffait l'humanité personnifiée, mais ses yeux étaient tendrement tournés vers le ciel... Cet aspect fit frémir le philosophe, mais loin de révolter les spectateurs ils n'y virent au lieu d'un air de cruauté qu'un enthousiasme céleste, et sentirent augmenter pour la statue ainsi découverte le zèle qu'ils avaient eu pour elle sans la connaître.

L'allégorie se laisse aisément déchiffrer : l'idole n'est autre que le fanatisme, qui sacrifie les hommes en feignant d'adorer le ciel. C'est l'adversaire que la philosophie des Lumières a décidé d'abattre ; et Rousseau fait ici cause commune avec les Philosophes, qui malmènent les prêtres imposteurs et la crédulité superstitieuse. Cependant, Rousseau nous dit qu'il ne suffit pas de dévoiler le mal : son pouvoir d'illusion et de fascination reste entier. Le vieillard, condamné à boire « l'eau verte », mourra en rendant un hommage inattendu à la statue hideuse. La face réelle du mal a été mise à nu : mais ce n'est pas assez encore. Il reste à manifester la vérité du bien. L'acte essentiel n'est toujours pas accompli.

LE CHRIST

C'est alors qu'apparaît le troisième héros, annoncé comme le « fils de l'homme » : c'est évidemment le Christ. Il suffit qu'il se montre pour que la vérité devienne manifeste. Il *est* la vérité. Il en apporte l'évidence, qui conquiert instantanément tous les cœurs. Et il triomphe de la statue sans lutte et sans risque :

> « O mes enfants », dit-il d'un ton de tendresse qui pénétrait l'âme, « je viens expier et guérir vos erreurs, aimez Celui qui vous aime et connaissez Celui qui est. » A l'instant saisissant la statue il la renversa sans effort et montant sur le piédestal avec aussi peu d'agitation, il semblait prendre sa place plutôt qu'usurper celle d'autrui... Il ne fallait que l'entendre une fois pour être sûr de l'admirer toujours, *on sentait que le langage de la vérité ne lui coûtait rien parce qu'il en avait la source en lui-même.*

Tel est donc le moment décisif : un renversement abrupt établit le règne du Bien sur les ruines du Mal. Rousseau est coutumier de ces oppositions sans moyen terme et sans nuances. Le Bien absolu ou le Mal absolu : c'est la seule alternative offerte. Mais ce qui doit ici retenir notre attention, c'est qu'à la domination obscure d'une *chose voilée* succède la présence libératrice d'un homme divin. On ne pouvait pas s'arrêter au dévoilement de la face hideuse du mal ; même dévoilée, la Statue restait encore toute-puissante. Ce qui compte, c'est l'épiphanie de l'homme et du langage véridiques, c'est la manifestation d'une vérité qui a sa source dans une conscience.

L'instant capital n'est donc pas celui du dévoilement du mal, mais celui où la vérité incarnée vient témoigner de sa présence efficace. Une conscience maintenant s'ouvre à nous, et, par sa transparence même, cette conscience s'annonce comme la source d'une vérité universelle. Le Bien apparaît dans le monde à travers un *moi* qui le laisse transparaître. Le dieu-homme (comme ailleurs Rousseau lui-même) s'offre à tous les regards non pour être vu lui-même, mais pour qu'une *source* sacrée soit reconnue dans l'acte même par lequel il parle et se communique sans restriction.

Cette vérité est singulièrement *facile*. Elle ne « coûte rien » à celui qui l'énonce, et elle est instantanément comprise par ceux qui l'écoutent. Nous sommes en présence d'une double immédiateté. L'homme-dieu possède immédiatement la vérité, et il la transmet immédiatement. La conversion de l'humanité est instantanée. Rien ici qui ressemble au *scandale* dont parle l'Évangile. La vérité s'impose par une sorte de magie qui abolit les obstacles et rend tout effort inutile. On avouera qu'il y a là quelque chose d'enfantin qui n'a cours d'habitude que dans les contes de fées...

Et l'on mettra en doute l'authenticité de cette figure du Christ. Il annonce qu'il vient « expier » les erreurs des hommes. Mais le texte de Rousseau (est-il vraiment inachevé ?) s'interrompt précisément avant le récit de la crucifixion. Interruption des plus significatives. C'est que Rousseau n'a que faire de la croix, qui est un symbole de médiation. L'essentiel du christianisme, pour Rousseau, est dans la prédication d'une vérité *immédiate*. Aussi nous propose-t-il une image du Christ éducateur de l'humanité, adressant aux hommes des discours attendrissants, des paroles « qui vont droit au cœur ».

Le Christ de Rousseau n'est pas un médiateur ; il n'est qu'un grand *exemple*. S'il est plus grand que Socrate, ce n'est pas par sa divinité, mais par sa plus courageuse humanité. Nulle part la mort du Christ n'apparaît dans sa dimension théologique, comme l'acte réparateur qui serait au centre de l'histoire humaine. La mort du Christ est seulement l'archétype admirable de la mort du juste calomnié par tout son peuple. Socrate n'est pas mort solitairement ; tandis que la grandeur du Christ lui vient de sa solitude. Il offre le plus édifiant exemple du destin d'exception que Jean-Jacques subit et désire lui-même :

Avant qu'il [Socrate] eût défini la vertu la Grèce abondait en hommes vertueux. Mais où Jésus avait-il pris chez les siens cette morale élevée et pure dont lui *seul* a donné *les leçons et l'exemple* ? Du sein du plus furieux fanatisme la plus haute sagesse se fit entendre, et la simplicité des plus héroïques vertus honora le plus vil de tous les peuples. La mort de Socrate philosophant tranquillement avec ses amis est la plus douce qu'on puisse désirer ; celle de Jésus expirant dans les tourments, injurié, raillé, maudit de tout un peuple est la plus horrible qu'on puisse craindre [1].

Rousseau accumule les antithèses, au mépris de toute nuance : le peuple le plus vil — la sagesse la plus haute ; la mort la plus douce — la mort la plus horrible. Superlatifs contre superlatifs. La dernière antithèse opposera l'homme et Dieu :

Oui, si la vie et la mort de Socrate sont d'un sage, la vie et la mort de Jésus sont d'un Dieu [2].

Mais la mort de Jésus n'est que l'exploit d'une âme héroïque. Cette mort divine n'entraîne pas de conséquences surnaturelles. Pierre Burgelin écrit à ce propos : « Le christianisme de Rousseau se veut *evangelium Christi*, acceptant le divin prophète galiléen qui parle à tout cœur bien né pour enseigner les lois de l'amour. Il refuse un *evangelium de Christo*, qui poserait la valeur absolue du Christ mort pour sauver les hommes [3]. »

De fait le *Morceau allégorique* nous montre le Christ comme une conscience qui trouve en elle-même (mais venant peut-être d'au-delà d'elle-même) la source de la vérité. Chacun de nous peut faire comme lui. Rentrer en soi-même, y trouver la source, reconnaître la « voix de la conscience ». Chacun pourrait alors devenir — à l'instar du Christ — l'éducateur du genre humain, qui exalte les cœurs et y réveille une bonté paralysée. L'imitation de Jésus-Christ, chez Rousseau, est l'imitation de l'acte « divin » par lequel une conscience humaine solitaire devient source de vérité ou transparence à une vérité

1. *Émile*, liv. IV. *O. C.*, IV, 626.
2. *Ibid.*
3. Pierre Burgelin, *La Philosophie de l'Existence de J-J. Rousseau* (Paris, P. U. F., 1952), 434.

venue d'au-delà. Loin donc d'être le médiateur indispensable au salut de l'homme, le Christ enseigne le refus de la médiation, son exemple invite à écouter « le principe immédiat de la conscience [1] ». Rousseau, qui ne cherchera pas à faire son salut par le Christ, veut annoncer la vérité comme le Christ. Celui-ci n'est que le témoin de l'illumination de la conscience par une lumière originelle dont chacun peut devenir à son tour le témoin.

« Que d'hommes entre Dieu et moi! » s'écrie le Vicaire savoyard. Le désir de Rousseau est de voir Dieu immédiatement. Moins il y aura d'intermédiaires, et mieux nous saisirons la présence divine. Point de prêtres, point de dogmes interposés. Si Jean-Jacques accepte l'Évangile, c'est parce que la vérité y est sensible de façon immédiate : « J'y reconnais l'esprit divin : *cela est immédiat autant qu'il peut l'être;* il n'y a point d'hommes entre cette preuve et moi [2]. »

GALATÉE

« Le théâtre représente un atelier de sculpteur. Sur les côtés on voit des blocs de marbre, des groupes, des statues ébauchées. Dans le fond est une autre statue cachée sous un pavillon d'une étoffe légère et brillante, orné de crépines et de guirlandes [3]. » L'image de la statue voilée se dresse ainsi une nouvelle fois dans l'œuvre de Rousseau : c'est le corps parfait de Galatée que Pygmalion a sculpté à l'image de son désir. La statue, cette fois, ne figure plus l'idole qui préside au mal : c'est la beauté idéale, qui a pris corps dans une pierre inanimée. « Je m'adore dans ce que j'ai fait », s'écrie Pygmalion. Amoureux de son visage comme l'était Narcisse, il veut étreindre le reflet de lui-même qu'il adore dans son œuvre. Il s'est dédoublé, une partie de son âme a passé dans cette *chose* sans vie ; mais Pygmalion ne consent pas à se séparer de ce qu'il a créé. Il n'accepte pas que l'œuvre d'art soit *autre* que lui-même, qu'elle lui devienne étrangère. Faute de recevoir en retour l'amour qu'il porte à sa créature, Pygmalion se sent condamné à une solitude intolérable : il n'est plus vraiment vivant, il est appauvri de toute l'âme qu'il a tenté de donner à la statue enchanteresse. « Le froid de la

1. *Émile*, liv. IV. *O. C.*, IV, 600. Rousseau a hésité dans sa rédaction ; il a d'abord écrit *sentiment intérieur*, puis *principe actif, intérieur* et enfin *principe immédiat de la conscience.* Cf. P.-M. Masson, *La Profession de foi du vicaire savoyard*, Fribourg, 1914.
2. *Lettre à Christophe de Beaumont. O. C.*, IV, 994.
3. *Pygmalion. O. C.*, II, 1224-1231.

mort reste sur ce marbre ; je péris par l'excès de vie qui lui manque... Oui, deux êtres manquent à la plénitude des choses. » Pygmalion ne désire pas seulement que la statue prenne vie. Il veut en être aimé et reconnu. Il veut donc récupérer la force qu'il a dépensée dans son ouvrage. Car il est un artiste avare, qui ne peut pas s'oublier dans ce qu'il fait, et qui n'a pas le cœur de consentir à cette *perte* qu'est une œuvre achevée. Ce qu'il espère n'est autre que la parfaite réflexion de son désir, mais renvoyé par un *vivant* miroir. Par conséquent l'œuvre ne doit pas demeurer une froide chose de marbre qui s'immobilise dans son existence autonome. Pygmalion implore le miracle qui abolira l'extériorité de l'œuvre et lui substituera l'intériorité expansive de la passion narcissique. (Ainsi Rousseau, quand sa rêverie invente des « créatures selon son cœur ».) On peut voir là, notons-le en passant, l'expression mythique d'une esthétique « sentimentale », qui assigne pour tâche à l'œuvre d'art d'imiter l'idéal du désir, mais qui vise aussitôt à métamorphoser l'œuvre en *bonheur vécu.* L'œuvre n'aura pas d'objectivité indépendante. La créature de l'artiste sera une subjectivité imaginaire destinée à *répondre* à la subjectivité du créateur. L'artiste donne forme à une âme, dont il refuse de se détacher ; le poète veut être épousé par sa poésie. Mais la réussite de cet art aboutit au silence de l'art. Si tout doit s'achever dans la joie vécue, la vie fait disparaître l'art. Galatée vivante ne sera plus une *œuvre*, mais une conscience. Pygmalion heureux dépose ses instruments ; l'amour de Galatée lui suffira ; il ne sculptera plus de statues...

Combien significative, la critique que Gœthe formulera contre le *Pygmalion* de Rousseau : « Il y aurait beaucoup à dire sur ce sujet : car cette merveilleuse production oscille également entre la Nature et l'Art, avec la fausse ambition de faire en sorte que l'Art se résorbe dans la Nature. Nous voyons un artiste qui a accompli ce qu'il y a de plus parfait et qui, ayant projeté hors de lui-même son idée, l'ayant représentée selon les lois de l'art et lui ayant prêté une vie supérieure, n'y trouve pourtant pas la satisfaction. Non ; il faut qu'il la fasse redescendre vers lui dans la vie terrestre : ce que l'esprit et l'action ont produit de plus haut, il veut le détruire par l'acte de sensualité le plus vulgaire [1]. » Il est préférable, pense Gœthe, que l'œuvre reste dans cette *vie supérieure* où elle n'a plus rien de commun avec notre « vie terrestre ». Au nom de l'exigence même de l'esprit, l'artiste doit consentir à s'aliéner dans son ouvrage.

1. Gœthe, *Wahrheit und Dichtung. Werke* (Stuttgart, Cotta, 1863), IV, 180.

Pygmalion a d'abord voilé la statue :

J'ai craint que l'admiration de mon propre ouvrage ne causât la distraction que j'apportais à mes travaux. Je l'ai caché sous ce voile.

Mais le moment du dévoilement ne sera pour Pygmalion que l'occasion d'une souffrance plus aiguë : il verra la perfection de son ouvrage, mais il verra aussi que le chef-d'œuvre reste sans vie. C'est en dévoilant la statue que Pygmalion découvre le manque essentiel :

Mais il te manque une âme : ta figure ne peut s'en passer.

Par un miracle des dieux, Galatée va s'éveiller à la vie : la statue devient sensible, comme cette autre statue qu'imaginait Condillac. Mais l'existence de Galatée ne commence pas par la perception du monde extérieur ; elle ne devient pas « odeur de rose ». Son premier acte sensible est celui par lequel elle se touche et devient instantanément « conscience de soi ». Elle dit : *Moi*. Le monde extérieur n'apparaîtra qu'en second lieu pour cette conscience naissante. « Galatée fait quelques pas et touche un marbre : Ce n'est plus moi. » Elle rencontre enfin Pygmalion, pose une main sur lui, et soupire : « Ah ! encore moi. » Les deux parts d'un même moi sont enfin réunies. La séparation est abolie, qui divisait l'artiste de ce qu'il avait produit. Le travail créateur n'a eu lieu que pour être repris dans l'unité d'un Moi aimant.

Si dissemblable que soit l'intention de ces deux textes, le *Morceau allégorique* et *Pygmalion* présentent une analogie frappante. Au début, les deux statues sont voilées. L'instant du dévoilement va nous mettre en présence de l'objet caché : les statues, devenues visibles, provoquent une fascination « sacrée » — horreur ou amour. Mais, si important qu'il soit, le dévoilement n'est qu'une étape, il ne nous offre encore qu'une vérité incomplète. L'attente pathétique ne trouve sa résolution finale qu'au moment où une personne *vivante* apparaît sur le piédestal. Dans les deux allégories, une intervention mystérieuse, un acte magique ou divin président à ce passage de l'inanimé au vivant. Le miracle est dans la substitution d'une conscience à un objet.

THÉORIE DU DÉVOILEMENT

Il n'est pas impossible, à partir de ces deux textes, de formuler une théorie du dévoilement.

Il y a deux moments du dévoilement, dont la portée et

la valeur sont très différentes. Chacun d'eux réalise la manifestation d'une vérité (ou d'une réalité), mais ces vérités ne sont pas d'une égale importance. Le premier dévoilement est un acte critique : c'est le dévoilement dénonciateur, qui détruit les prestiges séduisants de l'apparence. Il fait cesser l'enchantement néfaste du paraître mensonger. Ce dévoilement est œuvre de désillusion et de désenchantement. L'essentiel de son efficacité n'est pas dans la réalité qu'il découvre sous le masque, mais dans l'erreur qu'il détruit. Les hommes constatent qu'ils *étaient* trompés. Ils ne savent encore rien d'autre, mais une libération s'est déjà accomplie. Le dévoilement critique s'attaque à l'erreur interposée ; avant même d'atteindre ce qui *est* derrière le voile, il dénonce la présence du voile. Dans le *Morceau allégorique*, ce moment est figuré par l'intervention du philosophe qui rend la vue aux victimes de la Statue, et par le geste de Socrate, qui arrache le voile.

Rousseau assigne cette fonction de dévoilement critique à son œuvre, et surtout à ses premiers *Discours* :

> Dans ses premiers écrits il s'attache davantage à détruire ce prestige d'illusion qui nous donne une admiration stupide pour les instruments de nos misères et à corriger cette estimation trompeuse qui nous fait honorer des talents pernicieux et mépriser des vertus utiles [1].
>
> Papistes, huguenots, grands, petits, hommes, femmes, robins, soldats, moines, prêtres, dévots, médecins, philosophes, *Tros Rutulusve fuat*, tout est peint, tout est démasqué sans jamais un mot d'aigreur ni de personnalité contre qui que ce soit, mais sans ménagement pour aucun parti [2].

On comprend, en lisant ces déclarations, ce qui permettra à Schiller de définir Rousseau comme le poète « sentimental [3] » de la *satire pathétique*, qui dénonce la non-concordance de la réalité et de l'exigence « idéale »...

S'il s'en tenait là, Rousseau ne serait pas si différent de ses ennemis les Philosophes. Comme eux, il déclame contre les mensonges solennels des prêtres et des Églises ; il prend plaisir à pousser la « démystification » jusqu'au scandale :

> La religion ne sert que de masque à l'intérêt, et le culte sacré de sauvegarde à l'hypocrisie [4].

Voilà qui est dans le ton même de la critique philosophique. Mais Rousseau ne voudra pas en rester à la critique de l'ines-

1. *Dialogues*, III. *O. C.*, I, 934.
2. *Dialogues*, I. *O. C.*, I, 688
3. Schiller, *Ueber naive und sentimentalische Dichtung Werke*, XII, 206 (Stuttgart, Cotta, 1838).
4. *Émile*, liv. IV. *O. C.*, IV, 560.

sentiel ; il s'efforcera d'annoncer une vérité essentielle, vérité dont les autres — les Philosophes — ne voudront pas entendre parler. Ce que Rousseau reproche aux Philosophes, c'est d'adorer les mensonges qu'ils dévoilent, à la façon de Socrate dans le *Morceau allégorique*, qui meurt en rendant hommage à la statue du fanatisme. Quand les « holbachiens » arrachent les masques des despotes et des prêtres, ils découvrent le visage grimaçant de l'intérêt. A la bonne heure! Mais quand ils interprètent la nature, ils y voient un enchaînement nécessaire de causes et d'effets, où la morale humaine ne fait pas exception : il en résulte que chacun n'a rien de mieux à faire que de suivre son avantage. Si le mal est intérêt, comment la morale peut-elle être « intérêt bien entendu »? Après avoir accusé l'intérêt, Holbach et ses amis le rétablissent dans tous ses droits et acceptent sans trop de regret les maux de la société, dont ils ne souffrent pas. Ils sont des aristocrates ou de très riches bourgeois qui se trouvent bien du monde comme il va. Ils ne contestent les valeurs illusoires que pour mieux s'installer dans l'absence de toute valeur et jouir plus à leur aise de leurs privilèges et de leurs soupers fins. Ils n'ont arraché les masques que pour congédier tous les scrupules. Car les fausses valeurs qu'ils dénonçaient — la religion, les conventions du bien et du mal — constituaient une gêne pour leurs plaisirs. Dans un système mécaniste et matérialiste qui établit la nécessité physique de toutes choses, aucun plaisir, aucun privilège n'est injustifiable, tous les penchants doivent être suivis. « Commode philosophie des heureux et des riches qui font leur paradis en ce monde [1]... » Aux yeux de Rousseau, ses adversaires matérialistes, incapables de rien concevoir au-delà des forces impersonnelles, s'identifieront finalement avec leur système : ils lui apparaîtront comme des « êtres mécaniques » mus par une « aveugle nécessité ». Jean-Jacques entreprendra donc de démasquer ces prétendus démasqueurs, sachant que le risque est grand et qu'il pourra lui en coûter cher : « Les Philosophes, que j'ai démasqués, veulent à tout prix me perdre et réussiront [2] »...

Le second dévoilement survient comme le complément et la continuation du premier. Si la première étape est la dénonciation du « voile de l'illusion », la seconde sera la découverte et la description de ce qui nous était resté caché. L'erreur une fois dissipée, nous voici en face de la réalité solide. La métaphore du voile soulevé est l'expression figurée d'une théorie *réaliste* de la connaissance : c'est l'image dont se sert

1. *Dialogues*, III. *O. C.*, I, 971.
2. *Correspondance générale*. DP, XVIII, 295.

l'optimisme « naïf » qui prétend *voir* le vrai visage derrière les masques, saisir enfin la « chose en soi », rencontrer l'*être* et la *substance* dissimulés sous le paraître et l'accident. Mais Rousseau admet-il les implications réalistes de la métaphore du dévoilement ?

Nous ne trouvons ce réalisme optimiste chez Rousseau que lorsqu'il espère rejoindre, sous les masques, un fait humain, une réalité morale ; Rousseau travaille au dévoilement d'une *nature humaine*, mais il se garde d'encourager une recherche qui aurait l'ambition de découvrir la réalité substantielle qui constitue l'univers physique et la nature matérielle des choses. De la leçon de Malebranche et de l'empirisme lockien, il a tiré la conclusion qu'il serait chimérique de vouloir chercher une vérité cachée « dans les choses » : la seule vérité qui nous soit accessible est dans nos idées, ou dans nos sensations, ou encore dans nos sentiments — elle est dans la conscience.

Sous la forme du mythe ou de l'allégorie, ce dévoilement subjectif peut être décrit comme un *dévoilement objectif*, où l'objet dévoilé possède à la fois le caractère d'un *fait* rendu visible et la qualité d'une *valeur* morale : c'est la laideur de la Statue cruelle, la perfection idéale de Galatée. Il faut noter ici une antithèse significative : il y a un dévoilement-désabusement qui met à nu la réalité du mal, en abattant les prestiges séducteurs qui nous le rendaient attirant ; et il y a d'autre part une découverte exaltante de la beauté ou de la bonté cachées. Si le mal se dissimule sous des apparences fascinantes, ne pouvons-nous chercher plus profond et deviner, sous le visage dévoilé du mal qui joue maintenant le rôle d'un second masque, la persistance secrète de quelque chose de pur et d'innocent ? Au mythe de la Statue hideuse s'oppose le mythe de la statue de Glaucus, dont la forme primitive reste peut-être intacte sous les algues et les coquillages :

Il y a des visages plus beaux que le masque qui les couvre [1].

Le dévoilement dernier peut donc être un émerveillement, après le moment de la désillusion. A la dénonciation du mal, Rousseau oppose fortement la possibilité d'une révélation du bien.

Or cette valeur positive que je découvre avec exaltation, n'a rien d'une chose. Seule la nécessité de l'allégorie lui confère l'apparence d'un objet. La statue de Glaucus, c'est l'homme de la nature ; et l'homme de la nature, c'est aussitôt le *moi*

1. *Émile*, liv. IV. *O. C.*, IV, 525.

de Jean-Jacques. Pour révéler l'homme de la nature, Jean-Jacques doit *se montrer*. Sa démonstration n'est plus un geste qui désigne un objet extérieur, elle est « monstration » de soi-même : une conscience s'ouvre à nous, pour se faire reconnaître dans sa singularité, et en même temps pour se proclamer comme une vérité universelle.

Quel étrange objet que la statue de Galatée! Le scandale, c'est précisément qu'elle soit un objet matériel, et le scandale va être finalement aboli. De fait avant même de recevoir une âme, Galatée n'était pas une chose comme les autres. Elle est la perfection imaginée, elle figure l'*illusion* du désir. Et le miracle final n'abolit pas l'illusion ; il en est au contraire le triomphe. Comble d'illusion peut-être que cette soudaine « animation » de Galatée : voilà la leçon que suggère Rousseau, qui n'aime pas les miracles et qui préfère proposer une clé psychologique :

> Ravissante illusion [...] ah! n'abandonne jamais mes sens [1].

Nous assistons du même coup à une réhabilitation de l'illusion. Le mal consistait dans l'illusion de l'opinion ; mais voici que la beauté idéale se définit à son tour comme une illusion. Le mal était un paraître subjectif ; le bien, la beauté sont tout aussi subjectifs.

Si la réalité du monde extérieur nous reste cachée, cela importe peu, puisque la vérité désormais s'annonce à nous comme une intériorité. Aussi bien semble-t-il (à lire certains textes) que Jean-Jacques désire expressément que la réalité extérieure et matérielle demeure protégée par le voile. Puisque le monde de la « chose en soi » est inaccessible, toute recherche qui ne revient pas à l'évidence intérieure est vaine ou néfaste. *Vana curiositas*. Renonçons une fois pour toutes à dévoiler la nature :

> Le *voile épais* dont elle a couvert toutes ses opérations semblait nous avertir assez qu'elle ne nous a point destinés à de vaines recherches [2].

Même affirmation dans la lettre à M. de Franquières, concernant cette fois la connaissance des essences spirituelles. La portée de l'homme ne va pas jusqu'à l'appréhension claire de son âme et de Dieu. Acceptons que les réalités suprêmes nous restent voilées :

> L'homme à la fois raisonnable et modeste, dont l'entendement exercé, mais borné, sent ses limites et s'y renferme, trouve dans ces limites la

1. *Pygmalion. O. C.*, II, 1230.
2. *Discours sur les Sciences et les Arts. O. C.*, III, 15.

notion de son âme et celle de l'auteur de son être, sans pouvoir passer au-delà pour rendre ces notions claires et contempler d'aussi près l'une et l'autre que s'il était lui-même un pur esprit. Alors, saisi de respect, *il s'arrête et ne touche point au voile*, content de savoir que l'être immense est dessous [1].

Révélation interdite aux vivants, mais que Rousseau, au moment où il écrit les *Rêveries*, espère atteindre après la mort :

... Mon âme... délivrée de ce corps qui l'offusque et l'aveugle, et *voyant la vérité sans voile*... apercevra la misère de toutes ces connaissances dont nos faux savants sont si vains [2].

On reconnaît ici le platonisme traditionnel, qui réserve la vision du vrai à l'esprit délivré de l'opacité du corps. Mais pour ce qui est de l'existence terrestre, Rousseau s'accommode fort bien d'un voile qui cacherait les objets que nous souhaitons connaître (y compris la *notion* de l'âme et celle de Dieu) à condition que l'homme soit pleinement présent à lui-même comme conscience. Pour faire le bien, il n'est pas nécessaire de nous rapporter à « l'être immense » dissimulé sous le voile ; c'est en nous-même que nous trouvons l'injonction. Nous devons nous appuyer sur les certitudes intérieures, qui ne sont pas des connaissances objectives, mais qui n'en sont pas moins des certitudes absolues. La loi de la conscience, qui est à la fois raison universelle et sentiment intime, nous offre un appui inébranlable. Kant, en affirmant le primat de la raison pratique, ne fera que donner à la pensée de Rousseau sa formulation philosophique complète.

Vous objectez, Monsieur, que si Dieu eût voulu obliger les hommes à le connaître, il eût mis son existence en évidence à tous les yeux. C'est à ceux qui font de la foi en Dieu un dogme nécessaire au salut de répondre à cette objection, et ils y répondent par la révélation. Quant à moi qui crois en Dieu sans croire cette foi nécessaire je ne vois pas pourquoi Dieu se serait obligé de nous la donner. Je pense que chacun sera jugé, non sur ce qu'il a cru, mais sur ce qu'il a fait, et je ne crois point qu'un système de doctrine soit nécessaire aux œuvres, parce que *la conscience en tient lieu* [3].

Il y a donc une *révélation*. Non celle que nous proposent les théologies ; la seule révélation qui compte est celle qu'aucun dogme n'annonce, mais qui s'annonce elle-même immé-

1. A M. de Franquières. *Correspondance générale*, DP, XIX, 52 ; voir *O.C.*, IV, 1137.
2. *Rêveries*, troisième Promenade. *O. C.*, I, 1023.
3. A M. de Franquières. *Correspondance générale*, DP, XIX, 51 ; voir aussi *O. C.*, IV, 1136-1137.

diatement dans notre conscience. Elle n'est pas l'objet d'une foi puisqu'elle s'impose à nous aussi directement et irréfutablement que le sentiment de notre propre existence. Nous pouvons ne pas suivre les injonctions du *dictamen* intérieur, mais nous ne pouvons jamais cesser de l'entendre.

Dès lors une lumière et une présence nous habitent, qui *équivalent* à un dévoilement de la réalité extérieure. Cette équivalence, Rousseau l'exprimera en recourant à des images assez diverses. Tantôt l'illumination intérieure a pour conséquence symbolique un éclaircissement magique du paysage extérieur : à l'inverse de ce qui s'était produit à Bossey, où la campagne s'était couverte d'un voile après la découverte de l'injustice, l'air devient translucide dès que la conscience accède à la certitude morale. Tantôt cependant l'homme peut rester intérieur à lui-même et jouir de la présence absolue, *comme si* elle était simultanément un dévoilement du monde extérieur ; il peut renoncer au dévoilement objectif de la nature, parce que la présence à soi s'accompagne d'un sentiment d'expansion où, sans rien demander aux choses et sans aller réellement à la rencontre du monde, l'extase de la transparence intérieure se transforme en extase de la totalité. L'exemple s'en trouve dans un passage célèbre de la troisième lettre à Malesherbes : l'expérience « mystique » de l'Être rend inutile le dévoilement matériel de la nature. Dévoiler, c'est encore une action, et c'est donc encore une activité *intermédiaire*. Or Rousseau accède à une jouissance de l'Être qui surpasse toute connaissance active : ce qu'il éprouve délicieusement, c'est la présence *immédiate* de l'Être lui-même se dévoilant. Il ne lui faut plus chercher à découvrir et à connaître, mais seulement accueillir l'Être qui s'offre à lui et qui se découvre en lui. Le dévoilement ne vient plus du moi, il vient de l'Être :

> Je crois que *si j'eusse dévoilé tous les mystères de la nature*, je me serais senti dans une situation moins délicieuse que cette étourdissante extase à laquelle mon esprit se livrait sans retenue, et qui dans l'agitation de mes transports me faisait écrier quelquefois : O grand Être! O grand Être! sans pouvoir dire ni penser rien de plus [1].

L'expansion imaginaire ne se porte pas au-devant du monde extérieur. Sans sortir d'elle-même, et dans l'étourdissement d'une ivresse dionysiaque, la conscience se possède (et se perd) comme immédiateté absolue à soi et à toutes choses. Les « mystères de la nature » restent des mystères : l'extase

1. Troisième lettre à M. de Malesherbes. *O. C.*, I, 1141.

de l'Être supplante entièrement la connaissance impossible de l'univers, car le sentiment subjectif de la totalité tient la place du dévoilement objectif de la nature et de ses lois. La Nature n'est plus un spectacle extérieur à dévoiler, elle est rendue totalement présente au « sens intérieur ». Ainsi l'expansion imaginaire résorbe le « système universel des choses » dans un moi unique, comblé par son extase.

Le dévoilement de la vérité est essentiellement dévoilement d'une conscience : voilà donc ce qu'annoncent sous une forme figurée le *Morceau allégorique sur la Révélation* et le mythe de Galatée. Le moment où un homme dévoile la statue et le moment où une conscience vivante se manifeste à la place de la statue sont chaque fois nettement séparés. La statue une fois démontrée derrière le voile, elle doit disparaître pour qu'apparaisse la vérité supérieure ; il faut que la pierre prenne vie, ou bien qu'on la détruise. En tirant le voile, on a aboli la subjectivité de l'erreur ; mais le moment final nous met en présence d'une nouvelle subjectivité qui possède en elle-même la certitude de sa vérité. On a passé d'une subjectivité malfaisante à une subjectivité heureuse. Nous n'avions donc pas quitté la conscience, même quand nous avions cru rencontrer des objets ; les statues elles-mêmes sont des œuvres de l'esprit, des symboles du désir : un monde de pseudo-objets, illusions que l'erreur érige en absolus, dont il faut se délivrer pour accéder à la subjectivité pure, à la simple certitude de soi. Les statues, qui s'imposaient comme des choses à des spectateurs, sont supplantées par des consciences qui se manifestent dans leur vérité et sont instantanément *reconnues* par les consciences spectatrices ; au reste, il n'y a plus de spectacle et plus de spectateurs. Ce qui était spectacle devient communication exaltante, et, dans son expression la plus haute, fusion amoureuse. Le « fils de l'homme » gagne tous les cœurs ; Galatée et Pygmalion ne font plus qu'un seul moi. Tout se résout dans la seule *présence*.

Galatée dit seulement : « Moi ». Le « fils de l'homme » s'adresse à l'humanité dans « le langage de la vérité, dont il a la source en lui-même ». Quelle différence entre ces deux « révélations »! Et quelles ressemblances!

En Galatée nous assistons au premier mouvement de la vie sensitive ; la conscience d'exister éclôt et se dégage du néant d'un sommeil de pierre. Le sentiment de l'existence est saisi dans ce qu'il a de plus originel, dans le *moi* d'un éveil. Cet éveil est absolument premier : la conscience naissante n'a pas encore de passé, elle ne sait rien du temps ;

elle ne se retrouve pas, elle ne se reconnaît pas ; elle se trouve et se perçoit pour la première fois. Car l'instant d'auparavant il n'y avait encore que la nuit de la matière.

Notons ici la valeur privilégiée que Rousseau attribue à l'instant de l'éveil, et en particulier à ces rares circonstances où la conscience s'éveille sans se reconnaître, sans pouvoir encore se rattacher à son histoire ou à son passé, de sorte que rien ne trouble pour elle la parfaite limpidité du présent. Dans la campagne lyonnaise, ou au théâtre à Venise, ou surtout après la chute de Ménilmontant, Jean-Jacques connaît des réveils qui sont des « naissances à la vie » : il sort du néant, et il n'est pas encore entré dans le temps. Son âme appartient alors tout entière au bonheur intemporel de sentir et de *se* sentir pour la première fois. Et ce qui frappe Rousseau, dans la curieuse lettre qu'il a reçue d'Henriette, ce sont « ces réveils tristes et cruels » dont elle lui décrit « l'horreur avec tant d'énergie [1] ». Il voudrait lui apprendre le bonheur des « réveils délicieux »... Obsédé dès l'adolescence par l'imminence de la mort, obsédé peut-être aussi par l'idée de sa naissance qui fut « le premier de ses malheurs » et qui coûta la vie à sa mère, Rousseau se complaît dans l'imagination d'un pur commencement, d'un surgissement *ex nihilo* de la conscience sensible, ou d'une *régénération* de la conscience morale, « comme si, sentant déjà la vie qui s'échappe, je cherchais à la ressaisir par ses commencements [2] ».

Or si Galatée nous propose l'image d'une *naissance* de l'expérience sensible, le « fils de l'homme » annonce la vérité à partir d'une *source* qu'il détient en lui. Nous retrouvons, mais dans l'ordre du sentiment moral, l'idée de l'origine et du surgissement spontané. Dans les deux cas, la conscience reçoit quelque chose qui se donne de façon inconditionnelle et première : là, le *moi* de l'existence singulière ; ici, la *vérité* universelle qui prend naissance dans le sentiment intérieur. Dans les deux allégories, la conscience se manifeste comme un commencement absolu, comme un acte *inaugural* complètement distinct du dévoilement qui le précédait et qui, lui, n'inaugurait rien, n'était que la *fin* de l'illusion.

Ce que Rousseau prétend proclamer lui-même, c'est à la fois le Moi de Galatée et la vérité universelle énoncée par le « fils de l'homme ». L'un en même temps que l'autre. Cette double révélation, reprise et amalgamée en une seule vérité vécue, justifiera la solitude de Jean-Jacques et son conflit avec

1. *Correspondance générale*, DP, XI, 56-59.
2. *Confessions*, liv. Ier. *O. C.*, I, 21.

la société pervertie. Il répète, comme Galatée : « Oui, moi, moi seul [1]. » Et, comme le fils de l'homme : « Vertu, vérité! m'écrierai-je sans cesse, vérité, vertu [2]! » Nous l'avions déjà souligné : au moment de sa réforme, Rousseau s'assigne le devoir d'attester, dans une transparence de source, la vérité première, l'innocence oubliée. Il veut être à la fois cette personne unique : Jean-Jacques Rousseau, et ce modèle universel : l'homme de la nature. Il ne cessera de désirer conjointement la plénitude sensitive du *moi* et la possession de la vérité ; l'unicité de l'expérience singulière et l'unité de la raison universelle. Quand Rousseau rêve d'une félicité d'après la mort, il écrit dans l'*Émile* : « Je serai *moi* sans contradiction [3] », et dans les *Rêveries* : « Je verrai la vérité sans voile. » Être soi et voir la vérité : il veut obtenir l'un et l'autre, l'un par l'autre.

Mais il reste à savoir si Rousseau réussit à accomplir cette conciliation du singulier et de l'universel, de l'authenticité vécue et de la vérité raisonnable. La question, laissée ici ouverte, ne doit pas être oubliée.

1. Première rédaction des *Confessions*. *Annales J.-J. Rousseau*, IV (1908), 2 ; voir *O. C.*, I, 1149.
2. *Lettre à l'abbé Raynal*. *O. C.*, III, 33.
3. *Émile*, liv. IV. *O. C.*, IV, 604-605.

V

LA NOUVELLE HÉLOÏSE

La Nouvelle Héloïse, parmi beaucoup de motifs entremêlés, nous propose une rêverie prolongée sur le thème de la transparence et du voile.

Dès le début du roman, la description de la montagne valaisanne nous met en présence d'un paysage délivré du voile et rendu à l'*éclat* qui s'était assombri lors de l'épisode de Bossey :

> Imaginez la variété, la grandeur, la beauté de mille étonnants spectacles ; le plaisir de ne voir autour de soi que des objets tout nouveaux, des oiseaux étranges, des plantes bizarres et inconnues, d'observer en quelque sorte une autre nature, et de se trouver dans un nouveau monde. Tout cela fait aux yeux un mélange inexprimable dont le charme augmente encore par la subtilité de l'air qui rend les couleurs plus vives, les traits plus marqués, rapproche tous les points de vue ; les distances paraissant moindres que dans les plaines, où l'épaisseur de l'air couvre la terre d'un *voile*, l'horizon présente aux yeux plus d'objets qu'il semble n'en pouvoir contenir : enfin, le spectacle a je ne sais quoi de magique, de surnaturel qui ravit l'esprit et les sens ; on oublie tout, on s'oublie soi-même, on ne sait plus où l'on est [1].

Rousseau dépeint ici le paysage d'un *autre monde*, où la transparence fait régner un air de magie : un monde plus vaste, mais où tout paraît plus proche, où le malheur de la *distance* des choses s'atténue.

Notons-le tout de suite : au début du premier *Dialogue*, pour décrire le « monde enchanté », Rousseau utilisera des expressions curieusement analogues. Dans ce royaume idéal

1. *La Nouvelle Héloïse*, Ire partie, lettre XXIII. *O. C.*, II, 79.

règne la même vivacité des couleurs, la même limpidité. Et, tandis que la lettre sur la montagne parle de la *disparition d'un voile*, le premier *Dialogue* évoque des *jouissances immé diates*. Termes équivalents : dans le langage allégorique de Rousseau, la disparition du voile est exactement synonyme de jouissance immédiate :

> Figurez-vous... un monde idéal semblable au nôtre, et néanmoins tout différent. La nature y est la même que sur notre terre, mais l'économie en est plus sensible, l'ordre en est plus marqué, le spectacle plus admirable ; *les formes sont plus élégantes, les couleurs plus vives*, les odeurs plus suaves, tous les objets plus intéressants. Toute la nature y est si belle que sa contemplation enflammant les âmes d'amour pour un si touchant tableau leur inspire avec le désir de concourir à ce beau système la crainte d'en troubler l'harmonie, et de là naît une exquise sensi bilité qui donne à ceux qui en sont doués des *jouissances immédiates* inconnues aux cœurs que les mêmes contemplations n'ont point avivés [1]

Ces jouissances, si nous en croyons la lettre sur le Valais, sont celles où l'esprit du spectateur s'exalte jusqu'à s'oublier totalement dans son extase. « On oublie tout, on s'oublie soi-même... » Le moment de la plus parfaite netteté du paysage est aussi le moment où l'être sent s'effacer les limites de son existence personnelle. Le voile est supprimé, et le spectateur, devenu lui aussi moins opaque, disparaît dans la lumière à laquelle il est maintenant transparent. L'accentuation des couleurs et des formes semble provoquer, en retour, une sorte d'atténuation des volontés et des pensées particulières qui délimitaient l'individualité du moi. L'existence s'étend sur un espace plus vaste, l'être sensitif goûte une plénitude intense, mais simultanément l'être personnel oublie sa différence, il se détend dans une « volupté tranquille ». « Tous les désirs trop vifs s'émoussent ; ils perdent cette pointe aiguë qui les rend douloureux, ils ne laissent au fond du cœur qu'une émotion légère et douce [2]. » Cette anesthésie des zones douloureuses du moi résulte, d'une façon apparemment paradoxale, de l'hyperesthésie et de l'avivement provoqués par la présence des formes plus marquées et des couleurs plus vives. Rousseau exprime ici la singulière combinaison d'indolence et d'acuité qui se retrouve dans tous ses instants de bonheur. La jouissance purement sensitive coïncide avec un oubli de soi, qui n'est cependant pas incompatible avec un sentiment d'expansion. Dans un univers qui n'oppose plus d'obstacles, qui n'oblige pas l'élan de l'âme à se défléchir, ni à se réfléchir

1. *Dialogues*, I. *O. C.*, I, 668.
2. *La Nouvelle Héloïse*, Ire partie, lettre XXIII. *O. C.*, II, 78.

sur lui-même, l'être coïncide (croit coïncider) tout entier avec la sensation présente. Il s'oublie, puisqu'il oublie et renie sa propre histoire, se déleste de son passé, perd (ou se donne l'illusion de perdre) ce qui était en lui conscience séparée, conscience de séparation. Mais d'autre part il s'affirme lui-même, puisque la sensation actuelle agrandit l'espace à la mesure de son désir, puisque le monde extérieur s'unifie et trouve son centre dans la pure jouissance du moi. Ainsi le moi allégé par l'oubli de sa destinée, devient capable d'une expansion qui peut s'exalter jusqu'aux limites dernières. La *ténuité* de l'existence personnelle se convertit assez mystérieusement en *intensité* de plaisir et en limpidité spatiale. Tout me traverse, mais j'atteins à tout. Je ne suis plus rien, mais je nie l'espace car je suis devenu l'espace.

Un espace limpide où la transparence de l'âme s'ouvre sur la transparence de l'air : c'est là tout ce que Rousseau désire, c'est là ce qu'il a connu à certains moments privilégiés où les hommes ne l'ont pas empêché de se posséder et de se déposséder. Et c'est ce qu'il voudrait pouvoir retrouver, quand le malheur l'obsède. De Wootton, il écrit à Mirabeau :

> Peu de choses combleraient mes vœux ; moins de maux corporels, un climat plus doux, *un ciel plus pur*, *un air plus serein*, *surtout des cœurs plus ouverts*, où, quand le mien s'épanche, il sentît que c'est dans un autre [1].

Il ne demande presque *rien*; il ne veut rien *avoir*. Que disparaissent seulement l'opacité de l'air et les obstacles entre les cœurs. La façon même dont Rousseau formule sa nostalgie de la transparence reproduit les termes qu'il avait mis sous la plume de Saint-Preux, dans la lettre sur le Valais :

> Après m'être promené dans les nuages, j'atteignais un séjour *plus serein* d'où l'on voit, dans la saison, le tonnerre et l'orage se former au-dessous de soi... Ce fut là que je démêlai sensiblement dans la *pureté de l'air* où je me trouvais, la véritable cause du changement de mon humeur, et du retour de cette paix intérieure que j'avais perdue depuis si longtemps [2].

Mais ces couleurs et ces formes devenues plus intenses, cette tonalité plus limpide de l'air ne sont pas le privilège de la montagne ni d'aucun paysage : c'est une qualité du regard, une figure mythique du bonheur, une métamorphose que l'exaltation de l'âme est capable de projeter dans le monde

1. A Mirabeau, 31 janvier 1767. *Correspondance générale*, DP, XVI, 248.
2. *La Nouvelle Héloïse*, Ire partie, lettre XXIII. *O. C.*, II, 78.

qui l'entoure. Si la qualité de l'air des montagnes transforme l'humeur du promeneur, l'état d'âme d'un amant heureux peut à son tour transformer la qualité de l'air. Le ciel de la vallée devient alors aussi limpide qu'à la plus haute altitude ; une magie analogue captive le regard. La transparence des cœurs restitue à la nature l'éclat et l'intensité qu'elle avait perdus :

> Je trouve la campagne plus riante, la verdure plus fraîche et plus vive, *l'air plus pur, le ciel plus serein* ; le chant des oiseaux semble avoir plus de tendresse et de volupté ; le murmure des eaux inspire une langueur plus amoureuse ; la vigne en fleur exhale au loin de plus doux parfums ; un charme secret embellit tous les objets ou fascine mes sens [1].

Saint-Preux écrit ces lignes après l'aveu que Julie lui fait de son amour.

La Nouvelle Héloïse, dans son ensemble nous apparaît comme un rêve éveillé, où Rousseau cède à l'appel imaginaire de la limpidité qu'il ne trouve plus dans le monde réel et dans la société des hommes : un ciel plus pur, des cœurs plus ouverts, un univers à la fois plus intense et plus diaphane.

Si j'imagine bien les cœurs de Julie et de Claire, ils étaient transparents l'un pour l'autre [2]. Le thème des « deux charmantes amies » (donnée première d'où l'imagination romanesque de Rousseau a pris son essor) constitue pour ainsi dire la zone de transparence centrale autour de laquelle viendra peu à peu se cristalliser une « société très intime ». Les indices nous en sont donnés dès les premières pages du livre : ces noms symboliques de Claire et de Clarens, ce lac pris pour décor (« il me fallait cependant un lac [3] »)...

Chacun des nouveaux personnages, non sans troubles et sans égarements à vaincre, viendra compléter cette première transparence, élargir ce petit univers d'âmes ouvertes. Saint-Preux ne sait rien dissimuler. « On lirait tous nos secrets dans ton âme [4] », lui écrit Julie. Mais à la transparence passive de Saint-Preux correspondra, chez M. de Wolmar, la passion d'observer, la curiosité inquisitive. « Il a quelque don surnaturel pour lire au fond des cœurs [5]. » Il voudrait être omniscient comme Dieu. « Si je pouvais changer la nature de mon

1. Ire partie, lettre XXXVIII. *O. C.*, II, 116.
2. A Mme de la Tour, 29 mai 1762. *Correspondance générale*, DP, VII, 253 ; L, X, 310.
3. *Confessions*, liv. IX. *O. C.*, I, 431.
4. *La Nouvelle Héloïse*, Ire partie, lettre XLIX. *O. C.*, II, 136.
5. IVe partie, lettre XII. *O. C.*, II, 496.

être et *devenir un œil vivant*, je ferais volontiers cet échange [1]. » Quant aux enfants de Julie, éduqués à la façon d'Émile, jamais ils ne cacheront aucun secret :

> C'est ainsi que livrés au penchant de leur cœur, sans que rien le déguise ou l'altère, nos enfants ne reçoivent point une forme extérieure et artificielle, mais conservent exactement celle de leur caractère originel : c'est ainsi que ce caractère se développe journellement à nos yeux sans réserve, et que nous pouvons étudier les mouvements de la nature jusque dans leurs principes les plus secrets. Sûrs de n'être jamais ni grondés ni punis, ils ne savent ni mentir, ni se cacher, et dans tout ce qu'ils disent soit entre eux soit à nous, ils laissent voir sans contrainte tout ce qu'ils ont au fond de l'âme [2].

Rassurante évidence! A mesure que l'on avance dans l'ouvrage, les secrets sont divulgués, la confiance s'accroît, les personnages se connaissent d'une façon toujours plus parfaite.

Les amours de Saint-Preux et de Julie, dès le début, sont confessés à Claire. Mais cet amour est d'abord clandestin. Il a besoin du voile. Julie écrit à son amant :

> Enfin la nuit dans cette saison est déjà obscure à la même heure, son *voile* peut dérober aisément dans la rue les passants aux spectateurs [3]...

Dans la lettre qui suit immédiatement, écrite par Saint-Preux dans la chambre de sa maîtresse, le thème du voile reparaît comme une réponse musicale : « Lieu charmant, lieu fortuné... sois le témoin de mon bonheur, et *voile à jamais* les plaisirs du plus fidèle et du plus heureux des hommes [4]. » Après la découverte des lettres de Saint-Preux, qui révèlent à la mère de Julie la coupable passion de sa fille, la cousine Claire écrit : « Il s'agit de cacher sous un voile éternel cet odieux mystère... Le secret est concentré entre six personnes sûres [5]. » Six personnes! Il n'y en avait que trois au début. Le nombre des « initiés » a augmenté, tandis que les amants subissent l'épreuve de la séparation. Car précisément à mesure que l'amour de Saint-Preux se sublime, à mesure qu'il s'éloigne des satisfactions charnelles, il devient transparent au regard des autres : de caché qu'il était, il pourra se manifester sans honte. Le dépassement progressif par lequel cet amour

1. *La Nouvelle Héloïse*, IVe partie, lettre XII. *O. C.*, II, 491.
2. Ve partie, lettre III. *O. C.*, II, 584.
3. Ire partie, lettre LIII. *O. C.*, II, 145.
4. Ire partie, lettre LIV. *O. C.*, II, 146.
5. IIIe partie, lettre I. *O. C.*, II, 309.

se purifie coïncide avec le mouvement qui le dévoile et le révèle à un plus grand nombre de témoins. La conquête de la vertu prend la signification d'une conquête de la confiance : grâce à ce parfait abandon, le petit groupe des « belles âmes » connaîtra des plaisirs exquis :

> Convenez... que tout le charme de la société qui régnait entre nous est dans cette ouverture de cœur qui met en commun tous les sentiments, toutes les pensées, et qui fait que chacun se sentant tel qu'il doit être *se montre* à tous tel qu'il est. Supposez un moment quelque intrigue secrète, quelque liaison qu'il faille cacher, quelque raison de réserve et de mystère ; à l'instant tout le plaisir de se voir s'évanouit, on est contraint l'un devant l'autre, on cherche à se dérober, quand on se rassemble on voudrait se fuir [1].

Un monde unanime se constitue, où, comme dans la société du *Contrat*, aucune volonté particulière ne peut s'isoler de la volonté générale. Dans *La Nouvelle Héloïse*, la petite communauté circonscrite a son centre en Julie, dont l'âme se communique à tous ceux qui l'environnent. Cette étroite compagnie éclairée par une figure féminine, et dont l'économie s'organisera d'une façon assez « maternaliste », est sans doute loin de ressembler en tout point à la république égalitaire et virile du *Contrat*. Mais, dans ces deux ouvrages, les privilèges de la pureté et de l'innocence se trouvent reconquis par l'effet de la confiance absolue qui ouvre les âmes les unes aux autres. L'aliénation totale par laquelle les êtres s'offrent et se rendent mutuellement visibles leur rend finalement le *droit* d'exister comme personnes autonomes et libres ; dès lors, ils ne souffrent ni solitude ni servitude ; leur existence personnelle est justifiée et soutenue par la reconnaissance d'autrui, fondée sur une bienveillance unanime. Ils vivent sous les regards les uns des autres ; ils constituent un *corps* social. Ainsi, dans *La Nouvelle Héloïse*, Julie perçoit l'entourage de ses amis comme une partie de son être :

> Je suis environnée de tout ce qui m'intéresse, tout l'univers est ici pour moi ; je jouis à la fois de l'attachement que j'ai pour mes amis, de celui qu'ils me rendent, de celui qu'ils ont l'un pour l'autre ; leur bienveillance mutuelle ou vient de moi ou s'y rapporte ; je ne vois rien qui n'étende mon être, et rien qui le divise ; il est dans tout ce qui m'environne, il n'en reste aucune portion loin de moi ; mon imagination n'a plus rien à faire, je n'ai rien à désirer ; sentir et jouir sont pour moi la même chose ; je vis à la fois dans tout ce que j'aime, je me rassasie de bonheur et de vie [2].

1. VIe partie, lettre VIII. *O.C.*, II, 689.
2. *Ibid.*

Julie étant l'âme omniprésente de la société intime qui l'environne, Rousseau pourra justifier l'uniformité de style que manifestent toutes les lettres du recueil, écrites par des personnages dont la langue et les expressions auraient dû être sensiblement différentes. Il n'en appelle pas à des principes littéraires, mais à des raisons psychologiques : l'uniformité du style n'est pas le résultat d'une exigence d'art, mais la signature de la transparence des consciences, de l'*influence* magique exercée par Julie. C'est là ce que Rousseau affirme très nettement dans la seconde Préface de *La Nouvelle Héloïse :*

J'observe que dans une société très intime, les styles se rapprochent ainsi que les caractères, et que les amis *confondant leurs âmes*, confondent aussi leurs manières de penser, de sentir, et de dire. Cette Julie, telle qu'elle est, doit être une créature enchanteresse ; tout ce qui l'approche doit lui ressembler ; tout doit devenir Julie autour d'elle [1].

En lieu et place d'une justification esthétique, Rousseau invoque ici le principe moral de la communication des âmes (Dans les *Confessions*, Rousseau commentera son roman de façon à justifier l'uniformité du style par la présence immanente de sa propre rêverie et de son propre désir dans chacun de ses personnages : il rattachera ainsi l'unité du livre au moi de l'auteur, et non plus au rayonnement de la figure centrale de l'ouvrage. On est ramené, finalement, au seul problème de l'expression du moi [2].)

La transparence de Julie s'est propagée autour d'elle. Au prix du sacrifice de la satisfaction charnelle, sa presence illumine une communauté à la fois temporelle et spirituelle. L'amour sensuel s'est dépassé dans l'attachement vertueux ; mais au sommet de son progrès spirituel, Julie vertueuse retrouve à nouveau le plaisir élémentaire de sentir : « Sentir

1. *La Nouvelle Héloïse*, seconde Préface. *O. C.*, II, 28.

2. Sur l'importance de l'*influence* chez Rousseau, voir Pierre Burgelin, *La Philosophie de l'Existence de J.-J. Rousseau* (Paris, P.U.F., 1952), 162-168. Il cite le passage suivant : « Les âmes d'une certaine trempe... tranforment pour ainsi dire les autres en elles-mêmes ; elles ont une sphère d'activité dans laquelle rien ne leur résiste : on ne peut les connaître sans les vouloir imiter, et de leur sublime élévation elles attirent à elles tout ce qui les environne. » (*La Nouvelle Héloïse*, IIe partie, lettre V. *O.C.*, II, 204). Burgelin y voit, fort justement, la preuve du « caractère médiateur » de Julie Ajoutons que la médiation de Julie a pour but d'instaurer (ou de restaurer) le règne de la communication immédiate. Lorsque Julie mourra, sa mort sera l'intercession qui rendra la foi à M. de Wolmar ; mais d'autre part, Julie accède au bonheur de la communication immédiate avec Dieu. Il semble que Rousseau ne puisse accepter l'acte médiateur que s'il s'accompagne d'une conquête de l'immédiat.

et jouir sont pour moi la même chose [1]. » Dans l'unité supérieure du sentiment moral, elle se réconcilie avec le bonheur immédiat de la sensation. La joie de l'existence sensitive a d'abord été pleinement goûtée, avant d'être brisée, puis dépassée : la voici maintenant rendue, dans un retour où s'achève le circuit de l'unité. A la fin de la cinquième partie du roman, les âmes se sont élevées à la fois au-dessus de l'absurdité des institutions qui avaient fait obstacle à la satisfaction du désir, et au-dessus de l'ivresse désordonnée de la passion. Une double négation s'est produite, un double effort libérateur s'est accompli : au nom de la nature, l'amour-passion a enfreint les règles et les conventions de la société traditionnelle, que M. d'Étanges (le père jaloux) défendait avec la plus stricte rigueur ; à son tour le renoncement vertueux, si difficile qu'il ait été, a surmonté le trouble de la passion. Un double *non* a été prononcé, mais qui a permis de dire tour à tour *oui* au désir et *oui* à la vertu.

Ce que l'on retrouve sur un plan supérieur, c'est une nouvelle société et un nouvel amour, qui désormais ne sont plus antagonistes. L'exigence érotique et l'exigence d'ordre sont finalement réconciliées. Mais l'ancien ordre social et l'ancienne ivresse amoureuse ont tous deux été blessés à mort, pour pouvoir ressusciter par un mouvement de régénération où les conflits surmontés se résolvent en parfaite unité. Dans une société régénérée règne une sympathie bienveillante, qui est la forme transfigurée de l'amour.

Le roman nous offre ainsi le spectacle d'une dialectique qui aboutit à une synthèse. (Cette synthèse est formulée dans le cinquième livre, lequel peut être considéré comme une première conclusion de *La Nouvelle Héloïse*, d'où rebondira l'épisode final aboutissant à la mort de Julie.) Il importe ici de souligner l'opposition essentielle qui anime cette dialectique. Rousseau n'est pas dialecticien par goût de la dialectique. Au contraire, la dialectique ne s'impose à lui que parce que, au départ, il postule des satisfactions trop incompatibles pour qu'elles puissent lui être accordées simultanément, mais dont il désire précisément la simultanéité. Si Rousseau s'élance sur la voie difficile de la synthèse dialectique (lui qui n'aime rien tant que l'immédiat), c'est parce qu'il désire originellement pouvoir accepter à la fois la jouissance physique et l'exaltation de la vertu, et parce que cette simultanéité n'est pas donnée immédiatement. Julie déclare : « L'innocence et l'amour m'étaient également nécessaires », mais elle savait qu'elle ne

1. *La Nouvelle Héloïse*, VIe partie, lettre VIII. *O. C.*, II, 689.

pouvait « les conserver ensemble [1] ». Or sur le plan supérieur où elle accède, elle peut finalement les réunir, les goûter ensemble. Pour concilier les inconciliables, il a fallu donc inventer un progrès dialectique, passer par des états intermédiaires, recourir à un effort de dépassement, mettre en mouvement un *devenir*. D'où le rôle capital que Rousseau fait jouer au temps dans *La Nouvelle Héloïse*: son roman doit, de toute nécessité, s'étaler sur une durée considérable, et cette importance accordée à la « grande durée » est significative chez un auteur qui passe à juste titre pour avoir été le poète de l'instant extatique. (Mais nous verrons tout à l'heure que la seconde et dernière conclusion du livre sépare abruptement le temporel et l'intemporel, et que Rousseau paraît alors opter contre le temps du devenir humain.)

La synthèse heureuse qui couronne la dialectique du livre est admirablement exprimée par les symboles de la fête des vendanges (Ve Partie, lettre VII). C'est le moment où tous les voiles semblent avoir disparu, où les personnages connaissent l'intimité la plus confiante. Rousseau ne peut s'empêcher de l'exprimer allégoriquement, par un lever du soleil automnal. Parmi tout ce qui donne « un air de fête » à cette journée, Rousseau n'oublie pas le « *voile de brouillard* que le soleil élève au matin comme une toile de théâtre pour découvrir à l'œil un si charmant spectacle ». Le spectacle nous montrera la réconciliation du plaisir et du devoir, de l'ivresse dionysiaque et de l'institution bien ordonnée. Ce jour de fête n'est-il pas en même temps un jour de travail ? Rien qui ressemble moins à la folle dépense de la fête archaïque, où l'on consomme les biens accumulés. Dans la description de Rousseau, la fête des vendanges est un jour d'accumulation des richesses, qu'accompagne une consommation raisonnable. Et les actes du labeur se distinguent à peine des jeux de la réjouissance : « Cette fête n'en devient que plus belle à la réflexion, quand on songe qu'elle est la seule où les hommes aient su joindre l'agréable à l'utile. » Ainsi va naître un « commun état de fête », une « allégresse générale qui semble étendue sur la face de la terre ».

LA MUSIQUE ET LA TRANSPARENCE

Dès le début de la journée l'on entend « le chant des vendangeuses ». Et la fête s'achève sagement en musique (sans qu'on ait abandonné le travail) :

1. IIIe partie, lettre XVIII. *O. C.*, II, 344.

Après le souper on veille encore une heure ou deux en teillant du chanvre ; chacun dit sa chanson tour à tour. Quelquefois les vendangeuses chantent en chœur toutes ensemble, ou bien alternativement à voix seule et en refrain. La plupart de ces chansons sont de vieilles romances dont les airs ne sont pas piquants ; mais ils ont je ne sais quoi d'antique et de doux qui touche à la longue. Les paroles sont simples, naïves, souvent tristes ; elles plaisent pourtant.

Matin et soir de fête : rien de plus significatif que d'y voir apparaître la musique et la poésie *naïves.* Rappelons et oublions tout aussitôt le cliché de la « vieille romance », qui avait déjà cours, et qui encombrera encore longtemps la littérature. Mais signalons aussi que bientôt (et notamment chez un Herder, grand lecteur de Rousseau) s'éveillera un intérêt très sérieux pour la poésie et la chanson populaires.

Des voix de femmes chantent en chœur, à l'unisson. « De toutes les harmonies », ajoute Saint-Preux dans sa lettre sur la fête des vendanges, « il n'y en a point d'aussi agréable que le chant à l'unisson. » Consultons le *Dictionnaire de Musique*: l'unisson représente « l'harmonie la plus naturelle [1] ». Et qu'est-ce qu'une romance ? Rousseau la définit comme « une mélodie douce, naturelle, champêtre, et qui produit son effet par elle-même, indépendamment de la manière de la chanter[2] ». Une romance à l'unisson, c'est la mélodie naturelle dans son harmonie naturelle. C'est le triomphe de la nature, qui chante à travers le chanteur sans que celui-ci ait besoin d'affirmer une « personnalité d'artiste ». L'interprète n'a pas à s'entremettre : éloquente sans intermédiaire, la romance émeut immédiatement. Non seulement elle se passe du truchement d'un virtuose, elle se passe aussi du truchement de la sensation, pour atteindre *directement* l'âme de l'auditeur. Car la mélodie a le pouvoir de toucher le cœur à coup sûr : proposition capitale dans la théorie musicale de Rousseau, et qui justifie sa prédilection pour la mélodie, sa méfiance pour l'harmonie. Il déteste une musique destinée à faire briller l'exécutant, et il refuse une musique qui ne s'adresse qu'au plaisir des sens. Pourquoi ? Rousseau professe ici un idéalisme sentimental ; pour lui, la personnalité de l'interprète et la jouissance purement sensitive sont des *obstacles* interposés entre une « essence » musicale et l' âme de l'auditeur. Certes, il faut bien qu'il y ait une voix qui chante, et il faut bien qu'une oreille

1. *Dictionnaire de Musique*, Unisson. *O. C.* (Paris, Furne, 4 vol.), III, 851.
2. *Op. cit.*, Romance. *O. C.* (Paris, Furne, 1835), III, 795.

écoute, mais il faut que le chanteur et l'oreille transmettent sans intercepter. La théorie de Rousseau suppose que leur présence puisse s'évanouir, s'effacer instantanément, et ne constituer qu'un milieu conducteur. La magie de la mélodie consiste à pouvoir dépasser la sensation pour se faire pur sentiment :

Le plaisir de l'harmonie n'est qu'un plaisir de pure sensation, et la jouissance des sens est toujours courte, la satiété et l'ennui la suivent de près ; mais le plaisir de la mélodie et du chant est un plaisir d'intérêt et de sentiment qui parle au cœur [1].

C'est de la seule mélodie que sort cette puissance invincible des accents passionnés ; c'est d'elle que dérive tout le pouvoir de la musique sur l'âme [2].

Certes, il y a un immédiat pour la sensation comme il y en a un pour le sentiment. La musique harmonique, en effet, s'adresse directement aux sens. Toute compliquée et savante qu'elle est, elle ne dépasse pas le domaine élémentaire de la sensation physique. Car cette musique qui nous atteint par « *l'empire immédiat des sens* » n'agit « qu'*indirectement* et légèrement sur l'âme [3] ». Le bonheur de l'immédiat est alors pour les sens, mais non pour l'âme, qui en est frustrée : le plaisir purement sensitif, en musique, manque de profondeur, il est sans écho, et, d'une façon apparemment paradoxale, il ne peut être entretenu que par des artifices. En revanche la mélodie a « *des effets moraux qui passent l'empire immédiat des sens* [4] ». Dans cette formule, Rousseau revendique pour la mélodie le privilège d'atteindre *directement* un domaine plus intérieur : l'âme seule goûte alors la joie de l'immédiat [5].

La mélodie des « vieilles romances » est donc parfaitement à sa place dans une fête qui célèbre la transparence des cœurs

1. *Op. cit.* Unité de mélodie. *O. C.* (Paris, Furne, 1835), III, 852.
2. *La Nouvelle Héloïse*, Ire partie, lettre XLVIII. *O. C.*, II, 132.
3. *Op. cit.*, 131.
4. *Dictionnaire de Musique*. Mélodie. *O. C.* (Paris, Furne, 1835), III, 724.
5. Les écrits de Rousseau sur la musique opposent l'âme et les sens (le sentiment et la sensation) beaucoup plus fortement qu'il ne le fait partout ailleurs. Cependant, Rousseau propose une notion synthétique qui permet de résoudre l'opposition du sentiment et de la sensation. De même que le *Contrat social* réconcilie l'homme de la nature et « l'homme de l'homme », de même que *La Nouvelle Héloïse* réconcilie la passion et la vertu, Rousseau suggère une réconciliation de la mélodie-sentiment et de l'harmonie-sensation : l'antithèse se dépasse dans l'*unité de mélodie*, notion à laquelle il consacre un article de son *Dictionnaire de Musique* : « L'harmonie, qui devrait étouffer la mélodie, l'anime, la renforce, la détermine : les diverses parties, sans se confondre, concourent au même effet ; et quoique chacune d'elles paraisse avoir son chant propre, de toutes ces parties on n'entend sortir qu'un seul et même chant. » Unité comparable à celle de la société unanime qui entoure la mélodieuse Julie. Une parfaite fusion a réconcilié les plaisirs des sens et les joies du sentiment : l'unité de mélodie accorde à l'harmonie sensuelle et à l'artifice contrapuntique une valeur qu'ils ne possèdent pas en eux-mêmes, et qu'ils n'acquièrent que par leur réconciliation avec la mélodie.

la communication sans obstacle. Mais la mélodie *naïve* parle du règne de la nature aux « belles âmes » qui vivent dans le règne de la loi morale. De la sorte, la musique ajoute à la fête une perspective profonde : elle y fait survenir la dimension du passé, non seulement parce que « ces airs ont je ne sais quoi d'antique », mais parce que le règne de la pure nature est précisément ce que les belles âmes ont dû dépasser dans leur histoire pour construire leur bonheur actuel. Cette musique parle donc à Julie et à Saint-Preux de leur propre passé, de l'époque où leurs passions obéissaient à la loi de la nature ; elle leur rappelle la souffrance qu'ils ont eue à s'en arracher. Tout en exprimant le bonheur de la transparence, ces airs (dont les paroles sont *tristes*) disent aussi ce qui menace la transparence actuelle, ce qui la rend précaire : ils éveillent le regret de ce qui ne peut pas être revécu. Dans le *Dictionnaire de Musique*, Rousseau affirme que la musique est « signe mémoratif [1] ». Ainsi, tandis que chantent les voix de femmes, Julie et Saint-Preux sentent s'éveiller, avec une acuité étrange, les *temps éloignés* :

> Nous ne pouvons nous empêcher, Claire de sourire, Julie de rougir, moi de soupirer, quand nous retrouvons dans ces chansons des tours et des expressions dont nous nous sommes servis autrefois. Alors en jetant les yeux sur elles et me rappelant les temps éloignés, un tressaillement me prend, un poids insupportable me tombe tout à coup sur le cœur, et me laisse une impression funeste qui ne s'efface qu'avec peine. Cependant je trouve à ces veillées une sorte de charme que je ne puis vous expliquer [2].

Saint-Preux se souvient ; il compare les époques de sa vie. Un trouble s'élève ainsi dans la transparence de la fête : c'est le trouble de la *réflexion*...

LE SENTIMENT ÉLÉGIAQUE

Le regard sur le passé, le tressaillement, le charme : tout cela définit merveilleusement l'état d'âme *élégiaque*. De fait, on ne saurait trouver plus frappante illustration de l'opposition entre le *naïf* et le *sentimental*, telle que l'entendait Schiller [3]. Devant la naïveté de la chanson populaire, la « belle âme » se livre à la sentimentalité élégiaque ; elle subit

1. *Dictionnaire de Musique*, Musique. *O. C.* (Paris, Furne, 1835), III, 744.
2. *La Nouvelle Héloïse*, Ve partie, lettre VII. *O. C.*, II, 609.
3. Schiller, *Sämtliche Werke* (Stuttgart, Cotta, 1838), XII, 167 : *Ueber naive und sentimentalische Dichtung*.

l'envoûtement du regret (d'un « regret souriant »). Le souvenir lui révèle qu'elle est irrévocablement séparée de son passé ; et son passé n'est autre que la *nature* encore innocente qui s'exprime dans la transparence de la mélodie populaire. Celle-ci n'est pas élégiaque ; elle n'est que naïvement triste ; mais parce qu'elle est à la fois nature et dévoilement du passé, signe mémoratif, elle devient, pour les belles âmes, l'expression d'une *nature perdue* ; elle s'offre comme la présence fantomatique d'un monde qui n'est plus. Le sentiment élégiaque, qui n'existe pas dans la chanson naïve, s'éveille à son contact.

Ce brusque surgissement d'un passé regretté révèle la tension intérieure sur laquelle le bonheur de la fête est construit. Il révèle non seulement que du temps s'est écoulé, mais que des refus et des dépassements sont intervenus et ont établi une irréversible *distance* entre le présent et le passé. Dans le regret élégiaque, l'être découvre qu'une part essentielle de lui-même appartient à un monde disparu. Il se sent fasciné par ce qu'il a été ; mais ni le présent ni le passé ne peuvent offrir un appui réel. Le passé n'en est pas moins révolu, et le présent devient un lieu d'exil... Ému, Saint-Preux se défend contre le regret du passé; Julie s'y arrache aussi. Le souvenir de leurs plaisirs les trouble : ils se font violence pour s'en libérer. Mais cet effort ne peut s'accomplir une fois pour toutes ; il doit être perpétuellement recommencé. D'où une lutte qui risque de devenir insupportable. Le bonheur dans la synthèse, en effet, exige une vigilance tendue (le passé est encore attirant et doit être constamment réprimé) et il implique l'action réfléchie. Or, chez Rousseau, l'idéal de l'action et de l'effort cède presque toujours devant la tentation de la tranquillité, de la passivité consentante. La mort de Julie ne sera pas seulement une catastrophe attendrissante, qui fera pleurer les lectrices. Mourir représente la seule détente possible : Julie mourra heureuse, délivrée de la nécessité d'agir, découvrant dans la joie qu'elle n'a désormais plus à accomplir l'effort que lui imposait la loi du devoir.

La tension, la présence d'un passé réprimé, consciemment « refoulé », nous les sentons dans les moments mêmes où Rousseau parle de la confiance absolue des belles âmes, de la communication sans obstacle entre les consciences, de l'absence de tout secret. La fête des vendanges se déroule sous l'œil tout-connaissant du maître patriarcal ; Saint-Preux, en exaltant cette parfaite transparence, avoue la nécessité d'une lutte contre le « tendre souvenir » :

> Je laisse exhaler mes transports sans contrainte ; ils n'ont plus rien que je doive taire, rien que gêne la présence du sage Wolmar. Je ne crains point que son œil éclairé lise au fond de mon cœur ; et *quand un tendre souvenir y veut renaître*, un regard de Claire lui donne le change, un regard de Julie m'en fait rougir [1].

Nous serions dans le pur climat de l'idylle (c'est ainsi que Schiller considérait *La Nouvelle Héloïse*) si nous n'étions sans cesse mis en présence de ce qui menace le bonheur idyllique. L'art de Rousseau consiste à indiquer constamment ce qu'il en coûte d'être vertueux : le vertige de la faute et du péché accompagne continuellement ses personnages. La transparence ne règne pas spontanément : elle édifie son règne sur le refus d'une opacité dont le risque se renouvelle à tout moment. Seule une « douce illusion » peut ramener l'esprit de Saint-Preux à l'image de l'idylle biblique : « O temps de l'amour et de l'innocence, où les femmes étaient tendres et modestes, où les hommes étaient simples et vivaient contents! O Rachel! fille charmante et si constamment aimée [2] »... On sent affleurer la pureté d'un temps originel, mais elle affleure comme une fiction. On se sent revenu sur le « beau rivage, paré des seules mains de la nature » qu'avait évoqué le premier *Discours*. Dans ce paysage admirablement limpide, l'on est près de croire que l'on a retrouvé l'innocence première. Mais on en reste à jamais séparé. La vertu, qui est connaissance du bien et du mal, et victoire volontaire sur le mal, ne peut rétrograder et devenir innocence, c'est-à-dire ignorance du bien et du mal, plénitude indivise. Les âmes vertueuses ont traversé l'expérience du trouble, qu'elles ne peuvent désormais plus renier. La confiance des « belles âmes » ramène le règne de la limpidité : mais elles savent qu'il s'agit d'une transparence qu'elles avaient perdue, et qu'elles ont rétablie. Dans le bonheur qu'elles retrouvent, elles ne peuvent oublier le temps du malheur et de la division. Elles gardent ainsi le souvenir de leur tribulation entre la transparence initiale et la transparence restaurée : elles connaissent leur historicité. Elles savent aussi que leur bonheur actuel est l'effet de leur force et de leur libre décision, et qu'il est par conséquent précaire. Elles pourraient, lassées de vivre à la pointe de leur volonté, retomber dans les voies de l'opacité. Il suffirait d'une défaillance pour que les cœurs se referment sur leur secret et compromettent la sérénité si difficilement conquise. Ils

1. *La Nouvelle Héloïse*, V^e^ partie, lettre VII. *O. C.*, II, 609.
2. *Op. cit.*, 604.

en sont avertis et ne peuvent s'empêcher de regretter le temps lointain où l'innocence régnait spontanément, sans nul effort, sans que l'instant qui vient menace l'instant qui précède.

LA FÊTE

La fête champêtre, précisément, offre aux belles âmes un spectacle qui simule le *retour* à l'innocence première. Elles savent que ce n'est là qu'une illusion : seulement l'effet de cette illusion est de *rapprocher* merveilleusement l'image de l'innocence idyllique, au point de faire croire que la fin rejoint le commencement et qu'au terme de l'évolution morale la conscience peut s'immerger à nouveau dans la spontanéité irréfléchie d'où son histoire l'a arrachée. C'est là une fiction, un jeu symbolique, et non pas un vrai retour à l'origine.

Au reste, la fête des vendanges, chez Rousseau, n'a rien de « rituel », elle ne se rattache à aucune tradition. Rien ne s'y déroule selon l'usage. Au contraire, elle apparaît comme entièrement *improvisée*. En même temps qu'elle symbolise un retour à l'âge d'or et à l'antiquité biblique, elle nous est décrite comme l'œuvre réussie de la « société très intime » de Clarens. Pure invention, création libre, dégagée de toute forme préétablie. Le spectacle dont s'enchante Rousseau est celui d'une satisfaction joyeuse qui naît dans les cœurs à mesure qu'ils accomplissent les actes conformes au devoir. L'émulation laborieuse s'exalte jusqu'à devenir une fête, où la bonne conscience se célèbre elle-même. (Tel est, selon Hegel, le *culte* que célèbrent les « belles âmes ».) La fête, qui fait surgir l'image de l'innocence des premiers temps, n'a pourtant, dans son *intention*, rien de « mémoratif » ni de commémoratif. Elle naît à l'improviste, par génération spontanée, dans le concours d'un groupe humain où personne n'a plus rien à cacher de ce qu'il pense et de ce qu'il sent. Les hommes ne sont pas joyeux parce qu'ils ont été conviés à une fête : celle-ci n'est que la manifestation visible de la joie que les hommes éprouvent à se trouver ensemble, — d'une joie dont l'excès et le trop-plein inattendus débordent dans les gestes extérieurs de la liesse, dans des jeux, des cérémonies, des chants...

Les vendanges sont à peine un prétexte, une « cause occasionnelle ». La substance de la fête, son véritable objet, c'est l'ouverture des cœurs. Un spectacle est offert : Rousseau ne compare-t-il pas le brouillard qui se dissipe au lever de rideau d'un théâtre ? Mais c'est un spectacle d'une sorte particulière, où tous se montrent à tous, l'ivresse joyeuse résultera de la parfaite évidence de chacun : point d'acteurs masqués, point de spectateurs plongés dans l'ombre. Chacun est à la fois acteur et spectateur, chacun a droit à la même part de lumière, à la même quantité d'attention.

Sans risque d'exagération, l'on peut voir dans cette fête idéale l'une des images-clés de l'œuvre de Rousseau. (Et, si l'on songe aux fêtes que la Révolution essaiera d'instaurer [1], c'est aussi l'une des images les plus inspiratrices.) Jean-Jacques écrit la *Lettre à d'Alembert* en versant de « délicieuses larmes ». Ces larmes, ce « tendre délire » révèlent parfaitement le caractère élégiaque de l'ouvrage. Car si la *Lettre* est d'une part une critique moralisante des méfaits du théâtre, il est clair d'autre part que Rousseau se réfère partout à l'image d'un spectacle idéal, qu'il ne décrira que dans les dernières pages de son petit livre : Rousseau a les yeux fixés sur le *souvenir* d'une fête improvisée, dont il a été témoin dans son enfance. C'est à ce souvenir, à cette joie collective revécus nostalgiquement que Rousseau confronte tous les « faux » prestiges de la comédie et de la tragédie.

Je me souviens d'avoir été frappé dans mon enfance d'un spectacle assez simple, et dont pourtant l'impression m'est toujours restée, malgré le temps et la diversité des objets. Le régiment de Saint-Gervais avait fait l'exercice, et, selon la coutume, on avait soupé par compagnies : la plupart de ceux qui les composaient se rassemblèrent après le souper dans la place de Saint-Gervais, et se mirent à danser tous ensemble, officiers et soldats, autour de la fontaine, sur le bassin de laquelle étaient montés les tambours, les fifres et ceux qui portaient les flambeaux. Une danse de gens égayés par un long repas semblerait n'offrir rien de fort intéressant à voir ; cependant l'accord de cinq ou six cents hommes en uniforme, se tenant tous par la main, et formant une longue bande qui serpentait en cadence et sans confusion, avec mille tours et retours ; mille espèces d'évolutions figurées, le choix des airs qui les animaient ; le bruit des tambours, l'éclat des flambeaux, un certain appareil militaire au sein du plaisir, tout cela formait une sensation très vive qu'on ne pouvait supporter de sang-froid. Il était tard, les femmes étaient couchées ; toutes se relevèrent. Bientôt les fenêtres furent pleines de spectatrices qui donnaient un nouveau zèle aux acteurs : elle ne purent tenir longtemps à leurs fenêtres, elles descendirent ; les maîtresses venaient voir leurs maris, les servantes apportaient du vin ; les enfants même, éveillés par le bruit, accoururent demi-vêtus entre les pères et les mères. La danse fut suspendue : ce ne fut qu'embrassements, ris, santés, caresses. Il résulta de tout cela un attendrissement général que je ne saurais peindre, mais que, dans l'allégresse universelle, on éprouve assez naturellement au milieu de tout ce qui nous est cher. Mon père,

1. Cf. A. Aulard, *Les Orateurs de la Révolution*. Paris, Cornély, 1906-1907.

en m'embrassant, fut saisi d'un tressaillement que je crois sentir et partager encore « Jean-Jacques me disait-il, aime ton pays. Vois-tu ces bons Gen vois? ils sont tous amis ils ont tous frères, la joie et la concorde règnent au mili u d eux [1]

Il importe peu de savoir si l'événement a eu lieu comme Rousseau le décrit. Ce qui importe, c'est que ces images constituent la *norme* intérieure selon laquelle Rousseau juge et condamne les autres spectacles. Rien n'est indifférent dans le tableau de cette soirée : ni le *repas* qui précède, ni le *vin* qu'on y boit, ni la présence de la *musique* (comme à la fête des vendanges), ni le caractère patriotique de la réjouissance en *uniformes*, ni non plus la présence du *père*, ni la temporaire *égalité* des maîtres et des serviteurs dans cette sage saturnale. Rien qui ne soit riche de signification.

Le sens de la fête nous apparaîtra plus clairement encore si nous lisons un second fragment de la *Lettre à d'Alembert*. Faisons attention aux termes et aux images que Rousseau met en œuvre, dans le passage où il confronte le spectacle fermé du théâtre et le spectacle à ciel ouvert de la réjouissance collective :

N'adoptons point ces spectacles *exclusifs* qui *renferment* tristement un petit nombre de gens dans un *antre obscur* ; qui les tiennent craintifs et immobiles dans le silence et l'inaction ; qui n'offrent aux yeux que *cloisons*, que *pointes de fer*, que soldats, qu'affligeantes images *de la servitude et de l'inégalité*. Non, peuples heureux, ce ne sont pas là vos fêtes. C'est *en plein air*, c'est *sous le ciel* qu'il faut vous rassembler et vous livrer au doux sentiment de votre bonheur... *Que le soleil éclaire* vos innocents spectacles ; vous en formerez un vous-mêmes, le plus digne qu'il puisse éclairer.

Mais quels seront enfin les objets de ces spectacles? *Qu'y montrera-t-on ? Rien, si l'on veut.* Avec la liberté, partout où règne l'affluence, le bien-être y règne aussi. Plantez au milieu d'une place un piquet couronné de fleurs, rassemblez-y le peuple, et vous aurez une fête. Faites mieux encore : donnez les spectateurs en spectacle ; rendez-les acteurs eux-mêmes ; faites que chacun se voie et s'aime dans les autres, afin que tous en soient mieux unis [2].

Le théâtre et la fête s'opposent comme un monde d'opacité et un monde de transparence. Avec son obscurité, ses pointes de fer, ses cloisons, le théâtre inspire la même crainte que le Temple cruel où règne la Statue allégorique. La même fascination mauvaise s'y exerce. Car Rousseau, adversaire

1. *Lettre à d'Alembert.* (Paris, Garnier-Flammarion, 1967), 248. La fête de Genève, évoquée dans une longue *note*, reproduit, dans l'esprit de Rousseau, la « laborieuse oisiveté » des fêtes de Sparte, dont la fonction de modèle s'inscrit dans le corps du *texte*.

2. *Op. cit.*, 233-234.

du théâtre, ne méconnaît nullement ses pouvoirs de séduction. Seulement, il lui apparaît que cette séduction (comme celle de la Statue) entraîne les hommes dans le domaine de l'opacité, de l'illusion néfaste, de la séparation malheureuse. Dans la salle obscure, le spectateur s'emprisonne dans sa solitude. « L'on croit s'assembler au spectacle, et c'est là que chacun s'isole ; c'est là qu'on va oublier ses amis, ses voisins, ses proches [1] »... L'on va au théâtre pour « s'oublier soi-même », c'est le lieu du plus complet oubli de soi-même et d'autrui. Le spectacle nous vole notre être : aliénation totale où rien ne nous est rendu en retour. Nous sommes attirés vers un fabuleux lointain. Car si le théâtre agit sur nos passions, il envoûte par la magie de la distance et de l'éloignement : « Tout ce qu'on met en représentation au théâtre, on ne l'approche pas de nous, *on l en éloigne* [2]. »

Mais après avoir assombri l'image du théâtre au point d'en faire l équivalent du Temple lugubre du *Morceau allégorique* la louange de la fête collective recourt à des images qui ressemblent singulièrement à celles que Rousseau avait fait survenir à la fin du mythe des statues voilées. Une sorte de miracle met fin à la division qui séparait spectacle et spectateurs, et qui s'aggravait en séparant les spectateurs les uns des autres. Le spectacle-objet nous volait notre liberté et nous nous immobilisions comme des choses dans la salle obscure : nous étions pétrifiés par un regard de Méduse. Maintenant, de même qu'au spectacle fermé succède la fête à ciel ouvert, l'on voit succéder à l'objet *opaque* du spectacle une communauté de consciences *ouvertes* qui se mettent en mouvement les unes vers les autres. La séparation est supplantée par la réciprocité des consciences. Nous avions vu le « divin objet » Galatée devenir une conscience et rejoindre Pygmalion dans l égalité d'un même *Moi*. Nous avions vu le « fils de l'homme » renverser la Statue et proférer, à partir d'une « source » intérieure, une vérité instantanément reconnue par les hommes. Il en va de même quand le spectacle « exclusif » et « fermé » devient une fête ouverte. Un peuple entier s'offre la représentation de son bonheur. Le spectacle ouvert à tous, qui est le spectacle de l'ouverture de tous les cœurs, est « innocent », il est « sans danger », mais il est aussi plus « enivrant ». L'animation de la fête collective réalise l'une des épiphanies de la transparence dont Rousseau a rêvé « *Il n'y a de pure joie que la joie publique* [3]. » Cette joie

1. *Op. cit*, 66.
2. *Op. cit.*, 79-80.
3. *Op cit.*, 249

est sans objet et elle est universelle. D'où sa pureté. La communauté s'y exprime dans l'acte même de la communication, et se prend pour thème de son exaltation. Les consciences s'ouvrent au-dehors parce qu'elles sont pures et n'ont rien à cacher ; mais l'on peut dire aussi qu'elles se purifient parce qu'elles ont su s'ouvrir les unes aux autres. La pureté est peut-être moins une cause de la joie générale, qu'une conséquence de celle-ci.

« *Qu'y montrera-t-on ? Rien, si l'on veut.* » Si la fête n'était pas cette auto-affirmation de la transparence des consciences, si le spectacle avait un objet particulier, nous resterions dans le domaine des moyens et de la médiation. Le théâtre est-il, comme Rousseau le prétend, le lieu où je me trouve rejeté dans une solitude absolue ? Nullement : je sais que d'autres regards sont fixés sur la scène, et que je les rejoins dans l'action que nous regardons tous. C'est l'exemple même d'une communion médiate : nous sommes réunis indirectement par l'intermédiaire de l'action scénique à laquelle mon attention me lie directement. Mais précisément, la relation médiatisée qui constitue un public de théâtre semble n'avoir aucune valeur pour Jean-Jacques. Une communion qui ne s'accomplit pas dans l'immédiateté absolue n'est pas, à ses yeux, une communion véritable : autant dire que c'est le règne de la solitude et de la dispersion malheureuse. Là où il nous est facile de reconnaître une communion médiatisée, Jean-Jacques voit une communication interrompue. Ce qui nous apparaît comme un terme intermédiaire lui semble un obstacle. Nul remède, sinon de ne *rien* montrer.

Ne *rien* montrer, ce sera réaliser un espace entièrement libre et vide, ce sera le milieu optique de la transparence : les consciences pourront être purement présentes les unes aux autres, sans que rien ne s'interpose entre elles. Si rien n'est montré, il devient alors possible que tous se montrent et que tous regardent. Le *rien* (en fait d'objet) est étrangement nécessaire à l'apparition de la *totalité* subjective.

L'exaltation de la fête collective a la même structure que la volonté générale du *Contrat social.* La description de la *joie publique* nous offre l'aspect lyrique de la volonté générale : c'est l'aspect qu'elle prend en habits du dimanche.

> Est-il une jouissance plus douce que de voir *un peuple entier* se livrer à la joie un jour de fête et *tous les cœurs* s'épanouir aux rayons suprêmes du plaisir qui passe rapidement mais vivement à travers les nuages de la vie [1] ?

1. *Rêveries*, neuvième Promenade. *O. C.*, I, 1085.

La fête exprime sur le plan « existentiel » de l'affectivité tout ce que le *Contrat* formule sur le plan de la théorie du droit. Dans l'ivresse de la joie publique, chacun est à la fois *acteur* et *spectateur* ; on reconnaît aisément la double condition du citoyen après la conclusion du contrat : il est à la fois « membre du souverain » et « membre de l'État », il est celui qui veut la loi et celui qui obéit à la loi. *Faites que chacun se voie et s'aime dans les autres, afin que tous en soient mieux unis.* Regarder tous ses frères, et être regardé par tous : il n'est pas difficile de retrouver ici le postulat d'une aliénation simultanée de toutes les volontés, où chacun finit par recevoir en retour tout ce qu'il a cédé à la collectivité.

L'immédiat dont on jouit alors est un immédiat *second*, qui suppose d'abord la séparation, puis la réussite absolue de l'acte médiateur surmontant la séparation.

> Chacun se donnant à tous ne se donne à personne, et comme il n'y a pas un associé sur lequel on n'acquière le même droit qu'on lui cède sur soi, on gagne l'équivalent de tout ce qu'on perd, et plus de force pour conserver ce qu'on a [1].

Ce que le *Contrat* stipule sur le plan de la volonté et de l'*avoir*, la fête le réalise sur le plan du regard et de l'*être* : chacun est « aliéné » dans le regard des autres, et chacun est rendu à lui-même par une « reconnaissance » universelle. Le mouvement du don absolu se renverse pour devenir contemplation narcissique de soi-même : mais le *moi* ainsi contemplé est pure liberté, pure transparence, en continuité avec d'autres libertés, d'autres transparences : c'est un « *moi commun* ». L'espace, désormais, s'ouvre à la danse, à l'*animation* des corps délivrés du souci de leur solitude. *Allons danser sous les ormeaux. Animez-vous, jeunes fillettes* [2] : la dernière scène du *Devin* disait déjà tout cela sur le ton de l'idylle « naïve ».

L'ÉGALITÉ

Aux vendanges de Clarens, « tout vit dans la plus grande familiarité ; *tout le monde est égal* et personne ne s'oublie [3] ». Dans la joie générale, il semble que nous ayons reconquis l'égalité des origines. Le second *Discours* avait décrit cette égalité du commencement des temps, et il avait retracé l'histoire de l'humanité comme une chute dans l'inégalité. Tout

1. *Contrat social*, liv. Ier, chap. VI. *O. C.*, III, 361.
2. *Le Devin du Village*, scène VIII. *O. C.*, II, 1113.
3. *La Nouvelle Héloïse*, Ve partie, lettre VII. *O. C.*, II, 607.

serait-il réparé ? Les habitants de Clarens auraient-ils retrouvé le bonheur des premiers âges ? Ou bien, comme pour le retour de l'innocence, ne serait-ce qu'une « douce illusion », un effet de lumière momentané dans la beauté d'une matinée d'automne ?

De fait, cette égalité retrouvée est tout illusoire. Elle apparaît dans la griserie du jour de fête, et disparaîtra avec elle : ce n'est qu'un épiphénomène de la réjouissance collective. Car pour l'ordinaire Clarens ne connaît ni l'égalité naturelle des premiers temps, ni l'égalité civile décrite par le *Contrat.* Maîtres et serviteurs sont aussi inégaux qu'il est possible de l'être. Certes, les serviteurs sont liés aux maîtres par la confiance (IVe Partie, lettre X) ; mais le systématique Wolmar ne cherche la confiance de ses subordonnés que pour faire d'eux de *bons serviteurs* : c'est une méthode de dressage, qui vise à obtenir de meilleurs services, plutôt qu'à établir une solidarité égalitaire. Nous reconnaissons, à chaque ligne de la lettre sur l'organisation domestique du domaine, les caractéristiques de l'attitude « paternaliste » : l'on s'ingénie à capter le libre assentiment du serviteur, voire son affection, pour faire de lui un instrument plus docile. Les maîtres gardent le privilège de *se sentir égaux* si bon leur semble ; mais ce privilège n'appartient qu'à eux, et non aux serviteurs. Le sentiment de l'égalité reste ainsi un luxe de maître, qui lui permet de jouir de sa propriété sans mauvaise conscience :

> J'admirai comment avec tant d'affabilité pouvait régner tant de subordination, et comment elle et son mari pouvaient descendre et s'égaler si souvent à leurs domestiques, sans que ceux-ci fussent tentés de les prendre au mot et de s'égaler à eux à leur tour. Je ne crois pas qu'il y ait des souverains en Asie servis dans leurs palais avec plus de respect que ces bons maîtres le sont dans leur maison. Je ne connais rien de moins impérieux que leurs ordres et rien de si promptement exécuté : ils prient et l'on vole ; ils excusent et l'on sent son tort [1].

Il y a, dans cette confiance bienveillante, une hypocrisie dont les serviteurs ne sont peut-être pas les seules dupes. N'y a-t-il pas là aussi une bienheureuse duperie pour les « belles âmes » qui jouent le rôle des bons maîtres ? Elles se trompent elles-mêmes dans le sens qu'elles désirent. Elles se donnent l'illusion de ne pas quitter le domaine de la communication immédiate. En agissant par la confiance, on peut se persuader que l'on n'a pas traité le serviteur comme un moyen : l'on n'est pas descendu dans le désolant univers des

1. IVe partie, lettre X. *O. C.*, II, 458-459. Les serviteurs ne constituant pas une « classe » antagoniste, Rousseau parvient à maintenir des « rangs » sociaux, tout en évitant le péril des « sociétés partielles » qui compromettraient la *plénitude* de la communauté.

instruments et de l'action instrumentale. Non seulement les belles âmes gardent toute leur pureté, mais l'acte essentiel se réduit pour elles à se montrer dans leur pureté. Pour que la maison soit prospère, pour que le domaine fructifie, que doit-on faire ? Rien : se montrer tel qu'on est. Les autres prendront sur eux la charge du travail effectif :

> Le grand art des maîtres pour rendre leurs domestiques tels qu'ils les veulent est de se montrer à eux tels qu'ils sont [1].

L'on se fera servir sans avoir à se reprocher un seul instant d'avoir trahi les grands principes : « L'homme est un être trop noble pour devoir servir simplement d'instrument à d'autres. »

La critique n'a pas manqué de signaler le contraste entre l'idéal démocratique du *Contrat social* et la structure encore féodale de la communauté de Clarens. Les différences sont importantes et permettent de poser la question de l'attachement de Rousseau à l'idéal d'égalité démocratique. Mais il importe aussi de remarquer que Rousseau a éprouvé le besoin de compenser par la fête l'inégalité qu'il accepte dans l'ordre quotidien : il n'a de cesse qu'il n'ait dissout l'inégalité réelle dans la griserie de la fête des vendanges. Le vin aidant (dont on a bu raisonnablement), une égalité sentimentale instaure de nouveaux rapports humains. On voit se réaliser, de façon éphémère, dans une joie sans lendemain, l'équivalent affectif des postulats juridiques du *Contrat* ; une société libre et sans « corps intermédiaires ». Mais ce bref triomphe d'une fraternité totale ne menace aucunement l'ordre et l'économie habituels du domaine, basés sur le principe de la domination du maître et de l'obéissance des serviteurs. L'exaltation de l'égalité ne peut persister ; elle ne porte en elle aucune promesse de continuité. Le bonheur de la fête dure ce que durent les spectacles. L'égalité nous y est offerte comme un moment très intense : mais cette intensité passagère n'a pas le pouvoir de se perpétuer sous la forme d'une véritable institution. Il faut en jouir dans l'instant même, sachant d'avance que seuls en demeureront le souvenir et le regret. La « belle âme » ne songe pas à réformer le monde de façon que l'égalité s'y répande ; elle se borne à formuler le souhait (qu'elle sait parfaitement vain) de voir le temps s'arrêter et le bonheur de l'instant se répéter :

> On ne serait pas fâché de recommencer le lendemain, le surlendemain, et toute sa vie [2].

1. *Op. cit.*, 468.
2. Ve partie, lettre VII. *O. C.*, II, 611.

Il y a lieu de se demander si Jean-Jacques n'est pas résolu à chercher un bonheur substitutif dans cette ivresse éphémère, où il trouve la quintessence sentimentale de l'égalité sans avoir à lutter pour en établir les conditions concrètes. Nous avons souligné les équivalences entre l'aliénation universelle du *Contrat* et celle de la fête ; nous avons rapproché la volonté générale du *Contrat* et la transparence générale de la fête : que choisira Jean-Jacques ? N'est-il pas disposé à préférer les fêtes aux révolutions ? Qu'on relise la dernière œuvre politique de Rousseau, les *Considérations sur le gouvernement de Pologne.* A la question initiale : comment « mettre la loi au-dessus de l'homme ? Comment arriver aux cœurs ? », Jean-Jacques répond par une théorie de la fête et des « jeux publics ». Et voici ce qu'il propose aux Polonais :

> Beaucoup de spectacles en plein air, *où les rangs soient distingués* avec soin, mais où tout le peuple prenne part *également*, comme chez les anciens [1].

Rousseau admet, jusqu'au milieu même de la fête, l'inégalité des conditions sociales ; il exige seulement une égalité qui se manifestera dans l'élan subjectif d'une *participation* du peuple entier au spectacle. Peu importe que les institutions ne soient pas égalitaires : il suffit à Rousseau que l'égalité se réalise comme *état d'âme collectif.*

Ceci apparaît déjà d'une façon parfaitement claire dans la lettre de Saint-Preux sur les vendanges. L'égalité n'appartient pas à la structure concrète de la société de Clarens : elle n'est liée qu'à « l'état de fête ». Saint-Preux écrit:

> La *douce égalité* qui règne ici rétablit l'ordre de la nature, forme une instruction pour les uns, une *consolation* pour les autres et un lien d'amitié pour tous [2].

Bien que l'ordre de la nature soit « rétabli », les déshérités n'y ont gagné qu'une *consolation* ; rien n'a donc changé réellement dans l'ordre de la société, ce qui veut dire que l'ordre de la nature n'a été rétabli qu'à la façon d'un *jeu.* Une note que Rousseau ajoute en bas de page précisera encore cette idée : sans abolir véritablement les différences sociales, l'état de fête permet de les considérer comme *indifférentes* : l'égalité réalisée dans la fête démontre l'inutilité d'une transformation réelle de la société. On reconnaît un type d'argument

1. *Considérations sur le gouvernement de Pologne*, chap. III. *O. C.*, III, 963.
2. *La Nouvelle Héloïse*, Ve partie, lettre VII. *O. C.*, II, 608.

auquel la pensée conservatrice recourra durant tout le XIXe siècle, et au-delà :

Si de là naît un commun état de fête, non moins doux à ceux qui descendent qu'à ceux qui montent, ne s'ensuit-il pas que tous les états sont presque *indifférents* par eux-mêmes, pourvu qu'on puisse et qu'on veuille *en sortir quelquefois* [1]?

On notera combien Jean-Jacques est prompt à admettre les équivalents illusoires lorsqu'il peut les justifier par la doctrine du sentiment. Rousseau est prêt à accepter un monde où n'existe qu'une pseudo-égalité sociale, à condition qu'il soit possible *quelquefois* de faire en sorte que tous se *sentent* égaux. Tout se passe comme si l'essence de l'égalité consistait dans le sentiment [2] d'être égal. Ce « platonisme du cœur » (l'expression est de Burgelin) rend légitime le recours à l'illusion. On sera même très excusable de tromper les autres, si c'est pour leur bien, c'est-à-dire si c'est pour leur inspirer d'heureuses illusions. Quand Wolmar s'arroge le droit de provoquer la confiance de ses serviteurs, il agit en « despote éclairé » et fait bon marché de l'exigence morale de la réciprocité. Qu'importe! il réussit à créer le sentiment de l'égalité ; l'on est invité à oublier et à pardonner les moyens douteux qui lui ont permis de réussir. Il y a là, comme l'a remarqué Burgelin, tout un aspect « machiavélique » de la théorie sociale de Rousseau. Cet ennemi de l'opinion, des masques et des voiles, accepte cependant que le maître dissimule la contrainte qu'il exerce en vue d'instaurer dans sa maison l'ordre et la concorde : « Comment contenir des domestiques, des mercenaires, autrement que par la contrainte et la gêne? Tout l'art du maître est de cacher cette gêne *sous le voile* du plaisir et de l'intérêt, en sorte qu'ils pensent vouloir tout ce qu'on les oblige à faire [3]. » Le serviteur est traité ici comme le sera Émile par son précepteur : l'homme de la raison impose artificieusement sa volonté, et il déguise la violence qu'il

1. *Ibid.*

2. Au moment où Rousseau esquisse ses *Institutions politiques*, il semble vouloir se mettre en garde contre le témoignage du sentiment en matière politique : « Ce n'est... pas par le sentiment que les citoyens ont de leur bonheur, ni par conséquent par leur bonheur même, qu'il faut juger de la prospérité de l'État. » G. Streckeisen-Moultou, *Œuvres et Correspondance inédites de J.-J. Rousseau*, 1861, p. 227 ; voir aussi *O. C.*, III, 513.

3. *La Nouvelle Héloïse*, IVe partie, lettre X. *O. C.*, II, 453. Voyez le commentaire d'Éric Weil : « Les domestiques n'existent que pour leur maître et en lui ; n'ayant pas de raison ils n'ont pas de liberté, ils ne peuvent pas être éduqués à la liberté, ils sont des *esclaves nés*, pour employer l'expression d'Aristote. » (« *J.-J. Rousseau et sa politique* », *Critique*, no 56, janvier 1952).

exerce, laissant ainsi à l'élève ou au serviteur le sentiment d'agir librement, de leur plein gré. Est-ce mépris pour l'enfant et pour le bas peuple ? On pourrait le croire. Mais Rousseau lui-même n'a pas hésité à s'identifier à l'enfant et au peuple. « Homme de la nature », il ne sait rien cacher de ce qu'il sent : tel est l'enfant, et tel est aussi le peuple : « Le peuple se montre tel qu'il est... les gens du monde se déguisent [1]. » La supériorité sociale de Wolmar fait de lui un homme déguisé, et le pédagogue de l'*Émile* est également un homme déguisé. La différence essentielle, cependant, consiste dans le fait que le précepteur guidera Émile hors de l'état d'enfance, tandis que Wolmar ne se soucie guère de transformer le serviteur en homme raisonnable.

Clarens n'a pas rétabli le règne de l'innocence et n'a pas instauré celui de l'égalité. Seuls, au jour de la fête, l'*image* de l'innocence et le *sentiment* de l'égalité viennent enchanter les âmes sensibles. Clarens, ajoutons-le, est un petit monde limité, et qui se veut fermé ; mais les âmes s'y adonnent au sentiment de l'universel. Voyez les transports de Saint-Preux, au commencement de la journée des vendanges : il s'émeut devant « l'aimable et touchant tableau d'une *allégresse générale qui semble en ce moment étendue sur la face de la terre* [2] ». C'est l'imagination, ici, qui universalise la joie.

L'idéal de la « société intime » (comme, dans les *Dialogues*, l'idéal d'un « monde enchanté » accessible aux seuls initiés, comme aussi l'idéal de la patrie) paraît correspondre à un goût très fort de l'existence circonscrite. Amiel l'a très bien noté [3], il y a chez Rousseau un désir d'*insularité*, un besoin d'enfermer sa vie dans une île. Clarens est précisément une île, un asile, un jardin clos, une petite communauté étroitement repliée sur le bonheur qu'elle a su inventer. C'est le refuge terrestre des belles âmes, à l'intérieur duquel elles se sont *exclues* [4] du reste du monde. Mais il faut qu'y surgisse

1. *Émile*, liv. IV. *O. C.*, IV, 509.
2. *La Nouvelle Héloïse*, Ve partie, lettre VII. *O. C.*, II, 604.
3. H. F. Amiel, in : *J.-J. Rousseau jugé par les Genevois d'aujourd'hui* (Genève, 1879), 37.
4. *Exclusif*, dans le vocabulaire de Rousseau, est un terme péjoratif seulement lorsqu'il désigne ce qui sépare les hommes à l'intérieur d'une communauté : il devient en revanche un terme laudatif lorsqu'il exprime ce qui fonde la personnalité du groupe social en face du reste du monde. Rousseau, proposant des spectacles (des fêtes) aux Polonais, ne désire « rien, s'il se peut, d'exclusif pour les grands et les riches », mais, dans le même ouvrage, il loue les législateurs anciens d'avoir institué des « cérémonies religieuses qui par leur nature étaient toujours exclusives et nationales » (*Considérations sur le gouvernement de Pologne*). Voyez également le début de l'*Émile* : « Toute société partielle, quand elle est étroite et bien unie, s'aliène de la grande. »

« l'allégresse générale qui *semble* étendue sur la face de la terre ». Ainsi, tout en satisfaisant son besoin d'existence circonscrite, Rousseau ne cesse pas de donner libre cours aux élans de son « âme expansive ». Quitte à devoir se contenter d'illusions (et il proclamera que l'illusion lui suffit), Jean-Jacques veut éprouver l'ivresse de la totalité et de l'universalité. L'exaltation *générale* de la communauté fermée devient symbole d'universalité, tout en se maintenant dans les limites de l'intériorité subjective. La transparence interne de ce monde clos, dans l'exaltation de la fête, s'épanouit en un bonheur que les belles âmes interprètent aussitôt comme une présence à l'universel. Elles interprètent la plénitude de leur joie comme une participation à un Tout sans clôture, à un monde infiniment ouvert. Ainsi, dans la troisième Lettre à Malesherbes, Rousseau se décrit fuyant les hommes, mais pour se livrer à une contemplation où il finira par s'élever en pensée et en sentiment jusqu'au « système *universel* des choses » et jusqu'à « l'Être incompréhensible qui embrasse *tout* [1] ». Il donne l'exemple d'un isolement volontaire, d'une « insularité », que contrebalance l'expérience *intérieure* de l'universalité et de la totalité. Les joies collectives de Clarens ne sont que l'image multipliée des extases solitaires de Jean-Jacques. Clarens est un monde fermé, mais où l'on s'abandonne à l'extase du « grand Être ».

Il n'est pas inutile d'ajouter que l'image de la fête, chez Rousseau, oscille entre deux « types idéaux » assez différents. Il y a en effet deux façons opposées pour la fête de surgir et de s'organiser.

La première fait s'animer le groupe entier par un commun état d'âme. L'initiative jaillit de toutes parts. La fête collective, alors, n'a pas de centre privilégié. Tous y ont la même importance ; tous sont au même titre acteurs et spectateurs. L'esprit unanime de la communauté s'exprime et s'exalte en chacun de ses membres d'une façon identique. Le même élan aura pris naissance spontanément dans chaque conscience. Il n'y aura eu aucun législateur de la fête, de même que l'hypothèse du « pacte social » au départ ne suppose l'intervention d'aucun donneur de lois, mais une décision simultanée de toutes les volontés.

La seconde image dresse une personne au centre de la fête, un être radieux qui communique le mouvement et vers lequel tout converge. Une figure dominatrice impose sa présence et propage la joie. La fête alors s'organise à partir d'un démiurge,

1. Troisième lettre à Malesherbes. *O. C.*, I, 1141.

dont l'influence s'étend irrésistiblement sur tous ceux qui l'entourent. La bienveillance d'une âme expansive éveille autour d'elle une joie universelle.

Au vrai, ces deux images idéales exercent sur Rousseau une égale séduction. La *Lettre à d'Alembert*, où la fête apparaît surtout comme l'exaltation d'un *moi* collectif, est en même temps une œuvre où Rousseau se grise à l'idée de jouer le rôle de l'inventeur et du dispensateur de la fête. Qu'on relise la longue page où chaque phrase commence par : *Je voudrais que* [1]... Rousseau, littéralement, se donne des fêtes en imagination, et s'en fait le centre, le législateur.

Être au centre et à l'origine de la fête ; trouver, dans la joie qu'on suscite, le miroir de sa propre bonté ; tels sont quelques-uns des « plaisirs rares et courts » dont Rousseau évoque le souvenir dans la neuvième *Rêverie*. A la Muette, il a offert des oublies à une troupe de petites filles : « Le partage devint presque égal et la joie plus générale... La fête au reste ne fut pas ruineuse, mais pour trente sols qu'il m'en coûta tout au plus il y eut pour plus de cent écus de contentement [2]. » Ce récit d'une fête improvisée en rappelle aussitôt une autre, où Jean-Jacques se retrouve au centre d'une joie générale. Bien mieux, la fête donnée par Rousseau survient en contraste avec les faux plaisirs d'une très riche société :

> J'étais à la Chevrette au temps de la fête du maître de la maison ; toute sa famille s'était réunie pour la célébrer, et tout l'éclat des plaisirs bruyants fut mis en œuvre pour cet effet. Jeux, spectacles, festins, feux d'artifice, rien ne fut épargné. L'on n'avait pas le temps de prendre haleine et l'on s'étourdissait au lieu de s'amuser [3].

A cinq ou six petits Savoyards, Jean-Jacques offre les « chétives pommes » qu'ils convoitaient. Cette fête dans la fête ne coûte pas grand-chose à Jean-Jacques : la vraie joie, conquise à peu de frais, fera contraste avec les réjouissances dispendieuses des grands .

> J'eus alors un des plus doux spectacles qui puissent flatter un cœur d'homme, celui de voir la joie unie avec l'innocence de l'âge se répandre *tout autour de moi*. Car les spectateurs mêmes en la voyant la partagèrent, et moi qui partageais *à si bon marché* cette joie, j'avais de plus celle de sentir qu'elle était *mon ouvrage* [4].

1. *Lettre à d'Alembert* (Paris, Garnier-Flammarion, 1967), 238 sq.
2. *Rêveries*, neuvième Promenade. *O. C.*, I, 1091.
3. *Op. cit.*, 1092.
4. *Op. cit.*, 1093.

Qu'on y regarde de plus près : le bonheur qu'éprouve Jean-Jacques, en de pareilles circonstances, s'éveille par le caractère magique de son action. Rousseau s'émerveille en effet de la disproportion entre un acte qui coûte si peu, et l'intensité de la joie qui en résulte alentour. S'il a répandu le contentement autour de lui, c'est par la magie de la bienveillance, et non par le pouvoir de l'argent. Car la vraie fête est celle qui ne coûte rien ; en effet, pour que la réjouissance soit vraiment immédiate, il faut non seulement supprimer l'objet du spectacle, il faut encore que tout se réalise sans dépenses, c'est-à-dire sans passer par l'impur moyen de l'argent. Qu'elle jaillisse d'un élan collectif ou qu'elle rayonne autour d'une personnalité bienfaisante, la fête sera toujours frugale chez Rousseau. Voilà sans doute qui coïncide avec un souci d'économie fort puritain : Rousseau n'aime pas dépenser. Mais il s'agit moins pour lui de conserver son argent, que de ne pas l'engager dans la fête, dont il troublerait la pureté. Pour que la fête demeure pure, il faut que les âmes s'y expriment spontanément : elles doivent tout créer par elles-mêmes ; la réjouissance collective sera l'acte d'autonomie des consciences qui inventent gratuitement le bonheur de communiquer les unes avec les autres. Quand on paie les frais de la fête (comme Rousseau le fait avec les petits Savoyards et les jeunes filles de la porte de la Muette), on peut néanmoins se justifier en se disant que l'on n'a *presque rien* dépensé, et que la joie de la fête n'a pas de commune mesure avec l'argent investi.

ÉCONOMIE

A Clarens, l'égalité dans la fête semble s'instaurer par un élan simultané, par une joie qui naît au même instant dans tous les cœurs harmonisés, — mais non sans que la figure de Julie s'impose comme le centre rayonnant de cette journée. Son « âme expansive » a suscité autour d'elle la joie universelle. Il lui suffit d'*être* Julie pour inspirer l'heureuse animation des vendanges. Et puisqu'il suffit que Julie soit présente pour que tout un petit monde s'anime sagement autour d'elle, il ne sera pas nécessaire de recourir à l'argent pour égayer le spectacle. L'idéal de frugalité se trouve encore une fois parfaitement satisfait :

> Le souper est servi sur deux longues tables. Le luxe et l'appareil des festins n'y sont pas, mais l'abondance et la joie y sont [1].

1. *La Nouvelle Héloïse*, V^e partie, lettre VII. *O. C.*, II, 608.

En réalité, cette fête est un jour de travail, et la production y surpasse de loin la dépense. A relire le début de la lettre de Saint-Preux sur les vendanges, l'on s'aperçoit que le lyrisme de l'accumulation s'applique à la joie elle-même et qu'il résume l'essentiel de cette prospérité champêtre :

> Mais quel charme de voir de bons et sages régisseurs faire de la culture de leurs terres l'instrument de leurs bienfaits, leurs amusements, leurs plaisirs, verser à pleines mains les dons de la Providence ; engraisser tout ce qui les entoure, hommes et bestiaux, des biens dont regorgent leurs granges, leurs caves, leurs greniers ; *accumuler l'abondance et la joie autour d'eux, et faire du travail qui les enrichit une fête continuelle*[1] *!*

Encore faut-il ajouter que l'accumulation reste proportionnée aux besoins d'une communauté dont le seul but économique est de se suffire à elle-même. L'on ne travaille à s'enrichir que pour se rendre *indépendant*. Si la fête manifeste la parfaite autonomie des consciences, il se trouve qu'elle a pour décor une prospérité agricole qui rend possible la parfaite autonomie matérielle de la communauté. La réussite de Clarens consiste en effet dans la conquête simultanée de l'une et l'autre forme d'autonomie. Rousseau a constamment lié les problèmes de la conscience aux problèmes économiques : selon lui, il ne peut y avoir d'indépendance de la conscience qu'appuyée et assurée par une indépendance économique. C'est une exigence morale, très certainement d'origine stoïcienne, qui veut que le moi cherche ses satisfactions uniquement en lui-même et dans les biens qui sont *les siens*, sans jamais faire appel à un secours extérieur. A Clarens, l'idéal moral de l'autarcie, transposé sur le plan économique, prend la forme d'une société fermée, qui subvient par elle-même à son existence matérielle. Tous les besoins raisonnables seront frugalement satisfaits. L'enrichissement n'ira pas au-delà. Il n'est pas question, pour M. de Wolmar, de réaliser un bénéfice qui ne se convertirait pas instantanément en consommation. La prospérité agricole des Wolmar ne se traduit pas en accumulation de capital. La famille n'a aucune dette, mais en revanche elle ne met en réserve aucun surcroît de production ; elle se borne à bien vivre sans augmenter sa fortune monnayable. Les belles âmes résistent à tout alourdissement matériel : elles ne *font* pas de l'argent. Leur économie n'est ni déficitaire ni thésauriseuse. Le petit groupe consomme au fur et à mesure ce qu'il produit (ce qu'il fait produire par les serviteurs et les fermiers) et il produit le léger excédent

1. *Op. cit.*, 603.

qui permet à la consommation quotidienne de prendre l'allure d'une fête modeste. Parfaite image de la suffisance qui ne s'aliène ni dans le besoin inassouvi, ni dans une abondance superflue. C'est à peine si, parmi tant de détails économiques, l'argent est mentionné de temps à autre. L'argent, en effet, ne concerne pas la vie intérieure de la petite communauté ; il ne regarde que les contacts avec le monde du dehors, que l'on s'efforce d'éviter autant que possible :

> Notre grand secret pour être riches... est d'avoir peu d'argent, et d'éviter autant qu'il se peut dans l'usage de nos biens les *échanges intermédiaires* entre le produit et l'emploi... Le transport de nos revenus s'évite en les employant sur le lieu, l'échange s'en évite encore en les consommant en nature, et dans l'indispensable conversion de ce que nous avons de trop en ce qui nous manque, au lieu des ventes et des achats pécuniaires qui doublent le préjudice, nous cherchons des échanges réels où la commodité de chaque contractant tienne lieu de profit à tous deux [1].

L'argent, intermédiaire abstrait, n'est pas nécessaire dans cette société qui consomme *immédiatement* ce qu'elle produit et qui se nourrit de la substance de son travail. Certes, ce travail n'a pu avoir lieu sans que l'on descende dans le monde malheureux des instruments et des moyens (la charge en incombe aux serviteurs) ; mais l'immédiate consommation des produits du travail efface, en quelque sorte, le péché de cette négation de la nature qu'est le travail : la richesse ne risquera pas de devenir un obstacle entre les consciences, et les hommes peuvent pleinement s'appartenir à eux-mêmes dans l'instant présent. Dans le produit du travail, ils reconnaissent simplement la possibilité de donner au besoin actuel une satisfaction immédiate. Ainsi, l'argent ni les problèmes de l'*avoir* n'oblitèrent les avenues du temps : les belles âmes peuvent s'élancer en toute pureté vers le futur.

La répugnance que Wolmar professe à l'égard des *échanges intermédiaires* doit retenir notre attention. Nous y reconnaissons le malaise que Rousseau a toujours éprouvé en présence de l'argent ; mais Wolmar systématise noblement

1. *La Nouvelle Héloïse*, Ve partie, lettre II. *O. C.*, II, 548. Un même idéal d'économie fermée, autarcique, essentiellement agricole, sera formulé dans l'*Émile* : « Ce pain bis que vous trouvez si bon, vient du blé recueilli par ce paysan ; son vin noir et grossier, mais désaltérant et sain, est du cru de sa vigne ; le linge vient de son chanvre, filé l'hiver par sa femme, par ses filles, par sa servante : nulles autres mains que celles de sa famille n'ont fait les apprêts de sa table ; le moulin le plus proche et le marché voisin sont les bornes de l'univers pour lui » (*Émile*, liv. III. *O. C.*, IV, 464). Acheter est immoral : seul le troc est licite.

et transforme en doctrine économique ce qui dans les *Confessions* s'exprime en termes de goût et de dégoût :

> Aucun de mes goûts dominants ne consiste en choses qui s'achètent. Il ne me faut que des plaisirs purs, et l'argent les empoisonne tous... Il n'est bon à rien par lui-même ; il faut *le transformer pour en jouir* [1].

L'argent est en effet ce dont on ne peut jouir immédiatement : et toutes les jouissances qu'il procure sont nécessairement médiates. Un plaisir acquis par le moyen de l'argent n'a plus la pureté de l'immédiat ; il est empoisonné.

Il y a un point supplémentaire sur lequel la confrontation de *La Nouvelle Héloïse* et des *Confessions* permet de jeter quelque lumière : le principe d'immédiateté, qui fonde à Clarens une économie vertueusement autarcique, sert en revanche dans les *Confessions* à justifier certains actes immoraux de Jean-Jacques. Pourquoi a-t-il commis tant de menus larcins ? Parce qu'il a horreur de passer par l'intermédiaire de l'argent. Parce que le désir veut se jeter directement sur l'objet convoité :

> Je suis moins tenté de l'argent que des choses, parce qu'entre l'argent et la possession désirée *il y a toujours un intermédiaire*, au lieu qu'entre la chose même et sa jouissance il n'y en a point. Je vois la chose, elle me tente ; si je ne vois que le *moyen* de l'acquérir, il ne me tente pas. J'ai donc été fripon, et quelquefois je le suis encore de bagatelles qui me tentent et que j'aime mieux prendre que demander [2].

Ainsi les raisons qui font de Jean-Jacques un voleur, sont les mêmes que celles qui incitent Wolmar à consommer sur place les produits de son domaine. Peu s'en faut qu'il ne s'agisse de deux aspects de la même morale. Quand Rousseau explique ses vols, le principe d'immédiateté est invoqué pour éclairer un mécanisme psychologique, à titre purement descriptif ; presque aussitôt, le principe d'immédiateté prend la valeur d'une justification supérieure, d'un impératif moral plus contraignant que les règles ordinaires du juste et de l'injuste.

Prendre ce qui s'offre à mesure qu'on le désire, c'était le privilège de l'état de nature, qu'avait illustré, dans sa première partie, le *Discours sur l'Origine de l'Inégalité*. Mais la société a distingué le *tien* et le *mien*, et l'on ne peut pas rétrograder : l'on met les voleurs en prison. A la suffisance oisive de l'état de nature succède un état de besoin perpétuellement inassouvi : l'homme s'oublie lui-même dans son travail, où

1. *Confessions*, liv. Ier. *O. C.*, I, 36-37.
2. *Op. cit.*, 38.

il devient l'esclave des choses et des autres hommes. Le travail pourtant rend l'homme humain, il l'élève au-dessus de la condition des animaux : l'homme se définit dorénavant comme l'être laborieux et libre qui emploie des moyens et des instruments par lesquels il s'oppose à la nature pour la transformer. Ce qui fait le malheur de l'état social, c'est que l'homme, toujours en quête de nouvelles satisfactions, se perd dans le monde des moyens, et ne sait plus se reprendre. Il est constamment arraché à lui-même par le sentiment de l'insuffisance de ses plaisirs, et il aggrave cette insuffisance en cherchant à se procurer d'autres plaisirs... Mais à Clarens, dans le monde de la synthèse où les belles âmes réconcilient en elles-mêmes nature et culture, on verra s'accorder la *suffisance* de l'état de nature et le *travail* désormais indispensable. L'indépendance primitive redevient compatible avec la mise en œuvre des moyens de la civilisation. Pour se suffire à soi-même on passe dorénavant par le circuit du travail, au lieu de cueillir simplement les fruits sauvages offerts par la Nature. Cependant, l'on retrouve le parfait équilibre de la suffisance qui constituait le bonheur de l'homme de la nature. C'est la raison, maintenant, qui définit le nécessaire, retranche le superflu, ajuste le travail aux besoins légitimes ; elle assigne ainsi les limites à l'intérieur desquelles tous vivront dans un contentement frugal, elle abolit le règne de l'opinion, effaçant le mal de l'état de civilisation sans supprimer ses avantages :

> Un ordre de choses où rien n'est donné à l'opinion, où tout a son utilité réelle et qui se borne aux vrais besoins de la nature n'offre pas seulement un spectacle approuvé par la raison, mais qui contente les yeux et le cœur, en ce que l'homme ne s'y voit que sous des rapports agréables, comme se suffisant à lui-même... Un petit nombre de gens doux et paisibles, unis par des besoins mutuels et par une réciproque bienveillance, y concourt par divers soins à une fin commune : chacun trouvant dans son état tout ce qu'il faut pour en être content et ne point désirer d'en sortir, on s'y attache comme y devant rester toute la vie, et la seule ambition qu'on garde est celle d'en bien remplir les devoirs. Il y a tant de modération dans ceux qui commandent et tant de zèle dans ceux qui obéissent que des égaux eussent pu distribuer entre eux les mêmes emplois, sans qu'aucun se fût plaint de son partage. Ainsi nul n'envie celui d'un autre ; nul ne croit pouvoir augmenter sa fortune que par l'augmentation du bien commun ; les maîtres mêmes ne jugent de leur bonheur que par celui des gens qui les environnent. On ne saurait qu'ajouter ni que retrancher ici, parce qu'on n'y trouve que les choses utiles et qu'elles y sont toutes ; en sorte qu'on n'y souhaite rien de ce qu'on n'y voit pas, et qu'il n'y a rien de ce qu'on y voit dont on puisse dire : Pourquoi n'y en a-t-il pas davantage [1] ?

1. *La Nouvelle Héloïse*, Ve partie, lettre II. *O. C.*, II, 547-548.

Aucun conflit intérieur ne menace la cohésion du groupe ; et comme rien d'extérieur ne lui paraît désirable, aucune tentation non plus ne le menacera du dehors. La communauté n'a d'autre fin que de s'affirmer elle-même en affirmant un « bien commun » où chacun se reconnaît. Tous les moyens d'action mis en œuvre s'effacent pour laisser transparaître la seule chose qui compte, et qui est le bonheur des consciences autonomes. Ce que le travail a produit est converti aussi rapidement que possible en satisfaction raisonnable. Rien qui ressemble moins au travail de la manufacture, où s'accumulent des objets destinés à être vendus *au loin.* Rousseau se donne, en imaginant le bonheur de Clarens, les conditions idéales qui permettent de transformer immédiatement le travail en jouissance. La réussite économique consiste à pourvoir à tous les besoins locaux sans qu'un surcroît de *choses* produites par le travail vienne poser le problème de la vente et de l'échange : l'horizon de la transparence s'en assombrirait. Car tout bénéfice matériel qui ne correspondrait pas à un besoin réel, ou qui ne se résorberait pas rapidement en une satisfaction commune, serait un fardeau insupportable pour des consciences dont l'idéal est de n'appartenir qu'à elles-mêmes. Une richesse qui excéderait ce que la communauté est capable de consommer au fur et à mesure équivaudrait à la servitude. Le produit du travail n'aura donc jamais droit à une existence autonome, sous forme d'objet à vendre ou de richesse accumulée : chaque objet, sitôt sorti des mains de l'homme, est instantanément consacré à l'*usage* raisonnable qui en sera la justification, et qui rétablit la précellence de l'homme sur les choses. A Clarens, l'homme ne produit des objets que pour se les approprier au plus vite, pour s'en libérer et s'affirmer ainsi dans sa pure liberté. « On ne travaille que pour jouir [1]. »

Il en va de même dans l'existence personnelle de Rousseau. Pour vivre, il faut avoir des moyens d'existence. Pour vivre libre, il faut que ces moyens n'engagent à rien, que la conscience ne risque pas de s'y absorber irréversiblement : le meilleur travail sera le plus indifférent, celui auquel on ne sera jamais tenté de *se livrer*, celui au contraire auquel on pourra toujours se reprendre pour se retrouver intact :

Dans l'indépendance où je voulais vivre il fallait cependant subsister. J'en imaginai un moyen très simple : ce fut de copier de la musique à tant la page. Si quelque occupation plus solide eût rempli le même but,

1. *La Nouvelle Héloïse*, IVe partie, lettre XI. *O. C.*, II, 470.

je l'aurais prise ; mais ce talent étant de mon goût et le seul qui sans assujettissement personnel pût me donner du pain au jour le jour, je m'y tins [1].

En fait, Rousseau dessine la suffisance économique de Clarens sur le modèle de la suffisance du sage stoïcien. Mais si le sage possède en lui toutes ses ressources morales, il est clair que le domaine de Clarens ne peut vivre de ses seules ressources matérielles. L'hypothèse d'une économie à peu près close et néanmoins prospère est manifestement irrecevable. C'est une chimère sentimentale, où l'on discerne une forte touche de robinsonisme.

Rousseau toutefois ne croit pas s'écarter des conditions réelles que rencontrerait une communauté fermée, installée sur les bords du Léman. Dans un élan d'imagination expansive, il transpose l'idéal de la suffisance du moi en un mythe de la suffisance communautaire. Entouré de « créatures selon son cœur », il multiplie la suffisance solitaire de la sagesse pour en faire la *suffisance à plusieurs* de la rêverie consolante. Il invente une société, et pourtant il conserve ce qui constitue le privilège essentiel de la solitude : la liberté, le sentiment de ne dépendre de rien d'extérieur à soi. Mieux, il donne ainsi à son désir d'indépendance une forme plus accomplie : tandis que, pour subsister, l'individu solitaire est contraint de chercher un apport extérieur, il n'en va plus de même pour la communauté idéale. Conçue comme un organisme unique dont toutes les parties se complètent, imaginée comme un moi collectif, la communauté travaille sans sortir d'elle-même. Robinson doit lutter pour s'approprier son île ; pour Wolmar et Julie, la propriété est déjà constituée, et il ne s'agit plus que d'y perpétuer l'équilibre du besoin, de la production et de la jouissance. Alors que tout travail engage l'individu dans un monde étranger dont il dépendra partiellement, le travail de la communauté reste purement *intérieur* : les moyens qu'elle met en œuvre ne l'asservissent à rien d'étranger. Son activité est instantanément réfléchie en intériorité. Le groupe au travail n'éprouve aucun besoin qui le lie au reste du monde, et par conséquent n'entreprend aucun commerce. Il ne va pas au-delà du troc. Ayant assuré sa complète autonomie, la communauté fermée se pose en face du reste du monde comme une personne oisive et parfaitement libre.

Tout se tient à Clarens. L'autarcie économique suppose l'unanimité du groupe social ; celle-ci, à son tour, suppose

1. *Confessions*, liv. VIII. *O. C.*, I, 363.

les cœurs ouverts, la confiance sans ombre. Toutes ces conditions idéales, Rousseau se les accorde, et en assure la parfaite fusion.

Rien de plus instructif, en particulier, que certaines inventions symboliques, où le thème de la suffisance se conjoint avec le thème de la réconciliation entre nature et culture.

Le malaga de Julie. Le principe de la suffisance interdit toute importation d'un produit étranger. « Tout ce qui vient de loin est sujet à être déguisé ou falsifié [1] », dit M. de Wolmar. Pour qui a résolu de vivre dans la suffisance, le dehors est le domaine du mensonge et de l'illusion. N'est authentique que ce qui est fabriqué sur place, *home made*. S'il y a de vrais plaisirs que le monde extérieur peut offrir, il est inutile de les chercher au-dehors. Clarens saura aussi les procurer. Julie possède un secret de fabrication qui permet de faire, avec le raisin local, un vin qui donne l'illusion d'être du malaga. Il faut, pour céla, forcer quelque peu la nature, lui faire violence à l'aide d'une « économe industrie ». Est-ce un mensonge ? A peine : ce faux malaga est moins mensonger que celui qu'il aurait fallu acheter à l'étranger. Ainsi l'art supplée aux limites inévitables de la nature. Clarens « rassemble vingt climats en un seul [2] » et devient un monde capable de se passer du reste du monde.

L'Élysée de Julie. Au centre des terres rendues prospères par le travail, Julie s'est réservé un espace clos, un *hortus clausus*, un *locus amœnus*. « L'épais feuillage qui l'environne ne permet point à l'œil d'y pénétrer, et il est toujours soigneusement fermé à la clef [3]. » Qu'est-ce que ce jardin ? Un ouvrage d'art qui donne l'*illusion* de la nature sauvage. Un « désert artificiel ». Saint-Preux s'étonne naïvement : « Je n'y vois point de travail humain. » C'est le contraire qui est vrai ; le travail humain a été si parfait qu'il s'est rendu invisible. Il n'y a rien dans ce sanctuaire de la nature qui n'ait été voulu et disposé par Julie : « Il est vrai, dit-elle, que la nature a tout fait, mais sous ma direction, et il n'y a rien là que je n'aie ordonné. » Et si l'on n'aperçoit aucun pas d'hommes, « c'est qu'on a pris grand soin de les effacer ». Au reste, tout cet aménagement s'est fait « au moyen d'une industrie assez simple », et Julie assure qu'il ne lui en a rien coûté. La morale économique est sauve : l'art est resté frugal, le lieu est luxuriant mais c'est la nature qui a pris sur elle la charge du luxe. Ainsi le *sanctus sanctorum* de la famille civilisée est un lieu qui offre

1. *La Nouvelle Héloïse*, V^e^ partie, lettre II. *O. C.*, II, 550.
2. V^e^ partie, lettre VII. *O. C.*, II, 606.
3. IVe partie, lettre XI. *O. C.*, II, 471.

l'image de la nature telle qu'elle était avant que la civilisation l'ait transformée. « Je crus voir le lieu le plus sauvage, le plus solitaire de la nature, et il me semblait être le premier mortel qui jamais eût pénétré dans ce désert. » Au cœur de l'île civilisée de Clarens se trouve l'île déserte de la lointaine Polynésie. La synthèse (la société juste) a donc conservé ce qu'elle a dépassé. Par une bienheureuse illusion l'Élysée nous fait posséder ce qui est au commencement des temps et ce qui se trouve au bout du monde. « Ô Tinian! ô Juan Fernandez! Julie, le bout du monde est à votre porte! » Qui souhaitera désormais voyager? La suffisance de Clarens va jusqu'à reproduire la parfaite image de l'origine.

Cette nature ainsi retrouvée n'est certes pas celle dans laquelle vit le primitif, et avec laquelle il est en contact immédiat par la simple sensation. L'Élysée est une nature reconstruite par des êtres raisonnables qui ont passé de l existence sensible à l'existence morale. Pour reprendre les termes de Schiller, nous dirions que cette nature retrouvée n'est plus la nature « naïve », mais un simulacre de nature suscité par le regret « sentimental » de la nature perdue. Rappelons-nous le passage de Kant que nous avons déjà cité : « L'art achevé devient à nouveau nature. » Rien de plus *médiat* que cette nature obtenue comme un produit de l'art humain. Seulement dans un art *achevé*, le travail s'efface et l'objet obtenu est une nouvelle nature. L'œuvre est médiate, mais la médiation s'évanouit et la jouissance est à nouveau immédiate (ou se donne l'*illusion* d'être immédiate). Nous retrouvons ici encore l'esthétique de *Pygmalion* : il faut que la plus belle des formes produites par l'artiste ne reste pas une « œuvre d'art » mais revienne à l'existence naturelle, comme si le travail du sculpteur n'avait jamais eu lieu.

DIVINISATION

Cette réussite est purement humaine, purement terrestre. Elle est l'œuvre de l'athée Wolmar. (Mais il est vrai que Julie, convertie à la foi chrétienne, est l'âme du petit groupe d'amis.) La transparence est reconquise parce que des consciences humaines ont accompli l'effort de la vertu et de la confiance. Au prix de cet effort, elles n'ont rien à cacher. Tous les désirs troubles, tous les élans impurs peuvent être avoués, puisque l'acte même de l'aveu est déjà une répression qui transmue la passion charnelle en transparence morale.

Ainsi s'établit sur terre une anticipation du Royaume de

Dieu, limité à un petit groupe d'élus, qui goûtent le bonheur de l'unité. Car la présence immédiate, la suffisance absolue, la jouissance interne, le pouvoir ordonnateur sont des privilèges de Dieu : l'homme se les approprie, au moment où son conflit essentiel s'apaise dans la synthèse. Le « père de famille » devient alors semblable à Dieu ; il est présent dans tout ce qu'il possède et se suffit à lui-même. La plénitude de l'*avoir*, pour lui, coïncide exactement avec la plénitude de l'*être*. Il est tout ce qu'il a ; il se possède tout entier dans son domaine. Le petit monde qui l'entoure est son *sensorium*, comme l'espace est le *sensorium* du Dieu de Newton. Rien ne lui manque, et par conséquent rien d'extérieur n'existe pour lui. Il n'y a plus de place en lui pour ce défaut d'être que serait le désir. S'il recourt à des moyens, ceux-ci sont toujours le plus directs, et sitôt mis en œuvre ils s'évanouissent pour céder la place à des liens immédiats. Le père de famille ne gouverne pas ses subordonnés par l'intermédiaire de l'argent ou de la violence autoritaire ; il obtient leur collaboration par le lien direct de la confiance et de l'estime, par une relation immédiate entre les consciences (ou du moins par ce qui *équivaut* à la libre persuasion) :

Un père de famille qui se plaît dans sa maison a pour prix des soins continuels qu'il s'y donne la continuelle jouissance des plus doux sentiments de la nature. Seul entre tous les mortels, il est maître de sa propre félicité, parce qu'il est heureux comme Dieu même, sans rien désirer de plus que ce dont il jouit : comme cet Être immense, il ne songe pas à amplifier ses possessions, mais à les rendre véritablement siennes par les relations les plus parfaites et la direction la mieux entendue : s'il ne s'enrichit pas par de nouvelles acquisitions, il s'enrichit en possédant mieux ce qu'il a. Il ne jouissait que du revenu de ses terres, il jouit encore de ses terres mêmes en présidant à leur culture et les parcourant sans cesse. Son domestique lui était étranger ; il en fait son bien, son enfant, il se l'approprie. Il n'avait droit que sur les actions, il s'en donne encore sur les volontés. Il n'était maître qu'à prix d'argent, il le devient par l'empire sacré de l'estime et des bienfaits [1].

Wolmar ne croit pas en Dieu, mais se voit devenu l'analogue de Dieu, dans la satisfaction méditative où il se possède et possède tout ce qui l'environne. La possession matérielle s'est achevée en possession spirituelle ; le domaine de Clarens est le champ d'une conscience qui se reconnaît partout identique à elle-même. (Déjà Wolmar avait revendiqué un privilège divin, quand il avait formulé le vœu de devenir « un œil vivant ».)

1. *La Nouvelle Héloïse*, IVe partie, lettre X. *O. C.*, II, 466-467.

Qu'un athée se veuille si semblable à Dieu, faut-il nous en étonner ? Il n'y a rien là qui soit incompatible avec les tendances (avouées ou implicites) de la « philosophie des lumières ». On l'a souvent remarqué : les grandes idées des Philosophes sont, pour la plupart, des concepts religieux laïcisés. « Tout se passe », écrit Yvon Belaval, comme si la philosophie du XVIIIe siècle « reportait sur le Monde les attributs d'infinité de Dieu et permettait de reporter sur l'homme ses attributs moraux [1] ».

L'athée Wolmar ne refuse de croire en un Dieu personnel que pour s'en faire son successeur sur la terre. Il se sent en possession d'une prérogative divine, parce que la parfaite suffisance rend divin celui qui en jouit. Ce qui fait l'homme semblable à Dieu, pour Rousseau, ce n'est jamais le fruit de l'arbre de la connaissance : c'est la suffisance, le parfait repos de la suffisance, fût-elle très proche de l'inconnaissance, fût-elle atténuée jusqu'à se réduire au seul « sentiment de l'existence ». La cinquième *Rêverie* décrit l'un de ces moments bienheureux, où l'homme se sent divin non parce qu'il serait en contact avec Dieu ou qu'il serait illuminé par l'Être transcendant, mais parce qu'il se suffit à lui-même dans son être immanent, et réalise ainsi une complète analogie avec Dieu :

> De quoi jouit-on dans une pareille situation ? De rien d'extérieur à soi, de rien sinon de soi-même et de sa propre existence, tant que cet état dure on se *suffit* à soi-même comme Dieu [2].

Le bonheur que goûte Jean-Jacques, oisif et solitaire sur les bords du lac de Bienne, se formule à peu près dans les mêmes termes que le bonheur actif de Wolmar. Quelle différence, dira-t-on, de cette passivité à cette activité ! Seulement, nous l'avons vu, une activité qui ne sort pas de l'horizon du moi est l'équivalent d'une indépendance oisive ; la suffisance donne à l'activité matérielle de Wolmar la valeur d'un infini repos. Jean-Jacques oisif et Wolmar actif accèdent à la même divinité.

LA MORT DE JULIE

Mais à la réussite humaine de Wolmar, qui se fait semblable à Dieu, s'oppose le mouvement de Julie, qui va à la rencontre

1. Yvon Belaval, « La Crise de la géométrisation de l'univers dans la philosophie des lumières », in : *Revue internationale de philosophie*, 21, 1952, 3, p. 354.
2. *Rêveries*, cinquième Promenade. *O. C.*, I, 1047. Sur la comparaison avec Dieu, cf. Marcel Raymond, introduction aux *Rêveries* (Genève, Droz, 1948), XXXIII-XXXVI ; voir aussi *Jean-Jacques Rousseau. La quête de soi et la rêverie* (Paris, Corti, 1962), 150.

de Dieu. A ce bonheur terrestre, qui aurait pu être la conclusion « raisonnable » de *La Nouvelle Héloïse*, Rousseau oppose une seconde conclusion, qui, elle, est d'ordre religieux.

L'aventure ne se stabilise pas dans le bonheur idyllique de la société intime de Clarens. Julie meurt. Cette mort est beaucoup plus qu'un accident pathétique surajouté pour endeuiller les belles âmes unanimes, comme une cadence en mineur après la cadence en majeur. La mort de Julie et sa profession de foi ouvrent une perspective « idéologique » fort différente de celle qui semblait avoir trouvé son achèvement dans l'équilibre humain de Clarens. C'est tout l'ordre humain que la mort de Julie remet en cause. Et c'est toute une autre découverte de la transparence qu'elle indique et qu'elle illustre.

Sans doute la conclusion tragique de l'ouvrage nous ramène-t-elle au climat de l'amour-passion, qui a dominé les premières parties du roman. La passion est destructive. Saint-Preux a souvent songé à se donner la mort. L'archétype de Tristan — dont, selon Rougemont [1], *La Nouvelle Héloïse* serait une reprise dans le ton bourgeois — impose aux amants des obstacles insurmontables dont ils ne triomphent qu'en se réunissant dans la tombe. Julie, il est vrai, ne meurt pas d'une mort d'amour, mais pour avoir accompli son *devoir* de mère : Rousseau a transposé sur le plan de la vertu un acte qui, selon le mythe de l'amour-passion, aurait dû être motivé par la volonté de destruction inhérente à la passion elle-même. Une ambivalence subsiste néanmoins. Julie meurt par vertu, mais sa mort accomplit un regret passionné de Saint-Preux : « Que n'est-elle morte [2]! »

On sait que Rousseau avait un moment songé à donner une fin tragique à la fameuse promenade nocturne de Julie et de Saint-Preux sur le lac : une bourrasque aurait fait chavirer le canot, et l'amour impossible aurait trouvé son accomplissement dans la mort simultanée des deux amants. Mais un tel dénouement aurait fait perdre toute sa portée à la dialectique du progrès des âmes ; le roman se serait achevé par le triomphe de la passion sous sa forme la plus dévastatrice. La catastrophe passionnelle eût fait régresser l'aventure jusqu'à son point de départ : l'affirmation du caractère absolu de l'amour, dont la seule issue est la mort, et qui dans cette extase nocturne voit son achèvement le plus pur.

Pour conserver la passion qu'il dépasse, Rousseau entreprend de la sublimer. Déjà, la mort à deux représente une

1. Denis de Rougemont, *L'Amour et l'Occident* (Paris, Plon, 1939), 205-209.
2. *La Nouvelle Héloïse*, Ve partie, lettre IX. *O. C.*, II, 615.

négation de la passion charnelle. Puis cette négation doit être sublimée à son tour, et la passion amoureuse se régénère, pour s'élancer vers Dieu : elle se sauve en se niant, mais il n'empêche que la mort religieuse de Julie peut encore être une mort d'amour. Les derniers mots que Julie écrit à Saint-Preux sont significatifs : « Non, je ne te quitte pas, je vais t'attendre. La vertu qui nous sépara sur la terre, nous unira dans le séjour éternel [1]. » En se tournant vers Dieu, Julie ne s'est pas détournée de son amant. (L'idéal de la triade vertueuse se transporte dans l'éternel ; Dieu y remplace Wolmar dans le rôle de l'Époux.)

Un certain nombre d'équivoques persistent. Les termes opposés, passion et vertu, sont-ils vraiment réconciliés ? La passion est-elle vraiment dépassée ? La synthèse a-t-elle réellement eu lieu ? Et quelle est finalement la solidité de l'accord entre nature et culture, qui nous était apparu dans le bonheur « social » de Clarens ? Toutes ces questions doivent être posées, et la difficulté qu'on éprouve à y répondre fait apparaître le danger qu'il y aurait à accepter sans réserves une interprétation « dialectique » de la pensée de Rousseau, comme celle que nous avons esquissée. La synthèse de la nature et de la culture, telle que nous l'avons vue s'accomplir à Clarens, c'est Kant qui nous a suggéré de la chercher. Rousseau a-t-il eu clairement l'intention d'opposer les contraires pour les réconcilier ensuite ? Il nous assure que son roman a été une rêverie et les dialectiques ne se rêvent pas... On a pu dire que le style de pensée de Rousseau était bipolaire. Il est animé, également, par une constante aspiration à l'unité. Par leur coexistence, la bipolarité et le désir d'unité peuvent amorcer le mouvement d'une dialectique, et même le conduire fort loin. Mais les contradictions intérieures et l'aspiration à l'unité ne s'articulent et ne s'ajustent pas intellectuellement dans un « système » coordonné. Bien qu'il confesse lui-même que sa nature est contradictoire, Rousseau est loin de connaître toutes les contradictions de son caractère ni toutes celles de sa pensée. La volonté d'unité n'est donc pas servie par une parfaite clarté conceptuelle : c'est un élan confus de la personne entière, et non pas une méthode intellectuelle. Assurément il y a en lui et dans son œuvre plus de sens implicite qu'il ne le sait lui-même. Ce fait, qui est vrai de tout écrivain, l'est éminemment de Rousseau. « Il fallait Kant pour *penser les pensées* de Rousseau [2] », écrit Éric Weil (et nous ajoute-

1. VIe partie, lettre XII. *O. C.*, II, 743.
2. Éric Weil, *op. cit.*, 11.

rons : il fallait Freud pour penser les sentiments de Rousseau).

L'aspiration à l'unité reste perpétuellement insatisfaite : elle indique la direction d'un désir, et non une possession certaine. Elle n'empêche pas Jean-Jacques de retomber dans les contradictions initiales. Souvent l'on a l'impression que les contraires s'obstinent dans leur opposition; l'accès à l'unité supérieure est l'utopie sans cesse renaissante qui permet de supporter le conflit. Au lieu d'assister à un mouvement dialectique, nous demeurons dans le déchirement et la division : des forces adverses se combattent sans relâche. Le désir, se livrant à l'attrait simultané des tentations contradictoires, voudrait pouvoir répondre à l'appel du jour et à celui de la nuit, à l'espoir d'un ordre terrestre, et à l'extase qui nie la terre. Quand Jean-Jacques s'abandonne ainsi à la fascination des extrêmes, il nous apparaît comme une âme inquiète en proie aux ambivalences, et non pas comme un penseur qui pose la thèse et l'antithèse.

La Nouvelle Héloïse est un roman « idéologique ». Mais, pour le bénéfice de l'œuvre, la recherche d'une synthèse morale n'empêche pas un constant glissement dans l'ambivalence passionnelle. Il est hautement significatif que la réussite volontaire de Wolmar, personnage rationnel du roman, soit menacée par les ambiguïtés psychologiques que Rousseau n'a cessé d'éprouver lui-même, et dont Saint-Preux et Julie sont devenus les représentants romanesques. Ainsi l'attrait de l'échec contrebalance l'aspiration au bonheur, le désir de la punition coexiste avec la volonté de la justification.

Le thème du voile reparaît.

La société intime de Clarens vit dans le bonheur et la confiance réciproque : la transparence des cœurs serait absolue s'il ne persistait un dernier secret, un dernier vestige d'opacité. Tout n'est pas clair dans le cœur de Julie ; la radieuse Julie est tourmentée par des « chagrins secrets [1] » (et ici, pour une fois, Rousseau donne une valeur positive au secret, qui apparaît comme quelque chose de dangereux et de précieux) :

> *Un voile* de sagesse et d'honnêteté fait tant de replis autour de son cœur, qu'il n'est plus possible à l'œil humain d'y pénétrer, pas même au sien propre [2].

Ces paroles — bien que prononcées par l'omniscient Wolmar — signifient que la connaissance totale est réservée au seul

1. *La Nouvelle Héloïse*, V^e^ partie, lettre V. *O. C.*, II, 592.
2. IVe partie, lettre XIV. *O. C.*, II, 509.

regard de Dieu. Il faut alors admettre que, dans les rapports entre consciences humaines, l'on finit par rencontrer des limites infranchissables, qui protègent une part cachée de l'être, inaccessible à d'autres qu'à Dieu. Déjà se prépare l'affirmation d'une nouvelle « communication immédiate », infiniment plus limpide et plus directe, qui ne s'établit plus entre des consciences humaines, mais qui unit l'âme à Dieu.

Julie est chrétienne. La cause de son « chagrin secret », c'est que Wolmar refuse de croire en Dieu. Devant Wolmar, Julie ne cache pas sa foi, mais elle s'efforce de dissimuler sa tristesse, sans pourtant parvenir à la cacher :

> Quelque soin que prenne sa femme de lui déguiser sa tristesse, il la sent et la partage : ce n'est pas un œil aussi clairvoyant qu'on abuse [1]

Une dissimulation en appelle une autre. Wolmar consent à cacher son athéisme aux yeux du peuple. (La religion n'apporte-t-elle pas aux petites gens d'utiles consolations ?) Il fera les gestes extérieurs de la religion, pour l'exemple. « Il vient au temple... il se conforme aux usages établis... il évite le scandale. » Ainsi les « apparences » seront « bien sauvées [2] ». La belle âme est devenue hypocrite. Mais quelle infraction au principe de la franchise absolue, qui devrait prévaloir à tout moment ! Une aura mélancolique entoure les époux :

> *Le voile* de tristesse dont cette opposition de sentiments couvre leur union prouve mieux que toute autre chose l'*invincible ascendant de Julie* [3]...

Union et séparation simultanée! L'ascendant de Julie est « invincible », mais il n'en suscite pas moins la tristesse de « l'opposition ». Le symbole du voile n'intervient pas comme une image de ce qui sépare Julie et Wolmar, mais de ce qui au contraire les enveloppe dans leur union même, comme une brume qui en estomperait la lumière.

L'ambivalence de Jean-Jacques se manifeste dans la façon dont il imagine un monde dont les habitants vivent *à la fois* dans le sentiment de l'unité parfaite et dans le sentiment de la séparation. Union des consciences ; séparation des consciences. Union avec Dieu ; séparation d'avec Dieu.

Si Wolmar n'est pas croyant, c'est que « la preuve inté-

1. Ve partie, lettre V. *O. C.*, II, 594.
2. *Op. cit.*, 592.
3. *Op. cit.*, 595.

rieure ou de sentiment lui manque [1] ». Julie, elle, possède cette preuve. Au surplus, elle a besoin de vivre sous le regard d'un témoin transcendant ; pour accomplir son devoir elle a besoin d'en appeler à un perpétuel Jugement. La présence de Dieu lui est nécessaire. Et pourtant cette présence se dérobe. Suprême ambivalence : Dieu est partout présent, Dieu est caché.

« *Dieu lui-même a voilé sa face* [2]. » Julie possède la « preuve intérieure » et se sent néanmoins séparée de Dieu. Il semble ici que Rousseau fasse coexister deux doctrines théologiques difficilement conciliables : d'une part, la révélation immanente de Dieu à l'intérieur de la conscience humaine, dont les « facultés immédiates » suffisent entièrement pour reconnaître le *dictamen* divin ; d'autre part, la théologie du *Deus absconditus*, qui affirme une séparation tragique que seules la révélation de l'Écriture et la médiation du Christ préservent d'être une déchirure irréparable.

Julie voudrait accéder à Dieu par un lien direct. Elle n'y parvient pas, et avoue son échec :

Quand je veux m'élever à lui, je ne sais où je suis ; n'apercevant *aucun rapport entre lui et moi*, je ne sais par où l'atteindre, je ne vois ni ne sens plus rien, je me trouve dans une espèce d'anéantissement [3].

Une communication immédiate est irréalisable. Il reste alors la possibilité d'une relation médiate avec Dieu. Julie doit consentir à passer « *par l'entremise* des sens ou de l'imagination ». Mais c'est *à regret* (selon ses paroles mêmes) qu'elle accepte la voie médiate :

Je rabaisse *à regret* la majesté divine, *j'interpose entre elle et moi des objets sensibles ;* ne la pouvant contempler dans son essence, je la contemple au moins dans ses œuvres, je l'aime dans ses bienfaits [4].

Il faut donc se tourner vers les créatures, aimer et contempler Dieu à travers ses œuvres : mais Rousseau laisse entendre que c'est là un pis-aller. Tout ce qui nous est immédiatement sensible est en réalité un obstacle (un voile) entre Dieu et nous. Pour quiconque veut « s'élever à sa source », tout ce

1. *Op. cit.*, 594.
2. VIe partie, lettre VIII. *O. C.*, II, 699.
3. V^e partie, lettre V. *O. C.*, II, 590.
4. *Ibid.* Mais d'autre part, Julie se méfie du mysticisme : « J'ai blâmé les extases des mystiques. Je les blâme encore quand elles nous détachent de nos devoirs, et que nous dégoûtant de la vie active par les charmes de la contemplation, elles nous mènent à ce quiétisme dont vous me croyez si proche, et dont je crois être aussi loin que vous. » (VIe partie, lettre VIII. *O. C.*, II, 695).

que la sensation et le sentiment nous offrent immédiatement n'a plus valeur d'immédiat, mais devient au contraire un intermédiaire interposé, et la clarté de l'évidence sensible prend soudain le sens d'une opacité.

Remarquons-le, la contemplation médiate de Dieu, selon Julie, passe par le monde, c'est-à-dire par les êtres et les objets sensibles, et non par le Christ ni par l'Évangile. Ce Dieu caché que l'on peut aimer dans ses œuvres n'est pas celui du Jansénisme, il ressemblerait bien davantage au Dieu inconnaissable du Pseudo-Denys l'Aréopagite et de saint François d'Assise, qui invitent l'âme aimante à l'humble adoration des créatures. Dieu a voilé sa face, mais le monde est une théophanie.

Si satisfaisante que soit pour l'esprit la théorie de la relation médiate, elle n'est acceptée qu'à regret, car elle n'est pas apaisante pour Rousseau, dont l'exigence personnelle se tourne toujours vers l'immédiat. Devant toute forme de communication médiate, nous l'avons vu à maintes reprises, Rousseau éprouve un malaise, une inquiétude : il n'a de cesse qu'il ne réussisse à se dispenser des moyens et des intermédiaires. Rousseau, qui est très capable de concevoir le rapport des moyens et des fins, est incapable de séjourner dans le monde des moyens. Aussi a-t-il hâte de faire cesser l'état où Julie se trouve contrainte d'interposer des « objets sensibles ». En mourant, Julie accédera bienheureusement à la « communication immédiate ». En expirant, délivrée de l'obstacle de la vie charnelle, elle voit se lever le voile qui dissimulait Dieu. Selon un dualisme presque manichéen, qui sépare radicalement esprit et matière, la mort provoque l'abolition de tous les obstacles interposés, la disparition de tous les moyens :

> Je ne vois point ce qu'il y a d'absurde à supposer qu'une âme libre d'un corps qui jadis habita la terre puisse y revenir encore, errer, demeurer peut-être autour de ce qui lui fut cher ; non pas pour nous avertir de sa présence ; *elle n'a nul moyen* pour cela ; non pas pour agir sur nous et nous communiquer ses pensées ; elle n'a point de prise pour ébranler les organes de notre cerveau ; non pas pour apercevoir non plus ce que nous faisons, car il faudrait qu'elle eût des sens ; mais pour connaître elle-même ce que nous pensons et ce que nous sentons, par *une communication immédiate*, semblable à celle par laquelle Dieu lit nos pensées dès cette vie, et par laquelle nous lirons réciproquement les siennes dans l'autre puisque nous le verrons face à face [1].

Ce n'est pas ici le lieu de discuter tout ce que cette profession de foi comporte de métaphysique hardiment spiritualiste. L'important est qu'on y voit triompher l'immédiat

1. *La Nouvelle Héloïse*, VIe partie, lettre XI. *O. C.*, II, 728.

sous sa forme la plus absolue. L'âme délivrée jouit de la vision de Dieu, et dans ce face-à-face elle devient divine elle-même, elle devient semblable à Dieu, puisqu'elle acquiert le pouvoir de lire dans les cœurs, privilège que seul Dieu jusqu'alors possédait. Wolmar se comparait à Dieu, et Julie, à son tour, se fait l'annonciatrice de sa propre divinisation. Car non seulement elle rejoint enfin le Dieu-témoin qu'elle a toujours invoqué et dont elle attend d'être définitivement justifiée, mais elle devient désormais, pour ceux qui lui survivent, un témoin transcendant. « Vivons toujours sous ses yeux [1] », s'écriera Claire.

Dieu a voilé sa face, mais Julie franchit le voile qui sépare matière et esprit, vie et mort. Il y a plus : dans les dernières pages du roman, en même temps que Rousseau donne au voile une signification métaphysique, il en fait aussi une réalité physique. Sur le visage défiguré de Julie morte, on place « le voile d'or brodé de perles » que Saint-Preux a rapporté des Indes. Ainsi, la mort de Julie, qui est une accession à la transparence, représente aussi le triomphe du voile. Dans la cadence finale du livre, les deux thèmes opposés, le sujet et le contre-sujet, s'amplifient et s'affirment solennellement.

Le verbe « voiler », le « voile », n'étaient jusqu'alors que des expressions métaphoriques, destinées à symboliser la séparation, l'opacité. Le voile prend maintenant une existence matérielle et concrète, il s'alourdit jusqu'à devenir un objet réel, sans toutefois perdre son pouvoir de signification allégorique. Exception faite des statues voilées, que nous avons rencontrées au centre de deux œuvres de moindre envergure, nous sommes ici devant le seul passage des écrits de Rousseau où l'image du voile est utilisée d'une façon continue, volontaire, délibérée ; où l'écrivain renonce à la demi-abstraction qui caractérise d'ordinaire cette image. Maintenant, le voile a cessé d'être une métaphore épisodique et fugitive, pour devenir une allégorie suivie. Le voile *est* la séparation et la mort. Constatant l'importance que cette image prend ici, nous pouvons aisément conclure en retour que, dans les passages mêmes où elle semble conventionnelle, sa présence n'est jamais indifférente, et qu'elle est toujours riche d'intentions et de valeurs symboliques.

La métaphore du voile passe dans la réalité. Mais elle y passe par étapes successives : car avant d'être un objet concret le voile est une vision de rêve. On sait qu'il apparaît à Saint-

1. VIe partie, lettre XIII. *O. C.*, II, 744.

Preux au cours d'un songe prémonitoire, dans le style « romanesque » le plus traditionnel :

> Je la vis, je la reconnus, quoique son visage fût couvert d'un voile. Je fais un cri ; je m'élance pour écarter le voile; je ne pus l'atteindre; j'étendais les bras, je me tourmentais et ne touchais rien. Ami, calme-toi, me dit-elle d'une voix faible. Le voile redoutable me couvre, nulle main ne peut l'écarter [1].

Saint-Preux, qui faisait route vers l'Italie, revient à Clarens, dans un état de « léthargie » somnambulique ; il entend, de l'extérieur, les voix de Claire et de Julie conversant dans l'Élysée. Et il part sans avoir revu Julie. Comme l'a signalé Robert Osmont [2], le symbole du voile se dédouble en un nouveau symbole : la haie qui entoure le jardin secret est une « figure » du voile :

> En songeant que je n'avais qu'une haie et quelques buissons à franchir pour voir pleine de vie et de santé celle que j'avais cru ne revoir jamais, j'abjurai pour toujours mes craintes, mon effroi, mes chimères, et je me déterminai sans peine à repartir, même sans la voir [3].

Rousseau multiplie les intentions symboliques : le voile, qui couvrira le visage de la morte, est un témoin de la séparation des amants, puisque Saint-Preux l'a acquis *au temps de l'exil*, dans les Indes lointaines. Ainsi une profonde similitude s'établit entre l'éloignement imposé par l'amour impossible et l'éloignement de la mort. Et de même que l'exil avait été la condition d'une parfaite union spirituelle, la séparation par la mort constitue la promesse d'une réunion absolue. Il faut que l'obstacle triomphe suprêmement de son côté, pour que, de l'autre, l'esprit libéré connaisse enfin la plénitude extatique si longtemps désirée. Rousseau ne néglige rien pour conférer au voile le caractère du surnaturel. Les « imprécations » de Claire, l'attitude des spectateurs impressionnés, le contraste voulu entre la matière précieuse du voile (or et perles) et les chairs du visage qui commencent « à se corrompre [4] », tout indique, avec une insistance un peu lourde, la présence du mystère, l'horreur et la fascination du sacré.

Le bonheur terrestre de Clarens nous était apparu comme une victoire sur le maléfice du voile; mais ce bonheur était fragile, la transparence restait imparfaite; pour conserver le

1. Ve partie, lettre IX. *O. C.*, II, 616.
2. Robert Osmont, « Remarques sur la genèse et la composition de La Nouvelle Héloïse », *Annales J.-J. Rousseau*, XXXIII (1953-1955), 126.
3. *La Nouvelle Héloïse*, Ve partie, lettre IX. *O. C.*, II, 618.
4. VIe partie, lettre XI. *O. C.*, II, 737.

bonheur, il fallait une tension vertueuse, une perpétuelle résistance au vertige du désir toujours renaissant ; il fallait un constant travail afin de pouvoir se suffire divinement ; la « société intime », fondée sur la liberté des personnes et sur le rapport actuel des consciences, devait s'affirmer sans relâche contre la menace du temps et du destin (car une telle société, qui est moins qu'une république et plus qu'une famille, ne peut prendre appui ni sur des traditions familiales ni sur des institutions légales) ; enfin, l'opposition entre la foi de Julie et l'incroyance de Wolmar laissait subsister un doute sur la nature même de la transparence : suffit-il d'une communication bienveillante entre des consciences humaines ? Faut-il, nécessairement, faire appel à une lumière transcendante ?

La mort de Julie entraîne la destruction de tout le bonheur social qui s'était construit autour d'elle : ses amis lui survivront individuellement, mais la société intime ne survit pas. Julie accède individuellement à l'extase de la présence devant Dieu ; elle connaîtra seule la joie de la « communication immédiate ». Le dévoilement suprême concerne maintenant une conscience qui apparaît seule devant son Juge, alors qu'auparavant le dévoilement était la tâche que s'imposait un petit nombre d'êtres humains résolus à vivre dans la plus étroite communauté.

Ainsi la rêverie de Rousseau s'est donné d'abord, dans un mouvement d'expansion, l'amitié sans ombre d'une « société très intime »; puis, dans un mouvement de reprise solitaire, l'élan personnel vers un témoin transcendant, dont le regard permet à l'âme de se savoir enfin justifiée ; Rousseau a imaginé tour à tour l'effusion de la confiance et la rupture avec le monde humain ; la synthèse raisonnable et la catastrophe sublime ; *l'agir* de l'effort vertueux, et le *laisser faire* de la mort exemplaire ; le pardon difficile des vivants (pardon qu'il faut sans cesse reconquérir, sans cesse mériter), et la comparution devant le Juge qui ne condamne pas, mais « fixe » l'âme dans son bonheur, lui donne la plénitude de l'être, la délivre du malheur de la décision et de l'effort, lui permet de consentir à soi sans se rendre coupable, puisque, sous son regard de Juge justifiant, la transparence ne peut plus être perdue.

Tour à tour, deux images du retour à la transparence se sont proposées à nous. Laquelle choisir ? Et faut-il choisir ? Rousseau, lui, achève son roman d'une façon qui équivaut à un choix. Entre l'absolu de la communauté et l'absolu du salut personnel, il a opté pour le second. La mort de Julie signifie cette option. Et nous verrons que, plus tard, dans les écrits autobiographiques, Jean-Jacques la reprend à son compte.

VI

LES MALENTENDUS

Avant de devenir un écrivain, Rousseau a découvert la force et l'impuissance de la parole. A Bossey, chez les Lambercier, ses protestations d'innocence ne lui ont été d'aucun secours : « Les apparences me condamnaient. » A Turin, chez les Vercellis, où il a volé un ruban, il accuse la pauvre Marion, il ment avec « une impudence infernale », et les juges intègres se laissent prendre à son mensonge : « Les préjugés étaient pour moi [1]. » La parole ne peut rien et peut tout : elle est incapable de vaincre les « apparences » mensongères, et elle est capable d'inspirer des « préjugés » qui résistent victorieusement à la vérité. Aucune parole ne peut communiquer le sentiment intérieur de l'innocence, tandis que la fiction trouve crédit avec une facilité étrange.

Le langage ne va pas de soi, et Jean-Jacques n'est pas à son aise lorsqu'il faut parler. Il n'est pas maître de sa parole, comme il n'est pas maître de sa passion. Il ne coïncide presque jamais avec ce qu'il dit : ses mots lui échappent, et il échappe à son discours. Quand il s'adresse aux autres, il est platement inférieur à lui-même, ou il s'élance éloquemment au-delà de son naturel. Son langage, il le sent tantôt paralysé par une faiblesse effarouchée, tantôt déformé par un excès « involontaire ». Nous trouvons Jean-Jacques une fois balbutiant, embarrassé ; une autre fois, plein d'assurance devant les autres, écrasant avec ses sentences « leurs petits bons mots » — « comme j'écraserais un insecte entre mes doigts [2]. » Mais

1. *Confessions*, liv. II. *O. C.*, I, 85.
2. *Confessions*, liv. IX. *O. C.*, I, 417.

chaque fois, ce n'est pas lui, ce n'est pas le vrai Jean-Jacques. Inepte ou inspiré, il est hors de lui, il est en deçà ou au-delà de lui-même :

> Si peu maître de mon esprit seul avec moi-même, qu'on juge de ce que je dois être dans la conversation, où, pour parler à propos, il faut penser à la fois et sur-le-champ à mille choses. La seule idée de tant de convenances dont je suis sûr d'oublier au moins quelqu'une suffit pour m'intimider. Je ne comprends pas même comment on ose parler dans un cercle... Dans le tête-à-tête il y a un autre inconvénient que je trouve pire ; la nécessité de parler toujours. Quand on vous parle il faut répondre, et si l'on ne dit mot, il faut relever la conversation... Ce qu'il y a de plus fatal est qu'au lieu de savoir me taire quand je n'ai rien à dire, c'est alors que pour payer plus tôt ma dette j'ai la fureur de vouloir parler. Je me hâte de balbutier promptement des paroles sans idées, trop heureux quand elles ne signifient rien du tout [1].

Jean-Jacques est maladroit dans le monde ; il n'a ni le ton ni l'à-propos nécessaires. Ce qui est grave, pour lui, ce n'est pas d'être incapable de communiquer ses pensées ou de soutenir ses idées, mais la difficulté qu'il éprouve à se faire valoir lui-même. Dans un « cercle » du XVIIIe siècle, chacun ne défend ses idées que pour défendre sa qualité dans l'opinion des autres. Jean-Jacques balbutie et se sent honteux : son néant de parole équivaut à un néant d'être. Il n'est rien s'il ne parle, et lorsqu'il parle, c'est pour ne rien dire, c'est-à-dire pour s'annihiler, comme s'il ne prenait la parole que pour se punir de parler.

Si donc Jean-Jacques manifeste un tel malaise dans la conversation c'est qu'il y va de sa propre image, de son moi offert aux regards des autres. Il voudrait, dans chacune de ses paroles, être présent en personne, et être reconnu pour ce qu'il vaut. Car vivre en société, pour lui, c'est s'exposer à un jugement implicite qui ne concerne pas ce qu'il dit, mais ce qu'il est : toute parole maladroite diminue Jean-Jacques. Et dans les entretiens les plus indifférents, ce qui est en cause ne lui est jamais indifférent, puisqu'il y compromet sa figure.

Le malentendu que redoute Rousseau ne concerne pas ce dont on parle, mais celui qui parle, lui-même. Il sent ou pressent intérieurement sa valeur, et il ne sait pas la rendre évidente. Or le sentiment intérieur de sa valeur ne lui suffit pas (s'il lui avait suffi, serait-il devenu un écrivain ?) ; sa valeur n'existera pour lui que si elle lui est confirmée par l'admiration d'autrui.

1. *Confessions*, liv. III. *O. C.*, I, 115.

Bien sûr, il n'acceptera jamais l'opinion que les autres se font de lui. Il n'acceptera jamais les valeurs selon lesquelles les autres prétendent le juger. Il ne veut rien partager avec eux : il prétend s'imposer à eux, s'exposer à leurs yeux comme un être admirable et singulier. Mais Rousseau balbutiant se montre inepte, et alors il *est* vraiment inepte, pour lui-même et pour les autres : « En voulant vaincre ou cacher mon ineptie, je manque rarement de la montrer [1]. » Maladroit, embarrassé, il n'a exposé qu'un fragment de son caractère : son sentiment lui assure qu'il vaut mieux que cela, mais déjà les autres l'ont jugé, l'ont méconnu, lui ont dérobé le droit de devenir lui-même, de montrer un visage différent. Qu'on lui en laisse le loisir, il saura bien révéler un tout autre Jean-Jacques, offrir une tout autre apparence. Ainsi Jean-Jacques s'arrache aux « faux jugements » des autres, mais dans l'espoir d'inventer un autre langage qui saura les conquérir, les obliger à reconnaître sa nature et sa valeur exceptionnelles : « J'aimerais mieux être oublié de tout le genre humain que regardé comme un homme ordinaire [2]. »

S'il récuse l'opinion de ses témoins, Rousseau pourtant ne peut se passer d'eux et renoncer à se montrer, car il n'est rien s'il n'est publiquement *reconnu*. Il se révolte contre les jugements qui l'emprisonnent dans les valeurs reçues, ou qui l'immobilisent dans la figure qu'il a maladroitement affichée. Mais tout en contestant la validité des jugements extérieurs, il tient cependant à rester « en vue ». Ne me jugez pas, mais ne cessez pas de me regarder...

En effet, Rousseau souhaite et redoute d'être mécompris. Il ne veut pas être compris, dans la mesure où être compris veut dire être pris : trouver une place toute faite dans le système des valeurs « inauthentiques » auxquelles le monde se soumet. Non, il ne veut pas qu'on le réduise à n'être qu'un *homme de lettres*, selon l'acception courante du terme ; le sentiment que Jean-Jacques a de lui-même est absolument *unique*. Tout en espérant que les autres le reconnaîtront, il refuse d'être reconnu comme l'un d'entre eux. Il veut être distingué : « Quand on me remarque, je ne suis pas fâché que ce soit d'une manière un peu distinguée [3]. » Quitte à ce que cette « manière un peu distinguée » puisse provoquer le *scandale*. Car le scandale vaut mieux que de ne pas compter pour les autres. L'échec ne serait pas d'être incompris, mais de rester ignoré, de s'être affirmé dérisoirement, dans le vide,

1. *Confessions*, liv. III. *O. C.*, I, 115.
2. *Mon Portrait*, *Annales J.-J. Rousseau*, IV (1908, 265 ; voir *O. C.*, I, 1123.
3. *Ibid*

au milieu de l'indifférence générale. Jean-Jacques a connu maintes fois la déception de s'exhiber inutilement, de chanter de sa plus belle voix sous des fenêtres qui ne s'ouvrent pas. Qu'il suffise de rappeler, au début du deuxième livre des *Confessions*, le voyage vers Annecy : « Je ne voyais pas un château à droite ou à gauche sans aller chercher l'aventure que j'étais sûr qui m'y attendait. Je n'osais entrer dans le château ni heurter ; car j'étais fort timide. Mais je chantais sous la fenêtre qui avait le plus d'apparence, fort surpris, après m'être longtemps époumoné, de ne voir paraître ni dames ni demoiselles qu'attirât la beauté de ma voix ou le sel de mes chansons [1] »...

En présence des autres, il y a malentendu. Jean-Jacques ne parvient pas à paraître ce que son sentiment lui assure qu'il est :

> N'étant pas un sot, j'ai cependant souvent passé pour l'être, même chez des gens en état de bien juger : d'autant plus malheureux que ma physionomie et mes yeux promettent davantage, et que cette attente frustrée rend plus choquante aux autres ma stupidité [2].

Comment surmontera-t-il ce malentendu qui l'empêche de s'exprimer selon sa vraie valeur ? Comment échapper aux risques de la parole improvisée ? A quel autre mode de communication recourir ? Par quel autre moyen se manifester ? Jean-Jacques choisit d'être *absent* et d'*écrire*. Paradoxalement, il se cachera pour mieux se montrer, et il se confiera à la parole écrite :

> J'aimerais la société comme un autre, si je n'étais sûr de m'y montrer non seulement à mon désavantage, mais tout autre que je ne suis. Le parti que j'ai pris d'*écrire et de me cacher* est précisément celui qui me convenait. Moi présent on n'aurait jamais su ce que je valais [3].

L'aveu est singulier et mérite qu'on le souligne : Jean-Jacques rompt avec les autres, mais pour se présenter à eux dans la parole écrite. Il tournera et retournera ses phrases à loisir, protégé par la solitude. Il donnera à son absence le sens le plus fort : la vérité est absente de cette société, j'en suis absent aussi, je *suis* donc la vérité absente ; en opposant aux autres la valeur de mon moi, je leur oppose l'universelle autorité de la nature, qu'ils méconnaissent. Aux yeux de ceux qui vivent dans la confusion spirituelle, la vérité est scanda-

1. *Confessions*, liv. II. *O. C.*, I, 48.
2. *Confessions*, liv. III. *O. C.*, I, 116.
3. *Ibid.*

leuse et séduisante : je serai ce scandale et cette séduction.

Pour qu'on sache enfin ce qu'il vaut, Jean-Jacques s'éloigne et se met à composer des livres, de la musique... Il confie son être (sa personnalité) à un paraître d'une autre sorte, qui n'est plus son corps, son visage, sa parole concrète, mais le message pathétique d'un absent. Il compose ainsi une image de lui-même, qui s'imposera aux autres à la fois par le prestige de l'absence et par la vibration de la sentence écrite. Car Jean-Jacques, rêveur passionné, sait d'expérience que rien n'est fascinant comme une présence qui s'impose dans et par l'absence. « Hors l'Être existant par lui-même, il n'y a rien de beau que ce qui n'est pas [1]. » En prenant « le parti d'écrire et de se cacher », Jean-Jacques cherche à opérer la transmutation qui lui donnera, aux yeux des autres, la beauté de « ce qui n'est pas ».

Écrire et se cacher. On s'étonne de l'égale importance que Rousseau donne à ces deux actes. Mais l'un ne va pas sans l'autre. Se cacher sans écrire, ce serait disparaître. Écrire sans se cacher, ce serait renoncer à se proclamer différent. Jean-Jacques ne s'exprimera que s'il écrit *et* se cache. L'intention expressive est dans l'un et l'autre geste, dans la décision d'écrire et dans la volonté de solitude. En rompant avec les autres, Rousseau entend leur signifier que son âme n'est pas faite pour les plaisirs communs. Le geste de la séparation parle autant que le texte même (d'où la nécessité où nous nous trouvons de tenir également compte de la pensée de Rousseau et de sa biographie).

L'acte d'écrire vise un résultat qui ne peut pas être écrit, un but qui est hors de la littérature. Ses lecteurs se méprennent lorsqu'ils prétendent engager avec lui un débat d'idées. Ses critiques se fourvoient lorsqu'ils discutent ses qualités d'écrivain. Il ne s'agit pas de cela ; il s'agit d'être reconnu comme une « belle âme », il s'agit de provoquer l'effusion d'un *accueil* qu'on ne lui avait pas accordé quand il s'est présenté en personne. Il se serait passé d'écrire, et même de parler, si cet accueil avait été possible au premier coup d'œil.

LE RETOUR

Jean-Jacques se cache, écrit, mais pour créer les conditions d'un *retour*, qui réparera le déception de l'accueil manqué. La rupture n'aura donc eu lieu que dans l'espoir d'un retour

1. *La Nouvelle Héloïse*, VIe partie, lettre VIII. *O. C.*, II, 693.

plus émouvant, et Jean-Jacques n'aura passé par un « circuit de paroles » que pour se représenter devant les autres et leur demander d'être salué selon sa vraie valeur.

De fait, le problème de l'accueil et du retour ne détermine pas seulement la vocation d'écrivain de Rousseau ; c'est là un thème qui se retrouve à l'intérieur même de son œuvre et qui commande son comportement personnel dans un très grand nombre de circonstances. Nous sommes en présence d'une conduite-archétype, qu'il ne cesse de vivre et d'imaginer : à défaut d'accueil spontané, Jean-Jacques aggrave le malentendu jusqu'à en faire une situation de rupture : mais c'est pour surmonter ensuite cette rupture, dans l'effusion d'un retour pathétique, où l'on s'étreint mutuellement en pardonnant et en demandant pardon. On pourrait, dans cette perspective, compléter l'analyse de *La Nouvelle Héloïse* : Saint-Preux est un étranger accueilli, avant même que l'action ait commencé. Une rêverie de l'accueil constitue ainsi la présupposition fondamentale du livre : le roman se développera dans une série de ruptures et de retours. Raccommodements et « éclaircissements » après des malentendus et des soupçons injustifiés (voir en particulier l'épisode de la querelle et de la provocation en duel, entre Édouard et Saint-Preux). Voyages au long cours, où s'accomplit le sacrifice de la passion, mais qui rendront plus bouleversant le moment du revoir. Chaque progrès de la transparence des cœurs présuppose un obscurcissement momentané, que traversera l'éblouissement d'un retour. Mourir, pour Julie, c'est retourner à la source de son être. Et comme pour accentuer encore le symbole mystique, Rousseau fait coïncider la mort de son héroïne avec le retour repentant du mari de la servante Fanchon [1]...

Le cinquième livre de l'*Émile* nous montre, successivement, l'accueil, les séparations, les retours. La suite de l'*Émile* (les *Solitaires*) va rendre encore plus tragique la séparation, plus émouvant le retour. La première rencontre d'Émile et de Sophie est significative : égarés dans la campagne, surpris par la pluie, Émile et son précepteur demandent l'hospitalité dans une maison inconnue. Ils sont généreusement accueillis par une famille modèle... Le rêve d'accueil s'exprime ici sous sa forme la plus naïve, la plus adolescente : l'hospitalité offerte, l'asile chaleureux où l'on se restaure de ses fatigues, où

1. Le retour du mari de Fanchon est dans le ton et la tradition de l'idylle pastorale. C'est la répétition du retour de Colin, qui constituait le sujet même du *Devin du village* Mais il n'est pas impossible que Rousseau ait songé à un autre retour, celui de son père Isaac Rousseau, longtemps éloigné de sa femme, en sa qualité d'horloger du sérail à Constantinople « Je fus le triste fruit de ce retour » ajoute Rousseau.

l'on reçoit un simple et savoureux repas, et où l'on rencontre soudain le regard de la jeune fille pure qui attend Télémaque. Le bonheur est dans cette retraite rustique, qui offre la promesse d'une longue existence, frugale mais gourmande, calme mais passionnée. Un nouvel âge de la vie commence : Émile naît à l'amour. Autour de cette retraite rayonnent des promenades à deux (ou à trois). Mais bientôt surviennent de brèves querelles, qui offrent le prétexte à de « doux raccommodements ». Puis vient une séparation plus grave : le précepteur veut qu'Émile connaisse le monde et les institutions politiques de diverses nations. Ils voyageront, mais laisseront Sophie dans sa campagne. On assiste à une séparation dans les larmes. (Le précepteur trouve un secret plaisir aux larmes qu'il fait couler : mais nous n'avons pas eu à attendre le cinquième livre de l'*Émile* pour découvrir le sadisme du précepteur.) La séparation prendra fin et l'on assistera au « délire » d'un retour. L'âge d'or « semble déjà renaître autour de l'habitation de Sophie [1] ». Car retourner, c'est véritablement se rapatrier dans une origine profonde. Voici les jeunes gens mariés, mais leur bonheur est-il stabilisé ? Non. Si on laisse à Jean-Jacques le loisir d'imaginer leur vie conjugale, il n'en a pas fini avec les séparations et les retours. Installés à Paris, Émile et Sophie subissent l'influence corruptrice de la grande ville ; ils deviennent étrangers l'un à l'autre. « Nous n'étions plus un [2]. » Sophie est infidèle. Émile s'éloigne ; il meurt à son passé, il boit « l'eau de l'oubli [3] ». Dans la solitude, il va renaître à lui-même. C'est un retour encore une fois, mais un retour à soi ; le passé, l'avenir, autrui n'existent plus :

> Je tâchais de me mettre tout à fait dans l'état d'un homme qui commence à vivre. Je me disais qu'en effet nous ne faisions jamais que commencer, et qu'il n'y a point d'autre liaison dans notre existence qu'une succession de moments présents, dont le premier est toujours celui qui est en acte [4].

Mais le retour à soi n'est encore rien s'il n'est complété par la réconciliation des âmes séparées. Émile retrouvera Sophie, il apprendra que sa faute était involontaire : une rencontre inattendue et une reconnaissance auront lieu dans le climat paradisiaque d'une île déserte. Le roman est inachevé, mais dès son début il nous annonce l'ivresse du retour : « De quelle trempe unique dut être une âme qui put revenir

1. *Émile*, liv. V. *O. C.*, IV, 859.
2. *Émile et Sophie*. *O. C.*, IV, 887.
3. *Op. cit.*, 912.
4. *Op. cit.*, 905. Rentrer en soi-même, forme narcissique du retour.

de si loin à tout ce qu'elle fut auparavant [1] ! » Nous sommes rassurés d'emblée : la longue épreuve, elle aussi, aura une conclusion attendrissante.

Dans la vie, il y a un problème de l'accueil : comment accepter l'accueil sans aliéner sa liberté, sans dépendre de l'hôte généreux ? Comment être accueilli dans l'égalité ? Car pour que l'accueil soit pur, il ne doit comporter aucun lien matériel, il ne doit entraîner aucun devoir de reconnaissance. Il doit signifier l'union immédiate des âmes, qui se savent supérieures et qui ont reconnu leur ressemblance. Jean-Jacques va-t-il se laisser inviter chez le maréchal de Luxembourg ? Il hésite. Pourra-t-il vivre dans la présence immédiate de son ami ? Ne devra-t-il pas subir un trop grand nombre d'*intermédiaires* ?

Ce projet est certainement un de ceux que j'ai médités le plus longtemps et avec le plus de complaisance. Cependant il a fallu sentir à la fin malgré moi qu'il n'était pas bon. Je ne pensais qu'à l'attachement des personnes sans songer aux intermédiaires qui nous auraient tenus éloignés [2]...

Mais une fois au moins, le rêve d'accueil s'est réalisé. Mme de Warens, l'accueillante, la trop accueillante, s'est trouvée sur son chemin. Il a suffi d'un coup d'œil, d'une lettre présentée : elle a souri, elle a reconnu Jean-Jacques et l'a recueilli :

C'était le jour des Rameaux de l'année 1728. Je cours pour la suivre : je la vois, je l'atteins, je lui parle... Je dois me souvenir du lieu ; je l'ai souvent depuis mouillé de mes larmes et couvert de mes baisers. Que ne puis-je entourer d'un balustre d'or cette heureuse place ! Que n'y puis-je attirer les hommages de toute la terre ! Quiconque aime à honorer les monuments du salut des hommes n'en devrait approcher qu'à genoux.

C'était un passage derrière sa maison, entre un ruisseau à main droite qui la séparait du jardin, et le mur de la cour à gauche, conduisant par une fausse porte à l'église des Cordeliers. Prête à entrer dans cette porte, Mme de Warens se retourne à ma voix. Que devins-je à cette vue ! Je m'étais figuré une vieille dévote bien rechignée... Je vois un visage pétri de grâces, de beaux yeux bleus pleins de douceur, un teint éblouissant, le contour d'une gorge enchanteresse. Rien n'échappa au rapide coup d'œil du jeune prosélyte ; car je devins à l'instant le sien ; sûr qu'une religion prêchée par de tels missionnaires ne pouvait manquer de mener

1. *Op. cit.*, 887. Sur la conclusion projetée d'*Émile et de Sophie*, voir l'article de Charles Wirz : note sur « Émile et Sophie ou les Solitaires », *Annales J. J. Rousseau*, XXXVI, 291-303
2. Quatrième lettre à Malesherbes. *O. C.*, I, 1146.

en paradis. Elle prend en souriant la lettre que je lui présente d'une main tremblante, l'ouvre, jette un coup d'œil sur celle de M. de Pontverre, revient à la mienne qu'elle lit tout entière, et qu'elle eût relue encore, si son laquais ne l'eût avertie qu'il était temps d'entrer. « Eh! mon enfant, me dit-elle d'un ton qui me fit tressaillir, vous voilà courant le pays bien jeune ; c'est dommage, en vérité. » Puis sans attendre ma réponse, elle ajouta : « Allez chez moi m'attendre ; dites qu'on vous donne à déjeuner : après la messe j'irai causer avec vous [1]. »

La scène, telle qu'elle se recompose dans la mémoire de Jean-Jacques, ne comporte à peu près aucune parole de sa part : il s'est exprimé dans sa lettre et par conséquent il est délivré du souci du langage, l'espace est libre pour l'échange des regards. « La sympathie des âmes, » précédant toute explication, n'a eu besoin, pour se manifester, que du « coup d'œil » de la « première entrevue [2] ». Mme de Warens n'attend même pas la réponse de Jean-Jacques ; était-il nécessaire de parler pour répondre? Sa vraie réponse est tout entière dans le *tressaillement* que suscitent le ton et la voix de Mme de Warens — cette « voix argentée de la jeunesse »...

Il s'est éloigné, il a vagabondé ; mais ce déchirement est compensé par un miraculeux retour :

> Que le cœur me battit en approchant de la maison de Mme de Warens ! Mes jambes tremblaient sous moi, *mes yeux se couvraient d'un voile*, je ne voyais rien, je n'entendais rien, je n'aurais reconnu personne ; je fus contraint de m'arrêter plusieurs fois pour respirer et reprendre mes sens... A peine parus-je aux yeux de Mme de Warens que *son air me rassura*. Je tressaillis au premier son de sa voix, je me précipite à ses pieds, et dans les transports de la plus vive joie, je colle ma bouche sur sa main [3].

Le voile se dissipe donc aussitôt : Jean-Jacques entre dans une période qui marque pour lui le retour de la transparence. Il apporte à Mme de Warens un cœur « ouvert devant elle comme devant Dieu [4] ». Il a retrouvé le bonheur qu'il avait perdu à Bossey : vivre sous le regard d'une personne divine (ou divinisée), être soi « sans mélange et sans obstacle [5] », sans souci des *moyens*.

1. *Confessions*, liv. II. *O. C.*, I, 49.
2. *Confessions*, liv. III. *O. C.*, I, 107.
3. *Op. cit.*, 103. Sur la ressemblance du retour de Jean-Jacques avec celui de Saint-Preux, voyez quelques lignes plus loin : « Je vis porter mon petit paquet dans la chambre qui m'était destinée, à peu près comme Saint-Preux vit remiser sa chaise chez Mme de Wolmar. »
4. *Confessions*, liv. V. *O. C.*, I, 191.
5. *Rêveries*, dixième Promenade. *O. C.*, I, 1098-1099

Je me livrais d'autant plus au doux sentiment de bien-être que j'éprouvais auprès d'elle, que ce bien-être dont je jouissais n'était mêlé d'aucune inquiétude sur les moyens de le soutenir [1].

Dans le texte inachevé de la dixième Promenade, il est significatif de voir Jean-Jacques (cinquante ans après la première entrevue d'Annecy) se raconter le bonheur du premier retour :

Elle m'avait éloigné. Tout me rappelait à elle, il y fallut revenir. *Ce retour fixa ma destinée* [2].

Mais Jean-Jacques reste en proie à son « désir d'aller et venir », et les autres retours seront plus décevants. Après le voyage à Lyon, où il a accompagné et abandonné le pauvre M. Le Maître, Jean-Jacques — qui était parti fort allègrement — est obsédé par l'idée du retour :

Rien ne me flattait, rien ne me tentait, je n'avais de désir pour rien que pour retourner auprès de maman... J'y revins donc aussitôt que cela me fut possible. Mon retour fut si prompt et mon esprit si distrait, que, quoique je me rappelle avec tant de plaisir tous mes autres voyages, je n'ai pas le moindre souvenir de celui-là. Je ne m'en rappelle rien du tout...

J'arrive et je ne la trouve plus. Qu'on juge de ma surprise et de ma douleur [3]!

Mais le dernier retour! Après la longue consomption hypocondriaque, après Mme de Larnage, après Montpellier, Jean-Jacques revient aux Charmettes tout rempli d'un enthousiasme de vertu. Il a pris des résolutions. Il saura dominer désormais ses impulsions de départ et de fugue. Il a fait peau neuve. Une fois encore l'idée du retour se trouve liée à l'idée d'une nouvelle naissance, et Jean-Jacques s'en vient renaître auprès de maman : « Sitôt que j'eus pris ma résolution, je devins un autre homme, ou plutôt je devins celui que j'étais auparavant. » Retour à soi, retour à maman, « retour au bien ». Mais cette fois, hélas, la *fête* du retour n'a pas lieu :

Je voulais goûter dans tout son charme le plaisir de la revoir. J'aimais mieux différer un peu pour y joindre celui d'être attendu. Cette précaution m'avait toujours réussi. J'avais vu marquer toujours mon arrivée

1. *Confessions*, liv. III. *O. C.*, I, 106.
2. *Rêveries*, dixième Promenade. *O. C.*, I, 1098.
3. *Confessions*, liv. III-IV. *O. C.*, I, 130-132. Remarquons-le, la césure abrupte entre le livre III et le livre IV marque la déception du retour manqué.

par une espèce de petite fête : je n'en attendais pas moins cette fois et ces empressements qui m'étaient si sensibles valaient bien la peine d'être ménagés [1]

La place est prise par le garçon perruquier Vintzenried. Au lieu de l'éblouissement du retour, le monde s'obscurcit. Et, dans un passage exactement parallèle à celui qui évoquait la campagne de Bossey devenue déserte et sombre, Jean-Jacques dit maintenant adieu au bonheur de sa jeunesse, comme il avait dit adieu au bonheur de son enfance :

On a dû connaître mon cœur, ses sentiments les plus constants, les plus vrais, ceux surtout qui me *ramenaient* en ce moment auprès d'elle. Quel prompt et plein bouleversement dans tout mon être! Qu'on se mette à ma place pour en juger. En un moment je vis évanouir pour jamais tout l'avenir de félicité que je m'étais peint Toutes les douces idées que je caressais si affectueusem nt disparurent ; et moi qui depuis mon enfance ne savais voir mon existence qu'avec la sienne, je me vis seul pour la première fois. Ce moment fut affreux : ceux qui le suivirent furent toujours sombres. J'étais jeune encore : mais ce doux sentiment de jouissance et d'espérance qui vivifie la jeunesse me quitta pour jamais. Dès lors l'être sensible fut mort à demi. Je ne vis plus devant moi que les tristes restes d'une vie insipide, et si quelquefois encore une image de bonheur effleura mes désirs, ce bonheur n'était plus celui qui m'était propre, je sentais qu'en l'obtenant je ne serais pas vraiment heureux [2].

Un retour heureux avait fixé sa destiné ; maintenant, un retour manqué décide à jamais de la privation du bonheur. (Faisons sa part à une tendance que Rousseau manifeste tout au long du récit des *Confessions* : le besoin d'assigner à certains événements une valeur fatale, qui marque le début d'un malheur et d'un envoûtement catastrophique. *Ici commence* est une formule que nous retrouvons de proche en proche ; elle désigne chaque fois une entrée solennelle dans le règne du malheur, comme si Jean-Jacques avait eu, dans l'intervalle, le temps d'oublier un précédent maléfice.) Bien sûr, le désir du retour ne prend une telle importance, dans les relations entre Jean-Jacques et Mme de Warens, que parce qu'il existe en même temps une intense volonté d'éloignement et de séparation. L'intimité trop grande effraie Rousseau. Il veut la présence dans une demi-absence. Il veut la séparation pour avoir la joie du retour. Plus longue sera la séparation, plus douce la réconciliation. Jean-Jacques, après avoir été supplanté par Vintzenried, tente encore une fois de

1. *Confessions*, liv. VI., *O. C.*, I, 261.
2. *Op. cit.*, 263

revenir, le cœur plein de pardon et d'amour, plein surtout de reproches envers soi-même :

Cent fois j'ai été violemment tenté de partir à l'instant et à pied pour *retourner auprès d'elle* ; pourvu que je la revisse encore une fois j'aurais été content de mourir à l'instant même. Enfin je ne pus résister à ces souvenirs si tendres qui me rappelaient auprès d'elle à quelque prix que ce fût. Je me disais que je n'avais pas été assez patient, assez complaisant, assez caressant, que je pouvais encore vivre heureux dans une amitié très douce en y mettant du mien plus que je n'avais fait. Je forme les plus beaux projets du monde, je brûle de les exécuter. Je quitte tout, je renonce à tout ; je pars ; je vole, j'arrive dans tous les mêmes transports de ma première jeunesse, et je me retrouve à ses pieds. Ah j'y serais mort de joie si j'avais retrouvé dans son accueil, dans ses caresses, dans son cœur enfin, le quart de ce que j'y retrouvais autrefois, et que j'y reportais encore.

Affreuse illusion des choses humaines! Elle me reçut toujours avec son excellent cœur qui ne pouvait mourir qu'avec elle : mais je venais rechercher le passé qui n'était plus et qui ne pouvait renaître. A peine eus-je resté demi-heure avec elle que je sentis mon ancien bonheur mort pour toujours [1].

Même échec lorsque Rousseau voudra revenir à Genève. Il eût voulu y trouver ce qu'il cherchait à chacun de ses retours auprès de maman : l'attendrissement d'une « petite fête ». Cela ne commence pas trop mal ; mais bientôt, il découvre à nouveau que sa « place est prise ». Comme le perruquier Vintzenried dans le lit de Mme de Warens, le « polichinelle Voltaire » est installé à Genève. Un autre lui a volé sa fête. Ce sont les termes mêmes que Rousseau emploie pour se plaindre : « Si J.-J. n'était pas de Genève, Voltaire y eût été moins *fêté* [2]. » Il le dira en face à Voltaire : « Je ne vous aime point, Monsieur ; vous m'avez fait les maux qui pouvaient m'être les plus sensibles, à moi votre disciple et votre enthousiaste. Vous avez perdu Genève pour le prix de l'asile que vous y avez reçu. Vous avez aliéné de moi mes concitoyens pour le prix des applaudissements que je vous ai prodigués parmi eux : c'est vous qui me rendez le séjour de mon pays insupportable ; c'est vous qui me ferez mourir en terre étrangère, privé de toutes les consolations des mourants, et jeté pour tout honneur dans une voirie [3]. » Le retour, ou la mort! Mais à défaut du retour, et au lieu de la mort, il y a la littérature. L'exil est favorable au livre. « Je pris le parti d'écrire et de me cacher. » La *Lettre à d'Alembert*, les *Lettres*

1. *Op. cit.*, 270.
2. A Moultou, 25 avril 1762. *Correspondance générale*, DP, VII, 191 ; L, X, 210.
3. A Voltaire, 17 juin 1760. *Correspondance générale*, DP, V, 135 ; L, VII, 136.

de la Montagne sont des retours (tendres ou fulgurants) à la ville natale. Et Jean-Jacques se persuadera que la distance est la condition même de l'action politique la plus efficace : « Quand on veut consacrer des livres au vrai bien de la patrie, il ne faut point les composer dans son sein [1]. »

Il en va de même entre Jean-Jacques et ses amis : dès que survient le moindre malentendu, il se replie sur lui-même et s'éloigne. Plus encore, il travaille activement à alourdir le malentendu ; il accumule les griefs, les reproches, les soupçons ; ses lettres sont de longues plaintes adressées à l'ami coupable. Jean-Jacques veut se savoir aimé, et pour obtenir cette certitude, pour obliger l'ami à lui dévoiler son cœur dans l'effusion brûlante du retour, il multiplie les dénégations désabusées. Non! vous ne m'aimez pas, vous ne me comprenez pas, vous m'êtes devenu étranger. Il attend impatiemment qu'on le rassure, qu'on le gronde, qu'on le punisse même d'avoir douté. Jean-Jacques est prêt à demander pardon. Il éprouvera une joie humiliée, qui est de l'ordre du plaisir qu'il a éprouvé la première fois lors de la fessée administrée par Mlle Lambercier. « Être aux genoux d'une maîtresse impérieuse, obéir à ses ordres, avoir des pardons à lui demander, étaient pour moi de très douces jouissances [2]. » C'est là le traitement que Jean-Jacques demande expressément à Mme d'Épinay :

Vous usez de trop de ménagements avec moi et me traitez trop doucement. J'ai souvent besoin d'être plus gourmandé que cela, un ton de gronderie me plaît fort quand je le mérite ; je crois que je serais homme à le regarder quelquefois comme une sorte de cajolerie de l'amitié.

Et Rousseau décrit la scène idéale dont il rêve, où caresses et punitions se confondent :

Voici ce que je veux que mon ami fasse... Je veux qu'il me caresse bien, qu'il me baise bien ; entendez-vous, madame? En un mot, qu'il commence par m'apaiser, ce qui sûrement ne sera pas long : car il n'y eut jamais d'incendie au fond de mon cœur qu'une larme ne pût éteindre. Alors, quand je serai attendri, calmé, honteux, confus ; qu'il me gourmande bien, qu'il me dise bien mon fait, et sûrement il sera content de moi [3].

Les exemples de ce comportement s'offrent en foule dans la *Correspondance* de Rousseau. Fort souvent, la manœuvre

1. *Confessions*, liv. IX. *O. C.*, I, 406.
2. *Confessions*, liv. Ier. *O. C.*, I, 17.
3. A Mme d'Épinay. *Correspondance générale*, DP, III, 43 ; L, IV, 197 sq.

réussit ; Jean-Jacques reçoit la confirmation qu'il attendait : on l'aime, on l'estime, on ne l'a pas oublié, ses griefs étaient injustes. Ainsi, à la mort du maréchal de Luxembourg, Rousseau écrit à sa veuve une lettre de condoléances étrangement égocentrique, où il s'apitoie sur lui-même :

... A votre exemple il m'avait oublié. Hélas ! qu'ai-je fait ? Quel est mon crime, si ce n'est de vous avoir trop aimés l'un et l'autre, et de m'être apprêté ainsi les regrets dont je suis consumé [1] ?

L'injuste reproche provoque la réponse rassurante : « Il vous aimait, je vous le répète, oui, il vous aimait de tout son cœur, et je vous assure que votre éloignement de Paris est une des choses qui lui ont fait le plus de peine et le plus de mal [2]. » Ce sont les paroles mêmes que Rousseau désirait entendre, c'est la certitude dont il avait besoin. Un bonheur attendri l'envahit, qui transforme le deuil en une délectation narcissique :

Que mon état était affreux et que votre lettre m'a soulagé ! Oui, madame la Maréchale, la certitude d'avoir été aimé de M. le Maréchal, sans me consoler de sa perte en adoucit l'amertume, et fait succéder à mon désespoir des larmes précieuses et douces [3].

Plus vive est la plainte, chez Rousseau, et plus précise est l'anticipation du moment délicieux de l'éclaircissement. Ainsi à propos de Diderot :

Un mot, un seul mot de douceur me faisait tomber la plume de la main, les larmes des yeux, et j'étais aux pieds de mon ami [4].

Et dans la grande lettre à Hume, tout aboutit à l'évocation d'une scène bouleversante, où Hume viendrait à sa rencontre, lui apportant la preuve de son innocence, le délivrant de « ce doute funeste ». Jean-Jacques eût goûté un suprême bonheur à implorer miséricorde :

Je suis le plus malheureux des humains si vous êtes coupable ; j'en suis le plus vil, si vous êtes innocent. Vous me faites désirer d'être cet objet méprisable. Oui, l'état où je me verrais, prosterné, foulé sous vos pieds, criant miséricorde et faisant tout pour l'obtenir, publiant à haute

1. A Mme de Luxembourg, 5 juin 1764. *Correspondance générale*, DP, XI, 112.
2. Mme de Luxembourg à Rousseau, 10 juin 1764. *Correspondance générale*, DP, XI, 123.
3. A Mme de Luxembourg, 17 juin. 1764. *Correspondance générale*, DP, XI, 141.
4. A Mme d'Épinay. *Correspondance générale*, DP, III, 32 ; L, IV, 183.

voix mon indignité, et rendant à vos vertus le plus éclatant hommage, serait pour mon cœur un état d'épanouissement et de joie après l'état d'étouffement et de mort où vous l'avez mis [1].

De fait, cette grande scène, Rousseau l'avait déjà jouée, mais il l'avait jouée seul, sans que Hume comprenne, sans la moindre réponse, sans le moindre mouvement de sensibilité de la part de l'Écossais ; étrange scène, où Rousseau tressaille d'effroi en rencontrant le regard de son hôte, puis avant même d'avoir prononcé une seule parole, se jette en sanglotant dans les bras du « bon David » (qui n'y entend rien) :

Bientôt un violent remords me gagne ; je m'indigne de moi-même ; enfin, dans un transport que je me rappelle encore avec délices, je m'élance à son cou, je le serre étroitement ; suffoqué de sanglots, inondé de larmes, je m'écrie d'une voix entrecoupée : Non, non, David Hume n'est pas un traître ; s'il n'était le meilleur des hommes, il faudrait qu'il en fût le plus noir [2]...

Cette scène reproduit, à quelques détails près, celle où Saint-Preux implore le pardon de Milord Édouard. Rousseau se comporte selon le modèle romanesque dont il est l'auteur : « Je me précipitai à ses pieds, et le cœur chargé d'admiration, de regret et de honte, je serrais ses genoux de toute ma force, sans pouvoir proférer un seul mot [3] . » Mais Rousseau répète en vain la démonstration émouvante : pour le mieux, ce sera un simulacre de retour, un raccommodement imparfait, où l'ami n'est rendu que pour un bref instant, après quoi le voile et le malentendu s'interposent à nouveau. Les démarches inquiètes, par lesquelles Rousseau cherchait à provoquer la certitude d'être aimé, aboutissent à fin contraire. Il aggravait la séparation, dans l'espoir de précipiter le brusque renversement où la distance s'abolit et où la confiance parfaite renaît. Il voulait que la rupture s'accentue jusqu'aux limites de l'intolérable, pour qu'en résulte la catastrophe délicieusement humiliante où l'ennemi imaginé devient un ami retrouvé : il s'éloignait douloureusement jusqu'à l'extrémité du monde, jusqu'aux plus noires profondeurs de la nuit, pour voir soudain jaillir la lumière de la présence réparatrice. Mais l'attente reste vaine, l'on doit se contenter de pâtures imaginaires. (Telle est l'action qui se déroule entre le premier et le troisième *Dialogue* : c'est l'histoire d'un retour. Le Fran-

1. A Hume, 10 juillet 1766. *Correspondance générale*, DP, XV, 324.
2. *Op. cit.*, 308.
3. *La Nouvelle Héloïse*, IIe partie, lettre X. *O. C.*, II, 219.

çais reconnaît l'innocence de Jean-Jacques, et son retour préfigure celui, plus tardif, de tous ceux qui la méconnaissent encore : « Tout a été mis en œuvre pour prévenir et empêcher ce retour : mais on a beau faire, l'ordre naturel se rétablit tôt ou tard [1]. » Or précisément, Jean-Jacques en est réduit à se le raconter longuement à soi-même : c'est une belle chi mère dont il lui plaît de s'entretenir.)

Rousseau, lui, est capable de ces renversements instantanés, de ces retours éblouis. Mais les autres, lui reviennent-ils sincèrement ? Pour longtemps ? Ne faudra-t-il pas constamment les provoquer ? Ne faudra-t-il pas constamment s'éloigner pour les rappeler ? Ils sont si prompts à se détourner, à regarder ailleurs et à décevoir l'exigence absolue de Jean-Jacques : « Je m'indigne surtout quand le premier venu les dédommage de moi [2]. » Les autres interprètent toujours mal : ils voient un homme qui s'enferme dans la défiance, un misanthrope perdu d'amertume ; ils ne perçoivent pas (ou pas toujours) le chantage d'un cœur qui veut obtenir la « certitude d'être aimé ». Aucun malentendu ne s'efface : les obstacles, les soupçons, les mots cruels auront été accumulés ; seule demeure la rupture, et au lieu que la distance s'évanouisse par l'effet de son excès, on assiste à un éloignement sans retour. Les autres se méfient de ce fou. Il s'enferme dans une séparation et une solitude irréparables. Il y trouve même une sorte de quiétude, où il se sent délivré du souci de l'avenir : sa destinée est « *fixée sans retour* », il a renoncé à « l'erreur de *compter sur un retour du public*, même dans un autre âge [3]... ».

On ne manque pas d'exemples, dans l'œuvre de Rousseau, où le thème du retour se lie explicitement au mythe de l'opacité et de la transparence. S'éloigner, c'est vouloir et subir la nuit, l'opacité. Puis la joie du retour rétablit miraculeusement une nouvelle transparence. Relisons, dans le deuxième livre de l'*Émile*, l'épisode de l'enfant qui casse les fenêtres de sa chambre. Prêtons notre attention à la valeur symbolique de la *vitre*, et à la signification non moins symbolique du châtiment par l'obscurité. Il est clair que Rousseau participe à l'aventure ; peut-être même s'identifie-

1. *Dialogues*, III. *O. C.*, I, 973.
2. A Mme d'Épinay. *Correspondance générale*, DP, III, 45 ; L, IV, 198.
3. Cf. *Rêveries*, première Promenade : « Sitôt que j'ai commencé d'entrevoir la trame dans toute son étendue j'ai perdu pour jamais l'idée de *ramener* de mon vivant le public sur mon compte, et même ce *retour* ne pouvant plus être réciproque me serait désormais bien inutile. Les hommes auraient beau revenir à moi, ils ne me retrouveraient plus » (*O. C.*, I, 997-998).

t-il à l'enfant puni, pour vivre avec lui la joie du retour à la lumière :

Il casse les fenêtres de sa chambre : laissez le vent souffler sur lui nuit et jour... A la fin vous faites raccommoder les vitres ; toujours sans rien dire : il les casse encore. Changez alors de méthode... Vous l'enfermerez à l'obscurité dans un lieu sans fenêtre. A ce procédé si nouveau il commence par crier, tempêter ; personne ne l'écoute. Bientôt il se lasse et change de ton. Il se plaint, il gémit ; un domestique se présente, le mutin le prie de le délivrer. Sans chercher de prétexte pour n'en rien faire, le domestique répond : *J'ai aussi des vitres à conserver*, et s'en va. Enfin après que l'enfant aura demeuré là plusieurs heures, assez longtemps pour s'y ennuyer et s'en souvenir, quelqu'un lui suggérera de vous proposer un accord au moyen duquel vous lui rendriez la liberté, et il ne casserait plus de vitres ; il ne demandera pas mieux. Il vous fera prier de le venir voir, vous viendrez, il vous fera sa proposition, et vous l'accepterez à l'instant en lui disant : c'est très bien pensé, nous y gagnerons tous deux, que n'avez-vous eu plus tôt cette bonne idée! Et puis, sans lui demander ni protestation ni confirmation de sa promesse, vous l'embrasserez avec joie et l'emmènerez sur-le-champ dans sa chambre [1].

Variante pédagogique du retour, mais où ne manquent ni le sadisme de la rupture, ni les embrassements de la réconciliation. La succession des événements répète, d'une façon étonnamment fidèle, le même schéma « psychodynamique », la même dialectique ternaire : malentendu, séparation volontaire, étreinte réparatrice.

« SANS POUVOIR PROFÉRER UN SEUL MOT [2] »

La joie du retour est intense et muette. La parole cesse. Saint-Preux se jette aux pieds de Milord Édouard « sans pouvoir proférer un seul mot ». Jean-Jacques espère recevoir le signe (« un mot, un seul mot de douceur ») qui le fera taire et lui fera *tomber la plume des mains.* Dans toutes les scènes que nous venons de citer, l'essentiel se dit par d'autres voies que le langage conventionnel : lors de l'accueil de Mme de Warens, tout s'est décidé « du premier mot, du premier regard », avant toute explication verbale ; Jean-Jacques ne parle à Hume qu'après s'être convulsivement jeté à son cou. L'accueil idéal, le retour idéal se produisent en deçà ou au-delà du langage : l'on n'a pas encore parlé, ou l'on s'est déjà tout dit et il ne reste plus qu'à étreindre l'ami retrouvé.

1. *Émile*, liv. II. *O. C.*, IV, 333-334.
2. *La Nouvelle Héloïse*, IIe partie, lettre X. *O. C.*, II, 219.

Jean-Jacques a pris le parti d'écrire et de se cacher ; mais il n'écrit que dans l'attente du moment merveilleux où la parole devient inutile, et il ne se cache que dans l'espoir de l'instant où il lui suffira de se montrer. Dans l'esprit de Rousseau, le « circuit de paroles » est véritablement un circuit, puisqu'il doit aboutir à un point qui ressemble au moment premier où la parole n'a pas encore eu lieu. Le retour idéal efface les malentendus ; il efface les « éclaircissements » mêmes qui se sont accumulés dans le langage écrit : il est une nouvelle naissance, une « régénération », un recommencement, un réveil. Le langage, sous la plume de Rousseau niait le monde des autres : je ne suis pas comme vous, je ne reconnais pas vos valeurs. Mais le moment du retour nie ce langage négateur ; l'absence, l'exil dans la littérature se convertissent en une présence muette, où Jean-Jacques s'offre tel qu'il est, c'est-à-dire tel qu'il s'est construit par l'absence et la littérature. Toutes les paroles s'abolissent ; alors subsiste, à l'état *pur*, ce que le langage voulait prouver : l'innocence, la vérité, l'unicité de Jean-Jacques. Par le discours, il s'est fait tel qu'il puisse être reconnu en dehors de tout discours, dans un « transport » où le sentiment se suffit pleinement à lui-même.

L'agenouillement, l'étreinte, les sanglots révèlent tout sans le secours d'aucune parole. Non que la parole n'y intervienne jamais, mais elle n'y intervient que par surcroît, sans avoir pour fonction de traduire en clair ce qui a fait irruption en dehors du langage. Tout est dit par l'émotion elle-même, et la parole n'en est que l'écho hasardeux. D'où le caractère exclamatif, asyntaxique, incoordonné de cette parole démontée, qui n'a plus à s'organiser en discours, parce qu'elle ne joue plus le rôle d'intermédiaire et qu'elle n'est plus le *moyen* indispensable de la communication. (Qu'on se rappelle, dans la troisième Lettre à Malesherbes « l'ivresse étourdissante » où Jean-Jacques ne peut que s'écrier : « O grand Être ! » Qu'on se rappelle aussi la prière de la pauvre vieille qui ne savait que dire : O [1] !)

On assiste à un cyclone affectif : tressaillements, cris, tremblements, suffocations, palpitations, etc... Tous ces événements physiologiques, que Rousseau éprouve d'ordinaire comme des obstacles à l'expression adéquate, il peut maintenant les accepter et s'y livrer comme à un mode d'expression idéal. Dans « l'état ordinaire », le désordre émotif est une gêne, il paralyse Rousseau, il inhibe sa pensée. « Le

1. *Confessions*, liv. XII. *O. C.*, I, 642.

sentiment plus prompt que l'éclair vient remplir mon âme, mais au lieu de m'éclairer, il me brûle et m'éblouit. Je sens tout et je ne vois rien. Je suis emporté mais stupide [1] »... Mais dans l'instant idéal du retour, le bouleversement physique de l'émotion porte en soi une signification suffisante, il déborde littéralement de signification. Devenu écrivain pour compenser aux yeux des autres l'impression de stupidité dont son émotivité est responsable, Jean-Jacques n'a de cesse qu'il ne crée des situations où l'émotion expressive supprime la nécessité d'écrire et de parler : il est alors réconcilié avec son corps, et il peut venir s'offrir en personne.

Dans ces moments privilégiés, le sentiment immédiat est immédiatement expression. Être ému et manifester l'émotion ne font qu'un. Il n'est donc plus nécessaire d'aliéner le sentiment dans une parole qui le trahira. Tout reste au niveau du corps, mais le corps a cessé d'être un obstacle, il n'est plus une opacité interposée : par son mouvement, son tressaillement, son plaisir, il est signification de part en part. L'orage émotif est simultanément passion et action : l'expansion, l'épanchement se produisent ; le monde s'ouvre pour m'accueillir, je fais s'ouvrir les cœurs. Le monde était étroit quand il fallait recourir au truchement de la parole ; maintenant que le langage ne fait plus qu'un avec le corps et l'émotion, l'univers déploie tout l'espace exigé par le « cœur » ; l'unité redevient possible. La parole a peut-être préparé la réconciliation, mais la réconciliation elle-même est muette.

A l'émotion néfaste qui troublait le monde et fermait toutes les voies de communication, s'oppose une magie émotive qui libère l'espace. Cette magie (comme l'a montré Sartre dans l'*Esquisse d'une théorie des émotions*) est une façon de vivre le monde à travers le corps, qui est le « vécu immédiat de la conscience [2] ». L'émotion n'est donc pas seulement l'expression la plus immédiate du moi, elle est aussi la forme la plus immédiate de l'action sur le monde extérieur : son efficacité consiste à transformer le monde sans dépasser le corps et sans appliquer sur le monde aucune activité instrumentale.

Volonté de revenir à une expression qui se trouve en deçà de la parole discursive, retour au corps : les psychologues parleront de narcissisme, de conversion hystérique, de régression... Et ils souligneront, au surplus, le rôle que joue la maladie dans le système expressif de Jean-Jacques. Que

1. *Confessions*, liv. III. *O. C.*, I, 113.
2. Jean-Paul Sartre, *Esquisse d'une théorie des émotions* (Paris, Hermann, 1939), 41.

la maladie de vessie soit organique ou fonctionnelle (psychosomatique, dirions-nous aujourd'hui), il n'est pas possible d'en juger : rétrospectivement les hypothèses se valent toutes. Ce qui est certain, c'est que la maladie est investie de *significations* immédiates. La maladie, chez Jean-Jacques, a toujours une fonction expressive. Elle n'est pas seulement l'occasion ou le prétexte de certains sentiments, elle se manifeste comme un sentiment : elle est refus, reproche, autopunition, éloignement. Plus ou moins confusément, elle dit toujours quelque chose. Lorsque Jean-Jacques croit avoir un « polype au cœur » et quitte Mme de Warens pour se faire soigner à Montpellier, sans doute se punit-il (comme le suppose René Laforgue [1]) pour avoir revendiqué l'héritage des vêtements de Claude Anet, qui jouait le rôle du père dans le ménage à trois. Ce qui est clair en l'occurrence, c'est qu'au lieu de s'extérioriser par le « moyen » du langage, le conflit s'exprime au niveau viscéral. Les malaises que retrace Jean-Jacques sont des comportements somatiques où se manifestent des désirs et des volontés qui ne peuvent ou ne veulent devenir action objective, pensée explicite. Les problèmes que la conscience refuse d'objectiver complètement se « convertissent » en trouble organique, parlent à travers le symptôme morbide. Le *sens* de la situation vécue reste alors inhérent au corps et devient passivité souffrante. En se réfugiant dans la maladie, Jean-Jacques retourne au mode d'expression le plus immédiat. (Mais a-t-on remarqué qu'à partir des *Confessions*, la correspondance de Rousseau comporte moins de plaintes sur sa santé, et surtout utilise moins souvent la maladie comme argument sentimental ? Peut-être le fait même de la confession aura-t-il eu un effet libérateur. Peut-être aussi la hantise de la persécution mobilise-t-elle entièrement l'activité hypocondriaque qui s'était orientée sur le corps.)

LE POUVOIR DES SIGNES

Julie vient d'avoir la petite vérole ; elle a déliré, elle a cru voir Saint-Preux en rêve (alors qu'il était réellement présent à son chevet). Elle hasarde une hypothèse, qui est aussi un vœu :

> Deux âmes si étroitement unies ne sauraient-elles avoir entre elles une *communication immédiate*, indépendante du corps et des sens [2] ?

1. René Laforgue, « Étude sur Jean-Jacques Rousseau », in : *Revue française de Psychanalyse*, nov. 1927.
2. *La Nouvelle Héloïse*, IIIe partie, lettre XIII. *O. C.*, II, 330.

Et peu avant de mourir, Julie formule à nouveau le même souhait d'une communication immédiate, « semblable à celle par laquelle Dieu lit nos pensées dès cette vie, et par laquelle nous lirons réciproquement les siennes dans l'autre ». Communiquer sans passer par l'intermédiaire du corps et du monde sensible : c'est un privilège qui n'appartient d'abord qu'à Dieu ; au vrai, l'âme qui se rendrait capable de communication immédiate deviendrait divine et semblable à Dieu. Or c'est là un fruit défendu, et si Rousseau le convoite, il sait pourtant qu'il n'est pas permis à l'homme de s'en emparer. Celui qui veut se passer de recourir aux *moyens* de l'action et du discours humain, celui qui prétend à la connaissance immédiate, aux « jouissances immédiates », ne ressemble-t-il pas à Lucifer, qui s'enorgueillit de briller de la même lumière que Dieu ? Rousseau a appris de saint Augustin et de Malebranche que « l'homme n'est point à lui-même sa propre lumière [1] ». Il faut résister à la tentation de nous croire source d'une lumière qui n'est en nous que dérivée, réfractée, affaiblie. Dieu seul connaît intuitivement l'universel ; le domaine de l'homme n'est pas l'intuition immédiate, mais le discours, le langage, la succession et l'enchaînement des moyens. C'est là une infirmité qui fait que notre savoir est toujours incomplet, que notre pensée se transmet toujours de façon précaire et adultérée, que nos sentiments restent, dans leur fond, incompréhensibles à ceux mêmes qui croient les partager. L'homme est en exil dans le monde des moyens. Tel est l'ordre des choses, dont il serait vain de vouloir sortir. Afin sans doute de conjurer son propre désir de communication immédiate, Rousseau répète la leçon des théologiens qui éloigne infiniment la créature du créateur :

> Dieu est intelligent ; mais comment l'est-il ? L'homme est intelligent quand il raisonne, et la suprême intelligence n'a pas besoin de raisonner ; il n'y a pour elle ni prémisses, ni conséquences, il n'y a pas même de proposition ; elle est purement intuitive, elle voit également tout ce qui est et tout ce qui peut être, toutes les vérités ne sont pour elle qu'une seule idée comme tous les lieux un seul point et tous les temps un seul moment. La puissance humaine agit par des moyens, la puissance divine agit par elle-même [2].

Entre personnes humaines, la communication immédiate est impossible : il en résulte que nous devons nécessairement recourir à des gestes et à des signes sensibles. En un mot, les hommes ont besoin d'un langage conventionnel, parce

1. Malebranche, *Entretiens sur la Métaphysique*, III, 3.
2. *Émile*, liv. IV. *O. C.*, IV, 593.

que la pensee ne peut se communiquer immédiatement : les « signes d'institution » seront notre pis-aller. Il faut parler, il faut écrire, il faut passer par le truchement de l'ouïe et de la vue. Cette théorie du langage se retrouve chez un assez grand nombre de contemporains de Rousseau, qui l'ont empruntée à Locke. On lit en effet, au dernier chapitre de l'*Essai sur l'entendement humain* :

Parce que la scène des idées qui constituent les pensées d'un homme, *ne peut pas paraître immédiatement à la vue d'un autre homme*, ni être conservée ailleurs que dans la mémoire, qui n'est pas un réservoir fort assuré, *nous avons besoin de signes de nos idées* pour pouvoir nous entre-communiquer nos pensées aussi bien que pour les enregistrer pour notre propre usage. Les signes que les hommes ont trouvé les plus commodes et dont ils ont fait par conséquent un usage plus général, ce sont les sons articulés [1].

Selon Locke, l'idée elle-même est déjà le signe de la « chose considérée », de sorte que la parole, signe de l'idée, est le signe d'un signe. Il y a ainsi une succession de rapports d'extériorité. Pour Rousseau (qui poursuit la démonstration), la parole est le signe analytique de la pensée, et l'écriture est à son tour le signe analytique de la parole : nous rencontrons finalement aussi le signe d'un signe :

L'analyse de la pensée se fait par la parole, et l'analyse de la parole par l'écriture ; la parole représente la pensée par des *signes conventionnels*, et l'écriture représente de même la parole. Ainsi l'art d'écrire n'est qu'une *représentation médiate* de la pensée [2]...

L'art d'écrire sera donc une représentation *doublement* médiate de la pensée. Nous voici au plus loin du privilège de la communication immédiate, dont Julie espérait jouir dans l'au-delà. Nous voici pris dans l'épaisseur de l'action instrumentale, alors que l'idéal serait d'être compris sans avoir à se *faire* comprendre.

Le merveilleux écrivain qu'est Rousseau s'élève sans cesse contre l'art d'écrire. Car, tout en reconnaissant que la « puissance humaine agit par des moyens », il est malheureux dans le monde des moyens. Il s'y sent dépaysé. S'il persévère dans sa volonté d'écrire, c'est pour provoquer le moment où la plume lui tombera des mains, et où l'essentiel se dira dans l'étreinte

1. Locke, *Essai philosophique concernant l'entendement humain*, trad. Pierre Coste (Amsterdam, P. Mortier, 1742), 602.
2. G. Streckeisen-Moultou, *Œuvres et Correspondance inédites de J.-J. Rousseau* (Paris, 1861), 299 · voir *O. C.*, II, 1249.

muette de la réconciliation et du retour. A défaut de réconciliation avec les amis perfides, écrire n'aura de sens que pour dénoncer le non-sens de toute tentative de communication ; l'homme qui écrit les *Rêveries* pourrait ne plus s'arrêter d'écrire (la mort seule l'arrête) car désormais écrire apporte la preuve absolue de la non-communication. Pour qui n'a plus rien à transmettre, la parole n'est plus un exil. En effet, quand il n'y a plus personne vers qui se tourner, quand il n'y a plus d'attente de la réconciliation, il n'y a plus de place également pour le sentiment de la séparation. L'exil lui-même ne porte plus le nom d'exil ; il est le seul lieu habitable. La parole peut continuer calmement, interminablement ; elle est délivrée de la malédiction qui faisait d'elle un intermédiaire un moyen, un instrument médiateur. Plus exactement, la médiation de l'écriture intervient, mais seulement à l'intérieur du moi. Elle présente Jean-Jacques à Jean-Jacques et lui permet de jouir d'un redoublement de présence : la lecture de mes rêveries, dit-il, « me rappellera la douceur que je goûte à les écrire, et faisant renaître ainsi pour moi le temps passé doublera pour ainsi dire mon existence. En dépit des hommes je saurai goûter encore le charme de la société et je vivrai décrépit avec moi dans un autre âge, comme je vivrais avec un moins vieux ami [1]. » L'acte d'écrire ne devient *heureux*, pour Jean-Jacques, qu'à partir du moment où il n'a plus de destinataire extérieur.

Ce qui a poussé Jean-Jacques à écrire, c'est (nous l'avons vu) le besoin de se reprendre au trouble de la timidité, le besoin de prouver autrement sa valeur. Il écrit pour affirmer qu'il vaut mieux que ce qu'il paraît ; mais il écrit aussi pour proclamer qu'il vaut mieux que ce qu'il écrit. Qu'on ne le prenne pas au mot, qu'on ne l'emprisonne pas dans ses paroles. Ce qui compte, c'est l'intention, qui est indépendante de toute parole ; c'est la « disposition d'âme [2] » où le lecteur se trouve *après* la lecture, disposition qui fait écho à celle que l'auteur éprouvait *en deçà* de l'acte d'écrire. Rousseau ne prend donc la plume que pour renvoyer le lecteur au *sentiment* qui précède idéalement le moment de l'écriture ou qui se *dégage* du texte écrit. Qu'elle est révélatrice, cette

1. *Rêveries*, première Promenade. *O. C.*, I, 1001.
2. « Pour juger du vrai but de es livres, je ne m'attachai pas à éplucher çà et là quelques phrases éparses et séparées, mais me consultant moi-même et durant ces lectures et en les achevant, j'examinais... dans quelles dispositions d'âme elles me mettaient et me laissaient, jugeant... que c'était le meilleur moyen de pénétrer celle où était l'auteur en les écrivant, et l'effet qu'il s'était proposé de produire. » (*Dialogues*, III. *O. C.*, I, 930).

lettre à Mme de Verdelin, où il la supplie de ne pas tenir compte des propos qu'il lui a tenus dans une lettre précédente :

> Je comprends qu'il y avait dans ma précédente lettre des expressions louches et mal tournées... N'apprendrez-vous jamais qu'il faut expliquer les discours d'un homme par son caractère, et non son caractère par ses discours?... De grâce, apprenez à m'interpréter mieux désormais [1].

Et ailleurs encore :

> Si quelquefois mes expressions ont un tour équivoque, je tâche de vivre de manière que ma conduite en détermine le sens [2]..

Jean-Jacques demande maintenant qu'on interprète son langage par sa vie. Un étrange renversement s'est produit : pour imposer sa valeur aux autres, Rousseau avait fui la société, résolu à ne plus offrir son image que dans la parole écrite : il espérait surmonter ainsi l'équivoque qui l'obligeait, en présence des autres, à valoir moins que ce qu'il paraissait, à ne pas tenir les promesses de son regard vif, de sa mine spirituelle. Maintenant, nous assistons à un mouvement contraire : l'équivoque se produit dans le langage (par le langage) et Jean-Jacques en appelle à la vérité de la vie contre les malentendus de la parole écrite. Il avait pris la plume parce qu'aux yeux des autres, il ne voulait pas *être* le balbutiement déconfit qu'il donnait en spectacle. Maintenant qu'il écrit, il ne veut pas non plus être réduit à ce qu'il écrit. Non, ces phrases orgueilleuses, ces refus brutaux, ces soupçons injustes, ils lui sont échappés, ce n'est pas lui, c'est tout au plus sa façon de protéger son indépendance et de garantir sa liberté, à l'abri desquelles il s'abandonne en silence à un sentiment de tendresse et de bienveillance universelles. Il demande à ses amis d'avoir foi en lui, en dépit des lettres qu'il écrit ou n'écrit pas. Lui, si prompt à lire de mauvais présages dans le silence des autres, il faut qu'il ait le droit de se taire si bon lui semble. Il faut qu'on ne le tienne pas pour responsable des paroles folles qu'il a écrites dans « le délire de la douleur [3] ». Qu'on le juge sur ce qu'il est, et non pas sur ce qu'il écrit. Il demande sans cesse dans ses lettres : Jugez-moi, estimez-moi. Mais sitôt qu'il se sent atteint par

1. A Mme de Verdelin, 4 février 1760. *Correspondance générale*, DP, V, 42-43 ; L, VII, 32.
2. A la même, 5 novembre 1760. *Correspondance générale*, DP, V, 243 ; L, VII, 293.
3. *Correspondance générale*, DP, VII, 3 ; L, IX, 341.

un jugement (et ce jugement fût-il favorable) il lui semble qu'il y a méprise, qu'on le prend pour un autre, qu'on le défigure, qu'on l'a jugé par défaut, sans l'interroger lui-même. Il va devoir indéfiniment rétablir la vérité, reconstruire l'image exacte, se déclarer différent des paroles qui lui sont échappées, contester la validité des pièces qu'il a lui-même fournies à ses juges. Il réclame, en définitive, le privilège de n'avoir pas à parler pour être compris et accepté. Mais il ne peut réclamer ce privilège qu'en écrivant et en parlant : il a besoin de la médiation du langage pour dire qu'il ne veut pas de cette médiation. Tant que le bonheur silencieux de l'immédiat n'est pas réalisé, on ne peut que déplorer l'absence de l'immédiat, par le *moyen* d'une parole qui désire la mort de la parole. Si intense que soit le vœu de communion immédiate, il faut prendre patience, de gré ou de force, et accepter les moyens humains du discours. L'immense œuvre de Rousseau apparaît comme le témoignage de cette patience passionnée. « Âme de très forte patience », *starkausdauernde Seele*, dira Hölderlin en parlant de Rousseau [1].

Patience nostalgique, et qui ne néglige aucune occasion d'exprimer sa nostalgie. Dans tout ce que Rousseau écrit au sujet du langage, on trouve une intelligence très claire des conditions qui rendent inévitable le recours aux signes conventionnels, et on y rencontre en même temps le regret très vif des modalités plus directes de la communication.

Projet concernant de nouveaux signes pour la musique, 1742 [2]. C'est la première entrée de Rousseau sur la scène publique. Et c'est un échec, que compensera, huit ans plus tard, le prix de l'Académie de Dijon. Mais combien significative, déjà, cette réforme que propose Jean-Jacques pour simplifier la notation musicale! Il part en guerre contre les signes conventionnels [3] : il y en a trop, ce sont des obstacles interposés inutilement entre l'idée musicale et l'œil qui déchiffre une mélodie :

> Cette quantité de lignes, de clefs, de transpositions, de dièses, de bémols, de bécarres, de mesures simples et composées, de rondes, de blanches, de noires, de croches, de doubles, de triples croches, de pauses, de demi-pauses, de soupirs, de demi-soupirs, de quarts de soupirs, etc., donne une *foule de signes* et de combinaisons, d'où résultent deux incon-

1. Dans l'hymne *Der Rhein. Sämtliche Werke* (Stuttgart Kohlhammer, 1953), t II, 153.
2. *O. C.*, (Paris, Furne, 1835), III, 448.
3. Nous ne reviendrons pas sur la critique de Rousseau à l'égard de l'argent. Il y voit également un signe conventionnel, auquel nous donnons plus d'importance qu'à la chose représentée, c'est-à-dire à la richesse réelle, produite par le travail.

vénients principaux, l'un d'occuper un trop grand volume, et l'autre de surcharger la mémoire des écoliers ; de façon que, l'oreille étant formée, et les organes ayant acquis toute la facilité nécessaire longtemps avant qu'on ne soit en état de chanter à livre ouvert, il s'ensuit que la difficulté est toute dans l'observation des règles, et non dans l'exécution du chant [1].

La tradition musicale nous impose une « multitude de signes inutilement diversifiés ». Puisqu'il est inévitable de recourir à des signes, réduisons-les du moins à leur plus simple expression, et que leur « volume » se limite au minimum indispensable à la lecture du discours musical. Rousseau entreprend donc de purifier et de simplifier un moyen de communication dont les éléments trop nombreux opposent à nos regards une opacité désagréable. Que faire ? « Comment donner plus d'évidence à nos signes, sans les augmenter en nombre [2] ? » Retrancher des signes, se contenter d'un « très petit nombre de caractères », qui seront tous d'une extrême clarté. Au surplus, d'arbitraires qu'ils sont dans l'ancien système, les signes peuvent être rendus plus *naturels*, c'est-à-dire plus ressemblants à la chose même qu'ils désignent. Ainsi, Rousseau substituera le chiffre à la note dessinée sur une portée ; car le chiffre, qui paraît plus abstrait, est en réalité plus naturellement proche du son :

Les chiffres étant l'expression qu'on a donnée aux nombres, et les nombres eux-mêmes étant les exposants de la génération des sons, rien n'est si naturel que l'expression des divers sons par les chiffres de l'arithmétique [3].

Le résultat ? L'acte intermédiaire de la lecture est rendu plus facile. La période intermédiaire de l'apprentissage est abrégée. Jean-Jacques, à qui il a fallu de longs détours pour apprendre la musique, croit avoir inventé le « moyen court » (dont il attend par surcroît sa fortune). Grâce à son système, on possédera parfaitement la musique « par des routes plus courtes et plus faciles [4] ». Sans doute, il faut tout de même apprendre, et l'on ne verra pas se produire le miracle instantané que Rousseau avait souhaité à Lausanne, chez M. de Treytorrens. Mais le *travail* préparatoire sera, selon la nouvelle « méthode », réduit au strict minimum. Jean-Jacques promet de former « en l'espace d'un an un musicien de premier ordre »,

1. *Projet concernant de nouveaux signes. O. C.* (Paris, Furne, 1835), III, 448.
2. *Dissertation sur la Musique moderne, O. C.* (Paris, Furne, 1835), III, 460.
3. *Op. cit.*, 458
4. *Op. cit.*, 459.

qui se joue de toutes les difficultés et qui n'a plus à se poser le problème des moyens. « Un écolier bien conduit par cette méthode » devient, avec une surprenante rapidité, un maître « pratiquant également toutes les clefs, connaissant les modes et tous les tons, toutes les cordes qui leur sont propres, toute la suite de la modulation, et transposant toute pièce de musique dans toutes sortes de tons avec la plus parfaite facilité [1] ». Dès lors, « l'observation des règles » n'est plus un obstacle, et l'esprit peut s'abandonner entièrement au sentiment, à « l'exécution du chant ».

Émile grandit parmi les choses. Il est libre, et le seul obstacle qu'il rencontre est la nécessité physique. Le précepteur ne lui impose sa volonté qu'en la déguisant en nécessité physique, c'est-à-dire en conférant à chacune de ses décisions l'autorité muette et sans appel d'une chose. Tant que la raison d'Émile n'est pas encore formée, son expérience naît au contact direct du monde. Le précepteur ne parle que pour conduire Émile auprès des choses ; il ne parle, en somme, que pour mieux laisser parler les choses :

> Ne donnez à votre élève aucune espèce de leçon verbale, il n'en doit recevoir que de l'expérience [2].

Aussi Rousseau conseille-t-il de retarder le plus longtemps possible le moment où l'enfant passera des choses aux signes des choses. Que l'enfance reste l'âge de l'immédiat! Qu'on n'égare pas un jeune esprit dans le monde des signes arbitraires, qui sont incapables de livrer leur signification :

> En quelque étude que je puisse être, sans l'idée des choses représentées les signes représentants ne sont rien. On borne pourtant toujours l'enfant à ces signes sans jamais pouvoir lui faire comprendre aucune des choses qu'ils représentent. En pensant lui apprendre la description de la terre on ne lui apprend qu'à connaître des cartes : on lui apprend des noms de villes, de pays, de rivières, qu'il ne conçoit pas exister ailleurs que sur le papier où on les lui montre [3].
>
> En général ne substituez jamais le signe à la chose que quand il vous est impossible de la montrer. Car le signe absorbe l'attention de l'enfant, et lui fait oublier la chose représentée [4].

Certes, l'*Émile* abonde en discours, mais ceux-ci ont toujours lieu auprès des choses, après la rencontre des objets réels ; les

1. *Op. cit.*, 475.
2. *Émile*, liv. II. *O. C.*, IV, 321.
3. *Op. cit.*, 347.
4. *Émile*, liv. III. *O. C.*, IV, 434.

leçons verbales (fût-ce la *Profession de foi* elle-même) ne font qu'interpréter et expliciter un savoir qui s'est déjà formé silencieusement dans le contact avec la *circonstance* éducative. Quand le Vicaire savoyard parle à Jean-Jacques, tout a déjà été révélé par le paysage qu'ils contemplent du haut de la colline. La *Profession de foi*, elle aussi, est une leçon de choses. Les signes de la parole ne sont pas séparés de la « chose représentée »; l'univers et Dieu sont présents d'emblée :

> On était en été ; nous nous levâmes à la pointe du jour. Il me mena hors de la ville, sur une haute colline au-dessous de laquelle passait le Pô, dont on voyait le cours à travers les fertiles rives qu'il baigne Dans l'éloignement, l'immense chaîne des Alpes couronnait le paysage Les rayons du soleil levant rasaient déjà les plaines, et projetant sur les champs par longues ombres les arbres, les coteaux, les maisons, enrichissaient de mille accidents de lumière le plus beau tableau dont l'œil humain puisse être frappé. On eût dit que la nature étalait à nos yeux toute sa magnificence pour en offrir le texte à nos entretiens. Ce fut là, qu'après avoir quelque temps contemplé ces objets en silence, l'homme de paix me parla ainsi [1].

Le paysage a parlé d'abord : la parole de l'homme de paix ne *démontrera* rien qui ne se soit déjà *montré* dans la contemplation silencieuse qui précède son discours.

Les langues modernes sont faites de signes conventionnels. Mais auparavant, plus près de l'origine, comment parlait-on ? Avait-on même besoin de parler ? N'y a-t-il pas eu une époque où le langage aurait été moins conventionnel, plus expressif, plus proche de la nature ? Telles sont les questions que se pose Rousseau et l'on voit que — en dépit de tout l'appareil savant dont il entoure le second *Discours* et l'*Essai sur l'Origine des Langues* — son intérêt pour la linguistique spéculative est stimulé par une nostalgie qui n'est pas d'ordre scientifique. On y perçoit, une fois de plus, son désir de combattre le monde où il est obligé de vivre, c'est-à-dire le monde de la médiation et des opérations médiates, pour lui opposer un monde possible où les relations humaines s'établiraient par des moyens moins nombreux, plus directs, plus sûrs. Un besoin sentimental se transforme ainsi en hypothèse historique : il fut un temps où la communication s'opérait d'une façon plus instantanée, moins discursive ; où les signes étaient plus proches du sentiment lui-même ; où peut-être les signes étaient inutiles, parce que l'émotion et le sentiment, par eux-mêmes,

1. *Émile*, liv. IV. *O. C.*, IV, 565.

étaient déjà suffisamment lisibles sans avoir à se traduire en symboles.

A l'état de nature, l'homme vit dans l'immédiat ; ses besoins ne rencontrent pas d'obstacles et son désir ne dépasse pas les objets qui lui sont immédiatement offerts. Il ne cherche jamais à obtenir ce qu'il n'a pas. Et comme la parole ne peut naître que lorsqu'il y a un manque à compenser, l'homme naturel ne parle pas :

> Les mâles et les femelles s'unissaient fortuitement, selon la rencontre, l'occasion et le désir, *sans que la parole fût un interprète fort nécessaire des choses qu'ils avaient à se dire* : ils se quittaient avec la même facilité [1].
>
> On voit... *au peu de soin qu'a pris la nature de rapprocher les hommes par des besoins mutuels et de leur faciliter l'usage de la parole*, combien elle a peu préparé leur sociabilité, et combien elle a peu mis du sien dans tout ce qu'ils ont fait pour en établir les liens [2].

L'homme de la nature s'en tient à une communication silencieuse, qui n'est même pas une communication, mais seulement un *contact* : il n'y a pas d'échange de pensée, il n'y a pas de discussion, parce qu'il n'y a pas d'obstacles à surmonter.

Mais l'homme voudra être reconnu par l'homme. La *perfectibilité*, placée en lui par la nature, longtemps réduite à n'être qu'une puissance virtuelle, trouvera assez tardivement l'occasion de se développer. Elle produira toutes les inventions, et l'instrument verbal par lequel les inventions se conservent et se communiquent. Si le langage ne prend son essor qu'au moment où l'homme se voit obligé de lutter contre la nature, il a néanmoins une « cause naturelle ».

Il y a donc un *commencement* du langage, précédé par une époque de parfaite immédiateté, où les contacts étaient fugitifs et où l'amour même était silencieux. Au début, il y a des gestes et des exclamations : accents, plaintes, « cris de la nature », « voix » arrachées par les passions [3]... Au début, la parole n'est pas encore le signe conventionnel du sentiment ; elle est le sentiment lui-même, elle transmet la passion sans la transcrire. La parole n'est pas un paraître distinct de l'être qu'elle désigne : le langage originel est celui où le sentiment *apparaît* immédiatement tel qu'il *est*, où l'essence du sentiment et le son proféré ne font qu'un. Rousseau n'oublie pas de mentionner le *Cratyle* de Platon, car sa description de la *première langue* ne fait que

1. *Discours sur l'Origine de l'Inégalité. O. C.*, III, 147.
2. *Op. cit.*, 151.
3. *Essai sur l'Origine des Langues*, chap. II, *O. C.* (Paris, Furne, 1835), III, 498.

reprendre, en l'appliquant à la passion et au sentiment, l'hypothèse des « dénominations naturelles » et des « noms primitifs » : « *Le nom contient de nature une certaine rectitude*[1]. » La langue primitive, telle que Rousseau l'imagine, possédait un pouvoir à peu près infaillible, elle présentait « aux sens, ainsi qu'à l'entendement, les impressions presque inévitables de la passion qui cherche à se communiquer[2] » :

> Elle persuaderait sans convaincre, et peindrait sans raisonner[3].
> L'on chanterait au lieu de parler ; la plupart des mots radicaux seraient d s sons imitatifs ou de l'accent des passions, ou de l'effet des objets sensibles : l'onomatopée s'y ferait sentir continuellement[4].

Quelle chute, lorsque l'on passe aux langues modernes! Leur structure, dominée par les conventions de l'écriture, n'exprime plus la vive présence du sentiment. L'on quitte la vérité particulière (l'authenticité) pour acquérir la clarté impersonnelle des concepts généraux. « En écrivant, on est forcé de prendre tous les mots dans leur acception commune ; mais celui qui parle varie les acceptions par les tons, il les détermine comme il lui plaît[5]. » Tandis que la parole vivante et accentuée constitue une expression directe de la personnalité, la langue écrite exige de longs détours et d'interminables circuits de paroles pour construire artificiellement l'*équivalent* approximatif de l'énergie et de la passion déployées par la langue orale. Problème qui n'est pas sans importance pour celui qui, comme Jean-Jacques, s'efforce de se dépeindre dans ce qu'il a d'unique. Comme tout serait mieux exprimé, si l'on pouvait revenir à la langue chantante des origines, à la mélodie immédiatement signifiante! Seulement, avons-nous la possibilité de renoncer aux signes conventionnels pour revenir aux signes naturels?

Ici encore, on ne peut rétrograder. Il faut prendre la langue française telle qu'elle est, avec ses longueurs discursives et ses abstractions. On ne peut revenir à cette langue primitive, qui était toute « en images, en sentiments, en figures[6] »; il n'est plus possible de donner « à chaque mot le sens d'une

1. Platon, *Œuvres complètes* (Bibliothèque de la Pléiade, Paris, Gallimard, 1950), I, 623 (Cratyle, 391 a).
2. *Essai sur l'Origine des Langues.* chap. IV, *O. C.* (Paris, Furne, 1835), III, 499.
3. *Ibid.*
4. *Ibid.* Cf. Pierre Burgelin, *op. cit.*, 246. Ernst Cassirer rapproche la théorie du langage de Rousseau et celle de Vico (*Philosophie der symbolischen Formen* Oxford, Bruno Cassirer, 1954, I, 90-95).
5. *Essai sur l'Origine des Langues* (éd. citée), chap. V, 501.
6. *Essai sur l'Origine des Langues* (éd. citée), chap. IV, 498.

proposition entière [1] ». Rousseau cependant cherche à rapprocher sa parole de la langue primitive idéale : son écriture, souple et musicale, semble à l'écoute de la « première langue ». Parmi les moyens qui pourraient restituer l'énergie de la parole accentuée, il suggère, dans une note brève, mais importante, le perfectionnement de la ponctuation [2]. Il regrette l'absence du point vocatif et du signe d'ironie. Il ne cessera donc de chercher, dans l'ordre de l'écriture, les équivalents des moyens plus simples qui précédèrent l'écriture. Ainsi, dans son style même, dans la souplesse de ses phrases, dans leur coupe, dans leur mélodie, Rousseau dit sa nostalgie d'un autre langage plus immédiat. Sa langue, merveilleusement présente, déplore secrètement l'absence de la « langue primitive », de son accent pathétique, de ses images continuelles. Le « discours » littéraire de Rousseau se développe dans une parfaite beauté d'écriture ; mais son pathos et sa tension intérieure trahissent le constant regret des *signes naturels* présents dans la voix même.

La distinction entre les « signes naturels » et les « signes artificiels » (ou signes d'institution) est courante au XVIIIe siècle. On la trouve, entre autres, chez Condillac et dans l'*Encyclopédie*. Les signes naturels, lit-on dans l'*Encyclopédie*, sont les « cris que la nature a établi pour les sentiments de joie, de crainte, de douleur » (art. *Signe*). Dans une acception légèrement différente, ce sont aussi des gestes, c'est le « langage d'action [3] » que Condillac attribue au couple primitif avant qu'il ait découvert la parole articulée... Si Jean-Jacques, l'homme de la nature, refuse la servitude des signes conventionnels, par quel moyen s'exprimera-t-il, sinon par des signes naturels ? Nous le verrons maintenant se confier aux signes, à la condition qu'ils soient ceux de la nature et non ceux de l'institution :

Les affections auxquelles il a le plus de pente se distinguent même par des *signes physiques*. Pour peu qu'il soit ému, ses yeux se mouillent à l'instant [4].

1. *Discours sur l'Origine de l'Inégalité. O. C.*, III, 149. Le langage discursif ne sait pas exprimer l'émotion instantanée, il l'étale dans la durée de l'énoncé analytique. Cette idée se retrouve chez Diderot : « L'état de l'âme dans un instant indivisible fut représenté par une foule de termes que la précision du langage exigea, et qui distribuèrent une impression totale en parties »... (*Lettre sur les Sourds et les Muets, Œuvres complètes*, Paris, 1969, t. II, 543.

2. *Essai sur l'Origine des Langues*, chap V. *O. C.* (Paris, Furne, 1835), III, 501-502. Sur l'importance de la ponctuation chez Rousseau, cf. Marcel Raymond, introduction aux *Rêveries* (Genève, Droz, 1948), LVIII-LIX.

3. Condillac, *Essai sur l'Origine des Connaissances humaines*, IIe partie, *Du Langage et de la Méthode*, chap. I, § 1.

4. *Dialogues*, II. *O. C.*, I, 825.

Ses émotions sont promptes et vives mais rapides et peu durables, *et cela se voit...* Le sang enflammé par une agitation subite porte à l'œil, à la voix, au visage, ces mouvements impétueux qui marquent la passion... Sitôt que le *signe* de la colère s'efface sur le visage, elle est éteinte aussi dans le cœur [1].

Jean-Jacques se décrit comme une « âme sensible » dont toutes les émotions sont instantanément visibles : le signe naturel et le sentiment sont exactement contemporains, car ce signe-là n'est pas fait d'une autre substance que le sentiment lui-même. On peut dire que le signe naturel est le sentiment qui *se parle* au niveau du corps. L'événement affectif, en envahissant le corps, se signale aussitôt au-dehors, et le message expressif n'a pas à être « articulé » par surcroît. Le bouleversement de l'émotion est et se veut immédiatement expressif : l'étincellement du regard est à la fois la colère et le langage qui dit la colère. Ce langage est d'une fidélité absolue ; il dit ce qui est. Bon gré mal gré, tout ce qui se passe dans l'âme de Jean-Jacques est instantanément signifié ; c'est pourquoi il est vulnérable, et livré sans défense à tous les regards. Il y a donc là un danger, puisqu'il s'expose ainsi à ses persécuteurs, lesquels au contraire prennent bien garde de laisser paraître leurs sentiments. Mais il y a là aussi un merveilleux bonheur, car la langue des signes naturels exprime *automatiquement* la vérité du moi, avant tout effort réfléchi de véracité et de sincérité. Si cet automatisme était tout-puissant, Jean-Jacques se trouverait délivré du souci de la vérité ; il pourrait s'en remettre à sa passivité et au simple « mécanisme » de sa nature. Car si l'on pouvait se fier entièrement aux signes naturels, il suffirait d'*être* pour manifester la vérité. Il n'y aurait alors rien à *faire*, sinon consentir à être soi ; et le seul moyen propre à dévoiler l'être authentique serait de renoncer à tous les moyens artificiels, y compris la parole.

Le voici donc construisant l'utopie d'une communication par signes (entendez : signes *naturels*), qui permettraient de négliger tout autre langage. L'*Émile*, la *Dissertation sur la Musique moderne* nous mettaient en garde contre le maléfice des signes. Il s'agissait alors des signes de convention, lesquels, loin d'être conducteurs de significations, sont des obstacles interposés, des intercepteurs. Tout autres sont les signes auxquels Rousseau rêve de se confier : des gestes, des mouvements, dont le sens s'impose infailliblement par lui-même, sans l'aide surajoutée des signes conventionnels du langage verbal.

Dans le *Discours sur l'Origine de l'Inégalité*, Jean-Jacques

1. *Op. cit.*, 860-861.

se retranche derrière l'opinion d'Isaac Vossius. Content d'avoir trouvé un texte qui exprime exactement son désir, il laisse parler le latin du docte théoricien, qui déplore la confusion des langues :

Je me garderai bien de m'embarquer dans les réflexions philosophiques qu'il y aurait à faire sur les avantages et les inconvénients de cette institution des langues... Laissons donc parler les gens à qui l'on n'a point fait un crime d'oser prendre le parti de la raison contre l'avis de la multitude. *Nec quidquam felicitati humani generis decederet, si, pulsa tot linguarum peste et confusione, unam artem callerent mortales, et* signis, motibus, gestibusque, *licitum foret quidvis explicare* [1]...

Cette langue véridique, Rousseau rêve d'y revenir ; mais il en rêve parce qu'il ne la possède pas, contraint qu'il est d'utiliser les mots du langage conventionnel pour dire le bonheur qu'il goûterait à s'exprimer exclusivement par des signes naturels. N'éprouve-t-il pas, souvent, l'impression que le sentiment est voué à une obscurité essentielle ? « Ce qui se voit n'est que la moindre partie de ce qui est ; c'est l'effet apparent dont la cause interne est cachée et souvent très compliquée... Nul ne peut écrire la vie d'un homme que lui-même ; sa manière d'être intérieure, sa véritable vie n'est connue que de lui [2] »... Dans le langage des signes naturels, l'effet apparent et la cause interne ne seraient pas disjoints ; on n'y rencontrerait pas la rupture entre le manifeste et le caché, dont nous trouvons ici l'accusation. Or de cette scission de l'être et du paraître Jean-Jacques n'a cessé de souffrir. N'avons-nous pas vu qu'il a pris la plume parce que sa timidité en société l'empêchait de tenir les promesses de son visage ? Il écrit pour montrer ce qu'il vaut, précisément parce qu'il n'a pas su prouver sa valeur par les « moyens courts », c'est-à-dire par la présence réelle et la parole vivante. Mais il écrit pour exprimer son ressentiment contre le « moyen long » de l'écriture, pour dire sa nostalgie de la communication muette, de l'expression sans moyen d'expression.

Ainsi lorsque Rousseau dépeint les habitants du « monde enchanté », au début du premier *Dialogue*. Il s'abandonne délicieusement à son rêve : vivre auprès des autres, dans une intimité confiante et presque silencieuse, où les âmes parleraient par des signes sans équivoque qui supplanteraient la parole ou qui agiraient en dépit des paroles. Parce qu'ils « ne cherchent pas leur bonheur dans l'apparence mais dans

1. *Discours sur l'Origine de l'Inégalité*, note 13. *O. C.*, III, 218.
2. Première rédaction des *Confessions*. *Annales J. J. Rousseau*, IV (1908), 3 ; voir *O. C.*, I, 1149.

le sentiment intime », les « initiés » ne peuvent se contenter du langage ordinaire, qui porte en lui le maléfice de l'apparence. Seuls les signes pourront être conducteurs du sentiment intime :

Des êtres si singulièrement constitués doivent nécessairement s'exprimer autrement que les hommes ordinaires. Il est impossible qu'avec des âmes si différemment modifiées, ils ne portent pas dans l'expression de leurs sentiments et de leurs idées l'empreinte de ces modifications. Si cette empreinte échappe à ceux qui n'ont aucune notion de cette manière d'être, elle ne peut échapper à ceux qui la connaissent et qui en sont affectés eux-mêmes. C'est un *signe caractéristique* auquel les initiés se reconnaissent entre eux, et ce qui donne un grand prix à ce signe, si peu connu et encore moins employé, est qu'il ne peut se contrefaire, que jamais il n'agit qu'au niveau de sa source, et que quand il ne part pas du cœur de ceux qui l'imitent il n'arrive pas non plus aux cœurs faits pour le distinguer; mais sitôt qu'il y parvient, on ne saurait s'y méprendre ; il est vrai dès qu'il est senti. C'est dans toute la conduite de la vie, plutôt que dans quelques actions éparses, qu'il se manifeste le plus sûrement. Mais dans des situations vives où l'âme s'exalte involontairement, l'initié distingue bientôt son frère de celui qui sans l'être veut seulement en prendre l'accent [1]...

Jean-Jacques imagine une langue plus sûre, plus directe, à peu près infaillible ; mais cette langue n'est pas universelle : c'est un secret, réservé à un petit nombre d'*initiés* que la nature a fait différents du commun des hommes. D'une part, ils vivent séparés du reste de l'humanité, et leur langue secrète atteste cette séparation. Mais d'autre part, ils sont capables entre eux d'une communication plus profonde, et ils le doivent aussi au pouvoir de ces signes secrets. Entre eux, les initiés ne voient survenir aucun malentendu. Seulement leur conversation ne sera pas un dialogue. Sur quoi y aurait-il discussion, puisque les « initiés » se comprennent immédiatement ? Non, ces hommes qui goûtent des « jouissances immédiates » ne dialoguent pas, ils ne font que *sympathiser*, c'est-à-dire épancher leurs sentiments : les signes et le silence sont le langage de la sympathie, grâce à quoi les consciences se rejoignent « au niveau de la source ». Mais qu'il est significatif de trouver ici, dans un texte intitulé *Dialogues*, la description d'une communication plus heureuse et plus efficace que le dialogue! On y saisit sur le vif une parole qui souhaite l'anéantissement de la parole ; car telle est l'impatience des âmes sensibles :

1. *Dialogues*, I. *O. C.*, I, 672.

La pesante succession du discours leur est insupportable ; ils se dépitent contre la lenteur de sa marche ; il leur semble dans la rapidité des mouvements qu'ils éprouvent que ce qu'ils sentent devrait se faire jour et pénétrer d'un cœur à l'autre *sans le froid ministère de la parole* [1].

« Sans le froid ministère de la parole » : la formule est un écho a peu près littéral de *La Nouvelle Héloïse* :

Que de choses se sont dites sans ouvrir la bouche! Que d'ardents sentiments se sont communiqués *sans la froide entremise de la parole* [2]!

Mais il faudrait citer ici à peu près toute la lettre sur la « matinée à l'anglaise » (Partie V, lettre III). C'est l'un des moments de transparence parfaite, et dont l'importance symbolique n'est pas moindre que celle de la fête des vendanges. La matinée à l'anglaise exprime, dans une scène d'intérieur, ce que la fête des vendanges expose à ciel ouvert : la confiance absolue, la communication sans obstacles. Dans ces moments « consacrés au silence et recueillis par l'amitié », la joie unanime de trois êtres circule de l'un à l'autre à travers des signes :

Sentiment vif et céleste, quels discours sont dignes de toi? Quelle langue ose être ton interprète? Jamais ce qu'on dit à son ami peut-il valoir ce qu'on sent à ses côtés? Mon Dieu! qu'une main serrée, qu'un regard animé, qu'une étreinte contre la poitrine, que le soupir qui la suit disent de choses! et que le premier mot qu'on prononce est froid après tout cela [3]!

... A ce mot son ouvrage est tombé de ses mains ; elle a tourné la tête, et jeté sur son digne époux un regard si touchant, si tendre, que j'en ai tressailli moi-même. Elle n'a rien dit : qu'eût-elle dit qui valût ce regard? Nos yeux se sont aussi rencontrés. J'ai senti à la manière dont son mari m'a serré la main que la même émotion nous gagnait tous trois, et que la douce influence de cette âme expansive agissait autour d'elle, et triomphait de l'insensibilité même [4].

Expansion, influence : ce sont les actes essentiels de l'âme rousseauiste, où l'être se communique sans s'aliéner, sans se quitter lui-même. La matinée à l'anglaise apporte l'image idéale du moment expansif. Conduites par des signes et non par des paroles, l'expansion est plus vaste et l'influence est plus pure. La scène que nous venons de lire est une extase à trois. Ainsi l'entendait Rousseau en décrivant l'estampe qui

1. *Dialogues*, II. *O. C.*, I, 862.
2. *La Nouvelle Héloïse*, V^e partie, lettre III. *O. C.*, II, 560.
3. *Op. cit.*, 558.
4. *Op. cit.*, 559.

devait illustrer ce passage : « Un air de contemplation rêveuse et douce dans les trois spectateurs : la mère surtout doit paraître dans une extase délicieuse [1]. »

Mais voici un autre témoignage du pouvoir des signes. Bernardin de Saint-Pierre rapporte une confidence de Rousseau :

Il me disait : Oh! que l'innocence ajoute de pouvoir à l'amour! J'ai aimé deux fois passionnément : l'une, une personne *à laquelle je n'avais jamais parlé. Un seul signe a été la source de mille lettres passionnées, des plus douces illusions.* J'entrais dans un appartement où elle était : je l'aperçois, le dos tourné ; à sa vue, la joie, le désir, l'amour se peignaient dans mon visage, dans mes traits, dans mes gestes ; je ne m'apercevais pas qu'elle me voyait dans la glace. Elle se tourne offensée de mes transports, et du doigt me montre la terre ; j'allais tomber à genoux lorsqu'on entra [2].

Il s'agit des amours de Rousseau, encore adolescent, et de Mme Basile, peu après que Jean-Jacques eut quitté l'Hospice des catéchumènes, à Turin. Ouvrons maintenant les *Confessions.* Nous n'y retrouverons pas les « mille lettres passionnées ». (Est-ce un enjolivement ajouté par Bernardin ? Mais, véridique ou non, le fait est plausible, il est conforme à la psychologie de Rousseau, les *Lettres à Sophie* en apportent la preuve différée.) Maint détail, dans le récit du deuxième livre des *Confessions*, est mis en lumière différemment. Les deux versions présentent des « variantes » importantes [3]. Faudrait-il, pour simplifier les choses, rejeter le témoignage de Bernardin ? Certes non. Entre l'une et l'autre versions l'on rencontre des « invariants » plus importants que les variantes. Cela nous incite à supposer que l'imagination de Rousseau poétise le souvenir à partir d'un certain nombre de repères fixes : des détails inventés s'élaborent musicalement, selon l'émotion du moment de l'écriture, mais autour d'éléments stables, qui représentent le matériau donné par la mémoire. Or, quels sont, dans la scène avec Mme Basile, ces éléments fixes ? D'une part,

1. *Sujets d'Estampes pour la Nouvelle Héloïse*, *O .C.*, II, 769. Sur l'expansion et l'influence, cf. Pierre Burgelin, *op. cit.*, 149-190.

2. Bernardin de Saint-Pierre, *La Vie et les ouvrages de J.-J. Rousseau*, éd. M. Souriau (Paris, 1907), 94.

3. Selon Bernardin de Saint-Pierre, Jean-Jacques est interrompu par un intrus alors qu'il s'apprête à tomber aux genoux de Mme Basile. Selon les *Confessions*, il reste agenouillé pendant deux minutes. — Autre discordance de détail : selon la version définitive des *Confessions*, Jean-Jacques n'ose pas toucher Mme Basile. Mais dans une première ébauche, un geste plus audacieux apparaît : «... si j'avais la témérité de reposer quelquefois ma main sur son genou, c'était si doucement que dans ma simplicité, je croyais qu'elle ne le sentait pas » (*Annales J.-J. Rousseau*, IV (1908), 236-237).

le *silence*; sur ce point on décèle une concordance dans la différence même :

Version Bernardin : « Une personne à qui je n'avais *jamais parlé.* »
Confessions : Jean-Jacques a déjà parlé à Mme Basile, mais la scène capitale est « vive et *muette* ».

D'autre part, quelques images restent identiques : le reflet de Jean-Jacques aperçu dans le miroir ; et, surtout, le *signe du doigt*, seul geste de Mme Basile à l'adresse de son adorateur. Selon les *Confessions*, la qualité infiniment précieuse de cette scène d'amour réside dans le fait qu'elle n'a été qu'un silence traversé de signes. Jean-Jacques a exprimé son amour sans prononcer une seule parole, et la jeune femme lui a répondu par un simple « mouvement de doigt ». Qu'on relise le passage des *Confessions* où l'entrevue passionnée nous est racontée : on verra que ce « mouvement de doigt » est l'élément central autour duquel toute la scène se compose et se cristallise :

Je me jetai à genoux à l'entrée de la chambre en tendant les bras vers elle d'un mouvement passionné, bien sûr qu'elle ne pouvait m'entendre, et ne pensant pas qu'elle pût me voir : mais il y avait à la cheminée une glace qui me trahit. Je ne sais quel effet ce transport fit sur elle ; elle ne me regarda point, ne me parla point : mais tournant à demi la tête, *d'un simple mouvement de doigt* elle me montra la natte à ses pieds. Tressaillir, pousser un cri, m'élancer à la place qu'elle m'avait marquée ne fut pour moi qu'une même chose [1] : mais ce qu'on aurait peine à croire est que dans cet état je n'osai rien entreprendre au-delà, ni dire un seul mot, ni lever les yeux sur elle, ni la toucher même dans une attitude aussi contrainte, pour m'appuyer un instant sur ses genoux. J'étais muet, immobile, mais non pas tranquille assurément... Elle ne paraissait ni plus tranquille ni moins timide que moi. Troublée de me voir là, interdite de m'y avoir attiré, et commençant à sentir toute la conséquence d'un *signe* parti sans doute avant la réflexion, elle ne m'accueillait ni ne me repoussait ; elle n'ôtait pas les yeux de dessus son ouvrage ; elle tâchait de faire comme si elle ne m'eût pas vu à ses pieds [2]...

Dans la méditation qui fait suite à la description de la rencontre silencieuse, c'est encore une fois vers ce simple *signe du doigt* que la pensée de Rousseau se reporte; le bonheur inoubliable de ce tête-à-tête tient au fait que la déclaration de Jean-Jacques et l'aveu de Mme Basile n'ont pas eu

1. Notons ici la simultanéité de la réaction physique (tressaillir), du « signe naturel » (pousser un cri) et du geste (m'élancer). On constate une surcharge expressive — une « surexpressivité » — qui se manifeste de *toutes* les façons possibles, à l'exclusion de la parole.
2. *Confessions*, liv. II. *O. C.*, I, 75-76.

recours au langage commun, mais se sont accomplis dans la pureté du sentiment devenu signe :

> Rien de tout ce que m'a fait sentir la possession des femmes ne vaut les deux minutes que j'ai passées à ses pieds sans même toucher à sa robe... *Un petit signe du doigt*, une main légèrement pressée contre ma bouche, sont les seules faveurs que je reçus jamais de Mme Basile, et le souvenir de ces faveurs si légères me transporte encore en y pensant [1].

Le bonheur amoureux, pour Jean-Jacques, n'est pas dans la possession, mais dans la présence, dans l'intensité de la présence : immobile et muet, Jean-Jacques est en état de transe devant Mme Basile, mais il est surtout présent à son propre sentiment. L'échange de signes assure ainsi au sentiment une plénitude que la réminiscence peut encore goûter.

Nul mieux que Hölderlin n'a indiqué l'importance du signe pour Rousseau. Le pouvoir de communication par signes lui inspire un admirable commentaire poétique, dans une strophe du poème inachevé consacré à la mémoire de Rousseau :

> *Vernommen hast du sie, verstanden die Sprache der Fremdlinge,*
> *Gedeutet ihre Seele! Dem Sehnenden war*
> *Der Wink genug, und Winke sind*
> *Von Alters her die Sprache der Götter.*
>
> Tu l'as entendue, tu as compris la langue des étrangers,
> Interprété leur âme! à ton désir
> Suffisait le signe, et les signes sont
> Du commencement des âges la langue des dieux [2].

Qui sont ces étrangers ? Les habitants du « monde enchanté », sans doute ; ceux dont la venue est promise (*die Verheissenen*). Le signe est ici ce qui permet d'interpréter (*deuten*) l'âme des étrangers. Bien qu'il s'agisse d'une connaissance instantanée (nous lisons, quelques lignes plus loin : « Il connaît déjà au premier signe tout l'accompli », *Kennt er im ersten Zeichen Vollendetes schon*), cette connaissance, aux yeux de Hölderlin, est *interprétative*. Les dieux ne parlent qu'aux très rares hommes qui comprennent leur langue : ils ne se révèlent qu'aux âmes prophétiques. Il en va bien ainsi dans la description que Rousseau nous donne du monde enchanté : les « initiés » constituent une élite spirituelle, et le privilège qu'ils possèdent de se com

1. *Op. cit.*, 76-77.
2. Hölderlin, *Sämtliche Werke* (Stuttgart, Kohlhammer, 1953), t. II, 13.

prendre par signes est un don d'interprétation, un pouvoir augural.

Le problème de l'interprétation du signe doit nous arrêter. Dans une communication vraiment immédiate, il n'y a pas de place pour une interprétation du signe ; une *inter*prétation est une *inter*position, c'est un acte médiateur. L'idéal de l'immédiat exige que le *sens* du signe soit exactement identique dans l'objet lui-même et dans ma perception du signe ; le sens s'imposera irrésistiblement, et je l'accueillerai passivement. Voilà ce que Rousseau souhaite : que le signe soit seulement *senti* et n'ait pas à être lu (sinon rien ne le distinguerait de la langue conventionnelle qui requiert la fatigue d'une lecture). Mais c'est réduire l'activité de l'âme au seul sentiment qui *répond* au signe ; l'âme ne sera pour rien — selon Rousseau — dans l'élaboration du sens même de la signification. Elle n'aura qu'à se laisser illuminer. L'évidence du signe est alors si grande, qu'elle rend toute interprétation inutile. L'évidence se donne gratuitement. Or il semble qu'il n'en va pas, dans la réalité, selon le vœu de Rousseau. Même si l'on renonce aux signes conventionnels pour revenir aux signes naturels, même si l'on renonce à dissocier le symbole signifiant et la chose signifiée, force nous est de reconnaître que la perception du *sens du signe* présuppose une activité de la conscience. En dehors de tout parti pris idéaliste, il faut dire que le sens ne se donne qu'à une conscience qui attend (ou « vise ») l'apparition du signe, et qui sollicite autour d'elle des significations. Cette sollicitation est déjà spontanément, originellement, une *interprétation* ; elle implique le choix préalable d'un sens général du monde, sur le fond duquel se détacheront les significations particulières. En d'autres termes, le regard qui se porte au-dehors y éveille des signes qui ne sont destinés qu'à lui seul, et qui lui annoncent *son* monde : non certes la pure et simple projection de la « réalité intérieure » du spectateur, mais le monde auquel il a choisi de faire face, l'adversaire-complice qu'il se donne.

Or Rousseau se refuse à admettre que la signification dépende de lui et qu'elle soit son œuvre pour une assez large part. Il veut qu'elle appartienne tout entière à la chose aperçue. Il ne reconnaît pas sa question dans la réponse que le monde lui renvoie. Il se dépossède ainsi de la part de liberté qui existe dans chacune de nos perceptions. Ayant fait un choix parmi les sens *possibles* que lui annonce l'objet extérieur, il met ce choix sur le compte de l'objet lui-même et voit dans le signe une intention péremptoire et sans équivoque. Il en vient à attribuer à la chose une volonté décisive alors que la décision est dans son propre regard. Au contact du monde, Rousseau interprète instantanément, mais ne veut pas savoir qu'il a interprété.

Rousseau rêvait d'une communication par signes, mais les signes vont se retourner contre lui. Ils lui annoncent une adversité sans recours, ils lui apportent l'évidence de la malveillance et de l'hostilité universelles. Assurément, il interprète les apparences ; mais, la plupart du temps, il ne sait pas ou ne veut pas savoir que l'adversité se trouve déjà dans le regard qu'il porte sur les êtres et sur les choses. Le délire d'interprétation de Rousseau n'est que le renversement parodique de son espoir d'une langue secrète grâce à laquelle les cœurs s'ouvriraient et se montreraient sans ambiguïté. Il avait désiré un mode de communication qui fût à l'abri de la trahison des mots, où chaque indice n'eût pas à être interprété, mais apportât instantanément la certitude infaillible du cœur d'autrui, « au niveau de la source »; en bref, il avait désiré un langage plus immédiat que le langage, où les êtres dévoileraient leur âme par leur seule présence. Le voici maintenant environné de signes péremptoires qui parlent plus persuasivement que tout langage et toute raison discursive, mais qui lui annoncent l'opacité des cœurs, l'obscurité des âmes, l'impossibilité de communiquer. La magie du signe est devenue une magie néfaste, qui impose la présence définitive de l'ombre et du voile. Le renversement qualitatif est absolu : au lieu de posséder un pouvoir instantané d'illumination, le signe exerce un pouvoir instantané d'obscurcissement. Nous voyons intervenir ici une loi du « tout ou rien ». Il n'y a pas de milieu entre la transparence et l'opacité ; pas de moyen terme entre la société intime et le monde de la persécution. « En fait de bonheur et de jouissance, il me fallait tout ou rien [1]. » Et Jean-Jacques semble vouloir activement le rien, lorsqu'il n'a pas obtenu le tout. C'est pourquoi le plus léger trouble, la plus mince buée deviennent aussitôt l'équivalent de l'opacité complète. Tout obstacle à la communication idéale par signes constitue le signe irrécusable d'une hostilité malveillante. Ainsi, par l'excès même de son désir de transparence, le regard de Jean-Jacques s'expose à subir une opacité omniprésente.

Le signe négatif, indice d'hostilité, n'habite pas seulement les visages, mais aussi les choses. Du signe expressif (qui est un comportement humain) au signe augural ou symptomatique (qui émane mystérieusement des objets inanimés), il

1 *Confessions*, liv. IX. *O.C.*, I, 422.

n'y a pas de différence essentielle ; nous passons de l'un à l'autre par un glissement presque insensible. Il suffit que le regard interroge le monde avec une certaine insistance, et aussitôt des *intentions* cachées se découvrent à lui, des augures s'annoncent.

Le plus souvent Rousseau interprète les signes rétrospectivement, à distance. Dans les *Confessions*, un Rousseau qui se veut victime du destin cherche à lire dans les images de son passé les prophéties de son malheur actuel. C'est alors seulement, en écrivant sa vie, qu'il découvre la valeur augurale de certaines circonstances de sa jeunesse. Au moment où se relevait le pont-levis à l'une des portes de Genève, Jean-Jacques a-t-il vu un signe ? C'en est un, en tout cas, dans sa mémoire :

A vingt pas de l'avancée, je vois lever le premier pont. Je frémis en voyant en l'air ces cornes terribles, sinistre et fatal *augure* du sort inévitable que ce moment commençait pour moi [1].

Merveilleux exemple de signe négatif : la séparation, l'expulsion se dit, s'énonce par une image. Mais il faut que Jean-Jacques ait fait l'épreuve de son destin, pour que cette image devienne *a posteriori* annonciatrice du destin. Nous sommes ici en présence d'une interprétation régressive (ou rétrospective) dont Rousseau lui-même a établi le principe dans un autre passage des *Confessions* :

Le *signe* extérieur est tout ce qui me frappe. Mais ensuite tout cela me revient : je me rappelle le lieu, le temps, le ton, le regard, le geste, la circonstance, rien ne m'échappe. Alors sur ce qu'on a fait ou dit je trouve ce qu'on a pensé, et il est rare que je me trompe [2].

Le sens du signe, resté confus sur le moment, n'est découvert « clairement » que par la mémoire, qui supplée aux défaillances de la perception actuelle. Seul ce qui est *revécu* est complètement signifiant. Rousseau croit remonter à des évidences : les signes désignent *derrière eux* une réalité péremptoire, et Rousseau, incapable de rien pénétrer sur le moment même, recompose avec assurance la pensée secrète d'autrui, alors que la distance temporelle s'ajoutant au trouble initial devrait en faire une pensée doublement cachée. On peut donc se demander si les signes néfastes, dans les *Confessions*, ou dans la correspondance de Rousseau, ne se construisent pas à tra-

1 *Confessions*, liv. Ier, *O C.*, I, 42.
2. *Confessions*, liv. III. *O C.*, I, 115.

vers une rumination rétrospective, qui s'attarde sur un geste, sur un regard, sur un objet, afin de leur attribuer *a posteriori* une valeur augurale et fatale.

Néanmoins nous ne manquons pas d'exemple où le signe hostile provoque un saisissement instantané. Ici intervient une interprétation sans recul. Il faut admettre, sur ce point, le témoignage écrit (donc élaboré par la mémoire, et partant : construit) que nous donne Rousseau. Il est assez vain de vouloir confronter ce témoignage avec ce qu'aurait pu être « l'expérience réelle », laquelle est définitivement remaniée par la reconstruction autobiographique.

La magie du signe, telle que Rousseau la décrit, crée brusquement des monstres, à l'inverse de ce qui se passe dans les contes de fées, où les bêtes deviennent des princes charmants. Qu'un détail inattendu trouble la limpidité de la communication espérée, qu'une surprise ne se résorbe pas aussitôt dans la transparence : voilà qui transforme l'interlocuteur en monstre, comme si le signe ambigu l'avait infecté magiquement et l'avait rendu impur de part en part. La communication est absolue ou n'est pas : le défaut inexplicable qui produit une légère hésitation ou une fugitive question, détruit totalement la sympathie, et l'âme de Jean-Jacques se sent paralysée, se rétracte, comme fixée par le regard pétrifiant d'une tête de Méduse. Il se produit alors un renversement du pour au contre, de l'ivresse expansive à la rupture méfiante. Le *téton borgne* de la Zulietta est le parfait exemple de la magie négative qui métamorphose en monstre un être qui, l'instant d'auparavant, était souverainement désirable :

> Au moment où j'étais prêt à me pâmer sur une gorge qui me semblait pour la première fois souffrir la bouche et la main d'un homme, je m'aperçus qu'elle avait un téton borgne. Je me frappe, j'examine, je crois voir que ce téton n'est pas conformé comme l'autre. Me voilà cherchant dans ma tête comment on peut avoir un téton borgne, et persuadé que cela tenait à quelque notable vice naturel, à force de tourner et retourner cette idée, je vis clair comme le jour que dans la plus charmante personne dont je pusse me former l'image, je ne tenais dans mes bras qu'une espèce de *monstre*, le rebut de la nature, des hommes, et de l'amour [1].

Mais comment le signe est-il intervenu ? Est-ce le signe soudain rencontré qui produit l'inhibition de l'élan amoureux ? Est-ce le signe qui est le véritable obstacle ? On se demandera si la paralysie de Jean-Jacques devant Zulietta n'est pas l'expression d'une « conduite d'échec » qui craint

1. *Confessions*, liv. VII. *O. C.*, I, 321-322.

et veut tout ensemble la rupture, la perte de l'énergie érotique, le brusque repli sur une solitude blessée. L'automutilation que Rousseau s'inflige symboliquement choisit pour prétexte objectif cette *insignifiante* imperfection du corps de Zulietta, pour en faire un signe décisif. Mais l'inhibition aurait pu prendre pour prétexte n'importe quel autre détail réel. Il ne s'agit peut-être, pour Rousseau, que d'imputer son échec ou son refus à un obstacle extérieur : tout, littéralement, peut constituer le signal à partir duquel l'inhibition se justifie. Il suffit parfois que Rousseau fixe son attention sur un point particulier de la réalité — sur le pli que fait un sourire ; il ne lui est pas nécessaire d'insister longuement : la magie néfaste opère, et un dévoilement négatif se produit ; l'autre, devant Jean-Jacques, est devenu hideux, il s'est transformé en monstre, le sourire est devenu grimace diabolique.

Voici une soirée à l'anglaise, en compagnie de David Hume. Des regards sont échangés en silence : c'est ce qui faisait, dans la matinée à l'anglaise de *La Nouvelle Héloïse*, la délicieuse jouissance des « belles âmes », qui goûtaient ainsi « l'union des cœurs ». C'est maintenant ce qui fait que le visage de l'ami recule dans la nuit, se fige, devient à jamais étranger. L'ami est désormais un faux ami, sans qu'une parole ait été échangée :

Son regard sec, ardent, moqueur et prolongé, devint plus qu'inquiétant. Pour m'en débarrasser, j'essayai de le fixer à mon tour ; mais, en arrêtant mes yeux sur les siens, je sens un frémissement inexplicable, et bientôt je suis forcé de les baisser. La physionomie et le ton du bon David sont d'un bon homme, mais où, grand Dieu! ce bon homme emprunte-t-il les yeux dont il fixe ses amis [1]?

Métamorphose qui fait soudain tomber un masque, mais pour révéler un visage plus ténébreux que le masque lui-même. Non seulement la communication n'est plus possible avec Hume ainsi démasqué, mais voici qu'il apparaît désormais comme celui qui travaille activement à propager la rupture autour de Jean-Jacques, à lui rendre toute autre communication impossible. « Il paraît que l'intention de mon persécuteur et de ses amis est de m'ôter toute communication avec le continent, et de me faire périr ici de douleur et de misère [2]. »

Mentionnons encore d'autres moments exactement semblables, où, sous le regard de Jean-Jacques, les signes du

1. *Correspondance générale*, DP, XV, 308.
2. *Correspondance générale*, DP, XVI, 56.

mal absolu transforment subitement le visage d'un ami. Quelle étrange métamorphose défigure Du Peyrou, tandis qu'il somnole sous l'effet d'un médicament :

> Tandis qu'il avait les yeux fermés, je vis ses traits s'altérer, son visage prendre une figure difforme et presque hideuse ; je jugeai de ce qui se passait dans cette âme faible, troublée par l'effroi de la mort. Alors j'élevai la mienne au ciel, je me résignai dans les mains de la Providence et je lui remis le soin de ma justification [1].

Le « cher hôte », dès lors, appartient au royaume de l'ombre : il n'y aura plus aucun lien véritable entre Rousseau et lui :

> Je n'ai jamais pu tirer la moindre ouverture, le moindre jour, le moindre épanchement de ce cœur sombre et caché... le plus caché qui existe [2].

Et quel signe inquiétant, le sourire du Père Berthier :

> Il me remerciait un jour en ricanant de l'avoir trouvé bon-homme. Je trouvai dans son souris je ne sais quoi de sardonique qui changea totalement sa physionomie à mes yeux et qui m'est souvent revenu depuis lors dans la mémoire [3].

Rousseau se souviendra de ce sourire, le jour où il soupçonnera les Jésuites d'avoir intercepté le manuscrit de l'*Émile*. Ce signe, à lui seul, permet d'édifier l'idée d'un complot. Sitôt que Rousseau se heurte à l'inconnu, au mystère, il veut que ce soit un « mystère d'iniquité ». Il n'y a pas d'autre hypotèse : une âme qui ne s'ouvre pas à l'épanchement amical devient aussitôt une âme toute noire et qui fomente activement le mal. La connaissance d'autrui, chez Rousseau, exige de pouvoir s'*arrêter* sur le oui ou sur le non, sur le noir ou sur le blanc. Le suspens, l'hésitation, l'incertitude lui sont plus intolérables que la décision qui met les choses au pis. A l'ami douteux, il préfère le méchant qui participe à la ligue hostile ; du moins peut-on rompre sans remords...

Une étrange démarcation sépare une « zone » de conscience où Rousseau est encore capable de reconnaître que son imagination interprète les signes d'une façon délirante, et une zone où l'angoisse, cessant d'être consciente de son travail interprétatif, accepte l'idée délirante comme une évidence massive et indiscutable. Lisons, dans les *Confessions*

1. *Correspondance générale*, DP, XVII, 341.
2. *Correspondance générale*, DP, XVIII, 292.
3. *Confessions*, liv. X. *O. C.*, I, 505.

le récit de l'affolement qui s'est emparé de Rousseau lors du retard d'impression de l'*Émile* ; l'analyse si perspicace qu'il applique à son comportement nous fait croire à l'imminence du réveil ; n'est-il pas sur le point de conjurer les maléfices ? Ne va-t-il pas découvrir que tout ce qui l'obsède est le produit du même processus mental ?

> Jamais un malheur quel qu'il soit ne me trouble et ne m'abat, pourvu que je sache en quoi il consiste ; mais mon penchant naturel est d'avoir peur des ténèbres ; je redoute et je hais leur air noir, le mystère m'inquiète toujours, il est par trop antipathique avec mon naturel ouvert jusqu'à l'imprudence. L'aspect du monstre le plus hideux m'effraierait peu, ce me semble, mais si j'entrevois de nuit une figure sous un drap blanc, j'aurai peur. Voilà donc mon imagination qu'allumait ce long silence occupée à me tracer des fantômes... A l'instant mon imagination part comme un éclair et me dévoile tout le mystère d'iniquité : j'en vis la marche aussi clairement, aussi sûrement que si elle m'eût été révélée [1].

Rousseau fait amende honorable : visions que tout cela, chimères d'un esprit rendu inquiet par une trop longue solitude. Mais la portée de cette « auto-critique » se limite au seul incident de l'*Émile*. Il semble que Rousseau ne révoque son interprétation délirante que pour donner plus de poids à d'autres griefs (non moins délirants) qu'il formule sans nulle critique. Il se met ainsi au bénéfice d'un semblant d'objectivité impartiale ; puisqu'il est capable de reconnaître les méfaits de son imagination, ne nous oblige-t-il pas à lui faire confiance lorsqu'il dénonce la malveillance acharnée qu'il voit s'organiser autour de lui ? Il s'accuse d'avoir interprété certains signes, mais pour mieux s'abandonner, quant au reste, à son délire d'interprétation, pour mieux se livrer au pouvoir des signes néfastes, qu'il ne met pas en question.

Vivre dans le monde de la persécution, pour Jean-Jacques, ce sera s'éprouver captif à l'intérieur d'un réseau de signes concordants, par lesquels se renforce un « mystère impénétrable ». Ces signes seront le point de départ d'une spéculation [2] angoissée, et d'une interminable recherche en vue d'en élucider plus complètement le sens, qui d'abord est hostilité *muette*, accusation dissimulée, condamnation clandestine. L'hostilité du signe sera à son comble, lorsqu'il manifestera

1. *Confessions*, liv. XI. *O. C.*, I, 566. Cf. *Rêveries*, deuxième Promenade : « J'ai toujours haï les ténèbres, elles m'inspirent naturellement une horreur que celles dont on m'environne depuis tant d'années n'ont pas dû diminuer » (*O. C.*, I, 1007).

2. Une « toile d'araignée spéculative » (*speculative cobweb*) dira Coleridge à propos de Rousseau. (*The philosophical Lectures of Samuel Taylor Coleridge*, éd. Kathleen Coburn. Londres, Routledge and Kegan Paul, 1949, p. 308.)

non pas même un sens malveillant, mais le refus de révéler quelque sens que ce soit. Aux yeux de Rousseau persécuté, les signes sont « clairs », mais ils se rapportent tous à une obscurité dernière, à une « source » irrévocablement obscure et absurde :

> Les uns me recherchent avec empressement, pleurent de joie et d'attendrissement à ma vue, m'embrassent, me baisent avec transport, avec larmes, les autres s'animent à mon aspect d'une fureur que je vois étinceler dans leurs yeux, les autres crachent ou sur moi ou tout près de moi avec tant d'affectation que l'intention m'en est claire. *Des signes si différents* sont tous inspirés par le même sentiment, cela ne m'est pas moins clair. Quel est ce sentiment qui se manifeste par tant de *signes contraires?* C'est celui, je le vois, de tous mes contemporains à mon égard ; du reste il m'est inconnu [1].

Les signes sont infaillibles : mais ce qui transparaît en eux, c'est l'impossibilité de la transparence. Le signe est dévoilement, mais dévoilement de l'obstacle infranchissable. Aussi Rousseau ne gagne-t-il rien à interroger un signe après l'autre. Au lieu de parvenir à élucider le mystère, il se trouve en présence de ténèbres plus épaisses : les grimaces des enfants, le prix des pois à la Halle, les petits commerces de la rue Plâtrière, tout annonce la même conspiration dont les mobiles sont à jamais impénétrables. Rousseau aura beau organiser les indices qu'il aperçoit, il aura beau tenter de les lier en une chaîne cohérente, toujours il aboutit aux mêmes ténèbres.

« L'univers morbide de l'interprétateur, remarque le Dr Hesnard, est un monde de significations personnelles, un *univers significatif* [2]. » Et il précise : « Le malade perçoit cette signification personnelle bien avant de la raisonner. » Tel est le cas de Rousseau, à la fin de sa vie. L'interprétation fait partie de la perception même : percevoir la réalité et l'interpréter comme signe d'hostilité sont un seul et même acte. D'où la réaction instantanée de Jean-Jacques à l'apparition du signe. Ensuite intervient la longue rumination où il s'efforcera d'établir la concordance qui unit les signes et qui, derrière leur multiplicité, révèle l'existence d'un plan, d'un système, d'une ligue universels. Il y a toujours, à partir des signes instantanés, une longue séquence de raisonnements, par lesquels Rousseau s'efforce de remonter jusqu'à une machination cohérente et permanente. Mais la colora-

1. Phrases écrites sur des cartes à jouer. *Rêveries*, éd. Marcel Raymond (Genève, Droz, 1948), 173 ; voir *O. C.*, I, 1170.
2. Dr A. Hesnard, *L'Univers morbide de la faute* (Paris, P. U. F., 1949), 95-96.

tion hostile surgit d'emblée, dès l'instant de la perception : cette donnée initiale est à la fois décisive et incomplète : le signe révèle une *intention*, mais il n'en éclaire ni les causes, ni les origines. Le signe dévoile le mal, mais voile sa provenance.

L'on sait, par les *Rêveries* et par les témoins des dernières années de Rousseau, qu'il est capable de passer, imprévisiblement, de l'humeur la plus sombre à une gaieté presque enfantine. Autour de Jean-Jacques, le monde de la persécution n'existe que par intermittences, selon les lois d'une bizarre alternance. Mais comment se fait le brusque passage d'un état à l'autre ? Laissons Rousseau s'en expliquer :

> Toujours trop affecté des objets sensibles et surtout de ceux qui portent *signe* de plaisir ou de peine, de bienveillance ou d'aversion, je me laisse entraîner par ces impressions extérieures sans pouvoir souvent m'y dérober autrement que par la fuite. *Un signe, un geste, un coup d'œil* d'un inconnu suffit pour troubler mes plaisirs ou calmer mes peines : je ne suis à moi que quand je suis seul, hors de là je suis le jouet de tous ceux qui m'entourent [1].

Les brusques renversements d'affectivité sont donc des réponses à des signes; ils attestent une obéissance immédiate et presque mécanique au stimulus externe. Il suffira d'un signe et Jean-Jacques passe non seulement d'une humeur à une autre, mais d'un monde à un autre. Ainsi tout bascule autour d'une rencontre muette. Le signe a parlé avant que l'interlocuteur se soit expliqué : la parole et le discours s'efforceront en vain de changer la conviction de Jean-Jacques, les protestations ne serviront de rien. Passant devant l'École Militaire, il n'adresse pas la parole aux invalides mais se contente d'interpréter des signes : le salut qu'on lui adresse, l'œil dont on le regarde :

> Une de mes promenades favorites était autour de l'École Militaire et je rencontrais avec plaisir çà et là quelques invalides qui ayant conservé l'ancienne honnêteté militaire me saluaient en passant. Ce *salut* que mon cœur leur rendait au centuple me flattait et augmentait le plaisir que j'avais à les *voir*. Comme je ne sais rien cacher de ce qui me touche, je parlais souvent des invalides et de la façon dont leur aspect m'affectait. Il n'en fallut pas davantage. Au bout de quelque temps je m'aperçus que je n'étais plus un inconnu pour eux, ou plutôt que je le leur étais bien davantage puisqu'ils me voyaient du même *œil* que fait le public. Plus d'honnêteté, plus de salutations. Un *air* repoussant, un *regard* farouche avaient succédé à leur première urbanité. L'ancienne franchise

1. *Rêveries*, neuvième Promenade. *O. C.*, I, 1094.

de leur métier ne leur laissant pas comme aux autres couvrir leur animosité d'un masque ricaneur et traître, ils me *montrent* tout ouvertement la plus violente haine [1]...

Il n'en faut pas plus à Jean-Jacques pour conclure qu'*on* leur a donné des instructions.

L'éclaircie se décide quelquefois par la rencontre d'un visage content, d'une expression bienveillante. Mais la plupart du temps, les signes salutaires n'appartiennent plus à la catégorie des « signes naturels » ; Rousseau renonce à chercher sur les visages les signes qui annoncent la sympathie ou l'affection : à cet égard, il n'a plus d'espoir et ne veut plus rien attendre : « la ligue est universelle, sans exception, sans retour, et je suis sûr d'achever mes jours dans cette affreuse proscription sans en jamais pénétrer le mystère [2] ». Rousseau se tourne vers d'autres signes, dont nous n'avons encore rien dit jusqu'ici.

Il reste en effet une dernière catégorie de signes, qui ne sont ni des signes d'institution, ni des signes naturels. L'*Encyclopédie* les appelle : *signes accidentels* : ce sont « les objets que quelques circonstances particulières ont liés avec quelques-unes de nos idées, en sorte qu'ils sont propres à les réveiller ». (*Encyclopédie*, art. *Signe*.) Grâce au signe accidentel, un bonheur passé peut ressusciter. Jean-Jacques peut se réfugier dans sa mémoire, goûter la pure *présence* du souvenir en se rendant *absent* pour le reste des hommes. Il demande un asile à son passé, dont le « signe accidentel » sera la clé magique. Le signe accidentel n'annonce pas une réalité extérieure, il réveille des images intérieures.

De fait, Jean-Jacques ne parle pas de « signe accidentel », mais, plus suggestivement, il parle de *signe mémoratif*, ou de *mémoratif* tout court. La musique agit comme mémoratif : Rousseau mentionne, dans le *Dictionnaire de Musique*, ce pouvoir de réminiscence, à propos du *ranz des vaches* :

Ces effets, qui n'ont aucun lieu sur les étrangers, ne viennent que de l'habitude, des souvenirs, de mille circonstances qui, retracées par cet air à ceux qui l'entendent, et leur rappelant leur pays, leurs anciens plaisirs, leur jeunesse et toutes leurs façons de vivre, excitent en eux une douleur amère d'avoir perdu tout cela. La musique alors n'agit point précisément comme musique, mais comme signe mémoratif [3].

1. *Op. cit.*, 1095-1096.
2. *Rêveries*, huitième Promenade. *O. C.*, I, 1077.
3. *Dictionnaire de Musique*, Musique. *O. C.*, (Paris, Furne, 1835), III, 744. Sur la mémoire et les « signes mémoratifs », il faut se reporter à l'essai que Georges Poulet consacre à Rousseau dans les *Études sur le temps humain* Paris, Plon, (1950).

Ainsi Jean-Jacques se chantera, « d'une voix déjà toute cassée et tremblante », les airs qu'il a appris de sa tante, et qu'un demi-oubli rend plus précieux encore. Et qu'est-ce qu'un herbier, sinon un mémoratif ?

Pour bien reconnaître une plante, il faut commencer par la voir sur pied. Les herbiers servent de *mémoratif* pour celles qu'on a déjà connues [1]...

L'on herborise inutilement dans un herbier et surtout dans un moussier, si l'on n'a commencé par herboriser sur la terre. Ces sortes de recueils doivent servir seulement de *mémoratifs* [2]...

Or l'herbier n'est pas seulement le mémoratif de la plante réelle. La fleur desséchée est le « signe accidentel » qui réveille le paysage, la journée, la lumière, la bienheureuse solitude de la promenade où elle fut cueillie. Elle est le signe qui permet au bonheur révolu de redevenir un sentiment immédiat. Sauvant de l'oubli ce fragment du passé, elle établit en arrière du moment présent une perspective de transparence indestructible. Sur la page de l'herbier, non seulement la plante affirme son type *sub specie æternitatis*, mais elle est aussi la permanente répétition de l'heure, du jour, de la circonstance où Jean-Jacques l'a rencontrée. Dans un monde obsessionnel, elle est l'un des rares signes qui ne se transforme pas aussitôt en obstacle, mais qui devienne la clé d'un *espace ouvert*, d'un espace intérieur où revit l'espace accueillant de la nature :

Je ne reverrai plus ces beaux paysages, ces forêts, ces lacs, ces bosquets, ces rochers, ces montagnes dont l'aspect a toujours touché mon cœur : mais maintenant que je ne peux plus courir ces heureuses contrées, je n'ai qu'à ouvrir mon herbier et bientôt il m'y transporte. Les fragments des plantes que j'y ai cueillies suffisent pour me rappeler tout ce magnifique spectacle. Cet herbier est pour moi un journal d'herborisations, qui me les fait recommencer avec un nouveau charme et produit l'effet d'une optique qui les peindrait derechef à mes yeux [3].

Tout se passe donc comme si, à côté des signes qui font de Rousseau un prisonnier, il y en avait d'autres qui lui ouvrent des possibilités d'évasion. Pour ce solitaire qui n'écoute plus les discours des hommes, l'univers s'obscurcit ou s'éclaircit magiquement au passage des signes, comme un paysage sur lequel les nuages font des ombres intermittentes. Ainsi le

1. *Lettres élémentaires sur la botanique*. *O. C.*, IV, 1191.
2. *Lettres sur la botanique*. *O. C.* (Paris, Furne, 1835), III, 395-396.
3. *Rêveries*, septième Promenade. *O. C.*, I, 1073.

monde possède une double structure ; tour à tour se manifestent un réseau de signes néfastes, et un réseau de signes bénéfiques.

Mais c'est dans le regard de Jean-Jacques que passe le nuage. S'il y a, dans le monde, deux catégories de signes, c'est qu'il y a, chez Rousseau, deux attitudes interprétatives, lesquelles, en s'appliquant parfois au même être ou au même objet, leur attribuent tour à tour des significations diamétralement opposées. Sans que rien n'ait changé dans l'objet lui-même, une métamorphose se produit, qui en bouleverse le message. Parce que l'ombre a passé dans le regard de Jean-Jacques, un signe faste est devenu néfaste.

En voici une illustration saisissante. Rousseau cherche une personne sûre à qui remettre le manuscrit des *Dialogues*. Par hasard, il reçoit la visite d'un jeune Anglais, qu'il a eu pour voisin à Wootton :

> Je fis comme tous les malheureux qui croient voir dans tout ce qui leur arrive une expresse direction du sort. Je me dis : voilà le dépositaire que la Providence m'a choisi ; c'est elle qui me l'envoie... Tout cela me parut si clair que, croyant voir le doigt de Dieu dans cette occasion fortuite, je me pressai de la saisir [1].

Mais, à la réflexion, le signe providentiel s'obscurcit. Derrière le passage de Brooke Boothby, Rousseau ne voit plus le doigt de Dieu, mais les noirs complots de ses ennemis. Dans un cas comme dans l'autre, il faut que l'étranger ait été conduit par une force *cachée*. Sa visite n'a aucun sens en elle-même : elle est signe d'*autre chose* ; elle annonce une intention transcendante. Et Rousseau prend parti pour le pire : « Et pouvais-je ignorer que depuis longtemps nul ne m'approche qui ne me soit expressément envoyé, et que me confier aux gens qui m'entourent c'est me livrer à mes ennemis [2] ? » Évidence non moins claire que ne l'avait été d'abord la mission providentielle du visiteur.

Rousseau croit que le signe parle ; il ne sait pas, ne veut pas savoir que c'est lui-même qui a déjà décidé de la signification. Qu'on relise l'épisode de Mme Basile. Quelle est la *vraie* signification du « signe du doigt » de la jeune femme ? Dans le récit rapporté par Bernardin, c'est le geste d'une femme offensée ; selon les *Confessions*, c'est une déclaration muette. Dans un texte comme dans l'autre, le signe a une valeur indubitable, et son sens est donné pour certain. Mais

1. *Dialogues, histoire du précédent écrit. O. C.*, I, 983.
2. *Op. cit.*, 984.

c'est Jean-Jacques qui en décide, dans le sens favorable ou défavorable. La valeur absolue du signe n'a pas sa source dans l'objet même, mais dans un acte de foi de Jean-Jacques, qui souhaite vivre à l'intérieur d'un univers *fatidique*. S'il reconnaissait qu'il est libre d'interpréter les signes à sa guise, le monde sous ses yeux resterait ambigu : il n'y rencontrerait jamais ni le bien absolu, ni le mal absolu, mais la possibilité du bien et la possibilité du mal. Or Rousseau veut le oui ou le non, le tout ou le rien. Il veut que les signes portent un sens arrêté, *sans appel*.

L'autorité qu'il donne aux signes, il l'enlève à sa propre liberté. Il éprouve un souverain repos à s'en remettre à une décision qui provient tout entière d'une volonté extérieure, cette volonté fût-elle persécutrice. Si la Providence, si Dieu a fait connaître son décret, il ne reste qu'à l'accepter humblement, ou à résister sur place ; il ne rispostera pas : « Sa force n'est pas dans l'action, mais dans la résistance [1]. » Rousseau se trouve alors délivré du tourment de l'action, du choix à faire entre les sens possibles que le monde lui propose. Il vit son interprétation des signes comme si elle n'était pas son œuvre, mais lui était imposée du dehors ; dès lors, sa responsabilité est dégagée, il n'a plus à interroger davantage le monde extérieur, il peut se replier sur le sentiment que provoquent *en lui* les signes apparus *autour de lui*. Combien révélateur, ce moment, aux Charmettes, où Rousseau demande aux signes s'il sera damné ou sauvé :

> Je m'exerçais machinalement à lancer des pierres contre les troncs des arbres, et cela avec mon adresse ordinaire, c'est-à-dire sans presque en toucher aucun. Tout au milieu de ce bel exercice, je m'avisai de m'en faire une espèce de pronostic pour calmer mon inquiétude. Je me dis, je m'en vais jeter cette pierre contre l'arbre qui est vis-à-vis de moi. Si je le touche, *signe de salut* ; si je le manque, *signe de damnation*. Tout en disant ainsi je jette ma pierre d'une main tremblante et avec un horrible battement de cœur, mais si heureusement qu'elle va frapper au beau milieu de l'arbre ; ce qui véritablement n'était pas difficile ; car j'avais eu soin de le choisir fort gros et fort près. Depuis lors je n'ai plus douté de mon salut. Je ne sais en me rappelant ce trait, si je dois rire ou gémir sur moi-même [2].

Comme pour son coup de folie devant le retard de l'impression de l'*Émile*, Jean-Jacques critique ici une conduite qu'il adoptera plus tard sans aucune critique. Cette page est symptomatique de son attitude à l'égard des signes : il attend une

1. *Dialogues*, II. *O. C.*, I, 818.
2. *Confessions*, liv. VI. *O. C.*, I, 243.

réponse qui puisse *calmer son inquiétude*. Et ce qui calmera son inquiétude, ce n'est pas que la réponse soit favorable, c'est simplement qu'il y ait une réponse décisive. Il est clair que Jean-Jacques, en provoquant le jugement de Dieu, cherche à transformer un acte dont il a pris l'initiative en un signe qui lui annoncerait une volonté transcendante. C'est son propre geste, mais c'est aussitôt Dieu qui parle, qui s'empare du geste et en dépossède Jean-Jacques. Le caillou parti de sa main, en touchant l'arbre, est un signe qui *vient* vers Jean-Jacques ; la direction s'est inversée, la main a oublié qu'elle a jeté la pierre, et c'est désormais Dieu qui a tout fait. « Les signes sont, du commencement des âges, la langue des dieux », écrit Hölderlin dans son ode à Rousseau. Oui, Jean-Jacques veut écouter le langage des dieux. Et si les dieux se taisent, il est prêt à les provoquer, à leur demander la réponse qui apaisera son inquiétude : tu es sauvé, tu es damné. Mais qui parle ? Ce n'est pas Dieu, c'est l'écho de Jean-Jacques, dressé en absolu.

Pour avoir voulu mieux que la communication humaine conventionnelle, ne se trouve-t-il pas condamné à subir l'absence de communication ? Ne devient-il pas le prisonnier d'un réseau de signes qui, au lieu de lui annoncer le monde, au lieu de lui révéler l'âme des autres, lui renvoient sa propre angoisse, ou le ramènent à son propre passé ? Tel semble en effet avoir été, pour Rousseau, le pouvoir des signes : au lieu de lui donner accès au monde, ils ont été (comme pour Narcisse la surface du miroir) l'instrument par lequel le moi devient magiquement l'esclave de son propre reflet.

LA COMMUNICATION AMOUREUSE

L'expérience sexuelle, chez Jean-Jacques, est restée longtemps en deçà du problème de la communication. S'il faut en croire les *Confessions*, le désir s'est manifesté d'abord comme une inquiétude sans objet, incapable de convoiter une réalité précise et d'en rechercher la possession. C'est une effervescence, une ardeur qui ne vise rien, ou qui vise trop de choses hors d'elle-même. Le désir ne se connaît même pas comme désir, mais comme *trouble*. C'est une anticipation obscure. Tout l'irrite et « l'enflamme », rien ne le satisfait, car l'appel d'une satisfaction déterminée n'existe pas encore. Pendant assez longtemps, semble-t-il, l'objet du désir est demeuré confondu avec l'ivresse du désir. Tout en pressentant des joies inconnues, Jean-Jacques se contente du plaisir inquiet de demeurer en état de désir, dans une émotion sensuelle parfaitement *aveugle*, à laquelle aucun objet extérieur ne répond ou ne correspond.

Mais très tôt, il se donnera des « sociétés imaginaires », il inventera des êtres selon son cœur, il rêvera des situations attendrissantes : il revit ainsi les romans sur lesquels il passait les nuits de son enfance... Il est prêt à s'en contenter : peu lui importe qu'il ait à faire tous les frais de ces conversations imaginaires. L'illusion, en ce domaine, vaut mieux que la réalité ; et comme la présence d'un être désirable n'est ici qu'une « cause occasionnelle », mieux vaut confier ce rôle à des créatures de pensée qui savent mieux s'effacer au moment voulu et laisser Jean-Jacques goûter en lui-même des attendrissements très précieux. Il y a toujours, dans les personnes réelles, trop d'opacité, trop de lourdeur, trop d'inattendu, à quoi il faut obvier et dont Rousseau ne sait que faire. Au demeurant, lorsqu'il se trouve en présence d'une personne qui l'émeut, il est immédiatement submergé par le sentiment, il n'a plus assez de lucidité et d'énergie pour entreprendre une conquête amoureuse ; il reste gauche et tremblant, et, à moins qu'il ne trouve son bonheur dans une entrevue silencieuse, à moins qu'il ne se contente de l'émotion « rapide comme l'éclair » que provoque la simple présence de l'être aimé, la possession lui échappe, et l'amour des personnes réelles conduit moins loin que l'amour des chimères. Combien préférables, les visions où des créatures parfaites s'offrent à lui! La joie qu'il en éprouve n'est-elle pas tout aussi réelle qu'en présence d'un être de chair? Si le monde de la rêverie est pour Rousseau un monde *idéal*, ce n'est pas seulement en raison de la beauté et de la perfection des êtres qu'il y fait vivre, mais, pour une grande part aussi, à cause de la facilité instantanée, de l'absence d'obstacles : Jean-Jacques peut demeurer immobile, tout s'offre à lui, rien ne doit être conquis de haute lutte. Car, sous leur forme imaginaire, la conquête amoureuse, les malheurs, les séparations, les retours ne sont rien d'autre que des images offertes, des dons miraculeux. Au reste, les satisfactions qu'il rêve ne sont pas toutes des possessions ; ce sont aussi des refus et des sacrifices, car rien n'est plus délicieux que l'émotion d'un cœur qui renonce par vertu, et la frustration imaginaire peut faire couler de très douces larmes. Il adviendra donc, dans ces rêves diurnes, que Rousseau voie deux « charmantes cousines » (et avec elles l'image de Mlle de Graffenried et de Mlle Galley) se jeter dans ses bras, mais il saura vertueusement s'éloigner de l'une et de l'autre...

Ce qui rend la rêverie délicieuse, c'est que tout s'y *donne* : tous les actes y sont mimés par l'imagination, sur fond d'absence, le seul résidu réel étant le sentiment qui bouleverse l'âme de Jean-Jacques. Point d'action effective ; il n'a qu'à accueillir sa rêverie, et il se rêve accueilli par une « société intime ». Accueillir, être accueilli, une équivalence et une réversibilité relient ces deux situations : les choses et les êtres *viennent* à Jean-Jacques, sans qu'il ait à les conquérir. (Nous l'avons vu, *être accueilli* a la préférence de Rousseau ; il se pense et se sent originellement un être exclu, privé de tendresse maternelle, errant au-dehors des murs ; et il attend que les princesses le reçoivent, en lui offrant au surplus leur intimité, leur monde, leur demeure, leur lit. Au vrai, ce besoin d'un repli dans une intimité offerte fait suite à un autre mouvement où la part de l'imaginaire n'est pas moins grande, mouvement par lequel Jean-Jacques a fait d'abord de lui un exclu, un exilé, un errant. On voit alterner deux élans, l'un par lequel Jean-Jacques se jette « dans le vaste espace du monde [1] » ; l'autre, par lequel plaintivement il implore l'accueil, la chaleur consolante, la punition et le pardon pour ses erreurs d'enfant prodigue.)

Jean-Jacques a donc attendu que Mme de Warens ou Mme de Larnage aient pris l'initiative, fait les avances décisives : il se laisse conquérir, à la façon d'une femme :

> Jamais... je n'ai pu parvenir à faire une proposition lascive, que celle à qui je la faisais ne m'y ait en quelque sorte contraint par ses avances [2].

Mais il ne lui en fallait pas autant : il était déjà heureux, en présence de « maman », avant qu'elle n'ait songé à se donner à lui. En deçà de la possession sexuelle, Jean-Jacques goûtait une plénitude parfaitement suffisante :

> Je n'avais ni transports ni désirs auprès d'elle : j'étais dans un calme ravissant, jouissant sans savoir de quoi [3].

Il est, d'ailleurs, tout prêt à s'en tenir à des satisfactions symboliques (dont quelques-unes de type « oral ») :

> Combien de fois j'ai baisé mon lit en songeant qu'elle y avait couché, mes rideaux, tous les meubles de ma chambre, en songeant qu'ils étaient à elle, que sa belle main les avait touchés, le plancher même sur lequel je me prosternais en songeant qu'elle y avait marché. Quelquefois même

1. *Confessions*, liv. II. *O. C.*, I, 45.
2. *Confessions*, liv. III. *O. C.*, I, 88
3. *Op cit.*, 107.

en sa présence il m'échappait des extravagances que le plus violent amour seul semblait pouvoir inspirer. Un jour à table, au moment qu'elle avait mis un morceau dans sa bouche, je m'écrie que j'y vois un cheveu : elle rejette le morceau sur son assiette, je m'en saisis avidement et l'avale. En un mot, de moi à l'amant le plus passionné il n'y avait qu'une différence unique, mais essentielle, et qui rend mon état presque inconcevable à la raison [1].

Mais une fois devenu l'amant de Mme de Warens, Jean-Jacques s'élance aussitôt vers un au-delà de l'amour charnel. Ce qui compte, dans leur amour, n'est pas le commerce des sens, mais quelque chose de très semblable au bonheur que Rousseau éprouvait auparavant : leur « possession mutuelle » n'est point « celle de l'amour, mais une possession plus essentielle qui, sans tenir aux sens, au sexe, à l'âge, à la figure tenait à tout ce par quoi l'on est soi, et qu'on ne peut perdre qu'en cessant d'être [2] ». Possession *immédiate*, qui unit des êtres sans passer par les sens et les corps.

L'EXHIBITIONNISME

Rien n'est plus révélateur que certaines formes extrêmes du comportement de Rousseau. Aux yeux d'une critique soucieuse d'atteindre sinon à la totalité d'une œuvre et d'un écrivain, du moins aux principes qui rendent l'ensemble intelligible, les anomalies sexuelles de Rousseau, consignées dans l'œuvre elle-même, contribuent au *sens* de la totalité, au même titre que les échafaudages de pensée théorique. Pas plus qu'il n'est question de réduire l'idéologie de Rousseau à ses bases sentimentales, il n'est possible de limiter la vie « intime » à la pure anecdote : le vécu, explicitement repris dans l'œuvre, ne peut rester pour nous une donnée marginale. L'exhibitionnisme a été une phase aberrante du comportement sexuel de Jean-Jacques ; mais, sous une forme transposée, il est au principe même d'une œuvre comme les *Confessions*. Rien n'autorise, certes, une interprétation régressive (dont la psychanalyse courante est coutumière) qui ramènerait les *Confessions* à n'être qu'une variante plus ou moins sublimée de l'exhibitionnisme juvénile de Jean-Jacques. A cette méthode régressive, nous préférons une interprétation « prospective », qui cherche à déceler, dans l'événement ou l'attitude chronologiquement antérieurs, des intentions, des choix, des désirs dont le sens dépasse la circonstance qui les a rendus manifestes

1. *Op. cit.*, 108.
2. *Confessions*, liv. V. *O. C.*, I, 222.

pour la première fois. Même sans savoir d'avance que l'exhibitionnisme de Jean-Jacques dans les « allées sombres » et les « réduits cachés » de Turin préfigure déjà la lecture publique des *Confessions*, une analyse de son comportement sexuel resterait incomplète si elle n'aboutissait pas à la mise en évidence d'un certain type de « relation au monde » qui conduira à la narration autobiographique. Le comportement érotique n'est pas une donnée fragmentaire ; il est une manifestation de l'individu total, et c'est comme tel qu'il doit être analysé [1]. Que ce soit pour le négliger ou pour en faire un sujet d'étude privilégié, on ne peut limiter l'exhibitionnisme à la « sphère » sexuelle : la personnalité entière s'y révèle, avec quelques-uns de ses « choix existentiels » fondamentaux. Au lieu donc de réduire l'œuvre littéraire à *n'être que* le déguisement d'une tendance infantile, l'analyse visera à découvrir, dans les faits premiers de la vie affective, ce qui les oblige à aller *jusqu'à* la forme littéraire, jusqu'à la pensée et à l'art.

Oui, tout semble vraiment commencer par la privation de l'amour maternel. « Je coûtai la vie à ma mère, et ma naissance fut le premier de mes malheurs [2] ». On a tout dit, ou presque, sur cette naissance qui a peut-être donné à Jean-Jacques le sentiment du péché d'exister. A partir de là, on peut construire une série d'explications qui s'agencent bien (et même trop bien). Le masochisme ? Un besoin de payer pour la faute d'être né. Mme de Warens ? L'évident désir du sein maternel. Les ménages à trois ? La recherche symbolique du pardon et de la protection paternels. La passivité, le narcissisme ? Conséquences d'une culpabilité, qui empêche Jean-Jacques de chercher des satisfactions « normales », c'est-à-dire de se poser en rival du père auprès des femmes. Le sentiment de l'existence, les extases, l'appétit de l'immédiat ? Un retour au ventre originel, dans une Nature apaisante. Et cette gourmandise pour les laitages [3] ? Le sens en est décidément beaucoup trop clair...

Mais expliquer une conduite par ses fins secrètes ou par ses premiers prétextes, ce n'est pas encore comprendre toute cette conduite. Il ne suffit pas, non plus, de montrer que

1. Cf. Maurice Merleau-Ponty, *Phénoménologie de la perception* (Paris, Gallimard, 1945), IIe partie, chap. V : « Le corps comme être sexué ».
2. *Confessions*, livre Ier. *O. C.*, I, 7.
3. Le laitage est un thème favori de la rêverie érotique de Jean-Jacques. Sur la route de Turin, il imagine « sur les arbres, des fruits délicieux ; sous leur ombre, de voluptueux tête-à-tête ; sur les montagnes, *des cuves de lait et de crème.* » Et n'oublions pas cette curieuse scène du *Petit Savoyard*, dans le goût des vieilles pastourelles, où la jolie paysanne défend son honneur en vidant un vase de lait sur le jeune seigneur trop entreprenant. Celui-ci, « inondé et même blessé n'en devint que plus animé ». Quelle aubaine pour l'amateur de symboles !

la conscience s'oriente vers des fins symboliques, qu'elle substitue à l'objet premier de son désir. Il faut chercher l'essentiel là où l'intérieur rejoint l'extérieur : dans la manière dont une conscience se rapporte à ses fins, dans la structure propre de ce rapport. Alors seulement l'on s'approche de la réalité d'une pensée et d'une expérience vécue. C'est accepter une conception assez pauvre de la causalité psychologique, que d'admettre la toute-puissance d'un complexe (en l'occurrence, le complexe d'Œdipe) qui orienterait tous les aspects de la personnalité. Le complexe est souvent allégué comme s'il était doué d'une énergie autonome et distincte, alors que la vie psychique réelle est, dès l'origine, une activité de la personne au contact du « milieu » environnant. Le moment capital d'un comportement n'est ni dans ses mobiles inconscients, ni dans ses visées conscientes, mais au point où une *action* met en œuvre conjointement les mobiles et les visées, en d'autres termes, au point où l'homme s'engage dans une aventure où il devra *inventer* les formes de son désir. Une telle perspective, dans le cas de Rousseau, nous oblige à tenir compte non seulement de ce qu'il convoite (consciemment ou symboliquement) mais surtout de la façon dont il se dirige vers la satisfaction désirée, de son « style d'approche »...

Rousseau donne mille exemples de bouleversements instantanés. On trouve juxtaposés, dans les *Confessions*, des moments si contraires qu'ils paraissent appartenir à des personnalités différentes. Et ce qui frappe surtout, en certaines circonstances, c'est l'apparent oubli de l'épisode immédiatement antécédent, dont l'importance paraissait capitale et qui soudain semble ne plus compter pour rien. Le passage du deuxième au troisième livre des *Confessions* en est un témoignage assez frappant. Le deuxième livre s'achève sur l'affaire du ruban volé et sur la dénonciation mensongère par laquelle Jean-Jacques fait renvoyer la pauvre Marion ; et Rousseau nous assure que ce « crime » lui a laissé, pour le reste de sa vie, une « impression terrible ». Mais le troisième livre débute à la page suivante, où Jean-Jacques décrit ses sentiments dans les semaines consécutives au « crime » : nous n'y trouverons pas le moindre écho de l'épisode précédent, rien qui s'y rattache par un lien de conséquence. Tout se passe comme si Jean-Jacques avait « bu l'eau de l'oubli », refusant d'appartenir à son passé, pour se donner tout entier à son désir présent :

J'étais inquiet, distrait, rêveur ; je pleurais, je soupirais, je désirais un bonheur dont je n'avais pas l'idée, et dont je sentais pourtant la privation. Cet état ne peut se décrire ; et peu d'hommes même le peuvent imaginer, parce que la plupart ont prévenu cette plénitude de vie, à la fois tourmentante et délicieuse qui, dans l'ivresse du désir, donne un avant-goût de la jouissance. Mon sang allumé remplissait incessamment mon cerveau de filles et de femmes : mais, n'en sentant pas le véritable usage, je les occupais *bizarrement* en idée à mes fantaisies sans en savoir rien faire de plus [1]...

Or ces fantaisies lui décrivent le traitement infligé par Mlle Lambercier, agression ambivalente qui est à la fois punition et satisfaction érotique. On peut se demander si l'imagination de la punition n'est pas, d'une certaine façon, une réponse « inconsciente » à la faute commise envers Marion. D'ailleurs la faute, elle aussi, était un acte ambivalent : en dénonçant Marion, il lui prouvait son amour, il lui faisait presque une déclaration : « Lorsque je chargeai cette malheureuse fille, il est *bizarre*, mais il est vrai que mon amitié pour elle en fut la cause. Elle était présente à ma pensée, je m'excusai sur le premier objet qui s'offrit. Je l'accusai d'avoir fait ce que je voulais faire et de m'avoir donné le ruban parce que mon intention était de le lui donner [2]. » On aperçoit ici un lien secret entre des moments qui ne sont unis par aucune continuité explicite. La rupture a beau être abrupte entre la narration du « crime » et le récit de l'obsession érotique ; la seule similitude apparente, entre les deux passages, a beau n'être que la présence du mot *bizarre;* l'on discerne, dans les rêveries masochistes de Jean-Jacques, tout ce qui revêt le sens d'une *réaction* à la situation sadique qui les a précédées. L'effervescence de la libido est une réaction à la mort de Mme de Vercellis, et, quant aux fantaisies punitives qui mettent en scène des filles très décidées à fesser Jean-Jacques, autant dire qu'elles mettent en scène une Marion-Lambercier prenant voluptueusement sa vengeance : réaction à la fois perverse et « morale », qui compense la faute par le châtiment imaginaire, et qui complète la déclaration d'amour sadique par le consentement d'un partenaire punisseur.

Ici commence l'épisode d'exhibitionnisme. Jean-Jacques voudrait passer du rêve à la réalité et recevoir le traitement qu'il a imaginé dans ses fantaisies. Mais il ne sait ni ne veut franchir la distance qui le sépare des femmes réelles. Il n'ose demander ce qu'il désire. Et comment pourrait-il le demander sans compromettre la possibilité de la satisfaction? Car ce qu'il souhaite, c'est précisément que les femmes prennent toute

1. *Confessions*, liv. III. *O. C.*, I, 88.
2. *Confessions*, liv. II. *O. C.*, I, 86.

l'*initiative* à son égard. L'événement le plus désirable, pour Jean-Jacques, c'est celui où il pourrait rester immobile, et où la femme viendrait à lui pour le frapper et le renvoyer à la sensation délicieusement humiliée de son propre corps. Par honte, Jean-Jacques ne peut nommer ce qu'il voudrait subir : il essaiera seulement de provoquer « le traitement désiré », sans prononcer une seule parole, sans formuler son désir. Il se contentera de « s'exposer aux personnes du sexe dans l'état où il aurait voulu pouvoir être auprès d'elles [1] ». La satisfaction qu'attend Rousseau ne consiste donc nullement dans l'acte d'exhibition, mais dans le voluptueux châtiment qui devrait lui faire suite. L'exhibitionnisme n'est que la forme silencieuse d'une demande que Jean-Jacques a honte d'énoncer en termes explicites. C'est une modalité pathologique du recours aux signes ! Tout ce que Jean-Jacques sait faire pour atteindre la jouissance convoitée, c'est de s'offrir en silence. Son rôle s'arrête là, il ne sait rien entreprendre au-delà : le reste doit venir du dehors. Le seul geste dont Rousseau soit capable s'arrête à lui-même :

Il n'y avait de là plus qu'un pas à faire pour sentir le traitement désiré [2].

Mais ce pas, il appartient à « quelque résolue » de l'accomplir. Jean-Jacques, pour sa part, ne bougera pas et tout son courage ne dépassera pas « l'audace d'attendre [3] ». La figure grotesque de la punition castratrice apparaîtra sous l'aspect du « grand homme, portant une grande moustache, un grand chapeau, un grand sabre ».

A travers le récit moqueur des *Confessions* tout cela semble assez dérisoire. Cependant l'aveu est ici d'une portée singulière. Il rend manifeste une tendance qui, bien que nous l'ayons déjà rencontrée précédemment, ne nous était jamais apparue aussi nettement : l'appel à l'efficacité *magique* de la présence. Jean-Jacques croit qu'il lui suffit de « s'exposer » pour exercer une fascination autour de lui. Et il recourt, dans ce but, à la puissance de fascination de la nudité « ridicule ». Répétons-le, Rousseau vise une tout autre fin que le plaisir de se montrer. L'exhibitionnisme n'est pour lui qu'un moyen : plus précisément, c'est le seul moyen dont Rousseau soit capable, et il se trouve que ce moyen consiste en un refus de tous les moyens « normaux », en un recours à la *séduction*

1. *Confessions*, liv. III. *O. C.*, I, 89.
2. *Ibid.*
3. *Ibid.*

immédiate. Sans doute y a-t-il chez Jean-Jacques une volonté d'agir sur les autres, mais dans sa volonté d'action, il est incapable de sortir de lui-même : l'exhibitionnisme représente la limite extrême d'une action qui se porte vers le dehors sans néanmoins consentir à s'engager agressivement parmi les obstacles du monde extérieur. Il s'agit bien d'atteindre les autres, mais sans se quitter soi-même, en se contentant d'être soi et de se montrer tel qu'on est. Seule alors une puissance magique peut franchir la distance que l'on refuse de traverser par une action réelle sur le monde et sur les autres.

Mais cette tentative est un échec : il n'est pas si aisé de provoquer « le traitement désiré », ni même d'attirer l'attention. L'échec renvoie Jean-Jacques à lui-même et à la conscience de sa solitude. (Moment propice pour les leçons du Vicaire savoyard ou de M. Gaime.) Narcisse découvre alors sa propre image, et la préfère. Il s'enferme à nouveau dans la rêverie, mais dans une rêverie qui sait désormais qu'elle ne peut passer *simplement* de l'imaginaire au réel. Reste la possibilité d'adhérer à l'imaginaire, de s'y enfoncer sans réserve. « Je pris le parti d'écrire et de me cacher. » Dans l'ordre érotique, Jean-Jacques adopte le même parti :

> Je me souviens qu'une fois Mme de Luxembourg me parlait en raillant d'un homme qui quittait sa maîtresse pour lui écrire. Je lui dis que j'aurais bien été cet homme-là, et j'aurais pu ajouter que je l'avais été quelquefois [1].

Lui écrire. Cela veut dire se séparer de la personne aimée (ou convoitée) afin de s'entretenir avec son image, et avec soi-même ; mais cela veut dire aussi : s'entretenir avec soi-même afin de s'offrir à l'amour dans des mots, dans des phrases, dans des images, qui sauront peut-être exercer une fascination plus puissante que ne l'avait fait la simple présence physique.

Reconnaissons, dans ce repli vers l'imaginaire et vers l'intimité du moi, quelque chose d'ambigu. D'une part, pour Rousseau, c'est un retour à l'indépendance totale, à la suffisance parfaite du sentiment immédiat. Mais, objectivement, pour nous, il y a là un détour en vue de capter les regards par des moyens que la présence physique, à elle seule, ne possédait pas. En faisant appel au langage, l'âme *unique* de Jean-Jacques recourt à la médiation de l'universel pour mieux se manifester dans sa singularité et dans son hostilité au reste du monde. Jean-Jacques utilise *en fait* la médiation, tout en croyant rester fidèle à l'immédiat.

1. *Confessions*, liv. V. *O. C.*, I, 181.

Tel semble être le projet de Jean-Jacques : devenir attirant par une exaltation où le moi ne quitte pas son rêve et ses fictions. Séduire, mais sans se déprendre de soi-même, sans que le désir ait à sacrifier son ivresse immédiate. Obtenir l'attention, la sympathie, la passion des autres, mais sans rien faire que de s'abandonner à la séduction de ses chères rêveries. Ainsi il sera un séducteur séduit ; séducteur parce qu'il est séduit ; fascinant l'auditoire parce que son regard est détourné vers la fascination d'un spectacle intérieur.

Le double jeu est évident : quand Rousseau s'expose aux yeux des autres, nous lisons clairement dans son geste l'intention de provoquer la réponse dont il a besoin ; mais il provoque cette réponse comme s'il n'avait rien fait pour qu'elle se produise, comme s'il ne l'avait ni désirée ni cherchée, et comme si elle survenait spontanément, par un étrange caprice du hasard. Il feindra quelquefois de s'étonner. Il n'a fait que s'exprimer à haute voix, pour répondre à l'appel intérieur du devoir (ou de la vérité, ou du plaisir) et voici qu'on s'acharne à le contredire, ou à le cajoler : il n'en a cure, il n'a pas mérité pareil honneur, il n'avait voulu qu'être soi... L'immédiat de la vie intérieure est son alibi, son asile ; mais c'est aussi le moyen de se dispenser des moyens par lesquels il faut normalement passer pour rejoindre les autres. Jean-Jacques espère se faire aimer sans faire autre chose que d'être soi ; il veut, tout en restant intérieur à soi, attirer la sollicitude aimante et le dévouement tendre. On dira — et on a dit — qu'il y a là de l'hypocrisie et de la mauvaise foi ; Rousseau ne prend pas sur lui les risques et l'effort de dépassement qu'exige une communication authentique avec le prochain : il perd ainsi la vérité de son contact avec autrui. Mais il perd aussi la vérité de son sentiment, puisqu'il n'a point de sentiment qui ne soit, ouvertement ou secrètement, destiné à être manifesté *devant témoins* : il est innocent, il est sincère, il est résigné, il est accablé *aux yeux de l'Europe entière.* Pour n'avoir pas voulu accomplir les démarches décisives de l'action médiatrice, pour ne s'être pas engagé franchement dans le dur univers des moyens, Jean-Jacques perd à la fois la pureté du sentiment immédiat et la possibilité de la communication concrète avec les autres. Cette double perte le définit comme un *écrivain.*

Il ne compose des livres et des opéras que pour se consoler, pour converser avec ses chimères. Mais il compte bien que cette activité qui l'enferme en lui-même lui vaudra l'admiration émue de ses contemporains. Plongé dans ses rêveries, et sans rien faire apparemment pour traverser la distance, il obtient ce qu'il désire : que les autres dirigent leurs regards sur lui, viennent à lui troublés et confondus. Il n'a pas visé *purement* à l'art, car il a trop songé à l'effet qu'il exercerait sur les âmes sensibles. Mais d'autre part il n'a pas eu à franchir le vrai chemin qui mène aux cœurs, il n'a pas eu à subir et à traverser les mortels espaces intermédiaires, car il ne s'est pas préoccupé d'établir et de maintenir des *liens* réels avec autrui.

Ainsi se constitue une magie de la *représentation*, dont l'effet sera autrement puissant que la magie de la présence, sur laquelle Jean-Jacques avait d'abord compté. Il a écrit *Le Devin* et *La Nouvelle Héloïse*, il s'est enchanté de ses propres visions, de sa propre musique, et voici que s'attachent à lui, de façon si imprévue et si désirée, les regards chargés de « délicieuses larmes » qu'il recueillera avidement. Jean-Jacques se sent présent, dans une image qui le représente, et qui fascine les auditrices : le plus précieux de sa gloire, au moment du succès du *Devin*, est une satisfaction amoureuse dont la nature n'est pas très différente de celle qu'il attendait, à seize ans, en s'exhibant dans les allées et les « réduits » de Turin. Jean-Jacques se montre ; mais cette fois il se montre dans son œuvre (qui est le rêve de son âme innocente et tendre) ; il peut rester immobile, il lui suffit d'avoir « l'audace d'attendre » : la satisfaction amoureuse vient à lui. Au lieu de recevoir une punition voluptueuse, c'est lui qui fait naître des larmes et des soupirs. Le masochisme de la fessée est devenu le doux sadisme d'une tendresse pastorale :

> Je sentis tout le spectacle pâmé dans une ivresse à laquelle ma tête ne tint pas [1]... Je me livrai bientôt pleinement et sans distraction au plaisir de savourer ma gloire. Je suis pourtant sûr qu'en ce moment la volupté du sexe y entrait beaucoup plus que la vanité d'auteur, et sûrement s'il n'y eût eu là que des hommes, je n'aurais pas été dévoré, comme je l'étais sans cesse, du désir de recueillir de mes lèvres les délicieuses larmes que je faisais couler [2].

C'est un retour miraculeux. Jean-Jacques avait échoué quand il s'était *présenté* pour la première fois ; maintenant il réussit, au moment où il se *représente*.

Certes, Rousseau sait bien qu'un opéra n'imite les sentiments que de la manière la moins immédiate. Il ne se fera pas faute de le dire dans le *Dictionnaire de Musique* :

> Pour plaire constamment, et prévenir l'ennui, la musique doit s'élever au rang des arts d'imitation, mais son imitation n'est pas toujours

1. *Annales J.-J. Rousseau*, IV (1908), 228 ; voir *O. C.*, I, 1164.
2. *Confessions*, liv. VIII. *O. C.*, I, 379.

immédiate comme celle de la poésie et de la peinture ; la parole est le moyen par lequel la musique détermine le plus souvent l'objet dont elle nous offre l'image, et c'est par les sons touchants de la voix humaine que cette image éveille au fond du cœur les sentiments qu'elle doit y produire [1].

Mais le plaisir que goûte Rousseau au moment du succès du *Devin* ne passe plus par les paroles et les sons de l'œuvre qu'il a composée. Un événement érotique se produit, où les corps eux-mêmes ne comptent pas. Le bonheur réside dans une communication à distance. Quoique les regards des spectatrices soient tournés vers la scène, Jean-Jacques se sent le maître des cœurs. Ces femmes qui pleurent d'attendrissement sont à lui ; il ne voulait pas posséder leur corps, mais leur émotion, et il sait maintenant que leurs larmes lui appartiennent. Cette jouissance, obtenue de façon si indirecte, est cependant un plaisir immédiat, qui annule la lourde opacité des corps : seules les âmes se touchent dans ce contact. Rousseau est le Dionysos qui dispense une ivresse d'amour vertueux et d'égarement involontaire ; il a ses ménades autour de lui. On se passionne pour lui, et par lui. Sa puissance coïncide enfin avec sa présence, parce qu'il a su se faire infiniment absent, dans une musique qui chante la séduction de l'absence et le bonheur du retour.

Mais l'ivresse lyrique n'est pas la seule façon, pour Rousseau, de reconquérir la possibilité d'une présence séductrice. D'autres voies s'offrent à lui. En particulier, le recours à la supériorité réflexive, la prétention à l'héroïsme vertueux. N'y voyons pas seulement le dépassement — la sublimation — qui fait triompher la morale : cette conduite a pour effet de renforcer le prestige de la présence, en vue de satisfactions amoureuses assez singulières.

LE PRÉCEPTEUR

On a prétendu (c'est en particulier la thèse de René Laforgue) que l'amour à trois est pour Rousseau une occasion de revivre la situation du fils coupable, qui cherche à retrouver l'intimité perdue. Mais il faut ajouter que Rousseau s'efforce presque instantanément de surmonter la dépendance et l'infériorité que lui impose son statut d'intrus : il travaille à se donner la fonction du précepteur, c'est-à-dire du Maître, seul possesseur de la science du bonheur. Ainsi

1. *Dictionnaire de Musique. O. C.* (Paris, Furne, 1835), III, 810-811.

Jean-Jacques se posera en mentor protecteur, désireux de mieux unir Sophie d'Houdetot et Saint-Lambert. Il écrira à Sophie des *Lettres Morales*, pour lui apprendre l'amour-vertu, l'amour-sagesse. Ce qui reste alors à Jean-Jacques, c'est le plaisir d'être celui par lequel passe l'élan mutuel des amants. Il est le médiateur, tout en ne quittant pas le sentiment immédiat de sa propre bienveillance. En apparence, il ne veut plus rien posséder qui soit extérieur à lui-même. Il lui suffit que les amants aient besoin de lui pour se rejoindre. Il n'est ni l'amant ni l'aimé : il est la rencontre de ceux qui s'aiment, le « milieu » où leurs âmes entrent en contact. Ainsi, dans l'*Émile*, le gouverneur unit les mains des jeunes époux :

> Combien de fois contemplant en eux mon ouvrage, je me sens saisi d'un ravissement qui fait palpiter mon cœur! Combien de fois je joins leurs mains dans les miennes en bénissant la Providence et poussant d'ardents soupirs! Que de baisers j'applique sur ces deux mains qui se serrent! De combien de larmes de joie ils me les sentent arroser! Ils s'attendrissent à leur tour en partageant mes transports [1]...

Bizarre jouissance, qui veut être le reflet de la joie des amants, mais qui habite cette joie comme son œuvre. Le précepteur revendique sa place à la fois au centre du délire amoureux, et au-dehors. Il possède alors, simultanément, l'ivresse du contact et la liberté d'un dégagement parfait. Il jouit et il renonce. Il se livre à la sensation, mais il recule instantanément dans la réflexion.

L'amour à trois implique toujours, chez Rousseau, une ivresse et une transposition réflexive. Le héros rousseauiste est à la fois maître de sagesse et séducteur. Il trouble les âmes et les élève (il les trouble en les élevant). Il tient moins à posséder les corps qu'à fasciner les âmes et à devenir le confident des consciences [2].

Ainsi Rousseau déploie-t-il une magie séductrice qui ne se compromet pas dans l'acte amoureux. Cette magie n'est souvent pas séparable de l'exaltation vertueuse ; elles se renforcent l'une l'autre, et créent une équivoque dont on comprend qu'elle ait pu paraître impure. Milord Bomston, « aimé de deux maîtresses », oscille lui-même entre la folie passionnelle et la calme raison : il rend « furieuse » une ardente marquise, et, dans le même temps, il enseigne le repentir et la vertu à une petite courtisane romaine. Cela lui suffit : il ne

1. *Émile*, liv. V. *O. C.*, IV, 867.
2. On se reportera aussi à la tentative pédagogique pour éduquer Vintzenried (*Confessions*, liv. VI *O. C.*, I, 264-265).

possédera ni l'une ni l'autre. Il peut désormais s'aimer lui-même d'un amour narcissique, s'admirer sans réserve :

> Sa vertu lui donnait en lui-même une jouissance plus douce que celle de la beauté, et qui ne s'épuise pas comme elle. Plus heureux des plaisirs qu'il se refusait que le voluptueux n'est de ceux qu'il goûte, il aima plus longtemps, resta libre et jouit mieux de la vie que ceux qui l'usent [1].

Une double influence amoureuse est devenue le prétexte d'un double refus : Milord Édouard Bomston domine deux femmes qui le désirent toutes deux, mais il se garde hors d'atteinte. Ces femmes désirables auxquelles il renonce lui renvoient sa propre image, purifiée par le refus. Les amours de Milord Bomston se « réfléchissent » finalement sur lui-même, et l'aventure amoureuse aboutit à une reconquête de l'intégrité du moi, après l'orage intérieur et le tumulte de la passion. On ne peut même pas dire que tout retourne au sentiment intérieur, puisque rien n'a jamais quitté le domaine du sentiment. Comme dans la scène où le précepteur unit les mains d'Émile et de Sophie, la sagesse réflexive appelle la complicité de l'ivresse sensuelle, pour en jouir et pour s'en dégager tout aussitôt, au nom d'une liberté supérieure. Connivence assez louche, mais qui, à sa manière, représente une réconciliation du médiat et de l'immédiat, de la réflexion et de la sensation. Alors, l'homme de la réflexion capte son bonheur dans un domaine auquel il a apparamment renoncé ; il détourne, à son propre avantage, le bénéfice de la joie ou de la douleur sensuelles qu'il a provoquées en autrui et dont il ne veut pas dépendre. Tout en croyant préserver la pureté de la distance qu'il a prise à l'égard de la sensation, il redevient pour un instant une âme sensible, afin de dérober furtivement une émotion dont il jouira dans la solitude.

Tandis qu'Émile et Sophie s'engagent réciproquement, le précepteur s'introduit littéralement dans leur effusion ; ce bonheur est son œuvre ; il veut en jouir du dedans. Il garde cependant une attitude de supériorité indépendante : les jeunes gens lui *doivent* leur reconnaissance et leur affection, mais il ne leur doit rien en retour. Il se paie en participant à leur émotion amoureuse... Car la responsabilité de l'engagement pèsera tout entière sur Émile et Sophie. Le gouverneur, lui, conserve toute sa liberté, alors même qu'il se mêle indiscrètement à ce duo conjugal dont il connaîtra le plus intime, le plus pur, le plus suave (et aussi le plus doucereux) sans en assumer les servitudes matérielles. Mais combien de temps,

1. *Les Amours de milord Édouard Bomston. O. C.*, II, 760.

combien d'efforts il aura fallu d'abord mettre en œuvre, pour jouir de cet instant de supériorité attendrie! Le précepteur aura dû *faire* le bonheur des jeunes gens pour venir le recueillir souverainement. Que d'actions, que de moyens, que d'étapes intermédiaires, pour en arriver à ce moment de jouissance indépendante, à cette pure exaltation du prestige, à cette participation sans liens! Ici encore la magie de la présence ne peut s'accomplir qu'au prix d'un vaste détour et d'un progrès qui se déploie à l'aide de la réflexion médiatrice [1]. La séduction, ici, n'est plus celle qu'exerce Dionysos, mais celle d'un Socrate qui montre aux âmes le chemin qu'elles doivent suivre [2].

Et Thérèse? Elle permet à Jean-Jacques de ne pas se quitter, de ne pas sortir de lui-même. Elle lui assure « le *supplément* » dont il avait besoin [3]. Un supplément. Le mot est révélateur ; il s'était déjà rencontré, au troisième livre des *Confessions* : « J'appris ce dangereux *supplément* qui trompe la nature, et sauve aux jeunes gens de mon humeur beaucoup de désordres aux dépens de leur santé, de leur vigueur, et quelquefois de leur vie [4]. » Cette singulière similitude de

1. « Me voilà donc le confident de mes deux bonnes gens et le médiateur de leurs amours » (*Émile*, liv. V. *O. C.*, IV, 788). Il dira, à propos de Sophie et de Saint-Lambert : « Je trouvais aussi doux d'être le confident que l'objet de ses amours » (*Confessions*, liv. IX. *O. C.*, I, 462).

2. Sur Rousseau et Socrate, cf. Pierre Burgelin, *op. cit.*, 61-70. Hölderlin compare Rousseau à Dionysos dans l'hymne *Der Rhein*.

3. *Confessions*, liv. VII. *O. C.*, I, 332.

4. *Confessions*, liv. III. *O. C.*, I, 109. Pour la psychanalyse, l'auto-érotisme révèle la faiblesse des « relations d'objet ». C'est le moi (le plus souvent déguisé qui est l'objet véritable de l'énergie amoureuse de Jean-Jacques, au détriment de l'objet extérieur vers quoi s'oriente la sexualité normale. Dans la perspective psychanalytique, l'on est fondé à attribuer à une « fixation infantile » — voire même à une fixation « prégénitale » aux stades anal et oral — toute la structure de la vie amoureuse de Rousseau, et toute la culpabilité qui en découle. A partir de là, il ne serait pas malaisé de ramener à une commune origine les multiples aspects pathologiques du comportement de Jean-Jacques, sans en exclure les troubles urinaires, les sondages répétés (érotisme urétral réceptif), la robe d'Arménien (homosexualité latente), et même le délire systématique des dernières années.

Ce qui est singulièrement instructif, c'est de voir ici la rencontre possible de deux méthodes critiques, de deux types d'interprétation : là où, en termes freudiens, nous disons que le « choix de l'objet » se fixe sur le moi, nous pouvons dire aussi, en termes hégéliens, que la subjectivité refuse de « s'aliéner » dans une activité extérieure. Le narcissisme, la fixation infantile, sont les formules psychanalytiques qui correspondent au parti pris de l'immédiat.

Mais nous ne pouvons parle. du narcissisme de Jean-Jacques sans apporter aussitôt une précision : Narcisse a besoin d'images. Son désir ne se fixe ni sur le moi directement ni sur les autres, mais sur des figures imaginaires, sur des reflets, sur des fantasmes auxquels il attribue une illusoire indépendance. Dans la comédie écrite par Jean-Jacques, Valère ne devient vraiment Narcisse qu'au moment où il rencontre son portrait en travesti féminin, où il est incapable de se reconnaître lui-même. Il tombe amoureux d'une image qui est bien la sienne, mais qui mani-

termes nous montre ce que Rousseau trouvait en Thérèse : quelqu'un qu'il pût aisément identifier à sa propre chair, et en face de qui il n'eût jamais à se poser le problème de l'*autre*. Thérèse n'est pas la partenaire d'un dialogue, mais l'auxiliaire de l'existence physique. Auprès des autres femmes, Rousseau cherche le moment miraculeux où la présence du corps n'est plus un obstacle ; mais en Thérèse, il trouve un corps qui n'est même pas un obstacle.

feste une secrète féminité dont il n'est pas conscient. Cette méconnaissance de soi est la condition même qui rend possible le surgissement de la passion narcissique : « Valère est, par sa délicatesse et par l'affectation de sa parure, une espèce de femme cachée sous des habits d'homme ; et le portrait, ainsi travesti, semble moins le déguiser que le rendre à son état naturel » (*O. C.*, II, 977). L'importance du portrait est ici capitale. Car s'il révèle d'abord la féminité cachée de Valère, s'il est le stratagème grâce auquel l'auto-érotisme du jeune homme s'actualise frénétiquement et se manifeste à découvert, il provoque finalement la crise décisive grâce à laquelle Narcisse est délivré de son narcissisme et redevient Valère pour retourner (encore un retour!) à la tendre fiancée qu'il avait repoussée. Angélique finit par avoir raison du portrait : Narcisse a trouvé son « objet ».

Dans *La Nouvelle Héloïse*, le dévoilement de l'image — le portrait envoyé par Julie à Saint-Preux dans son exil parisien — s'accompagne d'un « délire » émotif aussi intense que la possession physique elle-même : « J'ai senti palpiter mon cœur à chaque papier que j'ôtais, et je me suis bientôt trouvé tellement oppressé que j'ai été forcé de respirer un moment sur la dernière enveloppe... Julie!... ô ma Julie!... le voile est déchiré... je te vois... je vois tes divins attraits! » (IIe partie, lettre XXII). Le portrait de Julie est un *mémoratif*, et chaque papier arraché abolit une épaisseur de temps. Saint-Preux se plonge dans l'extase d'une possession *au passé* : mais c'est l'objet, Julie, qui est à distance et au passé ; l'émotion de l'amant, elle, est bien au présent. Transparence actuelle d'un bonheur enfui, mais répété grâce à l'image ; jouissance douce-amère qui n'a besoin que de la présence *figurée* de l'objet aimé. Le portrait est en effet comme un *signe* total qui se serait détaché de Julie, et qui permettrait un contact magique entre les amants absents ; le portrait rétablit purement le *sentiment* de la présence, sans passer par la présence réelle des corps : « O Julie! s'il était vrai qu'il pût transmettre à tes sens le délire et l'illusion des miens!... Mais pourquoi ne le ferait-il pas? pourquoi les impressions que l'âme porte avec tant d'activité n'iraient-elles pas aussi loin qu'elle? »

Mais le portrait exige un artiste. Ce qui distingue Jean-Jacques d'un névrosé banal, c'est que le fantasme, loin de s'épuiser en lui-même, exige d'être développé dans un travail *réel*, provoque le désir d'écrire, veut séduire le public, etc.. Le parti pris de l'immédiat devient œuvre littéraire, et se trahit en se manifestant. Si bien que tout s'anime par la contradiction interne : le repos désiré devient mouvement, la jouissance de soi devient réflexion inquiète. Rousseau est projeté, malgré lui, dans le monde des moyens, et l'on est contraint d'admettre que, du moins dans le cas de cet homme exceptionnel, la *régression* pathologique de l'instinct n'est pas incompatible avec le *progrès* d'une pensée.

VII

LES PROBLÈMES DE L'AUTOBIOGRAPHIE

« Qui suis-je ? » La réponse à cette question est instantanée. « Je sens mon cœur [1]. » Tel est le privilège de la connaissance intuitive, qui est présence immédiate à soi-même, et qui se constitue tout entière dans un acte unique du sentiment. Pour Jean-Jacques, la connaissance de soi n'est pas un problème : c'est une donnée : « Passant ma vie avec moi, je dois me connaître [2]. »

Sans doute l'acte du sentiment qui fonde la connaissance de soi n'a-t-il jamais le même contenu. En chaque nouvelle circonstance, il est irréfutable, il est l'évidence même. Chaque fois la connaissance de soi en est à son commencement, la vérité se fait jour de façon primordiale. L'acte du sentiment est indéfiniment renouvelable ; mais sur le moment même son autorité est absolue, et acquiert une valeur inaugurale. Le moi se découvre et se possède d'un seul coup. Dans cet instant où il prend possession de lui-même, il révoque en doute tout ce qu'il savait ou croyait savoir à son propre sujet : l'image qu'il se faisait auparavant de sa vérité était trouble, incomplète, naïve. Maintenant seulement la lumière se fait, ou va se faire...

D'où la multiplicité de l'œuvre autobiographique de Rousseau. Il entreprend les *Dialogues* comme s'il ne s'était pas déjà peint dans les *Confessions*, où il prétendait avoir « tout dit ». Puis viennent les *Rêveries*, où tout est à recommencer : « Que suis-je moi-même ? Voilà ce qui me reste à chercher [3]. »

1. *Confessions*, liv. Ier. *O. C.*, I, 5.
2. Première lettre à Malesherbes. *O. C.*, I. 1133.
3. *Rêveries*, première Promenade. *O. C.*, I, 995.

A mesure que Jean-Jacques s'enfoncera dans son délire et perdra ses attaches avec les hommes, la connaissance de soi lui paraîtra plus complexe et plus difficile : « Le *connais-toi toi-même* du temple de Delphes » n'est « pas une maxime si facile à suivre que je l'avais cru dans mes *Confessions*[1]. » La connaissance est ardue, mais jamais au point que la vérité se dérobe, jamais au point de laisser la conscience sans ressource. L'introspection ne cesse jamais d'être possible, et si la vérité ne s'impose pas immédiatement, il suffira d'un « examen de conscience » pour venir à bout de toutes les obscurités, dans l'intervalle d'une promenade solitaire. Tout s'expliquera ; il parviendra à se voir tout entier, et à être « pour soi » ce qu'il est « en soi » : Rousseau, qui reconnaît à l'occasion l'étrangeté de certains de ses actes, ne les attribue jamais à des ténèbres essentielles, et n'y voit pas l'expression d'une part obscure de sa conscience ou de sa volonté. Ses actes insolites ne lui appartiennent qu'à demi ; il lui suffira de les narrer, et de les déclarer bizarres, comme si la confession épuisait leur mystère. Pour Jean-Jacques, le spectacle de sa propre conscience doit toujours être un spectacle sans ombre : c'est là un postulat qui ne souffre pas d'exception. Certes il arrive à Rousseau de se troubler devant lui-même, et de constater une moindre clarté : « Les vrais et premiers motifs de la plupart de mes actions ne me sont pas aussi clairs à moi-même que je me l'étais longtemps figuré. » Mais la suite de ce même texte (*Rêveries*, sixième Promenade), loin d'insister sur le défaut de clarté intérieure, se présentera au contraire comme une élucidation parfaite de ce qui, au départ, semblait manquer d'évidence. Si nous voyons quelquefois la méditation de Rousseau partir d'un aveu d'ignorance de soi, jamais nous ne le voyons *aboutir* à pareil aveu. Les lacunes de sa mémoire ne l'inquiéteront pas : jamais il ne se dira, comme Proust, que l'événement oublié cache une vérité essentielle. Pour Rousseau, ce qui échappe à sa mémoire n'a pas d'importance ; ce ne peut être que de l'inessentiel. Il y a chez lui, à cet égard, un optimisme qui ne se dément jamais, et qui compte fermement sur la pleine possession d'une évidence intérieure.

Au surplus, l'évidence intérieure tend à s'extérioriser aussitôt : Jean-Jacques se dit incapable de dissimuler. Le sentiment devient signe et se manifeste ouvertement dès l'instant où il est éprouvé. Nous l'avons vu, Rousseau veut croire que tous ses mouvements affectifs sont lisibles sur son visage. La vie subjective, pour Rousseau, n'est pas par elle-même une vie

1. *Rêveries*, quatrième Promenade, *O. C.*, I, 1024.

« cachée » ou repliée dans la « profondeur » ; elle affleure spontanément à la surface, et l'émotion est toujours trop puissante pour être contenue ou réprimée. Ainsi Jean-Jacques proclame :

> ...L'impossibilité totale où je suis par mon naturel de tenir caché rien de ce que je sens et de ce que je pense [1].
>
> Mon cœur transparent comme le cristal n'a jamais su cacher durant une minute entière un sentiment un peu vif qui s'y fût réfugié [2].

Mais cette transparence absolue se produit en vain. Il ne suffit pas de s'offrir à tous les regards, il faut encore que les autres acceptent de voir la vérité ainsi offerte ; il faut qu'ils aient le don d'entendre ce langage. Or ils méconnaissent sa vraie nature, ses vrais sentiments, ses vraies raisons d'agir ou de s'abstenir :

> Je vois par la manière dont ceux qui pensent me connaître, interprètent mes actions et ma conduite, qu'ils n'y connaissent rien. Personne au monde ne me connaît que moi seul [3].
>
> Je vois que les gens qui vivent le plus intimement avec moi ne me connaissent pas et qu'ils attribuent la plupart de mes actions, soit en bien soit en mal, à de tout autres motifs que ceux qui les ont produites [4].

L'erreur est donc dans le regard des autres. Jean-Jacques est tout entier connaissable et il est tout entier méconnu. Quoiqu'il vive à découvert tout se passe comme s'il dissimulait. En présence des autres, auxquels il croit s'offrir ingénument, il s'aperçoit que sa vérité demeure cachée, comme s'il se déguisait, comme s'il portait un masque. Ainsi, par la faute des autres, il paraît dissimuler des secrets inavouables, lui qui s'avance dans la lumière du jour... Ce que les écrits autobiographiques mettront en question, ce ne sera pas la connaissance de soi proprement dite, mais la reconnaissance de Jean-Jacques par les autres. Ce qui est problématique à ses yeux, en effet, n'est pas la claire conscience de soi, la coïncidence de « l'en soi » et du « pour soi », mais la traduction de la conscience de soi en une reconnaissance venue du dehors. Les *Confessions* sont au premier chef une tentative de rectification de l'erreur des autres, et non pas la recherche d'un « temps perdu ». Le souci de Rousseau commence donc par cette question : pourquoi le sentiment intérieur, immédiatement évident, ne trouve-t-il pas son écho dans une reconnaissance immédiatement accordée? Pourquoi est-il

1. *Confessions*, liv. XII. *O. C.*, I, 622.
2. *Confessions*, liv. IX. *O. C.*, I, 446.
3. Première lettre à Malesherbes. *O. C.*, I, 1133.
4. *Annales J.-J. Rousseau*, IV (1908), 263 ; voir aussi *O. C.*, I, 1121.

si difficile de faire concorder ce qu'on est pour soi et ce qu'on est pour les autres ? L'apologie personnelle et l'autobiographie deviennent nécessaires à Jean-Jacques parce que la clarté de la conscience de soi lui est insuffisante tant qu'elle ne s'est pas propagée au-dehors et dédoublée en un clair reflet dans les yeux de ses témoins.

Il ne suffit pas de vivre dans la grâce de la transparence, il faut encore dire sa propre transparence, en convaincre les autres. Une activité devient nécessaire, pour celui qui a soif d'être reconnu : cette activité est langage, parole infatigable : il faut expliciter, dans les « mots de la tribu », ce que la naïveté des signes avait manifesté purement, mais vainement. Puisque l'évidence spontanée du cœur n'est pas suffisante, la tâche sera de lui donner un surcroît d'évidence. Le cœur a beau être déjà transparent, il faut encore le rendre transparent aux autres, le dévoiler à tous les regards, leur imposer une vérité qu'ils n'ont pas su rejoindre d'eux-mêmes :

Je veux que tout le monde lise dans mon cœur [1].

Je voudrais pouvoir en quelque façon rendre mon âme transparente aux yeux du lecteur, et pour cela je cherche à la lui montrer sous tous les points de vue, à l'éclairer par tous les jours, à faire en sorte qu'il ne s'y passe pas un mouvement qu'il n'aperçoive, afin qu'il puisse juger par lui-même du principe qui les produit [2].

Rendre mon âme transparente aux yeux du lecteur... Tout se passe donc comme si la transparence n'était pas une donnée préexistante, mais une tâche à réaliser. Plus exactement, tout se passe comme si la clarté interne de la conscience ne pouvait se suffire à elle-même ; tant qu'elle reste strictement « intérieure », tant qu'elle n'est pas accueillie par les autres, elle est paradoxalement une transparence voilée et solitaire ; elle n'est pas une transparence en acte, mais « en puissance » ; elle s'éprouve contradictoirement comme une transparence enveloppée, qui ne peut sortir d'elle-même, et qui se heurte à l'impossibilité provisoire de transparaître. Elle ne sera transparence en acte que lorsqu'elle aura un témoin à qui apparaître comme transparence, c'est-à-dire, selon l'expression de Rousseau, lorsqu'elle sera *transparente aux yeux du lecteur*.

Provisoirement — mais jusqu'à quand ? — la transparence intérieure de Jean-Jacques reçoit du dehors une fin de non-recevoir : il est une transparence sans spectateurs. Pis encore, on le prend pour ce qu'il n'est pas ; on lui attribue l'âme d'un

1. *Correspondance générale*, DP, XX, 46.
2. *Confessions*, liv. IV. *O. C.*, I, 175.

orgueilleux ou d'un méchant. C'est la situation qu'il a rencontrée pour la première fois à Bossey, lorsqu'on l'a accusé d'un « crime » qu'il n'avait pas commis. Les autres se fourvoient sur son compte ; on le punit sur la foi d'un soupçon imaginaire ; on lui inflige un châtiment immérité. Il est innocent, mais « l'opinion » égare ses juges. Et il est trop faible pour se soustraire au verdict...

Si Jean-Jacques se met à parler sur lui-même, c'est parce qu'il est, dès le commencement, dans la situation de celui qui a *déjà* été jugé, et qui en appelle de ce jugement. Les quatre lettres à Malesherbes, premier grand texte autobiographique de Rousseau, sont écrites aussitôt après l'épisode délirant où, devant le silence de ses imprimeurs, il s'est répandu en accusations injustifiées et en appels désespérés. Revenu à lui, il fait amende honorable et attribue son affolement à son extrême solitude. Mais, dans l'intervalle, les amis qu'il a alertés sans raison l'auront sans doute jugé sévèrement. Jean-Jacques éprouve le besoin de s'expliquer pour récuser le jugement qu'il sent peser sur lui. Puisque son accès de folie était dû à la solitude, il va maintenant révéler les vrais motifs de sa solitude : c'est par amour de la justice et de l'humanité, c'est par dégoût de l'action qu'il a préféré vivre dans la retraite. Il n'est pas misanthrope, il ne hait pas les hommes, il les aime au contraire trop tendrement pour n'être pas constamment blessé en leur présence. A la source de son comportement injuste, il n'y a *primitivement* que des intentions et des sentiments innocents, des passions tendres, une bienveillance déçue, un grand besoin d'amitié qui s'est rabattu sur des créatures chimériques, etc. Il fournit ainsi les pièces justificatives en vue d'une révision du procès. Il conteste la validité du jugement précédent. Jusqu'à ce qu'il ait « tout dit », il veut être mis au bénéfice d'un doute provisoire. « Lecteur, suspendez votre jugement... » Il en appelle à un jugement final qui sera enfin juste, enfin véridique. Nous l'avons vu, Rousseau confond plus ou moins volontairement le jugement logique qui décide du vrai et du faux, et le jugement éthique qui décide du bien et du mal. Idéalement, le jugement de fait est en même temps un jugement de valeur. Rousseau invoque sur lui le regard du juge intègre pour qui établir la vérité et rendre justice sont un seul et même acte. « Justice et vérité » — affirme -t-il en parlant de lui-même — « sont dans son esprit deux mots synonymes qu'il prend l'un pour l'autre indifféremment [1] ». La « lutte pour la reconnais-

1. *Rêveries*, quatrième Promenade. *O. C.*, I, 1032.

sance » (selon la terminologie hégélienne) ne sera pas autre chose que la comparution devant un tribunal. Être reconnu, pour Rousseau, ce sera essentiellement être justifié, être innocenté. (Mais le seul tribunal dont il ne récusera pas la compétence sera celui de Dieu, en qui seul résident la Justice et la Vérité ; et le seul jugement auquel il acceptera de se soumettre sera le Jugement Dernier.) Rousseau en appelle donc à une réhabilitation qui viendra sceller indissolublement son existence et son innocence, son être authentique et sa valeur morale. Alors, sous le regard du Juge pour qui justice et vérité sont synonymes, il prendra, possession du privilège corrélatif, qui lui donnera, à lui créature *jugée*, la certitude désormais irrévocable qu'exister et être innocent sont deux termes synonymes.

Dans les ébauches et dans le préambule de la première version des *Confessions*, un autre problème préoccupe Rousseau, qu'il lui fallait bien aborder, fût-ce pour n'en rien garder dans la rédaction définitive. Il forme le projet de raconter sa vie, mais il n'est ni évêque (comme l'était saint Augustin), ni gentilhomme (comme Montaigne), et il n'a pas été mêlé aux événements de la cour ou de l'armée : il n'a donc aucun *titre* à s'exposer aux yeux du public, du moins il n'a aucun des titres qui jusqu'à lui ont été requis pour justifier une autobiographie. Par surcroît, il est pauvre, il est obligé de gagner son pain. De quel droit viendrait-il attirer l'attention sur son existence ? Mais justement, pourquoi ne s'emparerait-il pas de ce droit ? Tout roturier qu'il est, pourquoi ne réclamerait-il pas l'attention, simplement parce qu'il est un homme, et que les sentiments qui habitent le cœur d'un homme ne dépendent ni des conditions ni de la richesse :

> ... Je suis pauvre et quand le pain sera prêt à me manquer, je ne sais pas de moyen plus honnête d'en avoir que de vivre de mon propre ouvrage.
>
> Il y a bien des lecteurs que cette seule idée empêchera de poursuivre. Ils ne concevront pas qu'un homme qui a besoin de pain soit digne qu'on le connaisse. Ce n'est pas pour ceux-là que j'écris [1].
>
> Et qu'on n'objecte pas que, n'étant qu'un homme du peuple, je n'ai rien à dire qui mérite l'attention des lecteurs. Cela peut être vrai des événements de ma vie : mais j'écris moins l'histoire de ces événements en eux-mêmes que celle de l'*état de mon âme*, à mesure qu'ils sont arrivés. Or les âmes ne sont plus ou moins illustres que selon qu'elles ont des *sentiments* plus ou moins grands et nobles, des *idées* plus ou moins vives et nombreuses. Les faits ne sont ici que des causes occasionnelles.

1. *Mon portrait. Annales J.-J. Rousseau*, IV (1908), 262-263 ; voir *O. C.*, I, 1120.

Dans quelque obscurité que j'aie pu vivre, si j'ai *pensé* plus et mieux que les Rois, l'histoire de mon âme est plus intéressante que celle des leurs [1].

L'affirmation des droits du sentiment et la justification de l'homme du peuple vont ici de pair. Parce que la valeur de l'homme réside tout entière dans son sentiment, il n'y a plus de privilège ou de prérogative sociale qui compte. (Saint-Preux est le témoin, et Julie la martyre de cette nouvelle vérité.) *Sentiments* plus grands, *idées* plus vives : inutile d'ajouter que le sentimentalisme, ici, ne s'oppose nullement au rationalisme du siècle des lumières. Tout au contraire : l'autorité intellectuelle de la raison et la primauté morale du sentiment sont à titre égal les armes idéologiques de la bourgeoisie prérévolutionnaire. État d'âme, sentiment, pensée sont des gages équivalents de supériorité.

L'œuvre que Rousseau entreprendra ne sera donc pas seulement le plaidoyer d'un persécuté qui proclame son innocence. Ce sera aussi le manifeste d'un homme du tiers état, qui affirme que les événements de sa conscience et de sa vie personnelle ont une importance absolue et que, sans être prince ou évêque ou fermier général, il n'en a pas moins le droit de réclamer l'attention universelle. La signification sociale qui s'attache à l'entreprise même des *Confessions* ne doit pas être négligée. Jean-Jacques veut être reconnu : non pas seulement comme une âme exceptionnelle, non pas seulement comme une victime au cœur pur, mais comme un homme simple et un étranger sans quartiers de noblesse, qui n'en sera que plus capable d'offrir de l'homme une image universellement valable. Il revendique, pour le voyageur et pour l'aventurier qu'il a été, le privilège d'une meilleure connaissance de l'humanité, la possession d'un savoir plus large, plus divers et plus efficace. Cet ancien laquais proclame ouvertement la supériorité du serviteur sur le maître. Sa condition d'étranger et sa nullité sociale lui ont permis de se mouvoir librement et d'observer tous les états de la société française, sans s'arrêter à aucun d'entre eux. Il a pu tout connaître, puisqu'il n'a sa place nulle part :

... Sans avoir aucun état moi-même, j'ai connu tous les états ; j'ai vécu dans tous, depuis les plus bas jusqu'aux plus élevés, excepté le trône. Les Grands ne connaissent que les Grands, les petits ne connaissent que les petits. Ceux-ci ne voient les premiers qu'à travers l'admiration de leur rang et n'en sont vus qu'avec un mépris injuste. Dans des rapports trop éloignés, l'être commun aux uns et aux autres, l'homme,

1. *Annales J.-J. Rousseau*, IV (1908), 4-5 ; voir *O. C.*, I, 1150.

leur échappe également. Pour moi, soigneux d'écarter son masque, je l'ai reconnu partout. J'ai pesé, j'ai comparé leurs goûts respectifs, leurs plaisirs, leurs préjugés, leurs maximes. Admis chez tous comme un homme sans prétention et sans conséquence, je les examinais à mon aise ; quand ils cessaient de se déguiser, je pouvais comparer l'homme à l'homme et l'état à l'état. N'étant rien, ne voulant rien, je n'embarrassais et n'importunais personne ; j'entrais partout sans tenir à rien, dînant quelquefois le matin avec les Princes et soupant le soir avec les paysans [1].

Une page comme celle-là établit clairement la revendication de l'individu Jean-Jacques Rousseau : son expérience a une teneur universelle, ses qualités d'homme du peuple et d'autodidacte ne lui donnent que plus de droits à être écouté, car il détient seul la véritable idée de l'homme tel qu'il est. Parce qu'il est lui-même un homme *de rien*, il a pu acquérir en compensation le pouvoir de *tout* comprendre. L'image universelle de l'humain, qui appartenait jusqu'alors à l'aristocrate, à l'honnête homme ou à l'homme de qualité, passe maintenant entre les mains d'un parvenu de la culture, d'un bourgeois qui, tirant parti de la décomposition de la société aristocratique, a su tout voir et tout juger.

COMMENT PEUT-ON SE PEINDRE?

Peut-on dire la vérité sur soi-même? Oui, affirme Rousseau. L'autobiographie accède à la vérité infiniment mieux que toute peinture qui observe son modèle de l'extérieur. Les peintres se contentent du vraisemblable ; ils construisent la réalité beaucoup plus qu'ils ne l'imitent, et ils restent à jamais éloignés de l'âme dont ils auraient dû faire le portrait ; d'où leur audace dans l'arbitraire :

On saisit les traits saillants d'un caractère, on les lie par des traits d'invention, et pourvu que le tout fasse une physionomie, qu'importe qu'elle ressemble? Nul ne peut juger de cela [2].

Vue du dehors, l'image d'un être est toujours invérifiable. Le portraitiste, si attentivement qu'il regarde son modèle, n'atteindra pas le « modèle intérieur » ; voudrait-il expliquer les mobiles et les causes secrètes du comportement, il n'aura d'autres ressources que les conjectures et les fictions. La perspective de la profondeur psychologique — perspective étroi-

1. *Op. cit.*, 1150-1151.
2. *Op. cit.*, 1149.

tement dépendante de la dimension temporelle du passé — échappe par principe à l'observateur externe, dont le regard ne peut aller plus loin que la surface, ni remonter en deçà du présent. Telle déclaration de Rousseau, qui semble établir l'existence d'une part inconnaissable de la vie psychologique, ne concerne en réalité que l'observateur extérieur :

Pour bien connaître un caractère, il y faudrait distinguer l'acquis d'avec la nature, voir comment il s'est formé, quelles occasions l'ont développé, quel enchaînement d'affections secrètes l'a rendu tel, et comment il se modifie, pour produire quelquefois les effets les plus contradictoires et les plus inattendus. Ce qui se voit n'est que la moindre partie de ce qui est ; c'est l'effet apparent, dont la cause interne est cachée et souvent très compliquée. Chacun devine à sa manière et peint à sa fantaisie ; il n'a pas peur qu'on confronte l'image au modèle, et comment nous ferait-on connaître ce modèle intérieur, que celui qui le peint dans un autre ne saurait voir, et que celui qui le voit en lui-même ne veut pas montrer [1] ?

« Celui qui le voit en lui-même. » Le *modèle intérieur* n'est donc pas obscur pour le sujet lui-même, qui pourrait même le « montrer », si d'ordinaire n'intervenait une mauvaise volonté, un refus taciturne de se laisser connaître. Ainsi Rousseau accorde à l'autobiographie les chances qu'il refuse au regard du peintre :

Nul ne peut écrire la vie d'un homme que lui-même. Sa manière d'être intérieure, sa véritable vie n'est connue que de lui [2]...

« Mais, en l'écrivant, il la déguise », ajoute aussitôt Rousseau. L'autoportrait ne serait-il pas aussi arbitraire que le portrait ? L'image qu'un homme donne de lui-même n'est-elle pas tout aussi fictive, tout aussi construite ? Mais ces objections, Rousseau ne les adresse pas à lui-même ; elles concernent ses prédécesseurs, Montaigne en particulier. Rousseau sera le seul, le premier, à offrir de soi un portrait complet. Pour la première fois, un homme va se peindre tel qu'il est... Rousseau s'excepte. Non seulement sa peinture ne sera pas arbitraire, comme sont tous les portraits pris du dehors, mais encore elle ne sera pas hypocrite, à la différence de toutes les autres autobiographies. Son récit marquera le commencement des temps, l'avènement même de la vérité. « Je forme

1. *Op. cit.*, 1149.
2. *Ibid.*

une entreprise qui n'eut jamais d'exemple [1]. » Entreprise unique d'un être « à part » auquel personne ne ressemble. Cependant il revendique, pour cette entreprise, une portée considérable : elle offrira aux autres hommes une « pièce de comparaison » et aux philosophes un objet d'étude.

Les autres ne savent pas juger et ne se connaissent pas eux-mêmes, car ils ne connaissent personne en dehors d'eux. Pour surmonter « la double illusion de l'amour-propre [2] », ils devraient s'astreindre à ne pas juger leur prochain d'après eux-mêmes ; ils devraient accepter de connaître quelqu'un d'autre qu'eux-mêmes. Il faut donc que Jean-Jacques vienne leur faire cadeau de sa vérité, pour que les hommes cessent de vivre dans l'erreur. Ils ont besoin de lui, et il le leur prouve :

> Je veux tâcher que pour apprendre à s'apprécier, on puisse avoir du moins une pièce de comparaison ; que chacun puisse connaître soi et un autre, et cet autre, ce sera moi.
> Oui, moi, moi seul [3]...

Rousseau, encore une fois, s'excepte. En effet, s'il s'astreignait à la règle qu'il impose aux autres, il devrait aussi se tourner vers le dehors, à la recherche de quelque « pièce de comparaison ». Mais après avoir affirmé que tout esprit qui reste enfermé dans les limites du moi est menacé d'erreur, il s'arroge d'autorité le droit de ne parler que de soi. On constate ici à quel point Rousseau est incapable de se mettre en situation de réciprocité, et de s'imposer des devoirs identiques à ceux qu'il assigne aux autres. La vérité est pour lui un privilège unilatéral : les autres devront le connaître afin de mieux se connaître ; ils devront le juger et l'innocenter pour parvenir à « s'apprécier » eux-mêmes. Toute l'attention du monde doit s'attacher à lui — cela lui est dû — sans que son devoir l'oblige à faire autre chose que de se raconter lui-même.

TOUT DIRE

Se connaître est un acte simple et instantané. Il n'y a pas de différence entre se connaître et se sentir, et, chez Rousseau, le sentiment décide immédiatement de l'innocence essentielle du moi. Mais ce sentiment unique et simple ne

1. *Confessions*, liv. Ier. *O. C.*, I, 6.
2. *Annales J.-J. Rousseau*, IV (1908), 2 ; voir *O. C.*, I, 1148.
3. *Annales J.-J. Rousseau*, IV (1908), 2 ; voir *O. C.*, I, 1149.

peut se contenter de sa propre certitude : il faut la communiquer, et elle ne peut être communiquée telle quelle, dans un acte expressif qui serait également unique et simple. Rousseau l'eût souhaité : qu'un signe, qu'une brève parole puissent tout dire d'un seul coup, et imposer aux autres la conviction de son innocence. Quelquefois même, au plus fort de son angoisse, il proteste par une affirmation exclamative : « Je suis innocent [1]! » Mais que faire, si les autres n'entendent pas ce cri ou n'en reconnaissent pas la sincérité ? Se taire ? Se taire est intolérable, ce serait reconnaître la validité du verdict infamant. Il lui faut donc parler, chercher un *moyen* de traduire en langage efficace une évidence intérieure qu'il ne se résigne pas à tenir pour incommunicable.

Comment traduire une évidence qui pour nous réside dans un acte intuitif du sentiment ? Comment obtenir, de la part des autres, l'acte non moins intuitif du jugement et de la reconnaissance ? Tout un « circuit de paroles » va devoir s'interposer entre le sentiment premier, où Rousseau s'atteste non coupable, et le jugement final où les autres reconnaîtront son innocence. Le problème est d'obliger les autres à se faire une image véridique du caractère et du cœur de Jean-Jacques ; cette image devra être, par principe, aussi simple, aussi claire, aussi *une*, que le sentiment intérieur de Rousseau.

Que faire donc ? Rousseau va déployer « tous les replis » de son « âme [2] »; il va étaler dans la durée biographique une vérité globale que le sentiment possède d'un seul coup. Son unité, sa simplicité, il va les laisser se défaire en une multiplicité d'instants vécus successivement, pour mieux montrer la loi selon laquelle tout se tient et se lie dans son caractère ; il va montrer comment il est devenu ce qu'il est. Il va donc énoncer discursivement toute l'histoire de sa vie, à charge de demander aux autres d'en faire eux-mêmes la synthèse. Puisque Jean-Jacques ne peut énoncer d'un seul mot sa nature, son caractère, le principe de son unité, il s'en remet à ses témoins : c'est à eux qu'appartiendra de *construire* l'image unique et de la *juger* tout ensemble, mais cette fois à partir d'une surabondance de documents qui les contraindront à voir le vrai Rousseau. Répétons-le : Rousseau ne doute pas un instant de son unité, en dépit des contradictions et des discontinuités qu'il a su lui-même accuser ; il lui apparaît seulement qu'il est impossible de s'affirmer sans se racon-

1. *Correspondance générale*, DP, XIX, 310.
2. *Annales J.-J. Rousseau*, IV (1908), 9 ; voir *O. C.*, I, 1153.

ter, et que la narration du détail de sa vie « passera » mieux que l'affirmation globale : *je suis innocent*. Toute affirmation globale risque de se heurter à un refus global : devant une synthèse toute faite, les hommes se méfient, soupçonnent l'imposture. Rousseau offrira la « matière première » des événements et des circonstances de sa vie, pour que les autres les unissent en une synthèse à laquelle ils pourront croire d'autant plus volontiers qu'ils en seront les auteurs. La narration détaillée aura pour effet non seulement de forcer l'attention des lecteurs, mais encore de forcer leur jugement, en les obligeant à se *faire* une image véridique de Jean-Jacques :

Tout se tient... tout est un dans mon caractère... et ce bizarre et singulier assemblage a besoin de toutes les circonstances de ma vie pour être bien dévoilé [1].

Si je me chargeais du résultat et que je lui disse [au lecteur] : « Tel est mon caractère », il pourrait croire sinon que je le trompe, au moins que je me trompe. Mais en lui détaillant avec simplicité tout ce qui m'est arrivé, tout ce que j'ai fait, tout ce que j'ai pensé, tout ce que j'ai senti, je ne puis l'induire en erreur à moins que je ne le veuille, encore même en le voulant, n'y parviendrai-je pas aisément de cette façon. C'est à lui d'assembler ces éléments et de déterminer l'être qu'ils composent ; le résultat doit être son ouvrage, et s'il se trompe alors, toute l'erreur sera de son fait... Ce n'est pas à moi de juger de l'importance des faits, je les dois tous dire, et lui laisser le soin de choisir [2].

Rousseau confie donc au lecteur la tâche de réduire la multiplicité en unité. Il lui fait confiance. Et nous devinons que c'est déjà une façon de plaider non coupable : un homme si confiant, qui ne veut rien cacher et qui laisse au lecteur le soin de juger, comment pourrait-il être un méchant ? Mais nous devinons aussi que, du même coup, Rousseau rejette sur *les autres* la responsabilité de tous les malentendus qui pourraient subsister : si le lecteur se trompe, toute l'erreur sera de son fait. L'épreuve sera décisive : à supposer que le lecteur ou l'auditeur des *Confessions* ne tirent pas les conclusions qui s'imposent, eh bien! Rousseau saura une fois pour toutes que la faute retombe tout entière sur eux.

Dans les portraits ordinaires, l'on construit un visage « sur cinq points » ; le reste est de l'invention du peintre. Mais, demande Rousseau, si l'on dit tous les événements, toutes les pensées, tous les sentiments, sans faire grâce des détails les plus insignifiants, n'oblige-t-on pas le lecteur à accepter un tout, un *ensemble*, formé par un millier de « points » qui

1. *Op. cit.*, 10 ; *O. C.*, I, 1153.
2. *Confessions*, liv. IV. *O. C.*, I, 175

ne laisseront pas l'imagination s'égarer ? A condition de multiplier les aveux, l'on fournira au spectateur les éléments d'une synthèse infiniment ressemblante au modèle original :

> A quoi cela était-il bon à dire ? A faire valoir le reste, à mettre l'accord dans le tout ; les traits du visage ne font leur effet que parce qu'ils y sont tous : s'il en manque un, le visage est défiguré. Quand j'écris, je ne songe point à cet ensemble, je ne songe qu'à dire ce que je sais et c'est de là que résulte l'ensemble et la ressemblance du tout à son original [1].

Mais comment parvenir à tout dire ? Quel ordre, quelle méthode suivre ? Si, pour bien dévoiler son caractère, Rousseau a besoin de toutes les circonstances de sa vie, le dévoilement devient une tâche interminable. Le risque n'est-il pas immense, puisque la moindre omission compromet la vérité de toute l'entreprise ? L'esprit antithétique de Rousseau ne voit qu'une seule alternative : la réussite ou l'échec absolu de son effort. « Si je tais quelque chose, on ne me connaîtra sur rien [2]. » D'une part, il y a l'espoir de parvenir à une vérité infiniment approchée (qui équivaut à une vérité totale) ; et d'autre part, il y a le danger de ne pas sortir du malentendu, de l'aggraver encore davantage. Rousseau sent peser sur lui la menace d'une condamnation, et se voit *contraint* de ne rien taire :

> Dans l'entreprise que j'ai faite de me montrer tout entier au public, il faut que rien de moi ne lui reste obscur ou caché ; il faut que je me tienne incessamment sous ses yeux ; qu'il me suive dans tous les égarements de mon cœur, dans tous les recoins de ma vie ; qu'il ne me perde pas de vue un seul instant, de peur que, trouvant dans mon récit la moindre lacune, le moindre vide, et se demandant : Qu'a-t-il fait durant ce temps-là ? il ne m'accuse de n'avoir pas voulu tout dire. Je donne assez de prise à la malignité des hommes par mes récits, sans lui en donner encore par mon silence [3].

Rousseau parle sous la menace. L'évidence en devient de plus en plus pénible à mesure que l'on progresse dans la lecture des *Confessions*. D'ailleurs, à partir du septième livre, les intentions que Rousseau prête à ses « contemporains » changent radicalement de nature ; tandis qu'au début il se sentait requis de parler, il a désormais l'impression que ses adversaires emploient tous les moyens imaginables pour l'em-

1. *Annales J.-J. Rousseau*, IV (1908), 264-265 ; voir *O. C.*, I, 1122.
2. *Op. cit.*, 10 ; *O. C.*, I, 1153.
3. *Confessions*, liv. II. *O. C.*, I, 59-60.

pêcher d'écrire et d'être entendu. Ce ne sera donc plus pour satisfaire les exigences du lecteur, mais pour défier l'hostilité universelle, que Rousseau persévérera dans son intention de *tout dire* : « Les planchers sous lesquels je suis ont des yeux, les murs qui m'entourent ont des oreilles, environné d'espions et de surveillants malveillants et vigilants, inquiet et distrait, je jette à la hâte sur le papier quelques mots interrompus qu'à peine j'ai le temps de relire, encore moins de corriger [1] »... Le regard des autres est maintenant un regard qui veut tout voir, mais qui ne veut plus savoir la vérité, qui ne demande plus à la connaître, et qui s'emploiera plutôt à la faire disparaître. Il devient d'autant plus important de *tout dire*, pour d'autres hommes, pour d'autres générations (si seulement le manuscrit leur parvient, s'il n'a pas été détruit ou falsifié, dans l'intervalle, par les hommes du complot).

Mais le langage commun permet-il de tout dire ? Rousseau, nous l'avons vu, préfère les signes à la « froide entremise de la parole ». Le langage ordinaire est impropre à exprimer les événements et les sentiments dont la somme constitue une existence unique. C'est pourquoi cet homme qui se sent radicalement différent des autres veut marquer sa différence par un *autre langage*, qu'il serait le premier et le seul à employer, et dont ensuite le moule serait brisé, comme la nature a brisé « le moule dans lequel elle a jeté » Jean-Jacques :

> Il faudrait pour ce que j'ai à dire inventer un langage aussi nouveau que mon projet : car quel ton, quel style prendre pour débrouiller ce chaos immense de sentiments si divers, si contradictoires, souvent si vils et quelquefois si sublimes dont je fus sans cesse agité ? Que de riens, que de misères ne faut-il point que j'expose, dans quels détails révoltants, indécents, puérils et souvent ridicules ne dois-je pas entrer pour suivre le fil de mes dispositions secrètes, pour montrer comment chaque impression qui a fait trace en mon âme y entra pour la première fois [2] ?

La difficulté, telle que l'exprime ici Rousseau, consiste à trouver un langage qui soit fidèle à la saveur incomparable de l'expérience personnelle ; inventer une écriture assez souple et assez variée pour dire la diversité, les contradictions, les détails infimes, les « riens », l'enchaînement des « petites perceptions » dont le tissu constitue l'existence unique de Jean-Jacques. Il va donc chercher un style approprié à son objet, et cet objet n'est rien d'extérieur, rien « d'objectif » : c'est le *moi* de l'écrivain, son existence personnelle, dans son

1. *Confessions*, liv. VII. *O. C.*, I, 279.
2. *Annales J.-J. Rousseau*, IV (1908), 9-10 ; voir *O. C.*, I, 1153.

infinie complexité et dans sa différence absolue. L'homme, ici, veut expressément se confier à un langage qui le représentera et dans lequel il pourra reconnaître sa propre substance. Mais sa substance, s'il faut qu'il l'explicite, c'est son histoire ; et son histoire, s'il faut qu'il la décompose dans ses éléments constitutifs, c'est une multitude infinie de menus événements sans noblesse et sans cohérence apparente. En toute rigueur, s'il fallait signaler « chaque impression qui a fait trace », il faudrait raconter chaque instant, car chaque instant est un commencement, un acte inaugural. Rappelons-nous *Les Solitaires* : « Nous ne faisons jamais que commencer, et... il n'y a point d'autre liaison dans notre existence qu'une succession de moments présents, dont le premier est toujours celui qui est en acte. Nous mourons et nous naissons chaque instant de notre vie [1] »... Dire tous les commencements, ce serait dire tous les instants : mais cette extrême fidélité du langage à la vie est à peine pensable. A supposer même qu'on y parvienne, ce serait substituer le langage à la vie. Celle-ci s'évanouirait dans la parole qui la dédouble. Or pour Rousseau, dans l'ordre des valeurs, la vie passe avant la « littérature », laquelle n'est que son ombre. Au nom du plaisir vécu, Rousseau a renoncé à écrire ses plus enivrantes rêveries : « Pourquoi m'ôter le charme actuel de la jouissance, pour dire à d'autres que j'avais joui [2] ? » Il ressent un besoin de plénitude silencieuse, qui contrebalance le besoin de justification totale. Les *Confessions* représentent un moyen terme entre ces deux exigences ; mais en un certain sens, l'œuvre autobiographique est vouée à un double échec : d'une part il ne sera pas possible de tout dire, et donc la justification ne sera pas totale ; d'autre part, le silence du bonheur parfait est à jamais rompu. La parole se déploie dans un espace intermédiaire, entre l'innocence première et le verdict final chargé d'établir la certitude de l'innocence retrouvée. Le premier bonheur n'existe plus dans sa plénitude, et l'œuvre de justification est encore loin d'être accomplie. D'un même souffle, les *Confessions* disent la nostalgie de l'unité perdue, et l'attente anxieuse d'une réconciliation finale.

A tout le moins, un principe s'impose à Rousseau sans discussion : suivre chronologiquement le développement de sa conscience, recomposer le tracé de son progrès, parcourir la séquence naturelle des idées et des sentiments, revivre par la mémoire l'enchaînement des causes et des effets qui

1. *Émile et Sophie*, lettre I. *O. C.*, IV, 905.
2. *Confessions*, liv. IV. *O. C.*, I, 162.

ont déterminé son caractère et sa destinée. Méthode « génétique », qui remonte aux origines pour y trouver les sources cachées du moment présent ; c'est la méthode même que Rousseau appliquait à l'histoire dans le *Discours sur l'Origine de l'Inégalité.* La tâche est de prouver la continuité d'une évolution (« le *fil* de mes dispositions secrètes ») ; mais il va s'agir aussi de marquer l'apparition successive et discontinue des « impressions » qui ont touché l'âme « pour la première fois ». Il faut donc à la fois montrer comment « tout se tient » et comment surgissent, de proche en proche, les *moments premiers* à partir desquels la conscience s'enrichit d'une nouvelle « impression », d'une nouvelle détermination, d'une « trace » ou d'une blessure indélébiles. La continuité de l'enchaînement et la discontinuité des moments premiers n'ont, en fait, rien d'inconciliable pour Rousseau ; il y a au contraire entre le continu et le discontinu une parfaite interdépendance, qui fait que chaque « trait » nouveau marque dans la symphonie l'entrée d'une voix qui ne s'interrompra plus :

> ... Les premiers traits qui se sont gravés dans ma tête y sont demeurés, et ceux qui s'y sont empreints dans la suite se sont plutôt combinés avec eux qu'ils ne les ont effacés. Il y a une certaine succession d'affections et d'idées qui modifient celles qui les suivent, et qu'il faut connaître pour en bien juger. Je m'applique à bien développer partout les premières causes pour faire sentir l'enchaînement des effets [1].

Mais jusqu'où remonter pour trouver ces « premières causes »? Et de quel droit décider qu'un moment possède une importance déterminante en regard de tel autre événement, qui n'est qu'un simple effet ? Distinguer les causes et les effets est un acte de jugement. Or n'est-ce pas ouvertement reprendre le privilège de juger, qu'en principe l'on a confié tout entier au lecteur ? De droit, tous les instants vécus sont des effets, et tous sont également des causes. Seule une décision arbitraire peut attribuer à quelques-uns d'entre eux une valeur absolument première : « *Ici commence...* » Rousseau cependant n'hésite pas ; il juge, il ordonne les événements selon des rapports de causalité, tout en proclamant qu'il laisse aux autres le soin de juger. Nulle part il ne s'efface pour nous livrer le matériau brut, comme il a prétendu le faire. Lorsqu'il transcrit des lettres, il se donne l'air d'exposer les pièces d'un dossier ; mais les lettres seront commentées aussitôt que transcrites. Comment Rousseau pourrait-il faire autrement ? Pourrait-il raconter sa vie sans lui attribuer un

1. *Op. cit.*, 174-175.

sens ? Établir un ordre de *succession de cause à effet*, c'est déjà établir un sens, non seulement parce que l'on impose un ordre interprétatif qui met en relief tels moments privilégiés, mais encore parce que le choix même de ce type d'interprétation signale d'emblée le choix d'un certain sens de l'existence. A elle seule, l'idée de « l'enchaînement des effets » implique une loi du destin, une servitude qui lie le moi à son passé ; Rousseau se met dans la situation de la victime, il subit contre son gré les conséquences d'un passé dont il n'est plus le maître. Il est intéressant de noter que, dans ce fatalisme déterministe, Rousseau attribue le rôle prépondérant aux événements les plus éloignés : « Il y a une certaine succession d'affections et d'idées *qui modifient celles qui les suivent.* » On voit fort bien, par conséquent, que la méthode elle-même est déjà l'expression du « choix fondamental » par lequel Rousseau se veut la victime innocente d'une hostilité sur laquelle il n'a désormais aucun moyen d'agir en retour. Il n'a pas de prise sur le passé lointain qui le conditionne, comme il n'aura pas de prise sur la malveillance de ses persécuteurs. Il est seul, il est démuni, privé de toute liberté d'agir ; mais ce n'est pas sa faute, ce n'a jamais été sa faute. Et si on lui laisse une dernière liberté, celle d'écrire, il dira comment il en a été amené là. Mais déjà on lui enlève ses papiers, déjà on l'empêche d'écrire... N'étant plus libre, il n'est plus responsable ; n'étant plus responsable, on ne peut lui imputer aucune faute, il est innocent. La preuve est faite. L'alibi tient.

Toutes les perspectives du passé semblent dominées par la fatalité et la nécessité. Il reste cependant un refuge pour la liberté : le sentiment intérieur, et l'acte même d'écrire. Si la liberté n'est pas le principe que Rousseau voit à l'œuvre dans sa vie, il est celui qui en rendra possible l'expression littéraire. Rousseau, en effet, considère sa vie comme une *destinée* imposée par un sort redoutable ; mais son autobiographie sera un acte de liberté ; il dira la vérité sur lui-même parce qu'il s'affirmera librement dans son sentiment, parce qu'il n'acceptera aucune contrainte, aucune gêne, aucune règle :

Si je veux faire un ouvrage écrit avec soin comme les autres, je ne me peindrai pas, je me farderai. C'est ici de mon portrait qu'il s'agit et non pas d'un livre. Je vais travailler pour ainsi dire dans la chambre obscure ; il n'y faut point d'autre art que de suivre exactement les traits que je vois marqués. Je prends donc mon parti sur le style comme sur les choses. Je ne m'attacherai point à le rendre uniforme ; j'aurai toujours celui qui me viendra, j'en changerai selon mon humeur sans scrupule, je dirai chaque chose comme je la sens, comme je la vois, sans recherche, sans gêne, sans m'embarrasser de la bigarrure. En me livrant à la fois au souvenir de l'impression reçue et au sentiment présent, je peindrai doublement l'état de mon âme, savoir au moment où l'événement m'est arrivé et au moment où je l'ai décrit ; mon style inégal et naturel, tantôt rapide et tantôt diffus, tantôt sage et tantôt fou, tantôt grave et tantôt gai fera lui-même partie de mon histoire [1].

La chance d'atteindre le vrai réside dans cette liberté de la parole et dans le mouvement spontané du langage. Se livrer au souvenir, se livrer au sentiment : Rousseau définit ici une passivité, mais une passivité libre. Ce n'est plus l'abandon résigné à une force extérieure et étrangère ; c'est l'abandon heureux à une puissance intérieure, à un hasard intime. Le passé n'est plus ce lien et cet enchaînement qui paralysent l'instant présent, il n'est plus ce nœud inextricable de déterminations qui nous condamnent à subir notre sort. La perspective part maintenant de l'instant présent : la « source » est ici même, et non dans la vie révolue. Le présent gouverne l'espace rétrospectif au lieu d'en être écrasé. Ainsi, au lieu de se sentir produit par son passé, Rousseau découvre que le passé se produit et s'émeut en lui, dans le surgissement d'une émotion *actuelle*.

« J'aurai toujours » le style « *qui me viendra* » : la formule est significative. Elle indique la volonté de céder l'initiative au langage : Rousseau laisse parler son émotion et accepte d'écrire sous dictée. Il ne tiendra pas le gouvernail, mais se laissera envahir par le souvenir et par les mots. On voit apparaître ici une nouvelle conception du langage (dont la fortune ira jusqu'au surréalisme).

Certes Rousseau est loin de renoncer à l'idée traditionnelle qui voit dans le langage un instrument que l'écrivain s'efforce de gouverner : le langage est simplement un moyen, un outil dont on se sert comme de n'importe quel outil matériel. Et Rousseau rétablit assez rapidement le principe d'une domination de l'écrivain sur le style, lorsqu'il ajoute : « J'en changerai selon mon humeur... » Il entend donc disposer souverainement de son langage, tout en se laissant conduire par son humeur. Néanmoins, la page que nous venons de lire laisse poindre l'attitude nouvelle : laisser faire le langage, ne pas intervenir. Dès lors la relation entre le sujet parlant et le langage cesse d'être une relation instrumentale, analogue à celle de l'ouvrier avec son outil ; maintenant le sujet et le langage ne sont plus extérieurs l'un à l'autre. Le sujet

1. *Annales J.-J. Rousseau*, IV (1908), 10-11 ; voir *O. C.*, I, 1154.

est son émotion, et l'émotion est aussitôt langage. Sujet, langage, émotion ne se laissent plus distinguer. L'émotion est le sujet qui se dévoile, et le langage est l'émotion qui se parle. Dans l'inspiration narrative Jean-Jacques est immédiatement son langage. La parole ne fait plus qu'un avec le sujet, comme Galatée *vivante* ne fait qu'un avec le « moi » de Pygmalion. Sans doute la parole a-t-elle toujours pour fonction de « médiatiser » la relation entre le moi et les autres. Mais elle n'est plus un instrument distinct du moi qui l'utilise ; elle est le moi lui-même. Il faut citer ici Hegel, car c'est lui qui a proposé la meilleure analyse du langage de la « conviction intérieure », tel qu'il apparaît chez Rousseau : « Le langage est la conscience de soi qui est pour les autres, qui est présente immédiatement comme telle... Le contenu du langage de la bonne conscience est le Soi qui se sait comme essence. C'est cela seul que le langage exprime [1]. » Se dire est l'action essentielle, mais c'est une action où le moi ne sort pas de lui-même.

La tâche de se montrer, qui semblait infinie, va maintenant apparaître étrangement aisée. Il ne s'agit que de s'abandonner docilement au sentiment, et de lui confier la parole. Ce qui garantira la vérité de l'autobiographie, c'est cette non-résistance au sentiment et au souvenir. Nous ne sommes plus devant l'entreprise ardue d'inventer un nouveau langage ; le voici tout inventé, sitôt que nous ne portons plus notre attention sur la *technique* de la parole, sitôt que nous renonçons à *faire* une œuvre littéraire. Le moi, uniquement attentif à lui-même, ne songera ni à l'ouvrage, ni au langage-outil. L'ouvrage se fera comme il pourra, et c'est en cela précisément que résidera sa vérité. Quand Rousseau avait parlé de l'immense difficulté de l'expression, il considérait encore l'acte d'écrire comme un moyen à mettre en œuvre pour « débrouiller ce chaos immense de sentiments si divers ». Mais le problème du langage s'évanouit dès l'instant où l'acte d'écrire n'est plus envisagé comme un moyen instrumental utilisé en vue du dévoilement de la vérité, mais comme le dévoilement même. Ce n'est là rien d'autre que revendiquer, *hic et nunc*, les prérogatives expressives que l'*Essai sur l'Origine des Langues* assignait à la « langue primitive ». Le langage est l'émotion immédiatement exprimée, et au lieu d'être l'outil conventionnel qui sert à la révélation d'une réalité cachée, il est lui-même le secret révélé, le caché rendu instantanément manifeste. Par surcroît, cette fidélité spontanée qui lie

1. Jean Hyppolite, *Genèse et structure de la Phénoménologie de l'esprit de Hegel* (Paris, Aubier, 1946), 494-495.

la parole à l'émotion sert de garant à tout le reste : la vérité immédiate du langage garantit la vérité du passé tel qu'il a été vécu. Elle propage rétrospectivement sa propre pureté, son innocence, son évidence. Tout ce qui, dans la vie de Jean-Jacques, fut mensonge ou vice se résorbe et se purifie dans la transparence actuelle de la confession.

Je peindrai doublement l'état de mon âme. Rousseau s'accorde la chance d'une double vérité, là où l'on aurait pu craindre un double échec. S'il s'était agi d'exhumer du passé un fait exact, de le localiser avec précision et de le décrire tel qu'il s'est produit, le risque était grand de n'obtenir qu'un résultat incertain et lacunaire. A considérer le fait ancien comme un objet, tout me prouve l'impossibilité où je suis de le reconstituer tel quel : ma mémoire d'évocation n'est pas infinie, elle est faillible. Peu de scènes lui demeurent vraiment présentes. Le reste s'évanouit dès qu'elle prétend le toucher... De plus, l'état d'âme dans lequel je me trouve maintenant n'oblitère-t-il pas mon regard sur le passé ? Mon émotion présente n'est-elle pas comme un prisme à travers lequel ma vie ancienne change de forme et de couleur ? Suivant les heures, ne m'apparaît-elle pas plus sombre ou plus claire ? Se retourner pour saisir le passé objectif, c'est Orphée se retournant pour voir Eurydice... A quoi Rousseau répond, comme dans le mythe de la statue de Glaucus, que l'essentiel est resté intact. Car l'essentiel n'est pas le fait objectif, mais le sentiment ; et le sentiment d'autrefois peut surgir à nouveau, faire irruption dans son âme, devenir émotion actuelle. Même si la « chaîne des événements » n'est plus accessible à sa mémoire, il lui reste la « chaîne des sentiments », autour desquels il pourra reconstruire les faits matériels oubliés. Le sentiment est donc le cœur indestructible de la mémoire, et c'est à partir du sentiment que, par une sorte d'induction, Jean-Jacques pourra retrouver les circonstances extérieures, les « causes occasionnelles » :

Tous les papiers que j'avais rassemblés pour suppléer à ma mémoire et me guider dans cette entreprise, passés en d'autres mains ne rentreront plus dans les miennes. Je n'ai qu'un guide fidèle sur lequel je puisse compter ; c'est la chaîne des sentiments qui ont marqué la succession de mon être, et par eux celle des événements qui en ont été la cause ou l'effet. J'oublie aisément mes malheurs, mais je ne puis oublier mes fautes, et j'oublie encore moins mes bons sentiments. Leur souvenir m'est trop cher pour s'effacer jamais de mon cœur. Je puis faire des omissions dans les faits, des transpositions, des erreurs de dates ; mais *je ne puis me tromper sur ce que j'ai senti*, ni sur ce que mes sentiments m'ont fait faire ; et voilà de quoi principalement il s'agit. L'objet propre de mes confessions est de faire connaître exactement mon intérieur dans toutes les situations de ma vie. C'est l'histoire de mon âme que j'ai promise, et pour l'écrire fidèlement je n'ai pas besoin d'autres mémoires : il me suffit, comme j'ai fait jusqu'ici, de rentrer au-dedans de moi [1].

La mémoire affective semble donc infaillible. C'est par elle seule, et non par une réflexion sévère, qu'une véritable résurrection du passé peut se produire : « En me disant, j'ai joui, je jouis encore [2]. » Il y a plus, le souvenir se présente souvent comme une émotion plus intense, il possède une acuité beaucoup plus bouleversante que l'impression originale. C'est pourquoi le passé, loin de s'estomper dans la mémoire, s'y amplifie et gagne une résonance plus profonde : « Les objets font moins d'impression sur moi que leurs souvenirs [3]. » L'émotion ne révélera sa vraie « dimension » que lorsqu'elle sera revécue... Certes, il y a des exceptions à ces résurrections infaillibles. Il y a des bonheurs qui ne peuvent plus se traduire en paroles. Il y a des moments trop éblouissants dont Jean-Jacques ne retrouvera jamais le contenu. Ainsi en va-t-il de son illumination sur la route de Vincennes : « Oh, Monsieur », écrit Rousseau à Malesherbes, « si j'avais jamais pu écrire le quart de ce que j'ai vu et senti sous cet arbre [4] »...

Au reste, peu importe l'exactitude de la réminiscence. Que retentisse et s'amplifie le souvenir, qu'il se confonde avec le sentiment actuel jusqu'à ne plus s'en distinguer. Rousseau veut peindre son âme en nous racontant l'histoire de sa vie ; ce qui compte par-dessus tout n'est pas la vérité historique, c'est l'émotion d'une conscience laissant le passé émerger et se représenter en elle. Si l'image est fausse, du moins l'émotion actuelle ne l'est pas. La vérité que Rousseau veut nous communiquer n'est pas l'exacte localisation des faits biographiques, mais la relation qu'il entretient avec son passé. Il se peindra doublement, puisqu'au lieu de reconstituer simplement son histoire, il se raconte lui-même tel qu'il revit son histoire en l'écrivant. Peu importe alors s'il comble par l'imagination les lacunes de sa mémoire ; la qualité de nos rêves n'exprime-t-elle pas notre nature ? Peu importe le peu de ressemblance « anecdotique » de l'autoportrait, puisque l'âme du peintre s'est manifestée par la manière, par la touche, par le style. En déformant son image, il révèle une réalité plus essentielle, qui est le regard qu'il porte sur lui-même,

1. *Confessions*, liv. VII. *O. C.*, I, 278.
2. *Annales J.-J. Rousseau*, IV (1908), 229 ; voir *O. C.*, I, 1174.
3. *Confessions*, liv. IV. *O. C.*, I, 174.
4. Seconde lettre à M. de Malesherbes. *O. C.*, I, 1135.

l'impossibilité où il est de se saisir autrement qu'en se déformant. Il ne prétend plus dominer son objet (qui est lui-même) de la façon impartiale et froide qui serait celle de l'historien, possesseur d'une vérité *ne varietur*. Il s'expose dans sa recherche et son erreur, conjointement avec l'objet incertain qu'il croit saisir. Cet ensemble constitue une vérité plus complète, mais qui échappe aux lois habituelles de la vérification. Nous ne sommes plus dans le domaine de la *vérité* (de l'*histoire* véridique), nous sommes désormais dans celui de l'*authenticité* (du *discours* authentique).

Rousseau écrit à dom Deschamps : « Je suis persuadé qu'on est toujours très bien peint lorsqu'on s'est peint soi-même, quand même le portrait ne ressemblerait point [1]. » Il n'y a pas d'autoportrait non ressemblant, car la ressemblance n'est nullement dans l'image représentée, mais dans la présence du moi à l'intérieur de sa parole. L'autoportrait ne sera donc pas la copie plus ou moins fidèle d'un moi-objet, mais la trace vivante de cette action qu'est la recherche de soi. Je *suis* ma recherche de moi-même. Et même lorsque je m'oublie et me perds dans ma parole, cette parole me révèle et m'exprime encore. (Dans les *Dialogues*, Rousseau dira que toute son œuvre n'est qu'un autoportrait.) La parole authentique est une parole qui ne s'astreint plus à imiter une donnée préexistante : elle est libre de déformer et d'inventer, à la condition de rester fidèle à sa propre loi. Or cette loi intérieure échappe à tout contrôle et à toute discussion. La loi de l'authenticité n'interdit rien, mais n'est jamais satisfaite. Elle n'exige pas que la parole *reproduise* une réalité préalable, mais qu'elle *produise* sa vérité dans un développement libre et ininterrompu. Elle admet, elle ordonne même que l'écrivain, renonçant à chercher son « vrai moi » dans un passé figé, le constitue en écrivant. Elle donne ainsi une valeur de vérité à l'acte auquel la morale rigoureuse pourrait reprocher d'être une fiction, une invention incontrôlable [2].

A ce point, la sincérité n'implique plus une réflexion sur soi-même. Elle ne se penche pas (comme dit la formule consacrée) sur un moi préexistant qu'il s'agirait d'exprimer complètement, avec une fidélité descriptive qui maintiendrait la distance nécessaire au jugement. Cette sincérité réfléchie, qui divise l'être et condamne la conscience à une irréductible

1. A dom Deschamps, 12 septembre 1761. *Correspondance générale*, DP, VI, 209 ; L, IX, 120.

2. Dans la quatrième *Rêverie*, Rousseau s'efforcera de distinguer fiction et mensonge. La fiction est innocente ; elle ne porte préjudice à personne ; elle est invention *pure*.

séparation, est supplantée par une sincérité irréfléchie. Car l'authenticité n'est rien d'autre qu'une sincérité sans distance et sans réflexion, une spontanéité qui n'est plus assujettie à un objet qui la précéderait et auquel elle devrait obéissance. La parole authentique s'accomplit dans l'abandon insouciant à l'impulsion immédiate. Alors, la coïncidence de la parole et de l'être se donne du premier coup, dans l'élan même de l'affirmation du moi « qui se sait comme essence », selon les termes de Hegel ; la coïncidence de la parole et de l'être n'est plus un problème, mais une donnée première. A la démarche prudente d'une réflexion qui cherche à délimiter son objet succède la libre création de soi. Il n'est plus nécessaire que le moi remonte à la recherche de sa source ; cette source est ici même, dans l'instant présent où l'émotion surgit. Tout se passe en effet dans un présent tellement pur que le passé lui-même y est revécu comme sentiment présent. La grande affaire, par conséquent, n'est pas de se penser ni de se juger, mais d'*être soi.*

Dans une éthique de l'authenticité, la devise de Rousseau : *vitam impendere vero* devient synonyme de *vitam impendere sibi.* Car le vrai auquel il doit consacrer sa vie est d'abord *sa* vérité, le pacte avec le vrai est un pacte avec soi-même. L'impératif *être soi* (que Rousseau répétait à Bernardin de Saint-Pierre) ne l'oblige pas à livrer sa vie à une vérité abstraite préalablement établie [1] ; il ne l'oblige qu'à s'accepter comme source absolue. Cela paraît infiniment facile, puisque, en toutes circonstances et quoi qu'il fasse, tous ses actes l'expriment. Suis-je en danger de n'être pas moi ? Oui, pense Rousseau, je suis en danger de m'échapper car l'homme possède le don de la réflexion, c'est-à-dire le dangereux privilège de vivre à distance de lui-même ; par conséquent *être soi* n'est pas si facile qu'il paraît. On n'en a jamais fini de se reprendre à la réflexion qui nous aliène. Sinon, pourquoi faudrait-il si longuement *se dire* afin d'être soi ? Cela signifie que l'unité indivise n'est pas encore possédée. D'avoir à continuer d'écrire et de se justifier prouve que l'on ne fait jamais que commencer d'être soi, et que la tâche est toujours devant nous.

C'est ici seulement que l'on mesure toute la nouveauté apportée par l'œuvre de Rousseau. Le langage est devenu le lieu d'une expérience immédiate, tout en demeurant l'ins-

1. Il ne faut assurément pas sous-estimer l'effort entrepris par Rousseau pour établir une doctrine cohérente et s'y tenir. Il lui importait de *fixer* ses idées : idées qui doivent leurs preuves au *dictamen* de la conscience, et qui en retour autorisent Rousseau à se livrer à la vérité du sentiment

trument d'une médiation. Il atteste à la fois l'inhérence de l'écrivain à sa « source » intérieure, et le besoin de faire face à un jugement, c'est-à-dire d'être justifié dans l'universel. Ce langage n'a plus rien de commun avec le « discours » classique. Il est infiniment plus impérieux, et infiniment plus précaire. La parole *est* le moi authentique, mais d'autre part elle révèle que la parfaite authenticité fait encore défaut, que la plénitude doit encore être conquise, que rien n'est assuré si le témoin refuse son consentement. L'œuvre littéraire n'appelle plus l'assentiment du lecteur sur une vérité interposée en « tierce personne » entre l'écrivain et son public ; l'écrivain se désigne par son œuvre et appelle l'assentiment sur la vérité de son expérience personnelle. Rousseau a découvert ces problèmes ; il a véritablement inventé l'attitude nouvelle qui deviendra celle de la littérature moderne (par-delà le romantisme sentimental dont on a rendu Jean-Jacques responsable) ; on peut dire qu'il a été le premier à vivre d'une façon exemplaire le dangereux pacte du moi avec le langage : la « nouvelle alliance » dans laquelle l'homme se fait verbe.

VIII

LA MALADIE

L'extrême singularité devient *anomalie* lorsqu'elle rompt toute relation de réciprocité. Mais où commence la rupture ? Et ne doit-on pas tenir compte de ce qui, dans tout rapport humain, dans tout dialogue même, refuse d'entrer en réciprocité ?

Pour décider du normal et de l'anormal, il faut s'en remettre à la décision préalable de ceux qui ont établi des normes, mais la norme n'est jamais qu'une exigence impérieuse (personnelle ou collective) élevée au rang de loi objective et scientifique. L'histoire, qui prétend juger Rousseau, fait appel à ses propres normes. Interrogez la critique contemporaine. Les uns le tiennent pour fou, les autres ne parlent que d'effarement, de sensibilité blessée, d'autres encore sont prêts à l'approuver et à rejeter l'accusation sur la société... Pareilles discordances révèlent, en premier lieu, le peu d'autorité de nos normes. En second lieu, ces contradictions nous préviennent qu'il est probablement vain de chercher à trancher le « cas Rousseau » par une réponse claire et sans équivoque. Alors que tant de psychiatres, de nos jours, s'efforcent de tenir compte de la « personnalité » de leurs malades sans attacher une valeur excessive au diagnostic (qui classe le malade dans une catégorie et permet simplement une orientation générale du pronostic et du traitement), il apparaît inutile de souhaiter que le dernier mot sur le « cas Rousseau » nous soit donné sous la forme d'un diagnostic rétrospectif. Or c'est pourtant ce que l'on n'a cessé de faire. Suivant les modes médicales, suivant les partis pris littéraires ou moralisants, on a porté sur lui les verdicts les plus variés : dégénérescence, psychopathie, névrose, paranoïa, folie raisonnante, troubles cérébraux d'origine urémique... Si l'on isole certains symptômes, si l'on met en évidence certains documents et certains témoignages, il n'y aura guère d'hésitation pour un psychiatre d'aujourd'hui : ces symptômes sont typiques d'un délire sensitif de relation, affection voisine de la paranoïa, et dont la base est le « caractère sensitif [1] ». Sitôt ce diagnostic posé, surviennent des questions plutôt embarrassantes. L'œuvre et la vie entières de Rousseau portent-elles la marque de la maladie ? Au contraire, le trouble mental ne serait-il qu'un phénomène surajouté, tardivement survenu, et se manifestant par épisodes intermittents ? La discussion reste donc ouverte sur la part de la maladie dans la vie et l'œuvre de Jean-Jacques, sur le lien qui pourrait unir son délire et sa pensée « raisonnable ».

Nous savons que le « concernement sensitif » se caractérise par l'intrusion d'une idée délirante dans un « contexte » psychologique qui demeure, en apparence, absolument cohérent : la figure pratique du monde n'a pas changé aux yeux du malade ; sa personnalité, loin de se dissoudre, s'affirme plus irréductiblement que jamais ; les repères familiers du temps et de l'espace sont pour lui les mêmes que pour l'homme « normal ». L'intensité de la maladie dépend de la façon dont l'idée délirante polarise les autres activités de la conscience et les subordonne à ses propres fins. Or la question est précisément de savoir dans quelle mesure l'œuvre de Rousseau atteste la pénétration de la maladie, dans quelle mesure inverse elle représente l'effort, plus ou moins délibéré, d'une résistance à l'angoisse de la persécution. Il n'est guère aisé de discerner, sur le plan de l'expression, la maladie et la réaction contre la maladie. (Le médecin sait bien que les symptômes qui constituent une maladie sont en général les manifestations de la réponse défensive de l'organisme envers l'agent nocif.) Les passages les plus délirants des *Dialogues* et des *Rêveries* peuvent être considérés tour à tour comme la marque même du mal, et comme un mécanisme de défense en vue d'exorciser la peur. La fuite dans la solitude, les élans d'imagination idyllique, le refuge cherché dans les occupations machinales, les grands plaidoyers pathétiques, tout cela peut passer à la fois pour l'expression du mal, et pour une thérapeutique spontanément improvisée. Les refuges enchantés que Rousseau se ménage dans le rêve n'existeraient pas sans sa méfiance pathologique (qui lui fait éprouver « l'im-

1. Voir surtout : Ernst Kretschmer, *Der sensitive Beziehungswahn* (Berlin-Tübingen, Springer, 1918). Voir plus bas, 430 sq.

possibilité d'atteindre aux êtres réels [1] ») mais ces entretiens avec les « êtres selon son cœur » sont des moments de répit où l'angoisse semble avoir cessé, où la persécution ne l'atteint plus et ne le concerne plus. Les joies d'une communication simulée, le bonheur fictif goûté parmi des personnages inventés représentent la respiration artificielle d'une conscience que l'obsession de l'hostilité universelle eût probablement asphyxiée et figée au milieu d'un monde mort.

Autant il est naïf d'affirmer que l'on a affaire à un être voué au délire par sa *constitution* « sensitive », autant il serait vain de chercher le « vrai Rousseau » en deçà de son mal. Il est trop commode de décider que tout, dans son comportement, est déterminé par un « caractère » morbide ou par un déséquilibre inné de l'humeur. Et il est non moins facile de minimiser le trouble mental, pour célébrer un grand écrivain dont la pensée et le génie littéraire ont su se déployer face à d'innombrables ennemis, avant la maladie, en dépit de la maladie. Pour n'être pas un principe explicatif suffisant, celle-ci ne se réduit pourtant pas au rôle d'un épiphénomène accidentel. Les ennemis sont bien réels, mais ils ont été suscités, et l'imagination les accroît.

Dans la perspective d'une analyse globale, il apparaîtra que certaines conduites premières constituent à la fois la source de la pensée spéculative de Rousseau, et la source de sa folie. Mais ces conduites, à l'origine, ne sont pas morbides par elles-mêmes. C'est seulement parce qu'elles vont à l'excès et à la rupture, que la maladie se déclare et se développe. Il y a certes un mystère de la maladie ; ce mystère ne réside pas dans la structure même de l'expérience initiale, mais dans l'outrance qui en régit l'essor. Le développement morbide réalisera la mise en évidence caricaturale d'une question « existentielle » fondamentale que la conscience n'a pas été capable de dominer.

Rousseau ne se dérobe pas à une compréhension descriptive, si difficile qu'en soit l'entreprise. Dans ses moments de délire, il nous apparaît solitaire, mais non pas impénétrable. Il se referme sur sa conviction, mais nous continuons à le comprendre, nous pouvons le rejoindre par un effort de sympathie. En ceci, la folie de Rousseau nous est infiniment moins mystérieuse que la schizophrénie, laquelle nous interdit tout accès et se replie sur un horizon irréductiblement *autre*. Il est possible, il est nécessaire de suivre Jean-Jacques sur les chemins de la folie.

1. *Confessions*, liv. IX. *O. C.*, I, 427.

Le délire de concernement ne détruit pas la cohérence de la personnalité, mais la réorganise sur des données extrêmes. Subir ce type de folie et prendre la plume pour exprimer la valeur *unique* de la personnalité : ce sont là, semble-t-il, deux aspects concordants d'une même « vocation ». La possibilité de la certitude irréductible se dessine en filigrane dans toute l'œuvre théorique de Rousseau. La conviction délirante n'est que la limite extrême de cette tendance ; c'est la contre-partie du privilège exorbitant accordé à l'expérience individuelle. Tout se passe comme si Rousseau avait voulu affirmer la légitimité de la conviction intérieure jusqu'au point où elle pourrait passer pour illégitime aux yeux des autres hommes. Au moment de sa réforme, Rousseau se singularise par sa mise, par ses propos : il entend affirmer son droit à vivre selon les principes que lui dicte sa conscience ; il n'écoute que son cœur et sa raison, il n'a cure de l'opinion des autres. A mesure que la persécution l'obsédera, sa singularité lui deviendra sensible sans qu'il ait à la revendiquer et à la manifester par des signes extérieurs. Il renoncera à l'habit d'Arménien : son originalité n'a plus besoin d'être affichée au-dehors, il la subit bon gré mal gré ; il n'a plus à prendre la peine de s'éloigner, la société l'a banni. Le délire de persécution ne fait donc que transformer une solitude voulue en solitude subie. De l'une à l'autre, on ne voit pas de rupture, pas de solution de continuité, et Jean-Jacques ne semble pas sortir du chemin qu'il a choisi.

Toute revendication en faveur d'une singularité absolue équivaut à une révolte contre les normes communément acceptées. Il est dans la logique de cette révolte que l'individu proclame son droit à s'établir dans l'anormal et à en faire l'expérience, si telle est l'exigence qu'il éprouve en lui-même. Mieux encore, il se prétendra le fondateur et l'inventeur d'une nouvelle norme, en regard de laquelle tous les autres hommes lui apparaissent aveuglés par l'erreur.

Dans les derniers écrits de Rousseau, on verra tour à tour un homme qui se prétend rejeté hors de tout ordre, et un homme qui s'affirme comme le modèle unique sur lequel un ordre humain légitime pourrait se construire. Tels textes nous disent que Jean-Jacques se sent vivre dans un mauvais rêve dont le réveil n'arrive jamais ; d'autres textes, au contraire nous assurent qu'il est le seul, dans un monde corrompu, qui ait su préserver l'archétype idéal de « l'homme de la nature ». Tantôt donc il éprouve que sa vie se déroule au-delà de toute norme humaine ; et tantôt il croit sauvegarder la norme essentielle que tous ses contemporains méconnaissent.

Expulsé de partout, au centre de tout, il est toujours seul. Il est le seul qu'on ait rejeté dans l'absurde et condamné à ne plus rien savoir sur lui-même ; il est seul à posséder le savoir juste, la raison claire qui juge du bien et du mal.

On n'aura pas de peine à montrer, dans les premiers textes de Rousseau, dans des lettres qui datent d'avant la vingtième année, la présence de la méfiance et du malaise : on l'a calomnié, on a mal interprété sa conduite, on risque de le prendre pour un espion. Dès le début, Rousseau fait face à l'accusation (ou à la simple possibilité de l'accusation) et il s'efforce de se disculper. C'est la situation fondamentale où il s'était trouvé à Bossey, subissant le châtiment injuste. Le délire des dernières années de Rousseau n'invente donc aucune donnée nouvelle : il ne fait qu'exaspérer jusqu'à l'obsession un sentiment qui n'a jamais été absent de sa conscience.

Mais il n'est pas moins important de montrer que certains thèmes et certaines idées maîtresses de la pensée théorique de Rousseau évoluent de telle façon qu'ils en viennent à constituer ce qu'on pourrait nommer le corrélatif idéologique du délire de persécution. Ici encore, nous verrons que Rousseau, dans les *Dialogues* et les *Rêveries*, n'invente rien qu'il n'ait déjà pensé et exprimé. Mais ce qui change, c'est le système, les rapports que les idées entretiennent ou cessent d'entretenir entre elles ; la pensée de Rousseau continue à travailler sur des éléments antérieurement acquis et depuis longtemps familiers, mais elle en remanie la fonction et la signification. A-t-on remarqué que certaines expressions, qui appartenaient d'abord au vocabulaire de l'amour passent dans le vocabulaire de la persécution ? Le mot *enlacé*, que Rousseau répète dans les *Dialogues* et les *Rêveries* pour caractériser sa situation de victime, possédait dans le cinquième livre de l'*Émile* une signification amoureuse, et définissait la tendre sollicitude de Sophie : « Pardonnons le souci qu'elle donne à ce qu'elle aime à la peur qu'elle a qu'il ne soit jamais assez enlacé [1]. » Voici un autre exemple du même déplacement de signification : Rousseau persécuté se sent entre les

1. *Émile*, liv. V. *O. C.*, IV, 796. Dans un curieux passage de *La Nouvelle Héloïse* (VIe partie, lettre VI), Julie utilise ce mot pour annoncer à Saint-Preux les dangers qu'il courrait en s'installant à Clarens. *Enlacé* est alors un terme ambigu qui caractérise à la fois une situation d'amant et une situation de victime : Saint-Preux va s'exposer « à tout ce qui peut réveiller en lui les passions mal éteintes ; il va s'enlacer dans les pièges qu'il devrait le plus redouter ».

mains de ceux qui « disposent de sa destinée » ; mais Saint-Preux désirait cette situation de dépendance absolue et implorait Julie : « Par pitié ne m'abandonnez pas à moi-même ; daignez au moins disposer de mon sort [1]. » Ici encore, le vœu amoureux semble trouver une réalisation parodique et masochiste dans l'univers cruel de la persécution... Et cette unanimité qui faisait le caractère exaltant du pacte social, la voici qui se réalise contre Rousseau, dans l'inexplicable hostilité de toute une génération. « La ligue est universelle, sans exception, sans retour [2]. » Le pronom *on*, qui dans le *Contrat social* représentait la volonté générale, désigne maintenant l'anonymat collectif d'une conjuration universelle. (A partir du petit groupe de « ces messieurs », la malveillance se généralise et gagne tous les hommes : ces messieurs deviennent *ils*, puis *on*.)

LA RÉFLEXION COUPABLE

Dans les *Dialogues*, certaines des idées maîtresses de Rousseau se stabilisent définitivement et s'offrent à nous dans leur état dernier. Il convient ici d'examiner le rôle dévolu à la notion de *réflexion* et à celle d'*obstacle*. Ces deux notions subissent en effet une accentuation extrêmement significative, qui nous permettra de mieux comprendre le stade final auquel aboutit l'expérience de Rousseau [3].

Le second *Discours* attribuait à la réflexion un rôle ambigu. On s'en souvient, le pouvoir de la réflexion est lié à la perfectibilité de l'homme. C'est simultanément par l'emploi des outils et par le développement du jugement réflexif que l'homme émerge hors de l'animalité. Tout se met alors en mouvement, mais ce mouvement nous éloigne de la plénitude originelle : il nous pervertit, c'est-à-dire qu'il nous détourne de notre première nature. L'homme qui réfléchit est un animal dépravé, ce qui n'implique pas au premier chef une condamnation morale : un animal dépravé est un animal qui abandonne la voie simple où le conduisait son instinct. La réflexion nous fait perdre la présence immédiate du monde naturel ; c'est pourquoi, dans la théorie, le développement de la réflexion est exactement contemporain de

1. *La Nouvelle Héloïse*, Ire partie, lettre II. *O. C.*, II, 35.
2. *Rêveries*, huitième Promenade. *O. C.*, I, 1077.
3. Nous avons repris le problème dans l'un des chapitres de *L'Œil vivant* (Paris, Gallimard, 2e éd., 1968) : « Jean-Jacques Rousseau et le péril de la réflexion », p. 94-188.

l'invention des premiers instruments, au *moyen* desquels l'homme s'opposera désormais à la nature. La civilisation se bâtit par la conjonction de la pensée réflexive et de l'action instrumentale, et il n'est pas possible de rétrograder. Si désastreuse qu'ait été notre rupture avec la clarté primitive de l'expérience sensible, nous devons la considérer comme irréversible et nous accommoder de notre état présent[1]. Bien qu'il y ait lieu de condamner les méfaits de la réflexion, il faut dire aussi qu'elle fournit la preuve de la spiritualité de l'homme. Dans l'*Émile*, parmi les arguments que Rousseau oppose au matérialisme, la réflexion figure en bonne place : l'homme possède un pouvoir actif de juger et de comparer, il n'est donc pas entièrement le jouet des causes matérielles, son esprit n'est pas entièrement soumis aux lois de la nature inanimée. Si profonde que soit la nostalgie de Rousseau pour l'immédiat de la vie sentie et de l'instinct, il reconnaît, dans l'*Émile*, que la sensation ne suppose encore qu'un être passif. Pour que l'homme s'accomplisse, il faut qu'il manifeste le « principe actif » de son âme, il faut qu'il juge, raisonne, compare. (Locke et Condillac l'avaient dit avant Rousseau.) Dépassant l'existence sensitive, l'homme acquiert le pouvoir de « donner un sens à ce mot *est*[2] ».

Aussi la doctrine pédagogique de Rousseau acceptait-elle de faire intervenir la réflexion comme un stade nécessaire de l'évolution de la conscience. Certes, il est néfaste de faire appel trop précocement au jugement de l'enfant ; Émile n'est d'abord capable que de sentir. Il ne faut pas lui imposer un effort artificiel qui le sépare de la réalité immédiatement perçue. Mais il vient un moment, aux alentours de la puberté, où l'esprit est mûr pour la réflexion. Dans une éducation selon la nature, la réflexion a le droit d'intervenir, mais à son heure, à l'âge qui lui convient. Rousseau construit donc un schéma dynamique où le développement de l'activité réflexive constitue une phase intermédiaire entre le stade enfantin de la sensation immédiate et la découverte du *sentiment moral*, qui constituera une synthèse supérieure unissant l'immédiat de l'instinct et l'exigence spirituelle éveillée par la réflexion. Dans une phrase qui préfigure Kant, Rousseau assigne à la raison réfléchissante la tâche de préparer l'impératif pratique du sentiment moral : « Ainsi ma règle de me livrer au sentiment plus qu'à la raison est confirmée par la raison même[3]. »

1. Pour de plus amples détails, nous renvoyons le lecteur aux notes que nous avons consacrées à ce problème dans l'édition de la Pléiade (*O. C.*, III, 1310 sq.).
2. *Émile*, IVe partie. *O. C.*, IV, 571.
3. *Op. cit.*, 573.

La réflexion, stade intermédiaire, est en un sens un malheur, puisqu'elle détruit l'unité originelle de la conscience et la sépare du monde naturel. L'acte de juger m'éloigne de la vérité :

Je sais seulement que *la vérité est dans les choses* et non pas dans mon esprit qui les juge, et que moins je mets du mien dans les jugements que j'en porte, plus je suis sûr d'approcher de la vérité [1].

Mais séparée de la « vérité des choses », la conscience prend possession d'elle-même ; elle se connaît désormais comme conscience. C'est en elle et non plus dans le monde que se produit la révélation immédiate. La réflexion, qui a brisé l'unité originelle, nous fait accéder à une nouvelle unité, aussi absolue que le première, mais éclairée par la connaissance. La conscience ne vit plus naïvement son union avec le monde, elle éprouve en elle-même la source de son unité elle se fonde sur sa certitude :

La conscience ne nous dit point *la vérité des choses*, mais la règle de nos devoirs [2].

La réflexion, qui a voilé la « vérité des choses », a permis au sentiment moral de se dévoiler en nous et de s'imposer catégoriquement. Elle nous achemine vers le stade ultérieur où nous pouvons nous passer de la réflexion pour nous guider selon le « dictamen » de la conscience. Par la réflexion, une intériorisation s'est opérée : nous avons perdu le contact sans défaut avec le monde extérieur, mais la lumière se fait au-dedans de nous. Le monde peut désormais demeurer dissimulé sous le voile [3] ; nous nous contenterons d'une transparence qui se fait jour en nous-mêmes : c'était dans ces termes que se formulait l'expérience extatique de la troisième lettre à Malesherbes, c'était également ainsi que Julie accédait à la jouissance d'une « communication immédiate », tandis que le voile de la mort venait recouvrir son visage.

Tout change dans l'accentuation que Rousseau impose à ses idées en écrivant les *Dialogues*. La réflexion n'est plus

1. *Émile*, IVe partie. *O. C.*, II, 573.
2. *La Nouvelle Héloïse*, VIe partie, lettre VIII. *O. C.*, II, 698.
3. *Vide supra :* chap. IV, « Théorie du dévoilement ». Il faut rappeler également la lettre de Rousseau à dom Deschamps (25 juin 1761, *Correspondance générale*, DP, VI, 160 ; L, IX, 28) : « La vérité que j'aime n'est pas tant métaphysique que morale. »

cette puissance ambiguë qui détermine la corruption des sociétés et qui rend possible le progrès de la conscience morale. Elle n'est plus une étape par où l'esprit doit nécessairement passer au cours de sa croissance. Il n'y a plus de chemin qui mène au-delà de la réflexion. La voici devenue, sans équivoque et sans espoir de réconciliation, une force ennemie : le fondement du mal. Ce qui d'abord était mouvement et dépassement se fige maintenant en une opposition définitivement indépassable. Au lieu de s'ouvrir sur un progrès « dialectique », l'antithèse s'appesantit et s'immobilise. Entre la « vie immédiate » et la « vie réfléchie » le conflit est désormais sans issue. Dès le début des *Dialogues*, Rousseau construit un système où la réflexion est représentée, en termes de cinétique, comme une *déflexion* de l'énergie primitive de l'âme :

> Tous les premiers mouvements de la nature sont bons et droits. Ils tendent le plus directement qu'il est possible à notre conservation et à notre bonheur : mais bientôt manquant de force pour suivre à travers tant de résistance leur première direction, ils se laissent défléchir par mille obstacles qui les détournant du vrai but leur font prendre des routes obliques où l'homme oublie sa première destination [1].

La réflexion nous fait *dévier* de notre vrai but. Nous trouvons ici, dans le langage de la mécanique, l'équivalent de ce que Rousseau affirmait lorsqu'il définissait l'homme qui réfléchit comme un animal *dépravé*.

Ici, la réflexion apparaît comme une forme *dégradée* d'énergie spirituelle. Dans l'*Émile*, au contraire, la pensée réfléchie apportait la preuve de la puissance active qui fait de l'homme un être autonome et libre : capables de juger et de comparer, nous nous opposons activement au monde, au lieu de le subir passivement. Mais maintenant, réfléchir est une « faiblesse de l'âme » : la force nous manque pour atteindre notre but primitif par la voie directe ; au contact de l'obstacle nos énergies s'amortissent, l'ardeur initiale se ralentit et s'éteint. La réflexion est glacée, et tout ce qu'elle touche est aussitôt frappé d'un froid mortel. Réfléchir, c'est comparer. Or l'amour-propre consiste à se comparer à autrui. La réflexion est donc la source de l'amour-propre et de toutes les « passions répulsives » :

> L'action positive ou attirante est l'œuvre simple de la nature qui cherche à étendre et renforcer le sentiment de notre être ; la négative

1. *Dialogues*, I. *O. C.*, I, 668-669.

ou repoussante qui comprime et rétrécit celui d'autrui est une combinaison que la réflexion produit. De la première naissent toutes les passions aimantes et douces, de la seconde toutes les passions haineuses et cruelles [1].

En deçà de la réflexion, il y a l'amour de soi, par quoi notre existence s'affirme innocemment : l'amour de soi ne tient compte que du moi, il ignore la différence de l'autre et par conséquent ne peut s'opposer activement à autrui. Mais dès qu'autrui apparaît dans le champ de notre jugement, nous sommes la proie de l'amour-propre, nous nous comparons, et le mal devient possible. Ne peuvent mentir, ne peuvent se déguiser que ceux qui, par la réflexion, se comparent aux autres hommes. Les méchants, les fauteurs du complot agissent par « une noirceur méditée et *réfléchie* [2] ». C'est la réflexion qui est le péché fondamental et qui introduit dans le monde le maléfice du paraître mensonger :

Le premier art de tous les méchants est la prudence, c'est-à-dire la dissimulation. Ayant tant de desseins et de sentiments à cacher, ils savent composer leur extérieur, gouverner leurs regards, leur air, leur maintien, se rendre maîtres des apparences. Ils savent prendre leurs avantages et couvrir d'un vernis de sagesse les noires passions dont ils sont rongés... Celles des cœurs ardents et sensibles étant l'ouvrage de la nature se montrent en dépit de celui qui les a ; leur première explosion purement machinale est indépendante de sa volonté... Mais l'amour-propre et les mouvements qui en dérivent n'étant que des *passions secondaires produites par la réflexion* n'agissent pas si sensiblement sur la machine. Voilà pourquoi ceux que ces sortes de passions gouvernent sont plus maîtres des apparences que ceux qui se livrent aux impulsions directes de la nature [3].

Perdre la spontanéité, ne plus obéir à l'*impulsion directe*, c'est donc entrer dans le camp des méchants, c'est s'établir dans le royaume du mal. Voilà le péché des autres. Rousseau, lui, en est indemne : il est l'homme de la spontanéité impulsive, sa nature permanente répugne à la réflexion. Il n'agit que de primesaut, et les mouvements de sa sensibilité, aussi ardents qu'éphémères, ne s'engagent jamais dans les « voies obliques ». Jean-Jacques est gouverné par la sensation immédiate : c'est la preuve absolue de son innocence. Il ne peut pas être un méchant, puisque la réflexion n'a pas d'empire sur lui. « Tous ses premiers mouvements seront vifs et purs ; les seconds auront sur lui peu d'empire... Jamais

1. *Dialogues*, II. *O. C.*, I, 805.
2. *Dialogues*, III. *O. C.*, I, 927.
3. *Dialogues*, II. *O. C.*, I, 861.

il ne fera volontairement ce qui est mal... Toutes ses fautes, mêmes les plus graves, ne seront que des péchés d'omission [1]. » Certes, il a quelquefois trahi sa nature, il a cédé à la tentation de la réflexion. En réalité, il n'en est pas responsable, on l'a séduit, on l'a entraîné dans le mal. S'il est devenu un écrivain, c'est parce qu'il a été victime d'une sorte d'envoûtement :

J'ai pensé quelquefois assez profondément ; mais rarement avec plaisir, presque toujours *contre mon gré et comme par force* : la rêverie me délasse et m'amuse, *la réflexion me fatigue et m'attriste* ; penser fut toujours pour moi une occupation pénible et sans charme [2].

Il dira même plus : s'il a commis le mal dans sa vie, c'est pour avoir passagèrement suivi les conseils de la pensée réflexive : « Tout le mal que j'ai fait en ma vie, je l'ai fait par réflexion ; et le peu de bien que j'ai pu faire, je l'ai fait par impulsion [3]. » Les *égarements* de Jean-Jacques n'étaient pas des mouvements impulsifs, mais des recours malencontreux aux conseils de la réflexion.

L'image de Jean-Jacques, telle que les *Dialogues* la construisent, accepte toutes les contradictions, toutes les faiblesses, à l'exception de la souillure de la réflexion ; par conséquent l'innocence de Jean-Jacques est radicalement assurée, puisque le fondement du mal lui est étranger. Rousseau se replie dans un monde où le *bien* lui appartient infailliblement, par le simple fait de n'être pas contaminé par la réflexion. Peu importe qu'il parle tour à tour de l'énergie de ses passions et de la faiblesse qui le livre sans défense à ses sensations. Il n'y a pas de contradiction entre l'élan actif du sentiment spontané, et la passivité des automatismes sensitifs, tant que l'un et l'autre manifestent une soumission absolue à l'immédiat. Activité immédiate et passivité immédiate s'équivalent, leur pureté est égale. La seule faiblesse coupable est celle qui conduit à la réflexion. Certes, Jean-Jacques est faible, il est « esclave de ses sens », mais cette faiblesse-là reste sans conséquence, elle ne le détourne pas des jouissances immédiates. Il n'est pas vertueux, il n'est que bon, mais il ne sera jamais coupable.

Le monde non réflexif où Rousseau se retranche est un monde qui se veut suffisant et complet. La théorie révisée

1. *Op. cit.*, 824-825.
2. *Rêveries*, septième Promenade. *O. C.*, I, 1061-1062.
3. *Correspondance générale*, DP, XVII, 2-3.

ne fait plus commencer l'activité de l'âme au stade de la réflexion, comme le voulait la doctrine psychologique de Locke et de Condillac. Dans cet univers qui prétend ne rien devoir à la réflexion, l'homme veut se montrer pleinement actif sans avoir à exercer son jugement. Nous avons vu que Rousseau a établi la possibilité d'une mémoire qui ne serait pas réflexion sur un objet passé, mais surgissement actuel du sentiment. L'imagination, elle aussi, se déploie sans le secours de la réflexion. Voilà d'emblée deux activités sauvées de la contagion du mal et auxquelles Rousseau pourra se livrer sans remords. Au surplus, toute la morale se fonde sur la pitié, laquelle est antérieure à l'apparition de la pensée réfléchie : c'est là un point sur lequel Rousseau a fréquemment insisté. Déjà, en écrivant le second *Discours*, il avait vu la source de la morale dans la pitié naturelle, c'est-à-dire dans un « pur mouvement de la nature, antérieur à toute réflexion [1] ». Une vie *droite* est donc possible avant que l'existence des autres ne devienne un terme de comparaison pour notre amour-propre. En deçà de la réflexion, nous sympathisons spontanément, nous nous identifions à notre prochain, au lieu de nous opposer à lui. La « sensibilité positive », dérivée de l'amour de soi, nous fait connaître des « passions aimantes et douces [2] ». Rien d'essentiel ne nous manquera si nous nous replions dans un monde où la lumière primitive des consciences ne se dédouble pas dans le miroir sombre de la réflexion.

Ainsi, Rousseau abandonne l'idée d'une synthèse progressive qui inclurait et dépasserait le stade de la réflexion. Il n'est plus question de suivre le plan d'évolution proposé dans l'*Émile*, qui voulait que l'homme acquière la maîtrise de la réflexion, pour accéder à une spontanéité plus riche, au-delà de la réflexion. Il semblait qu'il y eût un chemin au terme duquel nous nous retrouverions nous-mêmes, après avoir connu le temps de la séparation. Maintenant, nous sommes dans un lieu sans chemin ; c'est un monde tronçonné et mutilé. La vie immédiate et la pensée réfléchie s'opposent sans espoir de réconciliation : aucune voie ne conduit de l'une à l'autre. Les méchants campent dans la réflexion ; les bons — c'est-à-dire Jean-Jacques — vivent une succession de « premiers mouvements » dont aucun ne se « défléchira ».

Réfléchir, c'est juger. Mais les *Dialogues* s'intitulent aussi : Rousseau *juge* de Jean-Jacques.

1. *Discours sur l'Origine de l'Inégalité. O. C.*, III, 155.
2. *Dialogues*, II. *O. C.*, IV, 805.

Réfléchir, c'est comparer. Mais, au début des *Dialogues*, on lit : « Il fallait nécessairement que je disse de quel œil, *si j'étais un autre*, je verrais un homme tel que je suis [1]. » Non seulement Rousseau accomplit ici un dédoublement réflexif, mais tout au long de son livre il se compare à ses ennemis pour se situer à sa vraie place, dans l'innocence de la vie irréfléchie. Rousseau parle de Jean-Jacques et démontre qu'il est « esclave de ses sens », mais pour sa démonstration il ne perd jamais de vue les autres, les méchants, ceux que domine la froide passion de la réflexion. Aussi peut-on dire que les *Dialogues* sont essentiellement une réflexion dirigée contre la réflexion. C'est là que réside le non-sens, l'erreur capitale des *Dialogues*, autant et peut-être plus encore que dans le caractère délirant des idées de persécution. La conversation entre les deux personnages, Rousseau et le Français, est une interminable réflexion destinée à prouver que Jean-Jacques, conduit seulement par ses sensations et ses impulsions, est incapable de vivre selon le mode de la pensée réfléchie. Jean-Jacques se sépare de lui-même afin de nous dire qu'il ne s'est jamais quitté. L'ouvrage tout entier est une réflexion malheureuse et honteuse, fascinée par la nostalgie de l'irréfléchi : elle se condamne et se renie elle-même en se développant, et du même coup elle aggrave et prolonge la faute d'écrire et de réfléchir, dont Rousseau se dit innocent. D'où les dénégations infinies : Jean-Jacques n'était pas né pour devenir un écrivain, il a été entraîné hors de lui-même ; au reste il n'a jamais été un penseur, il n'a pris la parole que pour peindre son âme, pour exprimer les sentiments les plus spontanés. Son vrai royaume est le « monde enchanté », parmi les initiés qui se comprennent sans recourir au langage humain, grâce à des signes infaillibles...

Le Rousseau des *Dialogues* a certes l'intention de révéler le vrai Jean-Jacques d'une façon aussi directe que possible. Il voudrait convaincre son interlocuteur — le Français — en provoquant en lui une illumination instantanée : « Essayons... s'il n'y aurait point quelque moyen de vous faire sentir tout d'un coup *par une impression simple et immédiate* ce que dans les opinions où vous êtes je ne saurais vous persuader en procédant graduellement [2] »... Mais ce moyen simple n'existe pas ; il faut parler sans fin, discourir à perte de vue. La démonstration déploiera tous les arguments imaginables, jusqu'aux plus abstraits, pour construire le mythe d'un Jean-Jacques

1. *Dialogues*, Du sujet et de la forme de cet écrit. *O. C.* I, 665.
2. *Dialogues*, II. *O. C.*, I, 799.

inapte à la réflexion et au discours. Ainsi il compromet et *perd* cette image mythique dans l'effort même qu'il fait pour la tracer et la représenter : le mythe est menacé d'inauthenticité dans sa source même. Le Rousseau des *Dialogues* parle dans le monde de la réflexion ; il vit dans le malheur de la division, il cherche la justification ; mais le Jean-Jacques dont il parle habite un autre monde et n'a jamais franchi le seuil de la réflexion, il n'a pas quitté l'unité indivise de la nature, il n'a pas besoin de justification.

Dans le premier *Discours*, Rousseau était conscient de son paradoxe : il savait qu'il était un homme de lettres qui plaidait contre les lettres. Ici, le même paradoxe est à son comble, mais il a cessé d'être conscient. Rousseau ne parvient pas à reconnaître qu'il est un homme de réflexion qui prétend ne rien savoir de la réflexion. Le Rousseau qui juge et le Jean-Jacques inapte à l'effort du jugement ne peuvent pas être le même homme. Tel qu'il se pense, Rousseau n'aurait pas le droit de se penser. L'activité réfléchie, par laquelle Rousseau prétend démontrer son innocence, est frappée d'interdit par les principes mêmes sur lesquels elle fonde les conditions du bien et du mal. Si elle était consciente d'elle-même, elle se saurait coupable, puisque le parti de la réflexion coïncide avec le mal lui-même. Elle saurait qu'elle appartient au monde sur lequel elle a jeté l'anathème... Pour échapper à cette contradiction fondamentale, il y aurait deux issues possibles : en continuant à considérer la réflexion comme le principe du mal, il ne reste qu'à se taire ; ou bien, si l'on veut parler innocemment, il faut innocenter la réflexion. Mais Rousseau s'obstine dans la contradiction : il continuera à parler du bonheur de la communication silencieuse, il continuera à se prévaloir d'un immédiat qu'il ruine par sa parole.

Le Rousseau qui nous parle est absolument *étranger* à l'image qu'il construit de lui-même. Là réside la véritable aliénation, au sens psychiatrique du terme. Car Rousseau subit lui-même la division qui, coupant le monde en deux, oppose irréductiblement le mal de la réflexion et l'innocence de l'immédiat ; nous voyons cette division passer en Rousseau lui-même et dresser à l'intérieur de sa conscience l'hostilité de deux mondes qu'aucun chemin ne réunit. Il n'a ni anéanti ni dépassé la réflexion ; il l'a expulsée. Et du même coup, il s'est condamné à ne pouvoir parler de lui-même que du dehors, du point de vue de la faute. Bien loin de réaliser l'unité du sentiment et du langage, sa parole est définitivement l'*autre* par rapport au « vrai moi » qui prétend demeurer dans la plénitude indivise. Rousseau est exclu de Jean-Jacques, et c'est pourtant à partir de cette étrange exclusion que se construit le portrait de Jean-Jacques.

Déjà un problème analogue s'était présenté, lorsque Rousseau avait formé son projet de *morale sensitive*. C'est une chose que de *subir* l'influence du milieu environnant, c'en est une autre que d'analyser l'effet moral de nos expériences sensibles et d'*aménager* les objets qui nous entourent de telle sorte que leur influence nous soit favorable. Rousseau voudrait se livrer entièrement à la sensation, mais à la condition que le milieu sensible soit disposé à son avantage :

> Les frappantes et nombreuses observations que j'avais recueillies étaient au-dessus de toute dispute, et par leurs principes physiques, elles me paraissaient propres à fournir un régime extérieur qui varié selon les circonstances pouvait mettre ou maintenir l'âme dans l'état le plus favorable à la vertu [1].

Une initiative active, vigilante et réfléchie, est donc nécessaire pour « varier le régime extérieur » et pour rendre possible, plus tard, un abandon purement passif à l'impression extérieure. Pour qu'un tel projet réussisse, il faut que la sensation soit employée comme un *moyen* ; elle doit servir d'instrument efficace à une action raisonnable et réfléchie. Mais, pour Rousseau, la morale sensitive est destinée à libérer l'esprit de l'effort de la réflexion ; son but est de monter des automatismes qui feront de la vie immédiate une vie selon la vertu. La réussite parfaite serait de pouvoir se livrer naïvement à la sensation en oubliant qu'elle est un moyen mis en œuvre par la réflexion. Pareille réussite présuppose un immense travail spéculatif ; Rousseau se découragera en cours de route. Il aurait fallu trop de réflexions préliminaires pour parvenir à se passer définitivement de la réflexion. (L'effort intellectuel vaut la peine d'être entrepris, s'il assure le repos et dispense de tout nouvel effort. Dans les *Rêveries*, Rousseau déclare qu'il s'est imposé une difficile réflexion afin de *fixer* une fois pour toutes ses idées en matière de métaphysique et de religion [2]. Il a pensé pour n'avoir plus à penser : il a mis au point son *credo*, sa profession de foi, pour n'avoir plus à revenir sur ses doutes et pour s'abandonner au sentiment sans arrière-pensée. La philosophie retourne à son rôle ancillaire, non plus au service de la théologie, mais du sentiment immédiat.)

Rousseau ne voit pas que la vie sensitive dont il rêve ne

1. *Confessions*, liv. IX. *O. C.*, I, 409.
2. *Vide supra*, chap. III, 63.

peut exister que sous la constante surveillance de la pensée réfléchie. Il ne voit pas que, si la réflexion peut être dépassée, elle ne peut cependant pas être rejetée comme si on ne lui avait jamais demandé son conseil. C'est une mystification que de croire ainsi en finir avec la réflexion, et Rousseau semble vouloir être tout ensemble le mystificateur et le mystifié, l'enchanteur et l'enchanté. Il veut se gouverner, mais en se laissant gouverner par les choses :

> Que d'écarts on sauverait à la raison, que de vices on empêcherait de naître si l'on savait *forcer* l'économie animale à favoriser l'ordre moral qu'elle trouble si souvent [1] !

Comment être à la fois celui qui force et celui qui se laisse forcer ? Comment vivre innocemment au niveau de la sensation, alors qu'on a soi-même mis en œuvre le conditionnement sensible ? Comment assumer la responsabilité de la mise en scène, comment travailler à l'agencement du dispositif extérieur, tout en sauvegardant l'irresponsabilité docile d'un « animal » qui laisse agir le monde sensible et se laisse conduire ingénument par ses sensations ? Il faudrait pouvoir être, tour à tour, un démiurge et un animal. Seul un chef-d'œuvre d'artifice peut organiser le monde de façon que la vie vertueuse s'accomplisse naïvement et sans effort, sous la seule impulsion des sens.

Dès l'instant où ce qui est originel est ainsi manipulé en vue d'une fin morale, la spontanéité originelle n'est-elle pas détruite, ou du moins profondément altérée ? Rousseau ne peut pas consentir à sortir du réseau des influences sensibles, qu'il considère comme responsables de nos sentiments moraux, et il ne veut pas non plus renoncer à avoir prise sur ce dispositif déterminant :

> Tout nous offre mille prises presque assurées pour gouverner dans leur origine les sentiments dont nous nous laissons dominer [2].

Mais comment préserver la pureté primitive des sentiments tout en les gouvernant ? Au lieu d'aboutir à une synthèse réussie, ne risquons-nous pas de perdre la fraîcheur de l'originel, sans parvenir à rien dominer par la réflexion ? Nous serons exilés de l'origine sans avoir pris pied dans le domaine de la pensée rigoureuse. Les droits de la sensation n'auront pas été restaurés et ceux de la réflexion n'auront pas été

1. *Confessions*, liv. IX. *O. C.*, I, 409.
2. *Ibid.*

instaurés. Nous resterons flottants entre une réflexion honteuse, qui n'ose pas s'affirmer, et une sensibilité dénuée de spontanéité, troublée par la réflexion et incomplètement contrôlée.

L'utilisation des effets psychologiques du monde sensible est un artifice qui compromet la liberté. Un même homme ne peut, sans mauvaise foi, construire un décor magique et s'abandonner passivement à cette magie. Il ne peut ignorer qu'il a été l'artisan volontaire de ce qu'il désire subir comme une influence involontaire. S'il s'est soumis délibérément à l'influence des choses extérieures — « les climats, les saisons, les sons, les couleurs, l'obscurité, la lumière, les éléments, les aliments, le bruit, le silence, le mouvement, le repos [1] » — il doit reconnaître qu'il peut s'y soustraire tout aussi librement. Le projet de morale sensitive révèle que Rousseau a décidé de se livrer absolument aux choses, mais en oubliant sur-le-champ que sa décision a été prise en toute liberté. Il se persuade qu'il n'y a plus qu'à laisser faire les choses. Le bien *a lieu*, l'ordre moral *se réalise* automatiquement. Ce que Rousseau semble chercher, c'est la sécurité passive, un état de bienheureuse obéissance qui n'ait pas à être remis en question. Il faut donc qu'il feigne d'ignorer que l'acte libre, par lequel il se confie au pouvoir des choses, peut aussi le retirer de ce pouvoir à tout instant. Dans la « morale sensitive », le conditionnement vient du dehors, les décisions sont prises ou forcées par les objets extérieurs (une fois convenablement aménagés) ; Rousseau n'a plus d'initiatives à prendre, puisque c'est l'affaire du monde sensible. Le mal, dès lors, a disparu ; Rousseau n'agit pas, et les choses sont innocentes. D'où viendrait la faute ? Mais la faute est précisément de répudier la réflexion qui a installé le décor avant le lever du rideau. La faute, c'est d'avoir abdiqué la liberté de la décision pour la confier aux choses, au monde immédiat. L'erreur, comme dans les *Dialogues*, c'est de faire en sorte que deux « moments » de la conscience — la réflexion et la sensation — deviennent tellement étrangers l'un à l'autre qu'ils ne paraissent plus appartenir au même être.

De fait, avant que Rousseau n'ait jeté l'anathème sur la réflexion, il y voyait déjà une faculté qui ne peut coexister aisément avec la spontanéité de la sensation. La réflexion et l'empire des sens (ou du sentiment) ne peuvent habiter une même âme. Aussi Rousseau distinguait-il l'homme de

1. *Ibid.*

la sensibilité et l'homme de la réflexion ; il en faisait deux personnages différents et complémentaires : Saint-Preux et Wolmar, Émile et son précepteur. Un rapport positif existe entre les êtres de réflexion et les êtres de sensibilité, et ce rapport est pédagogique, éducatif. L'homme réfléchi connaît le moyen de gouverner les âmes sensibles. Il exerce sur elles une bienfaisante violence, d'abord pour les conduire selon l'ordre et le bien, ensuite pour les éveiller à la connaissance éclairée de l'ordre et du bien. Tel est le but de l'éducation : plus tard, l'homme de la sensibilité possédera aussi les pouvoirs de la réflexion ; plus tard, la synthèse aura lieu. Mais au commencement, la distance est grande, le maître et le disciple appartiennent à deux mondes différents.

Avant l'époque de la persécution, il semble que Rousseau se soit complu à vivre *tour à tour* le rôle de l'homme réfléchi et de l'âme sensible. Si Émile est peut-être un autre Jean-Jacques, le précepteur est un autre Rousseau. De même, Wolmar et Saint-Preux sont deux identités imaginaires que le rêveur de l'Ermitage adopte alternativement en composant son roman. Il revit l'âge d'or de l'enfance, il se donne les joies et les malheurs d'une âme sensible ; mais il s'exalte aussi à posséder le pouvoir démiurgique de Wolmar et du précepteur.

La réflexion du maître se donne pour tâche de favoriser la vie irréfléchie de l'enfant, jusqu'au moment où celui-ci pourra être initié à la réflexion. Toutefois nous devinons une duperie dans la façon dont les maîtres aménagent les objets destinés à faire impression sur les « âmes sensibles ». (Cette duperie nous était déjà apparue au moment où nous analysions les rapports de confiance reliant Wolmar à ses serviteurs.) Saint-Preux est conduit à la vertu, presque à son insu. Émile est éduqué « selon la nature », grâce aux artifices du précepteur omniprésent et omniscient : l' « éducation négative » est le fruit d'une réflexion positive. La liberté d'Émile est maintenue en sommeil tant qu'on gouverne l'enfant par la seule sensation. Sans doute le précepteur a-t-il l'intention de favoriser — à son heure — l'éveil d'une responsabilité plénière. Mais pendant toute la durée de cette éducation, l'élève est entièrement manœuvré par le précepteur. Si c'est là une éducation *pour* la liberté, ce n'est certainement pas une éducation *par* l'appel à une liberté authentique.

Émile se sent libre et ne l'est pas. Mille contraintes invisibles conditionnent sa conduite : le monde « naturel » dans lequel il vit est en réalité l'œuvre du précepteur. Émile est le captif d'un piège raffiné. Pourtant la plupart des lecteurs ont lu l'*Émile* comme si Rousseau les invitait à imiter la spontanéité sensitive de l'enfant, et non pas la réflexion raisonnable du précepteur qui dirige la spontanéité de son élève. On y a vu non l'exposé d'une science pédagogique et d'une *technique* réfléchie, mais un chant à la louange du sentiment irréfléchi. C'est ne pas bien entendre Rousseau, mais lui-même est partiellement responsable de ce malentendu. En effet, rien, dans les théories du précepteur, ne confirme et ne légitime sa propre attitude ; ses déclarations vont presque toutes contre le rôle néfaste de la réflexion. Il semble n'être pas conscient de sa propre réflexion et il construit un système selon lequel son propre discours n'aurait pas le droit d'exister. Rousseau a dévolu au précepteur le rôle du médiateur, mais il en fait le prophète de la vie immédiate. Sa méthode consiste à tenir l'enfant, du moins jusqu'à un certain âge, « toujours en lui-même et attentif à ce qui le touche immédiatement [1] ». Ainsi Rousseau pose la nécessité de la médiation (puisqu'il lui faut un précepteur) et la refuse en même temps (puisque le précepteur prêche l'évangile de la vie immédiate).

Or le refus de la médiation deviendra toujours plus catégorique. Au moment où il écrit les *Dialogues*, Rousseau voit dans la sensation et dans la réflexion des termes irréductiblement opposés. Il se présente lui-même comme celui qui n'a jamais quitté l'immédiat de la sensation. C'en est fait de la dialectique qui attribuait à la réflexion une fonction médiatrice entre l'unité première du monde naturel et l'unité supérieure du monde moral. La réflexion est maintenant l'opposé absolu de la nature, l'ennemi irréconciliable ; tout se fige dans une antinomie de type manichéen.

Le rôle du précepteur, auquel Rousseau acceptait de s'identifier, passe alors dans le camp de l'ennemi. Le dangereux pouvoir de la réflexion appartient maintenant à l'*autre*, au méchant que Rousseau ne peut et ne veut pas être. Aussi la persécution développera-t-elle une noire parodie du rapport de dépendance heureuse qui unissait Émile à son précepteur. Jean-Jacques entre les mains de ses persécuteurs ressemble à Émile entre les mains du maître qui dispose de sa liberté. Mais la duperie bienfaisante s'est changée en complot diabolique. La réflexion n'était que honteuse, la voici devenue entièrement coupable. Son œuvre est le mal par excellence.

On lisait dans l'*Émile* :

Qu'il croie toujours être le maître et que ce soit toujours vous qui le soyez. Il n'y a point d'assujettissement si parfait que celui qui garde l'apparence de la liberté ; on captive ainsi la volonté même. Le pauvre

1. *Émile*, liv. II. *O. C.*, IV, 359.

enfant qui ne sait rien, qui ne peut rien, qui ne connaît rien, n'est-il pas à votre merci? Ne disposez-vous pas par rapport à lui de tout ce qui l'environne? N'êtes-vous pas le maître de l'affecter comme il vous plaît? Ses travaux, ses jeux, ses plaisirs, ses peines, tout n'est-il pas dans vos mains sans qu'il le sache? Sans doute, il ne doit faire que ce qu'il veut; mais il ne doit vouloir que ce que vous voulez qu'il fasse ; il ne doit pas faire un pas que vous ne l'ayez prévu, il ne doit pas ouvrir la bouche que vous ne sachiez ce qu'il va dire [1].

Le précepteur a volé la liberté de son élève, pour le préparer à son bonheur et à sa liberté future. Cette complète domination serait épouvantable, à supposer que l'intention du précepteur soit malfaisante. Or précisément, Rousseau se sent visé par une réflexion hostile à laquelle il attribue une évidence absolument irréfutable. Il rejette la réflexion dans les ténèbres extérieures, et il reste seul, dans la situation de la victime. Le voici devenu le jouet des entreprises des suppôts de la réflexion. Et pour décrire la façon dont il est circonvenu, il utilisera les termes mêmes qui lui avaient servi à dépeindre la docile passivité d'Émile : le projet des persécuteurs s'énonce d'une façon étrangement identique aux conseils pédagogiques que nous venons de lire :

Ils ont pris des précautions non moins efficaces en le surveillant à tel point qu'il ne puisse dire un mot qui ne soit écrit, ni faire un pas qui ne soit marqué, ni former un projet qu'on ne pénètre à l'instant qu'il est conçu. Ils ont fait en sorte que, libre en apparence au milieu des hommes, il n'eût avec eux aucune société réelle, qu'il vécût seul dans la foule, qu'il ne sût rien de ce qui se fait, rien de ce qui se dit autour de lui, rien surtout de ce qui le regarde et l'intéresse le plus, qu'il se sentît partout chargé de chaînes dont il ne pût ni montrer ni voir le moindre vestige. Ils ont élevé autour de lui des murs de ténèbres impénétrables à ses regards ; ils l'ont enterré vif parmi les vivants [2].

[Ils l'ont enlacé] de tant de façons, qu'au milieu de cette liberté feinte il ne puisse ni dire un mot, ni faire un pas, ni mouvoir un doigt, qu'ils ne le sachent et ne le veuillent [3].

L'omniscience du regard réflexif n'appartient pas à Rousseau, mais aux persécuteurs, à « ces messieurs ». La conscience de soi a été définitivement expulsée. Elle n'est plus le regard de Rousseau sur Rousseau, elle n'est plus le pouvoir bienveillant que le précepteur exerce sur Émile : elle est devenue la

1. *Op. cit.*, 362-363.
2. *Dialogues*, I. *O. C.*, I, 706.
3. *Op. cit.*, 710. Cf. Pierre Burgelin : « L'éducation d'Émile repose sur l'artifice : l'homme de la nature ne peut se développer que dans un monde savamment machiné, sa vertu résulte de conspirations » (*op. cit.* 300).

surveillance haineuse qui met Jean-Jacques au pouvoir de la « ligue ». Ses actes ne lui appartiennent plus, ils sont captés par les regards hostiles ; et tout est disposé autour de lui pour que ses gestes ne soient plus ses vrais gestes. Intérieurement, il sait qu'il est demeuré le même, mais tout le reste — ses mouvements, son visage même — lui est imposé par les autres. On lui a collé au visage le masque d'un monstre. Ainsi les hommes de réflexion réfléchissent leur malfaisance sur Rousseau, ils le revêtent de leurs propres sentiments, ils en font un méchant à leur image. Non seulement on lui a volé sa liberté, mais on lui a volé son apparence : les portraits qu'on répand de lui sont autant de calomnies. On l'a enfermé dans une « triple enceinte de ténèbres », dont il ne pourra forcer l'opacité impénétrable, car les ténèbres commencent à la surface de son visage. Seul l'être intérieur reste sauf, mais il ne peut avoir désormais aucun témoin, sinon Dieu.

LES OBSTACLES

Le *Discours sur l'Origine de l'Inégalité* explique l'invention des armes et des outils par la nécessité de « surmonter les obstacles de la nature ». Et l'on se rappelle que Rousseau en déduisait aussitôt l'apparition de la réflexion dans l'espèce humaine. C'est donc dans l'affrontement avec l'obstacle que l'homme de la nature passait de la vie immédiate à l'univers des moyens. C'est au contact de l'obstacle que se brisait l'unité originelle de l'homme et que naissait son pouvoir sur le monde : sa technique et sa pensée. La perfectibilité de l'espèce humaine se manifeste alors d'un seul coup ; elle passe de la puissance à l'acte et met en mouvement l'évolution de l'histoire. Dès l'instant où ils entreprennent de combattre des obstacles, les hommes sont arrachés à l'éternel présent qui était leur premier séjour, ils doivent juger, comparer, mettre en œuvre des instruments ; ils découvrent l'espoir et le regret, le temps déploie ses dimensions d'absence ; le futur et le souci du futur commencent à compter pour eux, l'opinion des autres commence à les inquiéter... Quant au *Contrat social*, il attribue à l'obstacle une fonction qui n'est pas moins importante : pour s'être heurtés aux obstacles, les hommes découvrent la nécessité du *pacte social* : « Je suppose les hommes parvenus à ce point où les obstacles qui nuisent à leur conservation dans l'état de nature, l'emportent par leur résistance sur les forces que chaque individu peut employer pour se maintenir dans cet état[1]. » Nouvel exemple d'une mutation décisive qui s'effectue par la vertu d'un effort contre l'obstacle. L'adversité des choses détermine l'invention d'une forme d'existence et d'une organisation sociale entièrement neuves. On peut dire, sans craindre de déformer la pensée de Rousseau telle qu'elle s'exprime dans le second *Discours* et dans le *Contrat*, que l'humanité se crée elle-même au contact de l'obstacle.

La réflexion naît au contact de l'obstacle. Mais elle est coupable. Que faire donc de l'obstacle ? Puisque Rousseau jette l'anathème sur la réflexion, il faut s'attendre à le voir se détourner de l'obstacle, le refuser avec horreur...

C'est bien cette attitude que nous trouverons exprimée dans les *Dialogues*. Dès la première page, l'habitant du « monde enchanté » est défini par son ignorance délibérée de l'obstacle. Plus exactement, ce qu'il ignore, c'est l'affrontement de l'obstacle, la lutte matérielle et les ruses qu'il lui faudrait déployer. Cet homme franchit les obstacles comme s'ils n'existaient pas, ou s'arrête devant eux comme s'ils étaient insurmontables. Point de milieu. L'initié du monde enchanté atteint instantanément la fin qu'il désire, ou bien il y renonce absolument. Ses jouissances sont « immédiates », ses actions sont « directes ». Aucune de ses énergies, aucune de ses pensées ne peut se détourner de sa fin idéale pour vaincre les résistances interposées. Il ne veut pas tenir compte de l'adversité des choses. S'appliquer à vaincre cette adversité signifierait que l'on accepte de quitter les « jouissances immédiates » pour subir la loi des instruments, des techniques et de la médiation.

L'obstacle, dorénavant, n'apparaît plus comme le lieu à partir duquel un mouvement prend naissance ; il est le point sur lequel l'énergie primitive de l'être s'affaiblit, s'amortit, se défléchit. Selon la curieuse analogie balistique que nous connaissons déjà, les passions primitives prennent une « voie oblique » après avoir touché l'obstacle, et elles deviennent ensuite des « passions haineuses », « secondaires », dont la froide méchanceté est l'effet d'un mouvement qui s'épuise. Loin d'être l'occasion d'un surgissement d'énergie neuve, le contact avec l'obstacle pervertit et gauchit l'élan spontané de l'âme. Mais seules les âmes faibles entrent en composition avec la résistance qu'elles rencontrent « au choc d'un obstacle ». Une âme forte, au contraire, ne se laisse pas défléchir, elle « ne

1. *Contrat social*, liv. Ier, chap. VI. *O. C.*, III, 360. Le conseil de l'éducateur, dans l'*Émile*, est : « N'offrez jamais à ses volontés indiscrètes que des obstacles physiques » (liv. II, *O. C.*, IV, 311).

se détourne point, mais comme un boulet de canon, force l'obstacle ou s'amortit et tombe à sa rencontre [1] ». La voie directe ne connaît donc que la destruction instantanée de la résistance ou l'arrêt complet devant celle-ci.

Rousseau traduit ainsi le problème dans des termes purement mécaniques — c'est sa façon de formuler les lois de la « psychodynamique » — mais le modèle mécanique convient parfaitement à son intention de ne compter qu'avec l'énergie qui se dépense « au niveau de la source ». Au départ du projectile, tout est décidé d'avance : le coup porte ou rate selon l'intensité de la déflagration initiale. Littéralement, l'acte explose à distance de l'obstacle. Aucune initiative neuve ne pourra rattraper ou corriger la trajectoire du « boulet de canon », aucun effort calculé ne s'appliquera sur l'obstacle lui-même, pour en évaluer la résistance et pour la surmonter par une action qui lui soit ajustée. S'il ne pulvérise pas l'obstacle, s'il ne passe au travers de celui-ci sans dévier, il n'a d'autre ressource que de s'immobiliser définitivement. Ou l'obstacle n'est rien, ou Jean-Jacques ne peut rien contre lui et se voit réduit à « l'inaction totale ». Une loi bizarre, ici, oblige l'obstacle à s'évanouir dans l'expansion du moi, à moins que l'énergie initiale ne doive s'arrêter devant une limite insurmontable, devant un *dehors* opaque sur lequel elle ne peut ni ne veut avoir aucune prise.

Reste donc l'étrange alternative entre un espace sans obstacles, et des obstacles qui ferment tout l'horizon et derrière lesquels ne s'ouvre plus aucun espace. Cette alternative définit les deux mondes dans lesquels Rousseau se sent vivre : il habite tour à tour un monde infiniment ouvert et une prison hermétiquement close. Son imagination est capable de supprimer tous les obstacles et de lui ouvrir par magie un espace illimité (il se confond alors avec le « système des êtres ») ; puis le voici redevenu *nul* dans un monde où toutes choses se sont transformées en obstacles et constituent une « triple enceinte de ténèbres », un « mystère impénétrable ». Exclu de tout — ou s'identifiant à l'univers entier ; victime innocente d'un destin sans exemple — ou jouissant de lui-même et de toutes choses comme un dieu ; à la merci du moindre signe extérieur — ou capable d'une expansion infinie ; soumis passivement aux lois du choc [2] — ou prenant possession du « royaume des fins » : dans les deux éventualités, que

1. *Dialogues*, I. *O. C.*, I, 669.
2. « Tout choc me donne un mouvement vif et court ; sitôt qu'il n'y a plus de choc le mouvement cesse, rien de communiqué ne peut se prolonger en moi. » *Rêveries*, huitième Promenade. *O. C.*, I, 1084.

l'obstacle soit inexistant ou qu'il soit infranchissable, l'innocence de Jean-Jacques est sauve. En effet, si l'obstàcle est tout-puissant, Rousseau renonce à agir, il rentre en lui-même, il se console par le sentiment de ses bonnes intentions, lesquelles, pour être inefficaces, n'en sont que plus pures. Si, au contraire, l'obstacle s'anéantit sur son passage, c'est que Jean-Jacques aura pu rejoindre d'un seul coup l'objet idéal de son désir, et point n'aura été besoin de s'attarder à vaincre des résistances, dans un monde d'outils où l'homme se rend coupable en agissant. Nous connaissons la fréquence, chez Rousseau, du recours au comportement magique ; c'est à nouveau le cas ici : la suppression totale de l'obstacle ne peut avoir lieu que par l'effet d'une puissance magique. Selon les lois ordinaires de la nature, il y a toujours des amortissements et des déflexions, la résistance de l'obstacle n'est jamais nulle, le champ n'est jamais libre.

Nous l'avons souligné, l'approche de l'objet, le contact avec la circonstance réelle sont toujours l'occasion d'un trouble pour Jean-Jacques. Cette buée, ce voile qui passe entre lui et les choses ne se dissipe que s'il parvient à retrouver la pure *sensation*, ou encore si l'objet réel devient *image* pour la mémoire ou pour la rêverie. Dans la sensation pure, le monde se donne sans que nous nous opposions à lui ; dans l'imaginaire, nous créons un horizon où tout s'offre sans que nous ayons conscience du moindre effort de notre part : l'imagination *achève* notre action avant que nous ne soyons entrés en contact avec la réalité extérieure :

A force de s'occuper de l'objet qu'il convoite, à force d'y tendre par ses désirs, sa bienfaisante imagination arrive au terme *en sautant par-dessus les obstacles* qui l'arrêtent ou l'effarouchent. Elle fait plus ; écartant de l'objet tout ce qu'il a d'étranger à sa convoitise, elle ne le lui présente qu'approprié de tout point à son désir. Par là ses fictions lui deviennent plus douces que les réalités mêmes ; elles en écartent les défauts avec les difficultés, elles les lui livrent préparées tout exprès pour lui, et font que désirer et jouir ne sont pour lui qu'une même chose [1].

Ni dans la sensation pure, ni dans l'imagination, la conscience ne fait face à un *objet* distinct d'elle. L'objet l'encombrerait : ce qu'elle cherche n'est pas la possession d'un fragment du monde réel, mais l'état d'âme qui correspond à cette possession. Ce sera donc « faire plus », si l'on atteint cette jouissance sans passer par le détour du monde, sans

1. *Dialogues*, II. *O. C.*, I, 857.

affronter la résistance des obstacles, mais en se donnant simplement l'*image* de l'objet convoité. Grâce à un simulacre qu'elle consent à tenir pour légitime, la conscience goûte en elle-même, parmi ses propres créatures, les relations parfaites que l'inertie du monde réel lui eût refusées. Elle n'ignore pas que ces images sont filles de son désir, mais elle joue à les prendre pour des objets du monde, le temps d'y trouver des raisons de s'exalter. C'est en elle-même qu'elle dépense des trésors de sympathie, qu'elle épanche sa tendresse : la joie de l'effusion imaginaire n'en est pas moins pure et surtout pas moins *réelle* pour l'âme. Il faut supposer Pygmalion heureux, même si les dieux ne donnent pas la vie à la statue ; il est heureux par l'intensité même de sa passion, qui ne serait pas plus enivrante si Galatée était vivante : l'élan vers l'imaginaire surpasse le bonheur obtenu d'une femme réelle. Si toute réalité annonce un obstacle possible, Rousseau lui préfère *ce qui n'est pas* : « Il n'y a rien de beau que ce qui n'est pas [1]. » Le moi est un espace sans obstacles.

Pour que s'ouvre le monde enchanté, sans frontières et sans obstacles, il faut que le monde « ordinaire » se soit inexorablement refermé et refusé. Quand Rousseau n'habite pas l'espace libre (de l'imaginaire, de la mémoire, de la sensation pure), il se retrouve dans un monde où tout est devenu obstacle et résistance. Tout ce qui empêche les choses et les êtres de se montrer spontanément transparents à son désir prend la valeur d'un signe néfaste, qui cache une intention hostile, et qui la révèle en la cachant. Tout ce qui n'est pas l'immédiat devient masque grimaçant et se retourne contre Jean-Jacques. Derrière les visages et les murs, il y a la noire malignité d'un tribunal qui a déjà porté son verdict infamant, sans avoir écouté la défense de l'accusé. Tout se passe comme si l'on en était maintenant à l'exécution de la sentence. Sous les apparences d'une commisération attristée, on punit Jean-Jacques. La résistance des choses, quand il s'y heurte, lui apparaît tout exprès apostée sur son chemin pour lui annoncer qu'il est persécuté et pour l'empêcher de savoir qui le persécute. Le mystère est partout, les ténèbres n'en finissent pas. Car l'obstacle est tel qu'il ne peut être réduit par une action franche : comment agir sur un monde truqué ? Les apparences sont fallacieuses, non parce que sa perception le trompe, mais parce que tous les objets sont des pièges qui lui sont destinés. L'incertitude du paraître n'est plus une condition

1. *La Nouvelle Héloïse*, VIe partie, lettre VIII. *O. C.*, II, 693.

« normale » de l'expérience humaine, mais un maléfice agencé par l'ennemi. Si les choses sont ambiguës, cela ne provient pas du fait que Jean-Jacques est incapable de saisir l'être derrière les apparences : il est clair que ce sont les conjurés qui lui refusent la possibilité de vivre dans la clarté. De même que Rousseau projetait hors de lui sa propre réflexion pour en faire l'arme persécutrice dirigée contre lui, il attribue l'ambiguïté de sa propre perception à l'œuvre de ténèbres que l'on a ourdie pour le perdre :

> Certain qu'on ne me laisse pas voir les choses comme elles sont, je m'abstiens de juger sur les apparences qu'on leur donne, et de quelque leurre qu'on couvre les motifs d'agir, il suffit que ces motifs soient laissés à ma portée pour que je sois sûr qu'ils sont trompeurs [1].

Nous l'avons déjà souligné en parlant du pouvoir des signes, Rousseau ne veut pas savoir qu'il interprète, qu'il est libre d'interpréter les apparences. Il ne veut pas savoir que c'est lui qui donne à toutes choses leur signification d'obstacles. Non. Les choses ont un sens qui se refuse à lui, car toutes ces choses qui l'entourent ne sont là que parce qu'elles ont été pensées par « ces messieurs ». Elles sont là parce que suspendues à la pensée des méchants, dont l'intention est insondablement ténébreuse. Par conséquent le seul sens qu'il puisse attribuer aux objets qui l'entourent est le non-sens, l'étrangeté hostile et invariable. En mettant les choses au pire, il se délivre de la pénible hésitation du choix à faire parmi des interprétations possibles...

Le mince voile qui séparait Rousseau des autres s'est alourdi jusqu'à devenir des « barrières immenses » qu'il ne franchira jamais. Si par accident l'une de ces barrières cède, si une crainte s'apaise, c'est pour révéler que toute la profondeur qui se cache derrière le premier obstacle est une nouvelle épaisseur, obscure et sans issue. Jean-Jacques s'avance dans « un labyrinthe immense où l'on ne lui laisse apercevoir dans les ténèbres que de fausses routes qui l'égarent de plus en plus [2] ».

L'obstacle est donc tel qu'une action destinée à le surmonter serait dérisoire. Ce qui paralyse Jean-Jacques, ce n'est pas seulement que la résistance de l'obstacle soit irréductible, il s'y ajoute encore l'impossibilité de faire un seul geste qui ne soit aussitôt à la merci de « ces messieurs ». Son acte, sa parole, dès l'instant où ils lui échappent, il les voit qui tombent

1. *Rêveries*, sixième Promenade. *O. C.*, I, 1056.
2. *Dialogues*, premier Dialogue. *O. C.*, I, 713.

au pouvoir des ennemis et qui deviennent des *moyens* entre leurs mains, des armes dirigées contre lui. Sitôt la page écrite, Jean-Jacques est persuadé qu'elle sera interceptée, altérée, remaniée à son insu, publiée dans une version mutilée, ou bien simplement détruite. Son œuvre ne lui appartient plus : *on* refuse de croire qu'il soit l'auteur de ses ouvrages, ou bien on lui attribue des livres dont il n'est pas l'auteur. Ses moindres mouvements, dès qu'il les a accomplis, sont détournés de leur vrai but. On est là pour en changer le sens, pour leur donner d'autres conséquences. « Ne pouvant plus faire aucun bien qui ne tourne à mal [1] », il est réduit au silence et à l'inaction. S'il essaie de parler, on lui vole sa parole ; s'il veut faire le bien, on lui vole son acte, pour mieux l'enchaîner dans sa propre erreur :

> Le plus grand soin de ceux qui règlent ma destinée ayant été que tout ne fût pour moi que fausse et trompeuse apparence, un motif de vertu n'est jamais qu'un leurre qu'on me présente pour m'attirer dans le piège où l'on veut m'enlacer. Je sais cela ; je sais que le seul bien qui soit désormais en ma puissance est de m'abstenir d'agir de peur de mal faire sans le vouloir et sans le savoir [2].

Non seulement les ennemis lui dérobent les conséquences de ses actions, mais encore ils lui imposent ses motifs d'agir. Le domaine de l'action est donc entièrement au pouvoir de la « ligue », puisque Jean-Jacques ne peut plus avoir une seule volonté qui ne lui soit subrepticement inspirée par ceux qui lui veulent du mal. Les ennemis ont prise sur tout ce que Jean-Jacques entreprend, dès qu'il quitte le refuge du sentiment immédiat. Tous les moyens auxquels il pourrait recourir pour atteindre un objet extérieur ou pour communiquer avec les autres, tous les instruments qu'il voudrait utiliser pour sa défense, il découvre qu'ils sont confisqués, qu'ils appartiennent d'avance (et peut-être depuis toujours) à « ces messieurs ». Toutes les voies de sorties hors de l'immédiat sont impraticables ; toute action dirigée vers le dehors est instantanément la proie de l'ombre hostile.

LE SILENCE

Qu'advient-il, en particulier, de cet acte essentiel : se dévoiler, se manifester dans sa vérité ? Cet acte, nous l'avions vu, avait pris une importance privilégiée. Dans la parole « authen-

1. *Rêveries*, première Promenade. *O. C.*, I, 1000.
2. *Rêveries*, sixième Promenade. *O. C.*, I, 1051.

tique » Rousseau espérait rester immédiat à lui-même, tout en se communiquant aux autres : être soi et agir semblaient ne faire qu'un seul mouvement, où le moi s'expose et s'invente tout ensemble. Se raconter, c'était à la fois affirmer la valeur *unique* de l'expérience personnelle, et en faire l'objet d'un spectacle et d'un jugement *universels*. Rousseau écrivait les *Confessions* pour dire sa singularité, et pour appeler la « reconnaissance » générale, c'est-à-dire pour que son innocence reçoive enfin confirmation par le témoignage concordant de tous les hommes... Mais encore faut-il être écouté, et que les hommes consentent à énoncer leur jugement.

Or, à la fin de la longue lecture publique des *Confessions*, Rousseau rencontre le *silence*, qui est l'obstacle ultime, le mystère d'iniquité. Le mur de ténèbres, qui circonvient Jean-Jacques, se renforce par un cercle de silence obstiné. Il avait dévoilé son âme, il s'était montré à ses témoins tel qu'il se sentait vu par Dieu, *intus et in cute*, afin de les forcer à parler, à dire leur pardon ou leurs griefs. Il allait enfin savoir ce qu'on lui reprochait. Dans le premier préambule des *Confessions*, il prévoyait quelque bruit hostile, et il le provoquait explicitement :

> Je m'attends aux discours publics, à la sévérité des jugements prononcés tout haut, et je m'y soumets [1].

Combien plus supportables eussent été les « frivoles clameurs de la calomnie », en regard des « complots tramés et concertés dans un profond *silence* [2] »! Or voici ce que Rousseau relate dans la note finale des *Confessions* :

> J'achevai ainsi ma lecture *et tout le monde se tut*. Mme d'Egmont fut la seule qui me parut émue ; elle tressaillit visiblement ; mais elle se remit bien vite, et *garda le silence* ainsi que toute la compagnie [3].

Les dernières lignes des *Confessions* — après l'immense effort pour vaincre le silence des autres — murent ainsi toute l'œuvre dans le silence. A la surface du silence, à peine un frémissement passager, le tressaillement d'une femme émue, qui éveille en Jean-Jacques un espoir aussitôt évanoui.

Ainsi s'est renversé le rêve heureux qui faisait d'un silence traversé de signes la condition d'un bonheur que le langage humain n'eût jamais su réaliser. Tout le charme de la « ma-

1. *Annales J.-J. Rousseau*, IV (1908), 12 ; voir *O. C.*, I, 1155.
2. *Correspondance générale*, DP, XIX, 292.
3. *Confessions*, liv. XII. *O. C.*, I, 656.

tinée à l'anglaise » dans *La Nouvelle Héloïse* consistait dans ces tressaillements, dans ces soupirs, dans ces regards échangés en silence, par lesquels les âmes sensibles communiquaient plus sûrement, plus rapidement que par tout autre moyen. Maintenant, non seulement les signes sont devenus néfastes, mais le silence n'est plus le « milieu conducteur » où les consciences se rejoignent immédiatement : il est l'obstacle même, il est la séparation absolue.

Les *Confessions* s'achèvent sur la constatation d'un silence. Or le même silence constitue le point de départ des *Dialogues*. Relisons leur préambule :

> *Le silence profond*, universel, non moins inconcevable que le mystère qu'il couvre, mystère que depuis quinze ans on me cache avec un soin que je m'abstiens de qualifier, et avec un succès qui tient du prodige ; *ce silence effrayant et terrible* ne m'a pas laissé saisir la moindre idée qui pût m'éclairer sur ces étranges dispositions [1].

Pourquoi le silence ? Toutes les explications sont bonnes : on n'a pas laissé parler Jean-Jacques ; il a parlé, mais on n'a pas accueilli sa parole, on a falsifié ses livres, on n'a pas su voir ses vrais motifs ; le silence fait partie du châtiment qu'on lui impose ; on l'a jugé sans entendre sa déposition, et maintenant on refuse son recours, son appel en grâce. (Jean Guéhenno, fort justement, compare cette situation à celle que décrit Kafka dans *Le Procès* [2].) Tout aurait pu changer si les persécuteurs silencieux n'avaient pas, en retour, condamné Jean-Jacques au silence. Car il a été bâillonné, et il n'a pu prononcer le mot véridique qui aurait abattu les sortilèges néfastes et dissipé le cauchemar :

> D'un mot peut-être il eût levé des voiles impénétrables aux yeux de tout autre, et jeté du jour sur des manœuvres que nul mortel ne débrouillera jamais [3].

Mais les *Dialogues*, qui s'annoncent comme une nouvelle lutte contre le silence, vont échouer devant l'obstacle. L'œuvre aboutit même à un triple silence, à une triple impossibilité d'obtenir que les autres parlent enfin.

Quand s'achève le troisième et dernier dialogue, le Français est revenu de son erreur : il a acquis la conviction que Jean-Jacques n'est pas le monstre qu'on lui avait décrit ; il confesse

1. *Dialogues*. Du sujet et de la forme de cet écrit. *O. C.*, I, 662.
2. Jean Guéhenno, *Jean-Jacques. Grandeur et misère d'un esprit*. Paris, Gallimard, 1952.
3. *Dialogues*, I. *O. C.*, I, 734.

son regret d'avoir été dupé par « ces messieurs », mais *il ne pourra rien dire* au public en faveur de Jean-Jacques, et, par surcroît, il lui sera impossible de révéler au pauvre persécuté l'horrible secret de la conspiration :

> Je ne refuse donc pas de le voir quelquefois avec prudence et précaution : il ne tiendra qu'à lui de connaître que je partage vos sentiments à son égard, et si je ne puis lui révéler les mystères de ses ennemis, il verra du moins que *forcé de me taire* je ne cherche pas à le tromper [1].

Pourtant, les dernières lignes du dialogue sont consolantes. Le Français ne peut pas rompre le silence, mais il parlera plus tard, quand les hommes auront changé, dans un autre âge. Acceptant en dépôt les papiers de Jean-Jacques, il s'engage « à n'épargner aucun soin » pour que ces papiers paraissent un jour aux yeux du public ; il travaillera même à recueillir des observations « tendantes à dévoiler la vérité ». Rousseau a donc renoncé à agir lui-même, il confie l'action décisive à d'autres hommes. Alors que la lecture des *Confessions* avait été une tentative de dévoiler *directement* la vérité, le seul espoir qui reste maintenant à Rousseau, c'est d'atteindre *indirectement* les hommes d'un autre âge. Ce travail, cette action ne seront plus les siens, mais l'ouvrage d'un dépositaire fidèle ; mieux encore, ce sera l'œuvre du temps ou de la providence. Rousseau n'a plus aucun espoir d'être entendu de son vivant. La seule chose qu'il croit encore possible, c'est de mettre ses papiers en lieu sûr, de les protéger en vue d'une tardive épiphanie de la vérité, pour les temps qui suivront sa mort. Il n'est donc plus question que d'un *dépôt*, c'est-à-dire d'une attente dans le silence.

Cependant Rousseau ne parvient pas à se résigner au silence. Ce manuscrit, où il proclame qu'il renonce à toute tentative de persuader ses contemporains, pourquoi ne pas l'utiliser dès maintenant comme un moyen de briser le silence ? En confiant sa réhabilitation aux hommes « d'une meilleure génération », n'apporte-t-il pas la preuve, dès maintenant, que Jean-Jacques affronte la lumière sans crainte ? Son refus d'agir n'est-il pas le garant irréfutable de sa bonne conscience ? Tel est le suprême *moyen* : un livre où Jean-Jacques déclare qu'il ne possède aucun moyen.

Il voudrait que le silence soit rompu par quelque grande parole : que le Roi parle, que Dieu parle. Jean-Jacques a le sentiment que ses persécuteurs s'interposent entre le Juge et lui. Il va tâcher de rejoindre le Juge en tournant l'obstacle.

1. *Dialogues*, III. *O. C.*, I, 975.

Seulement il n'adressera pas son manuscrit directement au Roi. Ici encore, Jean-Jacques se décharge du fardeau de l'action : il souhaite que l'essentiel de son acte s'accomplisse en dehors de lui, sans qu'il y soit pour rien.

Relisons l'étrange *Histoire du précédent Écrit* qui fait suite aux *Dialogues*. Rousseau forme le projet de déposer son manuscrit sur le grand autel de Notre-Dame : il l'abandonnera comme un « dépôt à la Providence ». Une suscription accompagne le manuscrit, où Rousseau déclare qu'il n'a pas le droit d'espérer un miracle : il laisse au Ciel le choix de l'*heure* et des *moyens*. Et cependant, bien qu'il prétende s'en remettre entièrement au Ciel, il désire attirer l'attention des hommes. Il voudrait que « le bruit de son action fît arriver son manuscrit sous les yeux du Roi ». La manœuvre est étrange : c'est un geste en direction du Ciel, mais ce geste n'est entrepris que pour être observé par les hommes et provoquer indirectement un choc qui ébranlera les consciences intègres (s'il reste en France des consciences intègres). On sait qu'à peu près au même moment, par une démarche tout à fait analogue, Jean-Jacques commence toutes ses lettres par un quatrain — invariablement le même — qui est une invocation au Ciel :

Pauvres aveugles que nous sommes!
Ciel, démasque les imposteurs
Et force leurs barbares cœurs
A s'ouvrir aux regards des hommes.

Rousseau adjure le Ciel de détruire l'imposture et de rendre aux cœurs leur transparence, mais l'appel qu'il adresse à Dieu s'accomplit devant témoins. Le quatrain n'est toutefois pas un message direct au destinataire de la lettre (Rousseau s'en explique, si l'interlocuteur s'étonne ou s'offense). Il prie seul, démontrant ostensiblement que sa seule ressource est *ailleurs*. Telle est aussi la signification du « dépôt à la Providence » du manuscrit des *Dialogues*.

La manœuvre cependant échoue. Entrant par une porte latérale, Rousseau rencontre une grille qui lui ferme l'accès du chœur. Il découvre soudain la présence *matérielle* de l'image mythique qui l'a si constamment obsédé : il est devant le *voile* fatal, il se heurte à l'*obstacle* infranchissable. Il a en face de lui un *signe*, et ce signe lui dit que Dieu même le refuse et demeurera *silencieux* :

Au moment où j'aperçus cette grille je fus saisi d'un vertige comme un homme qui tombe en apoplexie, et ce vertige fut suivi d'un bouleversement dans tout mon être, tel que je ne me souviens pas d'en avoir éprouvé jamais un pareil. L'église me parut avoir tellement changé de face que doutant si j'étais bien dans Notre-Dame, je cherchais avec effort à me reconnaître et à mieux discerner ce que je voyais... D'autant plus frappé de cet *obstacle* imprévu, que je n'avais dit mon projet à personne, je crus dans mon premier transport voir concourir le ciel même à l'œuvre d'iniquité des hommes et le murmure d'indignation qui m'échappa ne peut être conçu que par celui qui saurait se mettre à ma place, ni excusé que par celui qui sait lire au fond des cœurs.

Je sortis rapidement de cette église, résolu de n'y rentrer de mes jours, et me livrant à toute mon agitation, je courus tout le reste du jour, errant de toutes parts sans savoir ni où j'étais ni où j'allais, jusqu'à ce que, n'en pouvant plus, la lassitude et la nuit me forcèrent de rentrer chez moi rendu de fatigue et presque hébété de douleur [1].

La grille fermée de l'église renforce la « triple enceinte de ténèbres » dont les hommes entourent Jean-Jacques. L'épisode confusionnel qui s'empare alors de lui est profondément révélateur. Il prouve que tout l'ordre des choses et toute la cohérence du monde disparaissent pour Jean-Jacques quand s'effondre la dernière possibilité de vivre *en relation*. Or la relation avec la transcendance était la seule qui subsistait, après le naufrage de tout espoir de communication humaine. Si Dieu le refuse, Jean-Jacques ne peut plus connaître que la désorientation et la course égarée dans un dehors absolu, à travers un espace qui n'appartient plus au monde. Quand le dernier témoin manque à l'appel, la conscience forclose se précipite dans un égarement dont la seule issue est de s'anéantir aux limites de la fatigue.

Rousseau va maintenant se heurter à un troisième refus silencieux. Il va voir Condillac pour lui confier le manuscrit des *Dialogues*. Ce qu'il attend de Condillac, ce n'est pas seulement qu'il accepte le dépôt, mais qu'il lise l'ouvrage, qu'il réponde à la question posée par chaque ligne de ce texte, qu'il parle enfin et rompe l'insupportable cercle de silence où Jean-Jacques est emprisonné, Peut-être le voile va-t-il enfin se dissiper ? Mais rien ne se produit. Condillac parle d'autre chose, élude la question. Sur l'essentiel, il se tait. Le silence s'alourdit :

Quinze jours après je retourne chez lui, fortement persuadé que le moment était venu où le *voile de ténèbres* qu'on tient depuis vingt ans sur mes yeux allait tomber, et que de manière ou d'autre, j'aurais de mon dépositaire des éclaircissements qui me paraissaient devoir nécessairement suivre de la lecture de mon manuscrit. Rien de ce que j'avais

1. *Dialogues*. Histoire du précédent écrit. *O. C.*, I, 980.

prévu n'arriva. Il me parla de cet écrit comme il m'aurait parlé d'un ouvrage de littérature... mais *il ne me dit rien* de l'effet qu'avait fait sur lui mon écrit, ni de ce qu'il pensait de l'auteur [1].

Un silence définitif sépare désormais Rousseau de son ancien compagnon du Panier-Fleuri :

Depuis lors j'ai cessé d'aller chez lui. Il m'a fait deux ou trois visites que nous avons eu bien de la peine à remplir de quelques mots indifférents, *moi n'ayant plus rien à lui dire, et lui ne voulant me rien dire du tout* [2].

Après cette triple rencontre du silence, Rousseau tente une dernière action, mais cette fois la plus directe possible : il distribue dans la rue un « billet circulaire » — *A tout Français aimant encore la justice et la vérité* — mais les passants ont été prévenus, ils refusent la feuille que leur tend Rousseau : « J'éprouvai *un obstacle* que je n'avais pas prévu, dans le refus de le recevoir par ceux à qui je le présentais [3]. »

Non, il ne vaut plus la peine de s'efforcer de vaincre l'obstacle, il est inutile de chercher à être mieux connu des autres. La tâche dépasse ses possibilités. Pour Rousseau, il ne reste plus rien à faire, sinon se retirer dans cette innocence intérieure que les autres ne veulent pas reconnaître. Il n'a pourtant pas perdu tout espoir ; un dévoilement se produira mais ce ne sera plus à lui, Jean-Jacques, qu'incombera l'action du dévoilement. Une fois pour toutes, il s'en remet à l'œuvre du temps, du Ciel, de la Providence. « Le temps peut lever bien des voiles [4]. » Il ne compte même plus sur ses papiers, il fait confiance à d'autres puissances. A lui, il appartient de vivre dans la vérité, mais non de la communiquer ni de la faire connaître au-dehors. Si la vérité doit se manifester un jour, ce ne sera plus par son œuvre à lui, mais par l'intervention d'un pouvoir transcendant. Et quand le silence sera vaincu, ce ne sera ni par sa voix, ni par la parole inespérée de ceux qui reviendraient à lui. De la part des hommes, il n'attend plus aucun *retour* ; le seul retour auquel il songe, c'est celui qui le ramènera à sa « source », devant le Juge qui a créé l'ordre du monde et qui rétablira l'harmonie que les méchants ont troublée en persécutant Jean-Jacques... Non, si le silence doit être enfin rompu, ce ne sera que par

1. *Op. cit.*, 982.
2. *Ibid.*
3. *Op. cit.*, 984.
4. *Confessions*, liv. VI. *O. C.*, I, 272.

la trompette du Jugement : « Que la trompette du jugement dernier sonne quand elle voudra ; je viendrai, ce livre à la main, me présenter devant le souverain juge [1]. »

INACTION

Agir est devenu inutile. Le monde de l'action est impraticable. Jean-Jacques ébaucherait-il un geste, celui-ci ne lui appartient plus : le mouvement commencé est repris par une force extérieure, et dirigé vers un but mystérieux que Jean-Jacques ignorera toujours. Aucune action qu'il entreprendrait ne peut être achevée par lui et atteindre dès maintenant la fin qu'il souhaite. Si l'action doit être salvatrice, elle ne pourra être accomplie que par la Providence. Mais le plus souvent les persécuteurs s'emparent du geste de Jean-Jacques pour en retourner les conséquences contre lui.

L'homme est-il né pour agir ? Rousseau l'a affirmé [2], mais il a toujours avoué qu'il n'aimait pas l'action. Ah! si seulement l'intention pouvait s'accomplir par un mouvement immédiat ! C'est là seulement le privilège de la rêverie, où la pensée d'un acte est instantanément l'image de l'acte accompli : mais ce n'est qu'un jeu d'images, où la conscience reste intérieure à elle-même et se contente d'un simulacre du monde extérieur. Il en va bien autrement lorsque l'intention cherche à se réaliser au-dehors. Là, il faut renoncer aux jouissances immédiates : il faut accepter la loi de la médiation, recourir aux moyens ou aux instruments, évaluer le risque des conséquences que nous ne dominerons pas.

Faut-il de nouvelles preuves de la méfiance qu'éprouve Rousseau à l'égard des activités médiates ? Lorsque, dans l'*Émile*, Rousseau développe une théorie utilitaire du travail humain, il rapporte l'utilité du travail à l'*indépendance* qu'il assure à l'homme ; le critère de l'utilité est l'autarcie, la totale suffisance ; nous en avions trouvé un parfait exemple dans la communauté de Clarens. Si l'homme doit agir, que ce soit avec le moins possible d'instruments. Qu'il se limite, si l'on peut dire, à cet outil immédiat qu'est son corps et sa main. La seule action légitime est celle qui prend appui non sur une culture préétablie ni sur une tradition qui a déjà créé

1. *Confessions*, liv. Ier. *O. C.*, I, 5.
2. L'homme « est né pour agir et penser, et non pour réfléchir » (*Préface de Narcisse. O. C.*, II, 970).

ses instruments, mais sur la nature intacte, telle que Robinson la découvre dans son île déserte :

> Que de réflexions importantes notre Émile ne tirera-t-il point de son *Robinson*! Que pensera-t-il en voyant que les arts ne se perfectionnent qu'en se subdivisant, en multipliant à l'infini les *instruments* des uns et des autres? Il se dira : tous ces gens-là sont sottement ingénieux. On croirait qu'ils ont peur que leurs bras et leurs doigts ne leur servent à quelque chose, tant ils inventent d'instruments pour s'en passer. Pour exercer un seul art ils sont asservis à mille autres, il faut une ville à chaque ouvrier. Pour mon camarade et moi nous mettons notre génie dans notre adresse ; nous nous faisons des outils que nous puissions porter partout avec nous. Tous ces gens si fiers de leurs talents dans Paris ne sauraient rien dans notre île [1]...

La seule action justifiée, aux yeux de Rousseau, est celle où nous serions semblables au premier homme inventant son premier outil : ce serait un acte *ex nihilo*, une œuvre qui serait entièrement mienne et qui ne supposerait aucun passé humain. Mon acte doit m'appartenir tout entier, et pour cela je ne dois utiliser aucun instrument que je n'aie pu construire tout entier moi-même. Mes outils ne doivent pas m'être transmis, car il ne faut pas que mon action se rattache aux actes des hommes qui m'ont précédé. Ainsi, tout en étant l'un des premiers à insister sur la dignité du travail, tout en étant soucieux de « démocratiser » l'image de l'homme idéal (puisque Émile se familiarise avec la charrue et le rabot), Rousseau est aussi l'un des premiers qui se soient élevés contre la technique. Inconséquence qui n'en est pas une, et qui s'éclaire à la lumière du principe de la liberté de l'individu. Le travail, sous sa forme artisanale, assure notre autonomie, tandis que la technique nous lie à la tradition, à l'institution, et surtout aux autres hommes, qui construisent nos instruments ou complètent notre travail. A l'unité de la personne correspond un travail qui ne se divise pas.

Mais si Rousseau désire une action sans antécédents, il souhaite que celle-ci soit aussi sans conséquences. Il n'a jamais aimé se voir lié par les conséquences de ses actes. Avant même qu'il n'accuse ses ennemis d'intercepter et de falsifier ses paroles et ses gestes, il n'a jamais pu se résigner à voir son action s'éloigner de lui, produire des effets imprévus et parfois contraires au but assigné. Les conséquences qui échappent à sa volonté sont toujours *funestes*. Faisait-il le bien ? Son bienfait devenait aussitôt une servitude. Rendait-

1. *Émile*, liv. III. *O. C.*, IV, 460.

il un service ? Il en naissait « *des chaînes d'engagements successifs* que je n'avais pas prévus et dont je ne pouvais plus secouer le joug [1] ». Les témoignages ne manquent pas, qui nous montrent que, bien avant l'époque du délire de persécution, Rousseau éprouve un étrange malaise à sentir son action se développer sans lui, selon un enchaînement dont il n'est plus le maître. Son geste, en s'éloignant, lui devient étranger : Jean-Jacques refuse de s'en tenir responsable, sinon à quel risque n'ira-t-il pas s'assujettir ? Jamais il n'a consenti à se reconnaître là-bas, dans les lointaines conséquences de ses actes. Il n'a poursuivi que des buts immédiats : il n'a donc pas voulu toutes les répercussions embarrassantes, toutes les suites déshonorantes qui l'entraînaient où il ne voulait pas aller. Par exemple, s'il a mis ses enfants à l'assistance, c'est parce qu'ils étaient la conséquence indésirée des plaisirs immédiats qu'il goûtait en toute innocence avec Thérèse. Il a choisi Thérèse pour en faire la servante du besoin immédiat ; il lui a déclaré qu'il ne voulait ni l'abandonner, ni l'épouser [2] : c'était lui dire qu'il désirait vivre auprès d'elle une succession d'instants sans passé et sans avenir. Or la nature joue ici un mauvais tour à Jean-Jacques, car le plaisir immédiat de l'amour physique comporte un lien avec l'avenir, une conséquence, qui est l'enfant. Toutefois Rousseau n'accepte pas de se reconnaître dans la créature qu'il n'avait pas l'intention de procréer. Il refuse cette aliénation, ce *moi* différent qui est pourtant son œuvre... Le refus de la paternité, chez Rousseau, semble n'être que l'expression, en une circonstance particulière, de la crainte plus générale de vivre dans un monde où les actes ont des suites involontaires.

Il faut ajouter que le refus des conséquences fait mieux comprendre le courage étonnant que Rousseau a su montrer en maintes circonstances. Il dit ce qu'il pense, il exprime son sentiment actuel, sans songer à ce qu'il va lui en coûter. Advienne que pourra. Les conséquences ne sont pas de son ressort ; il les acceptera comme une adversité entièrement étrangère, comme on accepte la grêle ou la tempête. Alors, au lieu de paralyser totalement l'initiative de Jean-Jacques, l'impuissance de dominer les conséquences lui donne l'audace d'accomplir des actes instantanés d'une extraordinaire étran-

1. *Rêveries*, sixième Promenade. *O. C.*, I, 1051. Un peu plus loin, on lit : « Après tant de tristes expériences j'ai appris à prévoir de loin *les conséquences* de mes premiers mouvements suivis, et je me suis souvent abstenu d'une bonne œuvre que j'avais le désir et le pouvoir de faire, effrayé de l'assujettissement auquel dans la suite je m'allais soumettre si je m'y livrais inconsidérément » (1054).
2. *Confessions*, liv. VII. *O. C.*, I, 331.

geté. Il veut croire que, sitôt accompli, son acte ne lui appartiendra plus, et que le fil sera rompu... Si les conséquences de nos actes nous échappent complètement, on ne peut plus rien faire, ou bien l'on peut tout faire : notre responsabilité nous apparaît si lourde qu'elle nous empêche d'entreprendre quoi que ce soit ; ou bien, au contraire, nous pouvons en déduire que notre responsabilité n'est jamais compromise. Aussi voyons-nous Jean-Jacques tantôt se livrer aux impulsions les plus irresponsables, tantôt s'abstenir d'agir comme s'il était accablé par l'angoisse d'une responsabilité terrible. Il se comporte une fois comme si le moindre geste risquait de l'enchaîner, une autre fois comme s'il n'était soumis à aucun lien.

Jean-Jacques se dit indolent, paresseux, mais il se déclare aussi actif et laborieux. Est-ce absolument contradictoire ? Il apparaît assez vite que les activités qui l'attirent ne sont pas de même nature que celles dont il se méfie. S'il doit y avoir une action, Rousseau la souhaite sans antécédents et sans postérité ; qu'elle n'hérite rien d'une action commencée avant lui, et qu'elle ne se continue ni ne se propage sans lui dans le monde extérieur. L'activité pour laquelle il se sent né, c'est celle où il pourrait dépenser son énergie en une succession de *premiers mouvements*, sans songer aux enchaînements ni aux conséquences. L'unité de sa nature et de sa pensée n'exclut pas, à ses yeux, la discontinuité temporelle des idées et des sentiments. Si son unité se fonde sur l'immédiat, c'est-à-dire sur le refus de la réflexion et sur le refus d'anticiper les conséquences, la primauté de l'instant isolé devient la loi qui régit toute activité. Aussi n'est-il pas surprenant que Rousseau, écrivant à dom Deschamps, en fasse très clairement l'aveu :

> Vous êtes bien bon de me tancer sur mes inexactitudes en fait de raisonnement. En êtes-vous à vous apercevoir que je vois très bien certains objets mais que je n'en sais point comparer ; que je suis assez fertile en propositions sans jamais voir de conséquences ; qu'ordre et méthode qui sont vos dieux sont mes furies ; que jamais rien ne s'offre à moi qu'isolé et qu'au lieu de lier mes idées dans mes écrits j'use d'une charlatanerie de transitions [1]...

Mais si Rousseau se prétend incapable de voir les conséquences de ses propositions, force lui est bien de subir les conséquences de sa parole — gloire et persécution — qui l'atteignent du dehors. L'acte de parler est imprudent, pour

1. A dom Deschamps, 12 septembre 1761. *Correspondance générale*, DP, VI, 209; L, IX, 120-121.

qui ne veut pas se lier à la conséquence involontaire. Le mieux est de se taire, et, si l'on éprouve le besoin d'agir, il faut alors ramener son acte au plus près de soi, dans la lueur éphémère de l'instant présent. Telles seront les activités sur lesquelles Rousseau se repliera toujours davantage : des actes où le moi ne sort pas de lui-même, sans toutefois se réfléchir sur lui-même. Des activités irréfléchies et intransitives. La promenade, la marche. Le corps y dépense son énergie sans que son action transforme le monde ou appelle un retour conscient sur soi-même. La promenade, pour Jean-Jacques, est d'abord, simplement, une fuite loin des hommes, un recours à la nature et à la contemplation. Il suffit cependant de relire tels passages des *Confessions* ou des *Dialogues*, ou encore la troisième lettre à Malesherbes, pour s'apercevoir que l'automatisme de la marche produit à la longue un état hypnoïde ; le corps s'y oublie. Il se crée un « vide inexplicable » où l'esprit, perdant toute insertion sur le réel, s'abandonne à son essor autonome ; le rêve se déploiera et s'épuisera sans se quitter soi-même, et sans que la volonté se croie compromise. Le corps, tout entier mobilisé par le rythme de la marche, s'absorbe dans une régularité dynamique où la part de conscience réfléchie se réduit à une absence bienheureuse. Sur ce fond d'absence, les images de la rêverie sembleront se produire spontanément, se donner gratuitement et sans nul effort :

> Jean-Jacques est indolent, paresseux, comme tous les contemplatifs : mais cette paresse n'est que dans sa tête. Il ne pense qu'avec effort, il se fatigue à penser, il s'effraie de tout ce qui l'y force... Cependant il est vif, laborieux à sa manière. Il ne peut souffrir une oisiveté absolue : *il faut que ses mains, que ses pieds, que ses doigts agissent*, que son corps soit en exercice, et que sa tête reste en repos. Voilà d'où vient sa passion pour la promenade ; il y est en mouvement sans être obligé de penser. Dans la rêverie on n'est point actif. Les images se tracent dans le cerveau, s'y combinent comme dans le sommeil sans le concours de la volonté : on laisse à tout cela suivre sa marche, et l'on jouit sans agir. Mais quand on veut arrêter, fixer les objets, les ordonner, les arranger, c'est autre chose ; on y met du sien. Sitôt que le raisonnement et la *réflexion* s'en mêlent, la méditation n'est plus un repos ; elle est une *action très pénible*, et voilà la peine qui fait l'effroi de Jean-Jacques et dont la seule idée l'accable et le rend paresseux. Je ne l'ai jamais trouvé tel que dans toute œuvre où il faut que l'esprit agisse, quelque peu que ce puisse être. Il n'est avare ni de son temps, ni de sa peine, il ne peut rester oisif sans souffrir ; il passerait volontiers sa vie à bêcher dans un jardin pour y rêver à son aise [1]

1. *Dialogues*, II. *O. C.*, IV, 845

Les actes que Rousseau consent à accomplir, ce sont ceux dont la volonté n'aura pas la charge, ceux qui s'organiseront par leur automatisme propre, sans appeler aucun effort de l'esprit. Le bêchage n'est-il pas, lui aussi, un excellent exemple d'activité stéréotypée ? Et, notons-le, Rousseau ne tient ici aucun compte de la finalité externe de l'acte : il ne bêchera pas son jardin parce qu'il s'intéresse à la récolte. Si l'action a une fin, c'est seulement de rendre possible et de soutenir la passivité rêveuse. L'action répétitive et automatisée est une action fermée, qui ne sort pas de son circuit limité. Sur le fond d'un mouvement monotone où le corps s'abandonne à son rythme, la rêverie s'abandonne à ses images : double absence, double passivité... (Le moi vit alors ses activités comme une passivité.)

La rêverie sur fond d'automatismes « gestuels » n'est pas toujours une rêverie heureuse. Corancez, l'un des témoins des dernières années de Rousseau, reconnaissait, à un certain mouvement rythmique de son bras, les moments où Jean-Jacques s'enfermait dans sa méditation délirante :

> Dans cet état, ses regards semblaient embrasser la totalité de l'espace, et ses yeux paraissaient voir tout à la fois ; mais dans le fait, ils ne voyaient rien. Il se retournait sur sa chaise et passait le bras par-dessus le dossier. Ce bras, ainsi suspendu, avait un mouvement accéléré comme celui du balancier d'une pendule ; et je fis cette remarque plus de quatre ans avant sa mort ; de façon que j'ai eu tout le temps de l'observer. Lorsque je lui voyais prendre cette posture à mon arrivée, j'avais le cœur ulcéré, et je m'attendais aux propos les plus extravagants ; jamais je n'ai été trompé dans mon attente [1]...

A la limite, le mouvement n'est plus qu'une agitation machinale, et la rêverie, sombre ou délicieuse, coexiste séparément, à côté d'une « vie presque automate »...

LES AMITIÉS VÉGÉTALES

A Naples, le 17 mars 1787, Gœthe note dans son journal de voyage :

> Quelquefois je pense à Rousseau et à sa détresse hypocondriaque ; et pourtant je conçois fort bien comment une si belle organisation a pu être dérangée. Moi-même, je me tiendrais souvent pour fou, si je n'éprouvais pas un tel intérêt pour les choses de la nature, et si je ne

1. *Rêveries*, éd. Marcel Raymond (Genève, Droz, 1948), 191.

voyais pas que, dans la confusion apparente, cent observations peuvent se comparer et s'ordonner, à la façon dont l'arpenteur, en tirant une seule ligne, vérifie un grand nombre de mensurations isolées [1].

Ce qui protège Gœthe, c'est la participation au monde extérieur, c'est l'action, capable de mesurer et d'ordonner le chaos des choses. La nature qui le sauve de ses démons intérieurs n'est pas simplement un objet de contemplation ; l'esprit doit s'y introduire activement, établir des « relevés », découvrir des systèmes de relations là où d'abord il n'apercevait que confusion.

Mais Rousseau herborise, écrit des lettres sur la botanique, entreprend un dictionnaire de botanique. Ne peut-on pas admettre qu'il a spontanément recouru à l'activité salutaire ? N'est-ce pas là une sorte de thérapeutique improvisée, qui assure un dérivatif à la pensée obsédée, et qui l'oblige à considérer des objets naturels, à en observer la structure, à leur attribuer une hiérarchie ? En effet, Rousseau trouve dans la botanique un apaisement, mais la délivrance reste intermittente et incomplète. On l'expliquera peut-être par le retour périodique de ses accès délirants, qui ne pouvaient lui permettre que des éclaircies relativement brèves. Mais à supposer que le remède auquel Gœthe doit son salut ait été capable de guérir la détresse de Rousseau, il faut bien reconnaître que la botanique n'a jamais représenté pour Jean-Jacques cette application au réel, cette recherche du *sens* des phénomènes vitaux, cet appel à l'hypothèse nouvelle, qui eussent vraiment fixé son esprit sur une tâche concrète. Gœthe écrit les *Métamorphoses des Plantes*, tandis que Rousseau se fait « de jolis herbiers ». Jean-Jacques herborise en collectionneur, et non pas en naturaliste. C'est pour lui une occupation, un amusement, plutôt qu'une véritable action. Ici encore, l'acte n'a pas d'ouverture sur le monde ; il se referme sur lui-même et s'épuise en lui-même. Assez curieusement, Rousseau (dans les *Dialogues* [2]) place sur le même plan son travail de copiste et son goût pour la botanique. Jean-Jacques herborisant ; Jean-Jacques copiant de la musique. Considérées côte à côte, les deux activités s'explicitent et s'éclairent l'une l'autre. Elles ont ce caractère singulier d'être toutes deux des tâches limitées à l'assertion de l'*identique*. Identifier des plantes, reconnaître le type décrit par Linné. Transcrire la même musique sur d'autres feuilles de papier réglé. Ce sont des besognes salutaires, mais où l'esprit

1. Gœthe, *Werke* (Stuttgart, Cotta, 1863), IV, 336.
2. *Dialogues*, II. *O. C.*, I, 793-794.

n'a pas d'autre devoir que de se faire le milieu transparent par lequel un fragment de réalité se redouble sans s'altérer. Ce sont bien des actes, mais qui n'introduisent rien de neuf dans le monde. La rêverie peut, facultativement, se superposer à ces activités, au point quelquefois de les troubler. Mais plus souvent encore ces activités tiennent lieu de rêverie. Au moment où Jean-Jacques vieillissant voit tarir son imagination et ne retrouve plus ses anciennes visions, il lui faut quelque chose pour en compenser l'absence : des souvenirs, ou des activités à demi machinales. Occupations « oiseuses », mais sans lesquelles l'esprit ne rencontrerait que son propre vide :

> Plus la solitude où je vis alors est profonde, plus il faut que quelque objet en remplisse le vide, et ceux que mon imagination me refuse ou que ma mémoire repousse sont suppléés par les productions spontanées que la terre non forcée par les hommes offre à mes yeux de toutes parts [1].

C'est un pis aller. Rousseau demande à la nature l'équivalent approximatif de ce que lui offrait sa propre conscience : des images qui semblent éclore d'elles-mêmes, et qu'il suffit d'accueillir sans effort. A travers le vide et la pureté d'une conscience profondément désœuvrée, les objets naturels peuvent innocemment transparaître, se rendre apparents sans que rien ne les ait défigurés. Et Rousseau, parmi les objets sensibles, choisit les plus innocents de tous, les êtres en qui la vie ne contredit pas l'innocence : les plantes. « Je ne cherche point à m'instruire [2] » : cette activité ne vise à atteindre aucun savoir, ni aucun pouvoir pratique. Rousseau ne s'intéresse pas à l'usage des plantes, il se refuse à voir en elles des moyens qu'il subordonnerait à quelque fin extérieure. Cela est significatif. Aux yeux de Rousseau la plante est à elle-même sa fin immédiate, et le seul but lointain qu'il consente à envisager, c'est la totalité bien close de l'herbier, la collection qui coïncide avec le système préétabli, et où chaque espèce s'illustre par son spécimen. Jean-Jacques ne veut rien savoir des propriétés médicinales. Il passe rapidement sur les plantes « qui empoisonnent ». (Ces messieurs ne lui imputent-ils pas déjà une excessive connaissance des herbes vénéneuses ?) Auprès des végétaux, qui attestent la pureté de la nature, Jean-Jacques se purifie lui-même : tout se passe comme si l'innocence végétale avait le pouvoir magique d'innocenter le contemplateur. Et si la plante desséchée

1. *Rêveries*, septième Promenade. *O. C.*, I, 1070.
2. *Op. cit.*, 1068.

devient le *signe mémoratif* qui rappelle à Jean-Jacques la lumière d'un paysage et d'une belle journée, si elle fait surgir un état d'âme du passé dans la conscience actuelle, la plante aura *servi*, mais à une fin purement intérieure : elle aura rendu Jean-Jacques à Jean-Jacques. Le *signe mémoratif* est donc une médiation, mais qui intervient pour établir la présence immédiate du souvenir. On peut parler ici de médiation régressive, puisque loin de provoquer un dépassement de l'expérience sensible, elle consiste à la réveiller dans son intégralité ; il ne s'agit que de revivre un moment antérieur, tel qu'il fut vécu, sans y surajouter (comme le fera Proust) un effort de connaissance qui chercherait à saisir l'essence du temps. La fleur sèche, plus efficace que toute réflexion, provoque le surgissement spontané d'une image verdoyante du passé dans une conscience qui se veut passive. Retrouvée dans l'herbier, elle renvoie Jean-Jacques à lui-même et à son bonheur lointain, à la belle journée où il s'est mis en route pour découvrir le spécimen rare qui lui manquait.

Jean-Jacques recourt à la plante, afin de pouvoir recourir plus tard à l'herbier, qui lui permettra de vivre par la mémoire. Il s'offre ainsi la ressource d'un *immédiat mémorisé*, infiniment plus riche et plus chaleureux que l'immédiat de la sensation actuelle. Quand s'épuise l'élan vers les « créatures » imaginaires, quand tarissent les forces expansives, quand Jean-Jacques se sent moins capable d'ivresse et d'intensité, il ne lui reste que les objets sensibles qui l'entourent immédiatement. Il se voit contraint de se limiter au minimum d'existence. Ce qui se révèle alors, c'est la pauvreté essentielle de l'immédiat, et Rousseau se plaint :

> Mes idées ne sont presque plus que des sensations, et la sphère de mon entendement ne passe pas les objets dont je suis immédiatement entouré [1].

Pis encore, le monde immédiatement perceptible est déjà envahi par la persécution, il est contaminé par le mal. L'explorer, c'est aussitôt se heurter au mystérieux ennemi, ou, pour dire plus exactement, à la mystérieuse absence de l'ennemi :

> Dans l'abîme de maux où je suis submergé, je sens les atteintes des coups qui me sont portés, j'en aperçois l'instrument immédiat, mais je ne puis voir la main qui le dirige, ni les moyens qu'elle met en œuvre [2].

1. *Op. cit.*, 1066.
2. *Confessions*, liv. XII. *O. C.*, I, 589.

Non seulement la qualité sensible du monde environnant est appauvrie à l'extrême, mais chaque objet peut apparaître soudain comme le signe et l'instrument de la persécution. L'appui que Rousseau vieillissant trouve dans la réalité extérieure est extrêmement précaire. L'immédiat de la sensation actuelle est exsangue et frêle, incapable de susciter la joie et le réconfort. Le vide total menace : mais ce qui soutient dès lors l'existence de Jean-Jacques, c'est un bonheur mémorisé et une justice préfigurée : la mémoire des jours limpides et des extases dans la nature, ou l'anticipation du jour du Jugement :

Mon âme ne s'élance plus qu'avec peine hors de sa caduque enveloppe, et sans l'espérance de l'état auquel j'aspire parce que je m'y sens avoir droit, je n'existerais plus que par des souvenirs [1].

Le présent semble miné par une étrange faiblesse, dont Rousseau ne se délivrera qu'en faisant appel au passé et à l'avenir. Ainsi l'herbier, par un artifice légitime, constitue une réserve de passé, et par là même une réserve de plénitude heureuse, qui compensera le vide que laisse en Jean-Jacques la nullité de l'imagination et de la sensation. L'herborisation, sur le moment même, est une occupation oiseuse, qui permet à la conscience de se distraire à la fois de son propre vide et de l'horizon de la persécution ; mais, reprise par la mémoire, la promenade botanique est une île de bonheur. Et quand la plante desséchée restitue la présence du souvenir, la structure objective de la plante s'efface et s'évanouit pour céder la place à l'afflux subjectif de la réminiscence heureuse. Mieux encore que la répétition de son propre type, la fleur collectionnée devient le signe grâce auquel un sentiment s'arrache à l'oubli et se répète, sans rien perdre de sa vivacité première.

Voici constitué un monde où tout se redouble dans la transparence, sans que ce redoublement implique l'effort volontaire d'une réflexion ; Rousseau se confine dans un circuit d'actes qui engendrent indéfiniment leur propre recommencement. Toute initiative, tout commencement vrai ouvrirait des risques inattendus et déclencherait des conséquences auxquelles Jean-Jacques ne se sent plus la force de faire face. Son angoisse ne s'apaise que lorsqu'il peut s'abandonner à une activité qui n'est ni l'intériorité mauvaise de la réflexion, ni l'extériorité dangereuse de l'action qui cherche sa fin hors d'elle-même. Seul reste le cercle clos de la répétition, le cycle qui n'a d'autre sens que sa propre réitération.

1. *Rêveries*, deuxième Promenade. *O. C.*, I, 1002.

IX

LA RÉCLUSION A PERPÉTUITÉ

La persécution semble répondre à un secret désir de Rousseau. Elle le délivre des actes et de leurs conséquences. Circonvenu de toutes parts, il n'est plus le maître de l'espace où son action aurait pu se déployer. Le voici donc forcé de « s'abstenir d'agir ». S'il tente un geste, et si le geste échoue, ce n'est plus *son* échec, c'est *leur* méfait. Il n'est plus responsable : n'y a-t-il pas là un invincible motif de soulagement ? « En voulant faire du bien, je ferai du mal. » Puisqu'on lui vole ses actes et qu'on les détourne de leur vraie fin, mieux vaut ne rien entreprendre, se replier dans l'inaction innocente. Dès lors Jean-Jacques est pleinement justifié s'il ne fait rien d'autre que d'herboriser et de rêver. Il eût aimé même une justification plus évidente, plus concrète : être condamné à habiter une île ou une prison pour le reste de sa vie. Car derrière quatre murs bien épais, il n'y a rien d'autre à faire que d'*être* et de rêver, on n'est pas tenu de faire du bien, et l'on ne peut plus être accusé de faire le mal : on n'a « qu'à vouloir être heureux pour l'être »[1]. En abandonnant aux autres tout l'espace extérieur, nous nous délivrons de tout ce qui nous empêchait d'être présents à nous-mêmes, plus rien ne peut nous appeler hors de nous. Notre volonté, à laquelle le monde des moyens est désormais interdit, se voit contrainte d'en rester à l'immédiat. Sa propre fin est en elle-même, sans qu'elle ait à faire aucun détour à l'extérieur : voilà pourquoi il suffit alors de vouloir être heureux pour l'être instantanément.

Rousseau demande la réclusion à vie à Leurs Excellences

1. *Confessions*, liv. XII. *O. C.*, I, 646.

de Berne; il désire qu'on lui impose la tranquillité, le repos, le bonheur de ne plus rien espérer hors de soi. « J'osai désirer et proposer qu'on voulût plutôt disposer de moi dans une captivité perpétuelle que de me faire errer incessamment sur la terre en m'expulsant successivement de tous les asiles que j'aurais choisis [1]. » La fuite, la vie errante est un pire supplice que la prison, où du moins l'espoir est nul, où la pensée ne regarde plus ailleurs, et où le moi n'a plus d'autre ressource que lui-même.

Or Rousseau décrira précisément sa situation de persécuté comme un emprisonnement ; il est séquestré, il est entouré de barrières et de murailles, on le garde à vue. Il en gémit : c'est le sort le plus misérable. Et pourtant c'est la réalisation même, sous une forme symbolique, de son désir de « prison perpétuelle ». Le souhait de vie recluse trouve satisfaction à cela près que la tentation de la fuite reste toujours possible : ce « persécuté migrateur » sera contraint de se réfugier en lui-même, dans cet *asile* inviolable qu'est sa propre conscience.

On parlera d'ambivalence. La persécution représente la pire frustration, le plus douloureux déni de justice, le refus barbare d'une reconnaissance qui est pourtant due à Jean-Jacques. Mais d'autre part la persécution est ce qui permet à la conscience de se replier sur ses « délices internes ». Aussi Rousseau apparaît-il tour à tour dans le rôle de celui qui lutte contre le mal, et dans le rôle de celui qui se complaît à voir arriver le pire, où il découvre une élection mystérieuse qui l'oblige à se tenir à l'écart du reste de l'humanité.

LES INTENTIONS RÉALISÉES

Compte tenu d'un fond irréductible qui constitue l'étrangeté essentielle de la folie, il n'est pas impossible de déceler dans le « délire de relation » de Rousseau des conduites intentionnelles assez précises. On sait que le délire sensitif est en général parfaitement structuré : le sujet organise lui-même un système de motifs et de justifications cohérent destiné à conférer à son comportement une armature de logique et de rationalité. Ces motifs sont toujours dignes d'être considérés puisque la conscience du malade les tient pour solides. L'analyse ne doit pas chercher à les réduire à des erreurs, mais au contraire — en reconnaissant qu'ils ont une validité subjective à toute épreuve — elle doit interroger les inten-

1. *Op. cit.*, 647.

tions implicites qui sous-tendent le système élaboré par le sujet. Pour une analyse qui se voudrait phénoménologique, il s'agira moins de remonter à des causes antécédentes, dissimulées dans l'inconscient, que de dégager, dans le système auquel Rousseau se réfère consciemment, des significations et des volontés dont il est incapable de prendre une connaissance réfléchie. Plutôt que de chercher à reconstruire les mécanismes « profonds », qui auraient obscurément produit le système interprétatif de Rousseau, restons au plus près de ses aveux et de son comportement, afin d'interroger les paroles et les gestes eux-mêmes, jusqu'au point où leur sens se livre à nous dans une cohérence d'intention qui n'a pas été perçue par Jean-Jacques.

On discerne, dans les derniers textes de Rousseau, tout un réseau de motivations, qui se complètent et se renforcent réciproquement. On ne peut faire autrement que de les énumérer, sans les déduire les unes des autres. En fait, elles sont toutes liées entre elles, si bien que chacune peut figurer tour à tour au premier rang. Nous verrons aussi que chaque intention en fait apparaître une autre, laquelle ne peut pas davantage s'isoler...

L'intention de *resserrement* et de *dépouillement*, nous venons de le voir, est clairement évidente. Rousseau consent à ne rien posséder, à couper tous les liens avec le reste du monde : il renonce à ses biens, il renonce à la communication avec autrui, il renonce à l'espace où son propre geste pourrait se déployer. Au moment de sa réforme personnelle, cette dépossession était entièrement volontaire : ayant quitté l'épée et le linge fin, ayant vendu sa montre, il s'est retranché dans le cynisme hautain de la vertu, il a cherché une retraite solitaire. Au moment de la persécution, la dépossession devient une fatalité subie : on lui enlève tout, on lui prend ses amis, on le condamne à se cacher, on dresse devant lui des obstacles ténébreux. Il n'a pas voulu cela, c'est le destin qui l'accable, et il ne lui reste qu'à se résigner. L'ascèse est la même, à cette différence près qu'elle ne s'accomplit plus par la volonté consciente de Jean-Jacques, mais par l'hostilité des méchants. En vérité, il faut dire que Jean-Jacques reste fidèle à sa première intention, puisqu'il va jusqu'à se dépouiller de sa propre volonté. Il s'est appauvri au point de ne plus se croire libre de vouloir sa pauvreté. Elle lui est infligée du dehors. Il parlera de son dénuement sur le ton de la plainte et de la blessure ; et pour exprimer cette plainte, Rousseau recourra à un procédé stylistique qu'il répétera à satiété : une sorte de litanie, qui commence en général par l'adjectif *seul*, et qui se continue par une succession de termes négativement déterminés par la préposition *sans*. Cette séquence obsédée, où la virgule intervient comme un soupir, donne concrètement l'impression du manque d'appui, de l'absence de prise positive sur les choses, de la condition irrémédiable de l'exil et de l'accablement. Choisissons parmi cent exemples :

Livré à moi seul, sans ami, sans conseil, sans expérience, en pays étranger, servant une nation étrangère [1]...

Seul, étranger, isolé, sans appui, sans famille, ne tenant qu'à mes principes et à mes devoirs [2]...

Seul, sans appui, sans ami, sans défense, abandonné à la témérité des jugements publics [3]...

Étranger, sans parents, sans appui, seul, abandonné de tous, trahi du plus grand nombre, Jean-Jacques est dans la pire position où l'on puisse être pour être jugé équitablement [4].

Grâce à ce dénuement, toutefois, Rousseau échappe à toute prise et devient invulnérable. Au moment où le dépouillement est parachevé, au moment où « en pis, plus rien n'est possible », Rousseau reçoit la révélation d'une liberté que rien ne peut détruire. La conscience demeure, et elle se sent irréductible. A ce point, la dépossession devient possession absolue, l'impuissance se transforme en pouvoir inaliénable :

Toute la puissance humaine est sans force désormais contre moi... Maître et Roi sur la terre, tous ceux qui m'entourent sont à ma merci, je peux tout sur eux et ils ne peuvent plus rien sur moi [5].

L'on assiste ici à un renversement du rien au tout, mais qui n'est possible qu'une fois le rien atteint. L'adversité sans recours renvoie l'âme à une liberté triomphante, qui n'a besoin que d'elle-même pour s'affirmer.

La volonté de dépouillement nous fait donc apercevoir maintenant une *volonté de liberté immédiate*. Portée à son

1. *Confessions*, liv. VII. *O. C.*, I, 301.
2. *Confessions*, liv. X. *O. C.*, I, 492.
3. *Correspondance générale*, DP, XV, 171.
4. *Dialogues*, I. *O. C.*, I, 734. La fréquence du mot *seul* a été signalée par Basil Munteano, dans son étude sur « La solitude de Rousseau », *Annales J.-J. Rousseau*, XXXI, p. 132. Au début des *Confessions*, la même formule stylistique se retrouve, mais pour exprimer l'exact contraire de la plainte psychasthénique : un sentiment « sthénique » d'expansion et de plénitude : « Jeune, vigoureux, plein de santé, de sécurité, de confiance en moi et aux autres, j'étais dans ce court mais précieux moment de la vie où sa plénitude expansive étend pour ainsi dire notre être par toutes nos sensations... » (liv. II *O. C.*, I, 57-58).
5. Phrases écrites sur des cartes à jouer. *Rêveries*, éd. Marcel Raymond, 173-174 ; voir *O. C.*, I, 1171.

comble, l'adversité met en évidence une part de l'être qui résiste à toute atteinte extérieure. C'est là une liberté qui n'a aucune tâche en dehors d'elle-même : les chemins du monde lui sont refusés. Elle ne lutte pas contre la dépossession et l'aliénation ; elle les laisse s'accomplir. Elle sera la part inaliénable qui subsiste en dépit de toutes les aliénations, le résidu dont l'homme ne peut être dépossédé alors qu'on lui a tout pris : c'est le centre le plus secret, dont l'autonomie ne peut jamais être forcée. Elle échappe à toutes les contraintes, mais aussi à tous les devoirs et à toutes les responsabilités. Tous les instruments, tous les moyens lui ont été enlevés : que pourrait-elle donc entreprendre ? Le pouvoir infini que découvre Jean-Jacques, c'est le pouvoir d'être soi d'une façon inconditionnée, une fois que toutes les conditions adverses se sont accumulées. Pour cela, il suffit de se vouloir soi-même, sans chercher à vaincre le destin qui nous écrase. Rousseau le proclame dans une phrase à la Sénèque :

Quiconque veut être libre l'est en effet [1].

En présence de l'obstacle insurmontable, il n'y a plus d'obstacle entre moi et ma liberté ; elle se réalise instantanément, sans nul détour, par une magie à laquelle rien ne s'oppose. Sa fin est immédiatement atteinte, puisqu'elle n'a d'autre fin que d'affirmer son propre surgissement. Il faut, semble-t-il, que le monde extérieur se soit assombri jusqu'à la nuit totale, pour forcer la révélation d'une perspective intérieure qui sera le refuge où Jean-Jacques ne pourra être rejoint, la seule patrie d'où le « citoyen » ne risquera plus d'être chassé :

Ces ravissements, ces extases que j'éprouvais quelquefois en me promenant ainsi seul étaient des jouissances que je devais à mes persécuteurs : sans eux, je n'aurais jamais trouvé ni connu les trésors que je portais en moi-même [2].

On découvre alors que la volonté de liberté immédiate peut tout aussi bien se définir comme une *volonté de présence à soi-même.* Présence dans un présent immuable. Car en portant les choses au pire, la persécution ne ferme pas seulement toute issue vers un espace extérieur, elle barre aussi tout accès vers un futur. Quand le mal est à son comble, le temps est épuisé. Alors, « délivré de l'inquiétude de l'espé-

1. *Correspondance générale*, DP, XVI, 77.
2. *Rêveries*, seconde Promenade. *O. C.*, I, 1003.

rance [1] », Rousseau connaît le « plein calme ». Il ne peut plus s'élancer à la recherche d'un « temps meilleur » ; le présent seul lui reste, qui participe déjà à l'éternité. Montaigne, au troisième Livre des *Essais*, avait décrit un calme analogue qu'il possédait, lui aussi, par-delà tout espoir et tout souci de transformer sa vie. Quand tout est révolu, quand la « comédie » tout entière a été jouée, « le ciel est calme », et Montaigne se sent allégé du fardeau de l'attente : « Meshuy, c'est faict [2]. » Rousseau dit exactement la même chose : « Qu'ai-je encore à craindre, puisque *tout est fait* [3]. Tout est fini pour moi sur la terre [4]. » Seulement le « c'est faict » de Montaigne désignait la plénitude de sa propre vie, tandis qu'en disant « tout est fait », Rousseau désigne le mal que ses ennemis lui ont infligé, et qui ne peut plus s'accroître. Tout est fait, mais ce sont les autres qui ont tout fait, en perpétrant tout le mal possible. Jean-Jacques, lui, n'a jamais rien fait ; quand il évoque son passé, il ne trouve presque point d'actes : rien que des sentiments, des émotions, des intentions contrariées par le destin... Plus rien n'aura lieu ; le temps est stabilisé dans le présent de la résignation infinie et de la possession de soi. Une limite extrême est atteinte par la persécution, *au-delà* de laquelle il ne peut plus rien arriver. Cet *au-delà* est précisément le présent que Rousseau découvre comme sien, le lieu d'un séjour qu'on ne peut lui disputer. C'est un *dehors* sans retour, d'où les hommes paraissent nuls, et où Jean-Jacques devient réciproquement nul pour eux. C'est l'extrême étrangeté, l'obscurité des limbes, la désorientation définitive dans un lieu qui ne peut plus se définir selon les coordonnées habituelles de l'espace et du temps :

> Tiré je ne sais comment de l'ordre des choses, je me suis vu précipité dans un chaos incompréhensible où je n'aperçois rien du tout, et plus je pense à ma situation présente et moins je puis comprendre où je suis [5].

Rousseau est expulsé, il est rejeté hors du temps des hommes et de leur monde, il est séquestré, enterré vivant. Mais, du point le plus décentré, Rousseau se fait le centre d'une étendue sans obstacle. Le *dehors* de l'expulsion devient le *dedans* d'un monde qu'aucune force étrangère ne peut menacer. On trouve, dans la première *Promenade*, une phrase qui exprime étonnamment cette « coïncidence des opposés » :

1. *Rêveries*, première Promenade. *O. C.*, I, 997.
2. Montaigne, *Essais*, liv. III, II.
3. *Rêveries*, première Promenade. *O. C.*, I, 997.
4. *Op. cit.*, 999.
5. *Op. cit.*, 995.

> Il ne me reste plus rien à espérer ni à craindre en ce monde, et m'y voilà tranquille au fond de l'abîme, pauvre mortel infortuné, mais impassible comme Dieu même [1].

Dans un même mouvement, Rousseau se dit exclu de tout (il habite l'abîme) et il se fait centre de l'univers en se comparant à Dieu ; la nullité de la victime se convertit soudain en possession de la plénitude, le malheur devient bonheur, l'infamie gloire.

Si la persécution va jusqu'à l'extrême (et Rousseau veut cet extrême), alors l'on ne peut plus compter que sur soi, et l'on connaît le bonheur amer et divin de la suffisance parfaite : l'on réside en soi-même, pour n'en plus sortir. Toutes les relations externes étant devenues impossibles, il reste la relation à soi-même, la plénitude de l'identité.

Cette plénitude, Rousseau la décrira tantôt comme celle d'une *chose* inerte et infiniment docile aux impulsions externes, tantôt comme celle d'un *esprit* désincarné sur lequel aucune force matérielle n'aura prise. Quoi qu'il en soit, ce sera une plénitude d'innocence. Ainsi, par-delà ce qui nous était apparu comme une volonté de liberté immédiate, nous apercevons une *revendication d'innocence.*

La pierre seule est innocente, dira Hegel. Entre les mains de ses persécuteurs, Rousseau se fait pierre, il se pétrifie. Son innocence n'est-elle pas plus évidente, s'il n'accomplit aucun acte de volonté, s'il est tout entier le jouet de forces extérieures à lui ? Où est la faute, là où il n'y a plus d'initiative ? En volant à Rousseau tous ses actes et toutes leurs conséquences, les persécuteurs le délivrent de la possibilité même de se rendre coupable. Paralysé dans la situation de la victime, ou mû du dehors, comment pourrait-il faire le mal ? Mais pour que son innocence devienne une certitude absolue, il faut que le transfert de responsabilité soit définitif et, par conséquent, il faut que les méchants ne laissent aucune issue à Jean-Jacques. De même que la liberté de l'expansion imaginaire prenait naissance face à l'obstacle matériel insurmontable, l'innocence n'atteint toute sa pureté que face à une hostilité universelle et sans exception. Rien n'est sûr, tant que le contraste n'est pas absolu, tant que le blanc pur ne se découpe pas sur le fond le plus obscur. De la sorte, Rousseau ne peut vouloir son innocence qu'en voulant la persécution la plus cruelle. Car seul l'accablement extérieur de la persécution le déchargera du poids intérieur de la responsabilité. Rousseau se disculpe en accusant : toute la faute

1. *Op. cit.*, 999.

est dehors, dans cette conspiration qui s'acharne, dans cette fatalité qui gouverne son existence [1].

Pour mieux s'interdire tout acte volontaire (et, partant, tout risque de se rendre coupable) Rousseau ne se contente pas d'incriminer « la ligue » ; il accuse le sort, il met en cause sa propre « nature ». La méchanceté de ces messieurs n'est qu'une forme extrême de la causalité externe à laquelle, depuis toujours, Rousseau se plaint d'être livré. En fait, Rousseau invoque un système de contraintes, qui l'investissent aussi bien du dedans que du dehors. Il se dira esclave de sa « nature » ou de ses sens, comme si c'était là une dépendance qui l'asservit à une puissance étrangère. Les fautes retomberont donc tour à tour sur son « naturel trop ardent » (ou trop indolent) et sur le sort, qui ne lui permet pas de vivre « la vie pour laquelle il était né ». Il est tout ensemble la victime d'une spontanéité irrépressible, qui échappe à son contrôle, et le jouet d'une fatalité qui s'abat sur lui de l'extérieur. Dans les deux cas, qu'il soit soumis à ses impulsions ou aux caprices du sort, ses actes ne sont pas les siens : ils sont forcés, ils lui ont été dictés, et personne ne devrait lui en tenir rigueur. Ainsi, lorsqu'il écrit ses *Confessions*, il semble qu'il ait hâte de se déposséder au plus vite de la responsabilité de son existence. « Ma naissance fut le premier de mes malheurs [2]. » Et comme pour mieux s'assurer qu'il est le jouet d'une fatalité cruelle, il multiplie les circonstances qui « fixent sa destinée » ou qui marquent le commencement d'un enchaînement de malheurs dont il ne sera plus le maître. Tout se passe comme s'il ne lui suffisait pas d'évoquer une seule catastrophe fatale, il lui en faut une succession, qui l'enfermeront dans un réseau inextricable. Pourtant, Rousseau est fort capable, ici ou là, de critiquer sa propre attitude. Racontant, au second livre des *Confessions*, l'histoire de sa conversion, il écrit : « Je gémissais du sort qui m'avait amené là comme si ce sort n'eût pas été mon ouvrage [3]. » Rousseau sait donc parfaitement que dans cette accusation du sort il y a un transfert frauduleux de responsabilité ; il sait qu'en une occasion tout au moins, il s'est hâté d'imputer au destin une situation dans laquelle il est venu s'embarrasser de sa propre initiative. Il se juge avec une sévérité lucide, à laquelle il ne manque que de s'appliquer aux autres circonstances analogues, qui

1. Il faut noter aussi que Rousseau n'a jamais riposté violemment contre ceux qu'il considère comme ses agresseurs. Il envoie sa contribution pour la statue de Voltaire. Toute son agressivité, il la dirige contre lui-même, par le biais de la projection.
2. *Confessions*, liv. Ier. *O. C.*, I, 7.
3. *Confessions*, liv. II. *O. C.*, I, 63. Rousseau relate sa conversion.

sont innombrables. Mais c'est le seul endroit où Rousseau s'adresse aussi franchement cette critique. L'alibi du destin, qu'il se reproche ici, il l'invoquera tout au long des *Confessions* ; à mesure qu'il avancera dans le récit de sa vie, il se montrera toujours plus disposé à oublier qu'il ait pu être lui-même, fût-ce partiellement, l'auteur de ses malheurs. Pour s'assurer de son innocence, Rousseau paraît prêt à sacrifier le principe même de la liberté, dont il s'était fait, dans la théorie psychologique et dans la vie sociale, le porte-parole passionné. Le paradoxe éclate dans les *Dialogues* : après avoir lancé contre les philosophes matérialistes le reproche de croire que « tout ... est l'ouvrage d'une aveugle nécessité [1]», il affirme à quelques pages de distance que sa propre conduite est une « simple impulsion du tempérament déterminé par la nécessité ». Il se réfugie dans l'innocence d'une « vie machinale » et « presque automate [2] », alors qu'il vient de s'emporter contre le déterminisme des philosophes, qui réduit la conduite humaine à un automatisme et abolit la distinction du bien et du mal.

Cependant cette passivité n'est pas incompatible avec la liberté telle que Rousseau la revendique. Sa liberté est une liberté inopérante, paralysée, désœuvrée, qui veut n'avoir affaire qu'à elle-même, et qui abandonne tout le reste aux injustices du sort et aux fatalités étrangères. Sa liberté n'est pas une liberté pour l'action, mais pour la présence à soi. Elle n'est qu'un sentiment. Rien de ce qui advient n'est de son ressort, et sa seule façon de braver les obstacles est de les laisser triompher de leur côté. La passivité absolue n'est que l'envers de cette liberté dont l'efficacité s'arrête à elle-même. Malgré l'opposition apparente, rien ne ressemble davantage à une conscience sans prise sur le monde extérieur, qu'un objet sans intériorité et soumis passivement aux forces qui le meuvent. Ainsi, lorsque Rousseau définit son existence comme la « chaîne de ses sentiments », ou lorsqu'il la définit comme la « chaîne de ses malheurs », il dit une seule et même chose qui est sa propre innocence. Les *Confessions* nous proposent une double perspective : le passé s'y constitue soit comme une somme de bons sentiments inefficaces, soit comme une somme de malheurs, trop efficaces. Ce qui établit le lien entre la série subjective des sentiments et la série mécanique des malheurs, c'est que les faits extérieurs jouent le rôle de « cause occasionnelle » par rapport aux états d'âme. Entre l'extériorité du destin, et l'intériorité innocente du

1. *Dialogues*, II. *O. C.*, I, 842.
2. *Op. cit.*, 849.

sentiment, il n'y a plus de place pour l'acte libre, et il devient impossible que Jean-Jacques ait jamais commis une faute. En effet, le sentiment, tel que Rousseau le définit, est soit le simple écho d'un accident extérieur, soit une intention qui, pour préserver sa pureté subjective, refusera de s'extérioriser dans une action concrète. Entre cette pureté inactive et cette hostilité qui s'abat du dehors, rien de ce que Rousseau a fait ne lui appartient réellement et ne peut servir contre lui de pièce à conviction. La casuistique défensive n'aura nulle peine à dissocier l'acte de l'intention. La décision d'agir est toujours extorquée par une puissance extérieure. S'il s'installe à l'Ermitage, s'il en sort, c'est *malgré lui* [1]; s'il écrit ses *Confessions*, c'est parce qu'il est « forcé de parler malgré lui [2] ». Son amour pour Sophie d'Houdetot est « criminel, mais involontaire », c'est une « faiblesse involontaire et passagère », qu'il ne faut pas confondre « avec un vice de caractère [3] ». Tel est le principe que Rousseau fait valoir constamment :

> Il y a des moments d'une espèce de délire, où il ne faut point juger des hommes par leurs actions [4].

L'action, en ces circonstances, n'est pas plus volontaire que le tressaillement, le tremblement, les réactions « neuro-végétatives ». Si l'essence du moi est préservée dans la profondeur du cœur, si l'être est essentiellement présent dans ses sentiments, et rien que dans ses sentiments, aucun acte ne compromettra son innocence. Elle demeure aussi pure, aussi intacte que le visage du dieu Glaucus sous les algues. Aucune souillure ne peut l'atteindre. (Ainsi Rousseau attribue à Mme de Warens une pureté inaltérable, malgré maint écart de conduite : « Votre conduite fut répréhensible, mais votre cœur fut toujours pur [5]. »)

A l'instant même où l'intention se transforme en décision, ce n'est déjà plus Jean-Jacques : il s'est toujours senti « subjugué avant d'avoir eu le temps de choisir [6] ». Mais ce Jean-Jacques subjugué est le même qui se proclame infiniment libre sous les coups du destin. Il a besoin d'être subjugué pour se sentir libre ; et il ne reprend sa liberté que pour se livrer encore davantage aux forces qui le subjuguent. Quant

1. « Ma destinée était d'y entrer malgré moi et d'en sortir de même ». *Confessions*, liv. IX. *O. C.*, I, 488.
2. *Confessions*, liv. VII. *O. C.*, I, 279.
3. *Confessions*, liv. IX. *O. C.*, I, 448 et 462.
4. *Confessions*, liv. Ier. *O. C.*, I, 39.
5. *Confessions*, liv. VI. *O. C.*, I, 262.
6. *Dialogues*, II. *O. C.*, I, 847.

au mal que Rousseau a pu faire, il n'a pas de réalité : ce n'est qu'une apparence fantomatique, un mirage survenu dans l'espace vide qui sépare l'implacable hostilité du destin et la pureté intacte des bonnes intentions de Jean-Jacques. Ainsi l'innocence de la pierre et celle de la « belle âme » paraissent s'équivaloir à la fin : une liberté sans emploi et un objet sans conscience ne peuvent jamais voir la faute surgir en eux.

Mais s'agit-il vraiment d'une liberté sans emploi? Ne s'emploie-t-elle pas inlassablement à se donner la preuve que le monde extérieur est impraticable ? Pour assurer le désœuvrement innocent et la pure présence à soi, ne faut-il pas qu'une volonté très active repousse toute possibilité d'agir, et maintienne ainsi à distance la souillure de la faute ? On se demande, en effet, pourquoi Jean-Jacques éprouve le besoin de répéter si constamment qu'il vit dans la résignation, dans l'abandon au destin et aux impulsions involontaires. A chaque pas, dans les *Rêveries*, il semble que Jean-Jacques prend pour la première fois la résolution de se résigner et de vivre en soi-même ; à chaque instant, on croit saisir sur le vif la décision initiale par laquelle il se dépouille du pouvoir de la décision et s'en remet à la Providence. Le calme et l'innocence n'étaient donc pas encore conquis, puisque à tout moment il a besoin de s'en donner confirmation. Il n'en finit pas de se dire indifférent à la persécution et, de la sorte, il n'en finit pas d'en sentir la présence ou d'en évoquer la représentation : comment pourrait-il faire autrement, puisque c'est seulement dans le miroir sombre de la persécution qu'il peut lire son visage d'innocent? Face à l'hostilité la plus incompréhensive, Rousseau reprend purement possession de son « essence ». Le regard des autres, qui est le mal, prétend accuser le mal en Jean-Jacques : par conséquent le vrai Jean-Jacques est essentiellement différent :

> Si les autres veulent me voir autre que je ne suis, que m'importe? L'essence de mon être est-elle dans leurs regards [1] ?

Ils n'ont pas prise sur lui C'est un autre qu'on calomnie sous son nom. C'est un autre qu'on a jugé et qu'on assassine sournoisement. Mais pour établir ainsi sa *différence* (qui signifie son innocence), il faut que Jean-Jacques ne cesse de

1. *Dialogues*. Histoire du précédent écrit. *O. C.*, I, 985. Cf. *Rêveries*, huitième Promenade : « De quelque façon que les hommes veuillent me voir ils ne sauraient changer mon être, et malgré leur puissance et malgré toutes leurs sourdes intrigues, je continuerai, quoi qu'ils fassent, d'être en dépit d'eux ce que je suis. » *O. C.*, I, 1080.

penser la présence de ces puissances hostiles qui l'obligent à chercher asile en lui-même.

De même que Rousseau ne sait plus reconnaître sa propre réflexion, il ne sait plus reconnaître son choix, son action, sa faute. Un Rousseau anxieux, obsédé par la faute, tourmenté par la réflexion, terriblement actif, construit, pour s'apaiser, le mythe d'un Jean-Jacques oisif, incapable de réflexion et d'action, et qui ne s'est jamais engagé volontairement dans les voies du mal. Cette construction ne lui apparaît pas comme une construction. Il est fasciné par son propre mythe au point de ne plus pouvoir s'en distinguer et de ne plus sentir sa propre duplicité. Jean-Jacques est subjugué avant d'avoir eu le temps de choisir ; mais Rousseau ne veut pas reconnaître qu'il a choisi cette situation où le choix est prévenu par le destin, et où la seule chose à faire est de laisser faire l'adversité. Rousseau proclame qu'il s'abondonne aux forces qui l'accablent, mais il le proclame avec une énergie qui contredit la passivité dans laquelle il cherche refuge : le simple fait qu'il continue d'écrire prouve déjà que quelque chose manque à cette passivité. Au moment même où Rousseau se déclare complètement résigné, il le dit d'une voix encore inquiète, mais dont l'inquiétude lui échappe. Jean-Jacques parle comme s'il était incapable de comprendre que l'acte même de parler dément le sens qu'il attribue à ses paroles. Il déclare qu'il n'a jamais rien su vouloir. Mais à qui donc appartient la volonté qui anime cette déclaration sur la prépondérance de l'involontaire ? Elle appartient à un Rousseau qui ne sait plus se reconnaître lui-même, et qui croit ne plus rien vouloir, alors que sa volonté veut l'innocence, sans savoir qu'elle la poursuit par le détour de la passivité, et qu'elle poursuit la passivité par le détour de la persécution. La persécution est le moyen par l'intermédiaire duquel Rousseau prend possession de son innocence. Mais il ne consent pas à avouer qu'il a pu vouloir pareil moyen : il souhaite sentir son innocence comme quelque chose d'immédiat et d'originel ; il souhaite la sentir non pas comme une œuvre dont il serait responsable, mais comme un don gratuit qui lui serait fait intérieurement, comme une « essence » ou une « substance » indestructible, dont la possession ne peut lui être enlevée. Dès lors, la tâche n'est pas simplement de surmonter le mal, ou de combattre la possibilité de la faute ; cela voudrait dire que la faute a pu le souiller, que son innocence est à la merci d'une erreur ou d'une faiblesse. La tâche est bien plutôt de faire en sorte que, par essence, la faute ne puisse jamais être *sienne*, qu'elle soit toujours une réalité étrangère : la faute des autres, le caprice du sort, la mécanique involontaire de l'émotion, le maléfice anonyme de l'apparence trompeuse. Le délire de persécution parachève le succès de cette manœuvre magique, par laquelle l'initiative des autres, les forces étrangères se voient attribuer la part de culpabilité que le sujet refuse de reconnaître et d'assumer. Ce n'est plus par sa volonté qu'il s'abandonne passivement à l'adversité, c'est par la volonté d'une conspiration ténébreuse qui gouverne tous ses actes et surveille tous ses mouvements. Alors, il se dépossède non seulement de sa responsabilité, mais du coup il met sur le compte de l'adversité étrangère la faute virtuelle qui habite toute volonté et toute liberté. En lui volant ses actes, les autres le délivrent aussi de la possibilité du mal : le voici immuablement pur parce qu'*ils* sont devenus immuablement méchants.

Mais quelle est la faute que Rousseau projette au-dehors et met sur le compte des autres ? S'agit-il de la naissance (qui a coûté la vie à sa mère) ? De l'abandon de ses enfants ? De tout cela et de rien de cela. Le sens de la faute n'est pas ce qui *résulte* de la mort de sa mère ou de l'abandon de ses enfants. C'est bien plutôt ce qui l'incite à abandonner ses enfants, et à interpréter la mort de sa mère comme un crime qui lui serait imputable. A voir comment Rousseau renie sa volonté, sa réflexion, sa liberté d'agir, ses liens avec ses semblables, on dirait qu'il appréhende une culpabilité diffuse dans tout acte où l'être se met en relation avec un *dehors* qu'il ne domine pas. La *liberté* est une ouverture dangereuse sur les possibles, et, parmi les possibles, il y a le risque pour moi de ma propre faute : ce risque se donne à moi avec ma liberté, et je ne puis le conjurer qu'en renonçant à ma liberté d'agir, c'est-à-dire en cherchant l'innocence de la pierre ou celle de la conscience désœuvrée. L'*action* comporte des conséquences qui échappent à notre contrôle et qui trahissent l'intention que nous espérions réaliser. L'on risque constamment de faire le mal en voulant faire le bien. Il y a toujours une dérive qui n'est pas en notre pouvoir ; chacun de nos actes a une fécondité imprévue. Nous l'avons déjà remarqué, c'est ce risque que Rousseau a peur d'affronter. Nos actes laissent au-dehors des traces durables, qui défigurent nos intentions, et qui nous exposent à être mécompris par les autres. Nous sommes alors jugés sur des apparences qui ne correspondent pas à notre réalité intérieure. Mais ces apparences, dont nous ne sommes qu'à demi responsables, sont néanmoins celles du mal et de la faute. Quant à la *réflexion*, nous avons vu qu'elle constituait une sorte de péché originel : par la réflexion, le mal entre dans le monde, c'est l'acte par lequel une conscience se découvre différente d'une *autre* conscience, à laquelle elle se compare et se veut supérieure. L'homme se fait ainsi l'esclave du paraître, de l'image qu'il a des autres et que les autres ont de lui. Une fois de plus, la faute se présente comme une ouverture sur le dehors et sur la différence. Enfin, dans toute *communication* avec les autres, Rousseau pressent le risque du malentendu. Il ne peut pas leur imposer la conviction qu'il éprouve au fond de son cœur. Il ne peut pas d'avance éliminer la possibilité d'être tenu pour un méchant : en présence d'autrui, il y a une incertitude qui ne peut jamais être complètement conjurée. A chaque instant il peut se trouver coupable dans le regard des autres. A chaque instant, la vérité de la communication est menacée et la faute peut lui en incomber.

Avant donc qu'aucun acte n'intervienne et ne constitue une faute déterminée, la virtualité de la faute est déjà présente au cœur de notre existence, dans la mesure même où nous ne pouvons vivre sans nous exposer à ce qui nous dépasse ; et cette faute est bien la nôtre, elle est inséparable de notre ouverture au monde. Non qu'il s'agisse au sens théologique d'une culpabilité essentielle attachée à notre vie elle-même : il s'agit seulement d'un risque qui, s'annonçant au centre de notre conscience, demande à être dominé et ne peut jamais être dominé entièrement. Nous ne sommes pas les maîtres d'un espace où pourtant nous sommes engagés...

Pour reconquérir la plénitude de l'innocence je devrais effacer ce risque « intérieur » qui naît de mon ouverture sur une réalité « externe » ; je devrais pouvoir l'abolir ou l'expulser : rejeter hors de moi tous les pouvoirs ambigus qui me font dépendre du monde extérieur. Le processus fondamental de la disculpation, chez Rousseau, consiste à interpréter sa propre incertitude devant la culpabilité possible comme un maléfice *certain* exercé sur lui de l'extérieur. De la sorte, la faute n'est plus un risque impalpable qui hante la communication avec l'autre, c'est une réalité écrasante et immuable, mais qui s'abat du dehors sur Jean-Jacques : le mal qui l'environne a sa source *ailleurs*. La faute possible, qui inquiétait sa conscience, est devenue cette hostilité massive, cet obstacle étranger qui a le poids d'une chose. Les forces ennemies se dressent alors *de l'autre côté*, et renvoient Jean-Jacques à une innocence qui aura, elle aussi, la solidité substantielle d'un objet. A une relation inquiète entre Rousseau et les autres succède un antagonisme sans retour. La certitude de la persécution *fixe* désormais toutes les possibilités flottantes de culpabilité dont la pensée était intolérable à Jean-Jacques. Certes, la faute se précise et s'aggrave en devenant le mal absolu dont Jean-Jacques est la victime innocente : en projetant sa culpabilité sur les autres, il les inculpe d'un crime beaucoup plus noir ; mais c'est pour se sentir à son tour, sous les coups de l'injustice, possesseur d'une justification absolue : il s'offre au couteau du sacrificateur, pour acquérir la pureté de la victime.

Rousseau se disculpe, mais ne cesse pas de se sentir accusé. La faute a été projetée au-dehors, mais de telle façon que la méchanceté des hommes s'exprime en accablant Jean-Jacques de calomnies et d'outrages. Ses ennemis dirigent contre lui, à chaque instant, un nouveau *Sentiment des Citoyens* qui le désigne à la haine universelle. En même temps qu'une disculpation, ne discerne-t-on pas une auto-accusation et une autopunition ? N'est-ce pas là, comme chez tant de persécutés, une façon de retourner son agressivité contre soi-même [1] ? Rousseau n'ignore pas que rompre la communication avec les autres constitue la faute majeure, même si cette rupture a pour but l'innocence solitaire. Il y a donc, dans la disculpation même de Jean-Jacques, une faute qui demande expiation : il se rend coupable par la manœuvre même qui doit le délivrer de la culpabilité. Il se trouve ainsi que, loin d'abolir la mauvaise conscience, le narcissisme de l'innocence en provoque le recommencement continuel. Il y a un cycle qui ne finit jamais — une sorte de *perpetuum mobile* — qui fait que la faute n'est jamais expulsée une fois pour toutes ; que par conséquent la persécution ne peut jamais prendre fin ; que l'innocence n'est jamais assez sûre ni la purification assez complète.

LES DEUX TRIBUNAUX

A la limite, la conscience de Jean-Jacques espère se suffire à elle-même. Mais y parvient-elle ? Diderot pose à Rousseau une question capitale :

> Je sais bien que, quoi que vous fassiez, vous aurez pour vous le témoignage de votre conscience : mais ce témoignage suffit-il seul, et est-il permis de négliger jusqu'à certain point celui des autres hommes [2] ?

1. Sur le rôle de l'auto-accusation, cf. A. Hesnard, *L'Univers morbide de la faute* (Paris, P. U. F., 1949). Voir également la thèse de Jacques Lacan, *De la psychose paranoïaque dans ses rapports avec la personnalité* (Paris, Le François, 1932).
2. *Correspondance générale*, DP, III, 133 ; L, IV, 192.

Il n'y a point d'innocence qui puisse s'assurer d'elle-même par sa propre affirmation. Pour me saisir avec certitude dans ma qualité d'innocent, je dois faire appel à un jugement extérieur qui me *fixe* dans cette qualité. Dès qu'il est question d'affirmer une valeur intérieure, l'immédiat interne de la conscience doit recourir à un garant extérieur : en d'autres termes, il faut accepter la médiation du jugement des autres, et j'ai besoin d'un témoin étranger pour me trouver moi-même.

L'auteur des *Rêveries* ne s'adresse plus à personne, il renonce à être mieux connu et ne se soucie plus de cacher ni de montrer les feuilles qu'il continue à couvrir de son écriture. Mais il s'attend néanmoins à être jugé, il anticipe le moment où son innocence lui sera confirmée par le regard de Dieu. Ayant révoqué « les insensés jugements des hommes », ayant découvert sur leurs visages les signes d'une condamnation imméritée, Jean-Jacques se tourne vers un autre tribunal et interjette appel devant Dieu. La conscience de Jean-Jacques ne peut se contenter d'elle-même ; elle veut être une transparence offerte à un regard. Ainsi, dans l'invocation du début des *Confessions*, Rousseau se donne d'avance un tribunal universel qui l'acquitte :

> Je me suis montré tel que je fus ; méprisable et vil quand je l'ai été ; bon, généreux, sublime quand je l'ai été : j'ai dévoilé mon intérieur tel que tu l'as vu toi-même. Être éternel, rassemble autour de moi l'innombrable foule de mes semblables : qu'ils écoutent mes confessions [1]...

Si forte que soit, en d'autres circonstances, la tentation de se comparer à Dieu, si intense que soit l'appel d'une fusion mystique (ou panthéiste), Rousseau ne peut se passer d'un Dieu rétributeur devant lequel il faut comparaître. Face au Dieu de justice, l'existence personnelle ne s'évanouit pas (et ne s'humilie guère) ; elle s'immobilise glorieusement dans sa vérité. Ce n'est pas Dieu que Jean-Jacques cherche en Dieu, mais le Regard *absolu* qui lui donnera confirmation de sa propre identité, le verdict qui le rendra possesseur de sa transparence. Au moment de l'*absolution*, l'individu se verra investi de l'essence stable et de l'innocence qu'il avait toujours revendiquées en vain et que l'ombre hostile cernait de toutes parts.

C'en est donc fait, à ce point, de tout ce qui semblait annoncer, chez Rousseau, la revendication de l'autonomie du moi. Sa liberté, qui prend appui sur le caractère inaliénable de la

1. *Confessions*, liv. Ier. *O. C.*, I, 5.

conscience, ne peut plus se passer d'un recours à la transcendance. Le moi ne trouve pas en lui-même un appui suffisant [1]. Seul, il ne peut échapper au vertige de ses possibilités, et donc n'échappe jamais à l'angoisse du mal. En présence des autres consciences, sur lesquelles il n'a aucune prise, le même vertige le saisit : comment faire pour supprimer la possibilité du malentendu, la quasi-probabilité d'un jugement monstrueux qui fait de lui un monstre ? Les autres *peuvent* voir en lui le méchant, et il n'a aucun privilège qui prévienne ce risque. Au contraire, ce sont les autres qui possèdent le privilège permanent de le réprouver si bon leur semble. Le commerce habituel du monde n'exclut à aucun moment le risque de l'illusion et de la méconnaissance. Le « double rapport », par quoi se définit la conscience, n'a rien qui le garantisse de devenir une « double illusion ». Je puis rencontrer partout des voiles interposés ; je puis devenir la victime des masques.

Dès l'instant où les êtres et les choses ne peuvent plus recevoir de moi tout leur sens, dès l'instant où ils revendiquent leur propre sens et réclament le droit de me donner un sens à leur tour, je n'ai plus qu'un recours pour échapper au vertige du possible : c'est de précipiter le pire et de décider que ce qui m'échappe m'est à tout jamais hostile. La pathologie de la communication, chez Jean-Jacques, procède du besoin de s'appuyer sur des termes absolus, fussent-ils absolument négatifs. Il a besoin d'un Dieu immuable comme il a besoin d'un mal « solidifié ». Une fois l'hostilité des hommes devenue une *limite fixe*, Rousseau va pouvoir se rapporter à un autre terme fixe qui sera le jugement de Dieu, et qui fixera la possibilité contraire, c'est-à-dire l'image d'un Jean-Jacques essentiellement innocent. De part et d'autre, Rousseau trouve ainsi hors de lui des témoins absolus, dont le verdict est irrévocable, mais radicalement opposé. Ces deux tribunaux expriment sous une forme extrême l'ambivalence qui s'était dès le début manifestée chez Jean-Jacques : le besoin d'être jugé, l'angoisse d'être jugé [2].

Ainsi plutôt que de vivre avec les hommes une relation incertaine, plutôt que d'accepter les servitudes de la condition humaine, où l'espoir de la communication est toujours

1. La critique de Joubert portera précisément sur ce point : « Rousseau place la règle de nos devoirs dans le fonds de notre conscience. C'est prendre pour mesure ce qu'il y a au monde de plus divers, de plus mobile et de plus inégal. » (*Les Carnets de Joseph Joubert*, éd. André Beaunier, Paris, Gallimard, 1938, I, 216).

2. Et la situation reste secrètement sexualisée : Jean-Jacques subit le double verdict comme il subissait la fessée de Mlle Lambercier, et comme il attendait l'accueil de Mme de Warens.

contrebalancé par le risque de l'obstacle et du malentendu, Rousseau disjoint les termes de cette ambivalence pour en faire deux instances absolues et immuablement opposées. Au lieu d'affronter l'incertitude du probable et les dangers d'une liberté active, il préfère se présenter devant deux tribunaux dont la sentence est connue d'avance et qui profèrent, sous une forme éclatante et irrévocable, le *oui* et le *non* que l'expérience humaine ne rencontre jamais à l'état pur. Il y a, pour Rousseau, un amer repos à savoir qu'il ne doit plus rien attendre de la part des hommes, s'il possède la compensation qui l'autorise à tout attendre de la part de Dieu.

X

LA TRANSPARENCE DU CRISTAL

Inlassablement, Rousseau réaffirme sa propre transparence. « Il marchait à la lumière du soleil [1]... Ils ont beau vouloir écarter le vivier d'eau claire [2] »... La lumière, la clarté translucide, voilà le partage de Jean-Jacques. Les autres appartiennent au royaume des ténèbres. Écoutons Rousseau comparer son cœur au cristal :

> Son cœur, *transparent comme le cristal*, ne peut rien cacher de ce qui s'y passe ; chaque mouvement qu'il éprouve se transmet à ses yeux et sur son visage [3].
>
> Ont-ils des cœurs tendres, ouverts, confiants, faciles à s'épancher ? Et où de pareils secrets se cacheraient-ils un moment dans le mien, *transparent comme le cristal*, et qui porte à l'instant dans mes yeux et sur mon visage chaque mouvement dont il est affecté [4] ?
>
> L'obscur labyrinthe de leurs cœurs m'est impénétrable, à moi dont le cœur *transparent comme le cristal* ne peut cacher aucun de ses mouvements [5].

Son cœur est transparent, mais les autres le voient différent de ce qu'il est. Qu'est-ce donc qui l'empêche de manifester sa vérité ? Rien qui dépende de lui. Si seulement ils le voulaient, les autres le verraient parfaitement. Mais ils falsifient son apparence. C'est en eux qu'être et paraître se

1. *Correspondance générale*, DP, XIX, 258.
2. *Correspondance générale*, DP, XIX, 82.
3. *Dialogues*, II. *O. C.*, I, 860.
4. *Correspondance générale*, DP, XIX, 237.
5. *Correspondance générale*, DP, XX, 43-44.

disjoignent ; c'est en eux que triomphe le maléfice du voile...

Jean-Jacques proclame éperdument sa propre transparence ; mais, *de l'autre côté*, le voile s'est alourdi en ténèbres et couvre tout l'espace visible. Nous avions vu, à la fin de *La Nouvelle Héloïse*, ce même triomphe simultané de la transparence et du voile. Julie entrait dans le règne de Dieu et de la communication immédiate ; mais il fallait, pour cela, qu'elle sacrifiât sa vie et que son visage disparût à jamais derrière le voile de la mort. Or l'expérience personnelle de Rousseau aboutit au même point, à cette différence près que le partage entre le monde de la lumière et le royaume du voile s'accomplit du vivant même de Rousseau. Celui-ci vit une situation qui, dans le roman, est celle même de la mort (aussi comprend-on pourquoi Rousseau se définit souvent comme un mort vivant : il faut mourir pour *être* définitivement du côté de la transparence).

A la limite, la transparence est l'invisibilité parfaite. Les hommes me voient autre que je ne suis : ils ne me voient donc pas, je leur suis invisible, ils m'imposent une opacité qui m'est étrangère, ils collent sur mon visage des masques qui ne me ressemblent pas. Si seulement je pouvais leur dérober toute ma présence, les empêcher de me donner une apparence! La rêverie se tourne vers les mythes magiques :

> Si j'eusse été invisible et tout-puissant comme Dieu, j'aurais été bienfaisant et bon comme lui... Si j'eusse été possesseur de l'anneau de Gygès, il m'eût tiré de la dépendance des hommes et les eût mis dans la mienne. Je me suis souvent demandé, dans mes châteaux en Espagne, quel usage j'aurais fait de cet anneau [1].

Devenir invisible : c'est le point où l'extrême nullité de l'être se convertirait en un pouvoir sans limite. Armé de l'anneau de Gygès, Rousseau sortirait de son inaction, il passerait aux actes, il ferait le bien, il posséderait des femmes. Délivré de son apparence, il serait délivré de l'*obstacle* qui le paralyse. Et l'on découvre, en lisant la sixième *Rêverie*, que l'obstacle le plus redoutable, le plus immobilisant, n'est autre que cette fausse image de Jean-Jacques qui se forme dans les consciences étrangères et qui lui dénie sa transparence. Se rendre invisible, c'est ne plus être (pour un moment) une transparence cernée, mais devenir un regard qui ne connaît pas d'interdit ; c'est vraiment « devenir un œil vivant »; c'est reprendre possession de l'espace qui s'était fermé.

1. *Rêveries*, sixième Promenade. *O. C.*, I, 1057.

Transparent comme le cristal : car, entre toutes les pierres, le cristal seul est innocent ; il possède la dureté de la pierre, mais il laisse passer la lumière. Le regard le traverse, mais il est lui-même un regard très pur qui pénètre et traverse les corps environnants. Le cristal est un regard pétrifié. Est-il un corps à l'état pur, ou au contraire une âme solidifiée ? On hésiterait... On ne s'étonnera pas que la *vitrification* soit l'une des opérations à laquelle Rousseau a prêté le plus d'attention dans ses *Institutions Chimiques.* Obtenir du beau verre ou de beaux cristaux est très souvent le but en vue duquel toute une « expérience » s'organise. Et la spéculation va plus loin encore : dans une science dont les concepts fondamentaux sont encore soumis au caprice de « l'imagination matérielle [1] », la technique de la vitrification est inséparable d'un rêve d'innocence et d'immortalité substantielle. Transformer un cadavre en verre translucide est une victoire sur la mort et sur la décomposition des corps. C'est déjà un passage à la vie éternelle :

> Ce n'est pas seulement dans le règne minéral que Becher [2] établit sa terre vitrifiable ; il en trouve une toute semblable dans les cendres des végétaux... et une troisième bien plus merveilleuse dans les animaux. Il assure qu'ils contiennent une terre fusible, vitrifiable, et de laquelle on peut faire des vases préférables à la plus belle porcelaine. Par des procédés sur lesquels il garde un grand mystère il en a fait des épreuves qui l'ont convaincu que l'*homme est verre et qu'il peut retourner en verre de même que tous les animaux.* Cela lui fait faire les plus jolies réflexions sur les peines que se donnaient les anciens pour brûler les morts ou les embaumer et sur la manière dont on pourrait conserver les cendres de ses Ancêtres en substituant en peu d'heures à des cadavres dégoûtants et hideux, des vases propres et brillants, *d'un beau verre transparent,* empreint non de cette verdeur qui fait le caractère du verre végétal, mais d'une blancheur laiteuse relevée d'une légère couleur de narcisse [3]...

Au fait, quelle est la cause physique de la transparence ? Comment se fait-il que certains corps laissent passer les rayons lumineux ? Rousseau aura réponse à cette question. La propriété commune à tous les corps transparents, c'est la *fluidité.* Dans le chapitre intitulé *Du principe de la Cohésion des Corps et de celui de leur Transparence,* Rousseau commence par citer « l'eau et les liqueurs entre les parties desquelles leur

1. Gaston Bachelard, *La Formation de l'Esprit scientifique* (Paris, 1938), 44-45. Becher y est cité et commenté.
2. Johann Joachim Becher (1635-1695), physicien et aventurier allemand. Auteur d'une *Physica subterranea* (1669) où il affirmait pouvoir effectuer la transmutation des métaux.
3. *Annales J.-J. Rousseau,* XII (1918-1919), 16-17.

transparence montre une *union immédiate* [1] ». Ainsi, dans le monde physique, l'immédiateté et la transparence sont des notions corrélatives ; si la lumière peut traverser certains corps, c'est qu'ils réalisent la perfection de l'immédiat. C'est là un postulat « chimique », mais où s'exprime une exigence d'ordre psychologique... Quant au verre ou aux pierres transparentes, leur solidité ne contredit pas leur fluidité : la transparence solide est une fluidité immobilisée, la substance en fusion s'est « prise » en une masse dure. Dans sa nature intime, le cristal est fluide, il ne cesse pas d'être une « liqueur ». Et Rousseau va jusqu'à affirmer que « la fluidité est le principe de la solidité des corps ». A lire les *Institutions Chimiques*, on apprend à reconnaître la valeur morale de la fusion et de la dissolution :

> Il y a grande apparence que la fluidité est aussi le principe de la transparence et que... nuls corps ne seraient opaques si toutes leurs parties avaient été également soumises à la fluidité soit de fusion, soit de dissolution. En effet, l'union des particules d'un fluide entre elles est, à la vérité, très facile à rompre mais elle n'en est pas moins parfaite, et c'est ce qui fait que les rayons de lumière n'ayant pas tant de différentes surfaces à pénétrer par lesquelles ils seraient contraints de se réfracter et détourner en mille manières, ils passent au travers de la liqueur après fort peu d'altérations ; au contraire, le cristal et le verre pulvérisés deviennent opaques parce que la lumière se perd au milieu de cette infinité de détours qu'elle est obligée de faire à droite et à gauche et sur les surfaces de toutes ces particules de différentes grandeurs et de diverses figures. Aussi l'expérience nous apprend-elle que les substances dissoutes s'unissent tellement au dissolvant qu'elles ne font plus avec lui qu'un seul tout diaphane et transparent, jusqu'à ce que l'introduction d'une nouvelle substance les sépare derechef ; ce qui rend à l'instant la liqueur trouble et opaque ; de même, les pierres, les sables et les métaux mêmes quand en les calcinant on les a privés de leur phlogistique prennent par la vitrification un tel arrangement de parties qu'ils deviennent diaphanes d'opaques qu'ils étaient auparavant [2].

Si la fluidité est le principe de la transparence, les métaphores du « cristal » et du « vivier d'eau claire » se rapprochent encore davantage. C'est la même union intérieure qui permet le passage des rayons. Rousseau compare son cœur au cristal qui est une fluidité congelée, une fluidité qui ne s'écoule pas et qui, par conséquent, s'est stabilisée hors du temps.

De fait, dans l'état dernier de la pensée de Rousseau, cette congélation cristalline a sa contrepartie dans une pulvérisa-

1. *Op. cit.*, 34.
2. *Op. cit.*, 36.

tion opacifiante qui réduit le monde humain en une foule obscure, indistincte et impénétrable. Il n'y a plus d'échange possible entre les contraires : la transparence de Jean-Jacques s'immobilise, et la nuit extérieure se coagule. Car le voile se fige lui aussi : il n'est plus une mince et flottante séparation, il s'est rabattu sur le monde qu'il cachait, pour l'enserrer désormais dans un réseau de ténèbres.

Mais c'est seulement le monde humain qui s'opacifie. La nature, elle, reste du côté de Jean-Jacques, du côté de la transparence. Il va y chercher la complicité des substances fluides. Dans le climat idéal où Rousseau veut vivre, il n'y aura pas seulement la transparence de l'air et l'éclat des couleurs. Il lui faut toujours de l'eau :

> De beaux sons, un beau ciel, un beau paysage, un beau lac, des fleurs, des parfums, de beaux yeux, un doux regard ; tout cela ne réagit si fort sur ses sens qu'après avoir percé par quelque côté jusqu'à son cœur. Je l'ai vu faire deux lieues par jour durant presque tout un printemps pour aller écouter à Bercy le rossignol à son aise ; *il fallait l'eau*, la verdure, la solitude et les bois pour rendre le chant de cet oiseau touchant à son oreille [1].

Il faudra l'eau encore, pour que Jean-Jacques, dans une bienheureuse nullité, dans une vacuité totale de pensée, accède au « sentiment de l'existence », qui est un « bonheur suffisant, parfait et plein » :

> Tel est l'état où je me suis trouvé souvent à l'île de Saint-Pierre dans mes rêveries solitaires, soit couché dans mon bateau que je laissais dériver au gré de l'eau, soit assis sur les rives du lac agité, soit ailleurs, au bord d'une belle rivière ou d'un ruisseau murmurant sur le gravier [2].

Par-delà cette fluidité mouvante, par-delà le « flux continuel [3] » des choses terrestres, le sentiment de l'existence se dévoile comme une fluidité immobilisée et arrachée au temps. S'il y a une profonde affinité entre l'âme de Jean-Jacques et la transparence du paysage, pouvons-nous parler d'identification ? Non, puisque l'eau est en mouvement, tandis que l'âme s'élève à un présent qui « dure toujours sans néanmoins

1. *Dialogues*, I. *O. C.*, I, 807. Sur l'attirance que l'eau exerce sur Jean-Jacques, cf. Marcel Raymond, introduction aux *Rêveries* (Genève, Droz, 1948) XXIX ; texte repris dans *Jean-Jacques Rousseau. La quête de soi et la rêverie* (Paris, Corti, 1962). Voir aussi Michel Butor, *Répertoire III* (Paris, éditions de Minuit, 1968, p. 59-101.).
2. *Rêveries*, cinquième Promenade. *O. C.*, I, 1046-1047.
3. *Op. cit.*, 1046.

marquer sa durée et sans aucune trace de succession [1] ». La transparence immobile et cristalline du sentiment de l'existence se sépare de la limpidité instable et mouvementée de l'eau qui s'agite. Pourtant le clapotis extérieur est nécessaire pour que Rousseau perçoive la stabilité de son *état* de plénitude. Il n'accueille le « mouvement continu », le bercement, que pour mieux sentir en lui-même un repos qui s'en distingue. De même que la transparence a besoin d'un monde obscur sur le fond duquel elle se détache, elle ne peut s'immobiliser que sur le fond d'une dérive continue qu'elle oublie et qu'elle domine : « De temps à autre naissait quelque faible et courte réflexion sur l'instabilité des choses de ce monde dont la surface des eaux m'offrait l'image [2]... » Cette réflexion, si faible qu'elle soit, est un trouble dans la perfection de la transparence. Mais rien ne révèle la transparence mieux que le trouble ténu qui la traverse « de temps à autre ». Une translucidité parfaite serait un parfait néant : car la transparence de la conscience n'existe que pour laisser transparaître quelque chose. (« La pensée se forme dans l'âme comme les nuages se forment dans l'air [3] », dira Joubert.) La conscience est transparence au surgissement des formes troubles, comme la vitre s'annonce à nous par ses reflets ou sa buée : ainsi, dans l'acte même de se révéler, la transparence se compromet déjà. L'extase de Rousseau survient au moment où la buée du monde perçu s'atténue et s'appauvrit jusqu'à laisser poindre une présence calme qui est l'existence à l'état pur, le fond primitif qui se découvre par-delà toutes les pensées et tous les sentiments : c'est à la fois l'état le plus vide (puisque sans contenu) et le plus plein (car la suffisance est totale). Cela peut s'exprimer presque indifféremment comme l'entier oubli de soi, ou comme une jouissance dont l'objet n'est « rien d'extérieur à soi ». Pourtant, même quand s'accomplit la plénitude parfaite et que seul subsiste le sentiment de l'existence, Rousseau ne peut se passer des images du monde extérieur ; il a besoin d'un *paysage* qui s'offre aux sens et qui puisse les fixer jusqu'à l'hypnose. L'existence est purement présente à elle-même, mais il lui faut, autour d'elle, le murmure de l'eau, la pulsation des vagues, le grand ciel étoilé : l'enveloppement fluide d'avant la naissance.

Revenir à soi, après l'évanouissement de la chute de Ménilmontant, c'est revenir à l'enfantine pureté de la sensation,

1. *Ibid.*
2. *Op. cit.*, 1045.
3. *Les Carnets de Joseph Joubert*, éd. André Beaunier (Paris, Gallimard, 1938), I, 64.

où l'être ne se distingue pas du monde qui l'environne. Le monde et l'existence se donnent simultanément, sans que l'esprit ait à faire le moindre effort. Rousseau revient à soi, à un moi dont il n'a encore « nulle notion distincte [1] » ; et ce qu'il découvre avec ravissement, ce n'est pas son « individu », mais l'espace nocturne où se détache un peu de verdure. Le bonheur étrange que Rousseau éprouve au moment de son réveil confond le moi et le monde extérieur dans une légèreté commune (le moi en deçà de la conscience de l'identité personnelle, et le monde extérieur en deçà de la rencontre d'autrui). Jean-Jacques jouit alors de sa propre transparence par la présence d'un univers transparaissant.

Décrivant les extases du lac de Bienne, il semble que Jean-Jacques veuille appauvrir le sensible, en le limitant à un mouvement monotone et régulier ; l'activité propre de la conscience s'amenuise jusqu'à ne laisser subsister que la pure présence à soi : une étroite correspondance s'établit entre l'atténuation de la pensée et le murmure tranquille de l'eau. Mais ni l'activité mentale ni la présence du monde ne sont abolis : ils sont réduits à une extrême ténuité. Le sentiment de l'existence émerge de cette double atténuation qui est presque un double anéantissement, mais qui pourtant s'arrête à la limite du silence et du rien. Ce qui reste visible des choses et du moi n'est alors nullement leur essence secrète et profonde, mais leur surface — le calme innocent et précaire de leur surface. (Le malheur reprendra prise sitôt que les « profondeurs » seront remuées.) Les conditions de l'extase sont décrites comme une légère agitation superficielle qui se déroule parallèlement dans les choses et dans l'âme. Mais la surface annonce une mystérieuse et simple puissance qui la *soutient* et qui assure à l'âme le repos dans la plénitude. Tout se passe comme si l'on ne pouvait connaître la présence — l'existence — qu'en se faisant infiniment absent.

Rouvrons le texte de la cinquième *Rêverie.* Un moment, Rousseau parle d'*écarter* tout ce qui n'est pas le « sentiment de l'existence » dans son état le plus cristallin et le plus nu : la pensée, le monde sensible sont superflus. La sensation elle-même constituerait un obstacle, et loin de nous donner des jouissances immédiates elle nous séparerait d'un immédiat plus central et plus pur qui est sans forme et sans figure. Car l'existence est un immédiat *senti* qui se situe en deçà de la diversité chatoyante de l'expérience sensuelle. Comme s'il choisissait la voie de l'ascèse, Rousseau refuse les images et

1. *Rêveries,* deuxième Promenade. *O. C.*, I, 1005.

s'efforce de rejoindre quelque chose de plus originel et de plus frugal :

> Le sentiment de l'existence *dépouillé de toute autre affection* est par lui-même un sentiment précieux de contentement et de paix qui suffirait seul pour rendre cette existence chère et douce à qui saurait *écarter de soi toutes les impressions sensuelles et terrestres* qui viennent sans cesse nous en distraire et en troubler ici-bas la douceur [1].

Mais, quelques lignes plus loin, Rousseau réintroduit le monde sensible, dont la présence redevient nécessaire à ses « douces extases ». Il faut que nous nous soumettions à la magie d'une sensibilité de *surface*, sans prêter attention ni à la pleine réalité du monde extérieur, ni aux profondeurs de notre âme :

> Il faut que le cœur soit en paix et qu'aucune passion n'en vienne troubler le calme. Il y faut des dispositions de la part de celui qui les éprouve, il en faut *dans le concours des objets environnants.* Il n'y faut ni un repos absolu ni trop d'agitation, mais un mouvement uniforme et modéré qui n'ait ni secousses ni intervalles. Sans mouvement la vie n'est qu'une léthargie. Si le mouvement est inégal ou trop fort, il réveille; en *nous rappelant aux objets environnants*, il détruit le charme de la rêverie et nous arrache *d'au-dedans de nous* pour nous remettre à l'instant sous le joug de la fortune et des hommes et nous rendre au sentiment de nos malheurs. Un silence absolu porte à la tristesse. Il offre une image de la mort. Alors le secours d'une imagination riante est nécessaire et se présente assez naturellement à ceux que le Ciel en a gratifiés. Le mouvement qui ne vient pas du dehors se fait alors au-dedans de nous. Le repos est moindre, il est vrai, mais il est aussi plus agréable quand de *légères et douces idées sans agiter le fond de l'âme ne font pour ainsi dire qu'en effleurer la surface* [2].

Voici réhabilités l'imaginaire et le sensible, dont Rousseau semblait vouloir se dépouiller entièrement, au nom du pur sentiment de l'existence. Il semblait redouter tout ce qui *distrait*, et maintenant il développe une véritable théorie de la distraction, qui veut que nous subissions les « objets environnants » sans être présents à eux (il faut *le concours des objets environnants*, mais malheur à nous si un mouvement trop fort *nous rappelle aux objets environnants*). Il nous invite à demeurer *au-dedans de nous*, sans pourtant que rien ne touche et n'agite *le fond de l'âme.* Tout se passe comme si le sentiment de l'existence s'offrait non pas comme la récompense d'une attention profonde à soi et au monde, mais au

1. *Rêveries*, cinquième Promenade. *O. C.*, I, 1047.
2. *Op. cit.*, 1047-1048.

contraire comme le fruit miraculeux d'un oubli de soi et du monde. La suprême volupté et la plus haute sagesse consistent à se laisser fasciner par l'*apparence* la plus superficielle, grâce à quoi la profondeur dévoilera sa présence. Pour connaître la transparence du cristal ou celle du lac, il faut se confier aux reflets de leur surface, même s'il est vrai que le reflet trahit un défaut de la transparence.

JUGEMENTS

Dans les *Lettres morales* (1758) et dans l'*Émile*, Rousseau définissait la conscience : un « double rapport à soi-même et à ses semblables [1] ». A peu près au même moment, il formulait ainsi ce double rapport : « Moi, qui ne sais me déguiser avec personne, comment me déguiserais-je avec mes amis ? Non, dussent-ils m'en estimer moins, je veux qu'ils me voient toujours tel que je suis, afin qu'ils m'aident à devenir tel que je dois être [2]. » Mais il ne reste finalement qu'un double verdict. D'une part, la relation de Rousseau avec ses semblables a cessé d'être une véritable communication : c'est un affrontement stérile, une opposition immobile. D'autre part, le sentiment de l'existence constitue un bonheur plein et suffisant, une jouissance dont l'objet n'est « rien d'extérieur à soi » : Rousseau n'attend plus rien des autres, il « se nourrit de sa propre substance ». Dès lors, la conscience cesse de vivre harmonieusement selon la norme d'une double relation. Elle se réfugie tout entière à l'un des deux pôles et ne connaît plus qu'elle-même. Certes, le paysage extérieur ne cesse pas d'être présent, mais c'est désormais un espace circonscrit, sans figures humaines, une Nature complice. Le moi s'abandonne à ses extases, dans lesquelles il s'égale à la totalité imaginaire du monde, à moins que, non moins voluptueusement, il ne se désintéresse de tout, en se fixant sur une rumeur et un reflet superficiels. Mais cette plénitude heureuse ne réconcilie pas le monde divisé; les extases ne suppriment pas la persécution, elles en sont seulement la compensation. L'horizon réel est fermé par les obstacles insurmontables. Et c'est parce que tout s'oppose à lui que Rousseau se projette dans un monde où rien ne s'oppose au moi. Livrée au sentiment de l'existence, la conscience goûte la saveur de sa propre unicité, où elle croit trouver le dédommagement de l'unité qui

1. *O. C.*, IV, 600 et 1109.
2. A Mme d'Houdetot, 15 janvier 1758. *Correspondance générale*, DP, III, 266 ; L, V, 19.

se refuse dans l'horizon réel. Le même homme qui se dit réprouvé par « toute une génération » se perd avec délices dans « le système des êtres » (où ne figurent plus ses persécuteurs). La conscience de Rousseau se donne tour à tour deux mondes où la relation active n'a aucun sens : l'un parce qu'il est irrémédiablement divisé, l'autre parce qu'il est d'emblée parfait. Quoi qu'il en soit, il n'y a rien à entreprendre, il n'y a pas de « double relation » à risquer : tantôt, la seule possibilité est de se résigner devant l'hostilité opaque; tantôt il n'y a plus qu'à se perdre dans la transparence du grand Être, de la présence, de l'existence. Mais l'unité vraie est compromise, du simple fait de l'alternance de ces états contradictoires...

L'expérience de l'unicité interne — qui s'accomplit en certains moments privilégiés — compense-t-elle l'impossibilité de l'unité réelle qui m'unirait aux autres en même temps qu'à moi-même ? Vivre avec ivresse l'imagination du Tout, est-ce suffisant pour réparer l'échec de la double relation ? Que vaut l'unité *symbolique* que la conscience vit dans la séparation ? Le symbole est-il assez fort pour nier et surmonter la séparation — ou n'est-il qu'une illusion dérisoire, une consolation futile ? On connaît la sévérité de Hegel envers la « belle âme » : l'objet qu'elle croit avoir devant elle, c'est encore elle-même. Quand elle pense le tout, elle ne pense que sa propre transparence, et finalement son propre vide, son inanité inconsistante : « Comme conscience, elle est divisée dans l'opposition du Soi et de l'objet qui, pour elle, est l'essence, mais cet objet est précisément le parfaitement *transparent*, il est son Soi, et sa conscience n'est que le savoir de soi. Toute vie et toute essentialité spirituelle sont revenues dans ce Soi [1]. » La belle âme crée un monde pur, qui est sa parole et son écho qu'elle perçoit immédiatement. Mais « dans cette pureté *transparente* », elle va « s'évanouir comme une vapeur sans forme qui se dissout dans l'air ». Elle perd toute réalité et, s'épuisant en elle-même, elle se volatilise dans l'extrême abstraction. Pour Hegel, qui vise sans doute Novalis, mais aussi le Rousseau des *Rêveries* à travers Novalis, la transparence est une perte de soi, une stérile réassertion de l'identité Moi = Moi.

L'interprétation poétique de Hölderlin est toute différente. Rousseau, tel qu'il apparaît au centre de l'hymne *Le Rhin* [2],

1. Hegel, *Phänomenologie des Geistes* (Philosophische Bibliothek, Leipzig, Meiner, 1911), 422-425. Nous citons la traduction de Jean Hyppolite : Cf. *Genèse et structure de la Phénoménologie de l'Esprit de Hegel* (Paris, Aubier, 1946), 495-500.

2. Friedrich Hölderlin, *Sämtliche Werke* (Stuttgart, Kohlhammer, 1953), t. II, 149-156. Voir le commentaire que lui a consacré Bernhard Böschenstein, *Hölderlins Rheinhymne* (Zürich, Atlantis, 1959).

est un « fils de la Terre », un demi-dieu qui parle dans une folie divine, comme Dionysos. Il est l'un des élus qui peuvent sans effort accueillir le Tout, et qui portent sur leurs épaules le poids du ciel et de la joie. Plus précisément encore, dans l'ode sur Rousseau [1], Hölderlin indique la misère du persécuté devenu pareil à *une ombre*, mais pour le dresser ensuite dans la lumière d'un lointain *soleil*. Rousseau est la « parole solitaire » qui attend encore les hommes nouveaux qui sauront la comprendre ; il est le « pauvre homme », qui erre sans trouver le repos, dans le silence, pareil « aux morts qui n'ont pas reçu de sépulture ». Mais à l'image de cette fuite égarée succède l'image de la fête et du cortège dionysiaque, puis l'image de l'arbre qui « surgit du sol de la patrie » : image de stabilité profonde, qui fait contraste avec l'égarement sans repos. La métaphore organique de l'arbre est significative, elle exprime une intuition « vitale » qui fait penser cette fois à Schelling. L'arbre est une expansion, mais une expansion « close » et qui bientôt retombera (ses bras et sa cime s'inclinent douloureusement). L'arbre est séparé de l'infini qui l'entoure ; pourtant l'infini est repris intérieurement par l'arbre, et participe à la maturation du fruit. C'est ce que chante la sixième strophe du poème : « *La surabondance de la vie, l'infini qui pointe autour de lui comme une aurore, il ne les saisit jamais. Mais cela vit en lui, et présent, chaleureux et efficace, le fruit jaillit et lui échappe.* » Maintenant, malgré la séparation malheureuse que nous pouvions considérer comme un oubli du monde réel, l'espace tout entier est restitué dans l'intériorité organique, pour s'y concentrer et s'en détacher ensuite sous la forme du fruit. L'arbre, incapable de saisir *autour de lui* la « surabondance de la vie », la possède *en lui*. Elle le traverse pour l'abandonner, devenue fruit, parole efficace qui retourne au monde.

Entre le jugement de Hegel et le poème de Hölderlin, il y a un profond écart. Cet écart ne marque pas seulement la différence des perspectives adoptées par le philosophe de l'absolu et le poète du Retour, l'un refusant et l'autre acceptant de légitimer la « mystique naturelle » de Jean-Jacques. Cette double perspective doit se comprendre aussi à partir de l'ambivalence des derniers textes de Rousseau, qui offrent prise à l'une et l'autre interprétation. Il y a, d'une part, un refus de l'obstacle et un « refus de l'action dans le monde, qui aboutit à la perte de soi [2] » : Rousseau se perd dans l'affirma-

1. *Op. cit.*, 12-13.
2. Hegel, *op. cit.*

tion immobile de sa propre transparence. Mais, d'autre part, il y a une possession dans la pauvreté et, dans le malheur, un bonheur sans nom et sans limite. Les *Rêveries* et les *Confessions* disent que ce bonheur est injustifiable, mais aussi qu'il est justifié par-delà toute règle de justice humaine. Dans les extases du lac de Bienne, dans ces rêveries « stupides » et « sans objet », Rousseau perçoit (selon la cinquième *Promenade*) l'immédiat de sa propre existence, c'est-à-dire ce qu'il y a de si premier et de si central en lui qu'aucun voile ne saurait alors l'en séparer ; dans cette dérive sur l'eau, l'être s'efface jusqu'à la présence la plus nue, jusqu'à la limite extrême où il ne voit et n'entend plus rien, sinon le bruit ténu de sa propre *source* et le ciel vide vers lequel ses yeux sont fixés. Or cette présence immédiate à soi est aussi présence à une Nature universelle; dans les *Confessions*, Rousseau décrit comme des extases panthéistes les instants bienheureux que la cinquième *Promenade* rapporte, elle, au sentiment de l'existence : Jean-Jacques connaît un contact, sans obstacle et sans intermédiaire, avec une force cosmique :

> Je m'écriais parfois avec attendrissement : « Ô nature! ô ma mère, me voici sous ta seule garde ; il n'y a point ici d'homme adroit et fourbe qui s'*interpose* entre toi et moi [1]. »

Si l'on admet que les deux textes décrivent la même extase, tout se passe alors comme si le moi, saisi au « niveau de la source » (du sentiment de l'existence), et la nature dans sa toute-puissance maternelle se confondaient l'un avec l'autre, au point que chacun des deux termes puisse être nommé à la place de l'autre. L'extrême appauvrissement et l'extrême richesse se confondent dans une vertigineuse « coïncidence des opposés ». La dépersonnalisation *par excès* et la dépersonnalisation *par défaut* cessent d'être discernables [2]. C'est là ce que Hölderlin considère comme une *surprise*, qui « effraie l'homme mortel » en l'accablant d'une faveur divine [3]. Mais c'est précisément cette identification du moi et de la nature divinisée (tous deux perçus immédiatement) que Hegel conteste : Rousseau goûte ce bonheur en se retirant du monde,

1. *Confessions*, liv. XII. *O. C.*, I, 644.
2. Voir Marcel Raymond, *Jean-Jacques Rousseau. La quête de soi et la rêverie* (Paris, Corti, 1962), 179.
3. Hölderlin, dans l'hymne *Le Rhin*. L'expression de Hölderlin : *die Last der Freude* (le faix de la joie) correspond très exactement à l'emploi que Rousseau fait du terme : *accablé*. Voyez la troisième lettre à Malesherbes : « Je me sentais avec une sorte de volupté, *accablé* du poids de l'univers. » Et, dans l'*Émile*, l'invocation à Dieu : « C'est mon ravissement d'esprit, c'est le charme de ma faiblesse, de me sentir *accablé* de ta grandeur » (liv. IV. *O. C.*, IV, 594).

en se soustrayant à la réflexion, en refusant de « se confier à la différence absolue ». Or Rousseau lui-même sait que sa « contemplation » n'est pas une attitude qui dépasse et surpasse la vie active, mais une évasion qui s'en écarte. Et il éprouve le besoin de s'en justifier : le bonheur qui lui est donné dans la solitude ne peut pas être proposé comme un exemple universel. Ce bonheur est interdit aux hommes qui vivent selon l'ordre, et Jean-Jacques n'a le droit d'en jouir que parce qu'il a été rejeté dans une situation d'exception, parce que son destin est unique et monstrueux. Ce bonheur est humainement injustifiable puisqu'il ne peut être justifié que par l'iniquité (elle-même injustifiable) que les hommes font subir à Jean-Jacques. C'est seulement parce que tout a été troublé par leur faute que la compensation — l'extase de la transparence — devient licite :

> Il ne serait pas même bon dans la présente constitution des choses, qu'avides de ces douces extases, ils [les hommes] s'y dégoûtassent de la vie active dont leurs besoins toujours renaissants leur prescrivent le devoir. Mais un infortuné qu'on a retranché de la société humaine, et qui ne peut plus rien faire ici-bas d'utile et de bon pour autrui ni pour soi, peut trouver dans cet état à toutes les félicités humaines des dédommagements que la fortune et les hommes ne lui sauraient ôter [1].

Comme s'il prévoyait le jugement de Hegel, Rousseau présente sa défense en alléguant qu'il ne s'est pas retiré de son propre gré de la « vie active ». On l'a repoussé, on l'a retranché, on ne lui a pas permis d'agir, on lui a interdit toute issue hors de lui-même. Il allait suivre le chemin qui mène à soi par le détour et la médiation d'autrui, mais on l'a pourchassé aussitôt, et il s'est réfugié dans le seul asile inaliénable qui lui restait : la jouissance immédiate, la présence à soi et à la nature, l'unité *imaginée* qui tient lieu de l'unité *réelle* qu'il désirait et d'où on l'a rejeté. Rousseau sait que ses « douces extases » sont un « dédommagement » pour une perte essentielle. Ce qui lui apparaît, sur les rives du lac de Bienne, c'est *le meilleur*, dira Hölderlin. Mais Rousseau ne s'accorde le droit au « meilleur » que parce que le pire lui a été infligé. La faute est inséparable de ce bonheur, faute qui pèse sur le monde mensonger, sur les hommes « adroits et fourbes » (dont Rousseau ne peut oublier l'existence, fût-ce au moment où il se réjouit de leur absence pour s'élancer vers la nature maternelle). L'extase de l'unité n'implique donc pas une réconciliation réelle ; au contraire, une discorde fondamen-

1. *Rêveries*, cinquième Promenade. *O. C.*, I, 1047.

tale et mystérieuse se perpétue. Rousseau semble craindre que la « vie immédiate », qui n'a pas de justification éthique suffisante, ne soit coupable en regard des devoirs qui s'imposent à l'homme social. La vie immédiate ne sera pleinement innocente que si les autres sont massivement coupables. Rousseau rejette la culpabilité de la jouissance solitaire sur ceux qui l'empêchent d'agir et de sortir de son moi. La « belle âme » a mauvaise conscience, mais impute tout le mal au monde mensonger. Connaître, dans l'extase, la coïncidence idéale de l'universel et du singulier, cela ne répare donc rien. Bien au contraire, il faut avoir perdu tout espoir d'unité concrète, pour que le « dédommagement » extatique devienne légitime. Ces « douces extases » ne seraient-elles *le meilleur* qu'à défaut de mieux, c'est-à-dire à défaut de l'union des âmes, de la fête où les consciences se rejoignent en pleine lumière, à défaut d'amitié humaine ? L'ombre ayant envahi tout le reste du monde, il ne reste qu'à ramer sur un beau lac. De fait, tout en s'abandonnant à l'universalité idéale de la nature ou du sentiment de l'existence, Rousseau ne peut oublier l'universel humain dont il se sent injustement exclu. Si Jean-Jacques n'était pas cet accusé qui se dresse contre ses accusateurs, il ne serait pas non plus ce solitaire qui se suffit à lui-même « comme Dieu ». Nous l'avions noté en commentant la réforme personnelle de Jean-Jacques, le repli vers la vie intérieure est lié à l'accusation d'une société injuste : cela reste vrai jusque dans les derniers écrits de Rousseau, où l'image du mal social prend une forme de plus en plus mythique et délirante. Il en résulte que, jusque dans les textes « mystiques » de Rousseau où l'on peut lire légitimement une option fondamentale pour une « expérience intérieure » de type romantique, l'on doit lire aussi un refus, une résistance, un défi opposés à la société corrompue. Une double perspective s'offre ainsi aux commentateurs et aux adorateurs de Jean-Jacques : le culte qu'on lui vouera, vers la fin du XVIIIe siècle, s'adressera confusément à un héros politique et à un héros sentimental ; certains verront en lui le prophète d'une révélation purement intérieure, tandis que d'autres salueront l'homme nouveau, la victime indomptée de l'ancien régime, l'adversaire irréductible et finalement triomphant d'un ordre injuste et déraisonnable.

On ne peut rien séparer ; Rousseau est une « belle âme » qui se perd dans sa propre transparence, mais dont la plainte et le chant deviennent une action dans le monde ; et le *pouvoir* de cette action n'est jamais si grand que dans les pages où Rousseau semble renoncer à tout pouvoir. Pour avoir, face à la persécution, refusé d'agir, peut-être a-t-il mystérieusement reçu le don d'agir au centuple. Pour Hegel, la « belle âme » s'épuise en elle-même, « comme une vapeur sans forme qui se dissout dans l'air ». Mais Hölderlin, lui, compare Rousseau à l'aigle qui vole à la rencontre de l'orage. Et l'image la plus juste, ici, est sans doute la lourde nuée de l'orage, la Révolution, et les « dieux qui viennent » :

Et il prend son vol, l'esprit audacieux, comme les aigles
A la rencontre des orages, prophétisant
Ses dieux qui viennent [1].

« ME VOICI DONC SEUL SUR LA TERRE... »

Jetons un dernier regard sur l'homme qui écrit les *Rêveries*. Entre l'ombre hostile du monde humain et le Jugement à venir, le lieu qu'il habite, c'est le vide, la nullité, l'absence totale de relation. Le froid le gagne. Il faut alors qu'il écrive, il faut qu'il se parle à lui-même, sans quoi sa conscience n'aurait plus aucun objet devant elle. Car il ne peut se résigner à céder entièrement la place au vide, il ne peut être soi en silence. S'il parle, il garde la certitude que sa dernière liberté n'est pas anéantie, et que les méchants sont tenus à distance. Cette dernière liberté n'est plus une source d'actes et d'initiatives ; elle n'est que la revendication du repos intérieur et du pouvoir de parler malgré tout.

Rien n'est vrai, rien n'est réel autour de lui ; tout est signe de persécution. Mais il faut qu'il prenne appui sur la plénitude de l'être. Et si le présent appauvri ne lui offre aucune prise, il faut sans relâche susciter l'image d'une présence en d'autres temps : dans le passé, dans le lointain, après la mort. Il continuera donc à parler pour ne pas être abandonné par les images de son passé, pour ne pas perdre de vue le Jugement qui l'accueillera et le justifiera. La parole retient un reflet des bonheurs anciens, elle fait exister un Dieu témoin, encore dissimulé, mais qui découvrira sa face.

Pour déplorer le tarissement intérieur, l'aridité de la vie réduite aux automatismes, Rousseau trouve un langage qui atteste la présence d'une source intarissable, et qui lui permet de projeter les espaces imaginaires qu'il parcourra librement. Il est nul, mais il a recours à la plénitude d'une mélodie par laquelle il dit sa nullité. Il n'est plus rien, mais en exprimant

1. Hölderlin, *Rousseau*, strophe finale. *Sämtliche Werke* (Stuttgart, Kohlhammer, 1953), t. II, 13.

ce rien, il en fait la transparence qu'il offre au regard de Dieu. Il n'a plus de passions ardentes, mais le refroidissement du cœur laisse la parole à un moi plus ancien qui raconte ses extases et ses ivresses. Il est oisif, mais il se donne par écrit l'explication de son oisiveté, et la plume noircit des pages.

Cette ressource, qui semble inépuisable, atteste une force secrète, une puissance presque infinie de se reprendre au néant. Mais elle atteste aussi l'activité obsessionnelle par laquelle Rousseau se donne l'horizon du mal et de la condamnation, face auquel il prend possession de son innocence. La présence ténébreuse du monde hostile est, elle aussi, un appui dont Rousseau a besoin, pour appartenir plus complètement à sa propre transparence.

L'admirable persévérance de Rousseau et de ce discours sans auditeurs qui cherche à sauver l'être menacé est la contrepartie d'un délire qui persévère. Dans les *Rêveries* nous trouvons tout ensemble la répétition monotone d'une conviction folle, et le chant mélodieux d'une voix qui défend l'âme contre sa destruction. Cette voix est égarée, mais elle résiste et répond aussi à l'égarement, et dans cette réponse s'annonce une puissance intérieure qui a pu traverser l'égarement. (Peut-être est-ce cela seul qui a le droit de s'appeler raison.)

Le monde, par un mystère que Rousseau ne sait pas élucider, a changé de signification autour de lui : mais le moi se sent intact et revendique obstinément sa permanence. Le délire d'interprétation ne rencontre autour de lui que des ténèbres et des figures masquées. Tout a le sens d'une menace, d'un contrôle, d'une obscène calomnie ; à partir de là, tous les gestes et toutes les paroles de Jean-Jacques deviennent inadéquats et faux : ils répondent à la menace imaginaire. Mais si profonde que soit l'erreur de Rousseau, si naïves que soient les images qu'il se donne de sa « rétribution » finale, si fragile que soit l'édifice des arguments qu'il oppose pour sa défense, nous entendons un langage qui porte, dans sa mélodie, le rachat de son erreur. Le voile, l'impossibilité de communiquer sont présents dans cette parole même qui proclame éperdument l'innocence, dans ces pages de copie où se serrent les lignes d'écriture régulière, dans le retour obsédant de certains mots empoisonnés. Car cette même parole qui tisse le voile énonce aussi la transparence, et, sans qu'on sache d'où elle en tient le pouvoir, devient battement de vague, mouvement cristallin : l'existence délivrée du voile transparaît, le temps seulement d'une éclaircie — hors du temps.

Sept essais sur Rousseau

ROUSSEAU ET LA RECHERCHE DES ORIGINES *

On n'en a jamais fini avec lui : il faut toujours s'y reprendre à neuf, se réorienter ou se désorienter, oublier les formules et les images qui nous le rendaient familier et nous donnaient la rassurante conviction de l'avoir défini une fois pour toutes. Chaque génération découvre un nouveau Rousseau, en qui elle trouve l'exemple de ce qu'elle veut être, ou de ce qu'elle refuse passionnément.

Ce foisonnement et ce renouvellement des points de vue tiennent à certains caractères propres de l'œuvre de Rousseau. Il en dit trop et trop peu tout ensemble. C'est une œuvre qui, de la réflexion philosophique à l'autobiographie, de la dialectique la plus serrée à l'épanchement lyrique, de la fiction à la législation, joue sur un nombre considérable de registres et occupe une étonnante diversité de dimensions spirituelles. Il est légitime de parler isolément du penseur ou du rêveur, du politique ou du persécuté, du musicien ou du romancier. Mais chacune de ces perspectives est fragmentaire, et n'atteint qu'une vérité incomplète : non point seulement par le vice inhérent à toute approche partielle, mais parce que Rousseau, en toute occasion, et même dans ses textes les plus solidement construits, associe à sa parole explicite la présence implicite de sa personne et de sa passion ; il nous ramène constamment à la pure intention qui, à la fois singulière et désireuse de s'universaliser, certaine d'elle-même mais insaisissable, éprouvée dans le fond du cœur mais indicible, sert tout ensemble de garant et d'alibi à ses actes et à ses paroles. Il ne nous demande pas seulement de lire et d'aimer ce qu'il écrit, mais de l'aimer dans ce qu'il écrit, de faire confiance à celui qu'il fut et à celui

* Texte publié dans le fascicule n° 367 (1962) des *Cahiers du Sud*

qu'il est, en deçà ou au-delà de son livre. Chacune de ses phrases renvoie à la conviction tacite qui la précède et la soutient. — J'ai raison, car, en suivant le chemin de la rigueur rationnelle, j'ai toujours été approuvé secrètement par la voix intérieure du sentiment, qui ne peut faillir. — J'ai peut-être tort, mais mes intentions n'ont jamais cessé d'être pures, et nulle faute ne peut m'être imputée par le juge intègre, qui remonte toujours des accidents extérieurs à l'être vrai. — Partout, et pas uniquement dans les écrits autobiographiques, ce complément de subjectivité suggérée indique la présence d'un feu central : la « loi du cœur » flamboie derrière l'ombre que font les mots...

D'où, pour le lecteur, un sentiment simultané de force et d'inachèvement. La phrase de Rousseau, dans sa tension morale ou dans sa mélodie « mémorative », oscille entre sa structure littérale et un horizon invoqué par les énergies désirantes. La phrase, certes, regorge de sens, mais désigne par-delà le strict contour des vocables employés un sens augmenté. Cette signification sursaturée résulte à la fois du contenu propre du texte, et du halo dont il s'entoure : plutôt qu'à la logique (moins absente qu'on ne l'a dit), c'est à la présence continue de ces harmoniques que l'écriture de Rousseau doit sa continuité. Au clavier classique, elle ajoute la pédale et le jeu multiple des résonances. Toute analyse stylistique, toute « critique interne » du texte aurait ici pour tâche de montrer comment la parole de Rousseau indique par-delà le strict *signifié*, une puissance confuse et chaleureuse qui la dépasse et la soulève. Rousseau est sans doute la premier écrivain à exploiter de cette façon le silence : il lui demande de prolonger sa parole, de propager ses échos...

Une lecture sympathisante nous orientera donc vers ce « quelque chose de plus» qui, par-delà les limites de la page imprimée, désigne à la fois l'horizon de l'achèvement et celui du surgissement passionnel, le trouble premier et la conviction définitive, la source muette ou le sommet silencieux du langage.

La parole exprimée s'environne d'un inexprimable qui est sa justification et qui nous fait entrevoir un tréfonds de conscience où la certitude se possède elle-même immédiatement. (C'est là ce qu'entend Schopenhauer, lorsqu'il définit Rousseau comme un auteur « enthymématique » : son raisonnement s'appuie sur des prémisses tacites.) Rousseau nous demande de lui faire confiance en raison de la visée et de l'origine indicibles de sa parole. Plus encore, il nous dit à plusieurs reprises que le discours développé est une compromission coupable, une aliénation du moi qui se livre à l'extériorité trompeuse ; le langage articulé est une médiation inefficace qui trahit immanquablement la pureté immédiate de la conviction. Rousseau s'en excusera comme d'une faute : il était fait pour le civisme obscur, pour la vertu silencieuse, pour le sentiment qui trouve son plaisir en lui-même. Écrire a été une chute fatale (par la faute des faux amis, et de Diderot surtout), qui l'a exposé à tous les malentendus. Pour sa punition, il n'en finira pas de dissiper, par la parole autobiographique, les malentendus créés par la parole « littéraire ». A partir des *Lettres à Malesherbes*, il ne reprendra guère la plume que pour rectifier l'image précédente qu'il a donnée au monde et dont se sont emparés ses ennemis : on lui pardonnera sa chute, si du moins l'on consent à lire ce *post-scriptum* dans lequel il montre quel homme il fut avant de devenir un homme de lettres, quel homme il est, maintenant qu'il est résolu à se taire et à se satisfaire du bonheur sans phrases de la rêverie.

Mais parler pour échapper à la malédiction de parler, écrire pour dire qu'on renonce au langage, c'est aviver la division et prêter prise à l'ironie. Une tension persiste, entre cette parole accusatrice de la parole, et le silence dans lequel elle voudrait s'abolir pour accomplir sa vérité : un écart subsiste toujours, par lequel la voix de Jean-Jacques reste captive du mensonge et de la littérature qu'elle dénonce. Elle démontre la puissance du maléfice qui la lie, — d'autant plus que, se proclamant résolue à s'en arracher, elle ne parvient jamais à accomplir le sacrifice par lequel elle s'imposerait le silence pour laisser triompher la pureté indivise du sentiment. Elle proclame sa volonté d'apaisement, mais elle ne sort pas du conflit, qui est son climat.

*

La critique a quelquefois la tentation de dégager et d'énoncer en clair ce qui n'était, chez Rousseau, qu'allusion ou pressentiment ; l'on cherche le surcroît de netteté et de liaison systématiques qui donneraient à cette œuvre le poli, le lisse, le brillant des grandes théories cohérentes. Cette recherche d'un sens univoque suit une direction où Rousseau lui-même nous entraîne : il est difficile de n'être pas tenté. Tout est lié, tout est enchaîné, nous dit-il ; tout découle de quelques grands principes. Et c'est vrai. Rousseau a voulu énoncer une philosophie, formuler un discours continu sur l'homme, sur ses origines, son histoire, ses institutions ;

l'*Émile* est une psychologie génétique, sur laquelle prennent appui une pédagogie, une religion (ou une « religiosité »), et une politique. Il y a, entre les divers éléments de ce discours, moins de contradictions qu'on ne lui en a reproché. Mais ces éléments sont séparés par des lacunes qui semblent attendre d'être comblées ; des articulations manquent, et l'interprète se sent autorisé à les assurer de sa main, pour le bon renom de Jean-Jacques. Peu à peu, au prix d'un certain nombre d'extrapolations, l'on se fait l'image d'une philosophie plus régulière qu'elle ne l'est, et qui tient son rang parmi les philosophies de son siècle. On oublie, ce faisant, que Rousseau a conçu son système contre les systèmes ; on méconnaît ce qui, dans cette pensée fort capable de se conduire logiquement, est honte de la pensée réflexive, refus de se penser jusqu'au bout comme pensée. Il faut, plus justement, accepter un *battement* entre la discontinuité du discours théorique de Rousseau et la continuité d'un moi sous-jacent auquel les ruptures elles-mêmes nous renvoient. Assez systématique pour qu'on ne puisse lui reprocher un défaut grave de cohérence, la pensée de Rousseau se présente sous un aspect trop éruptif pour nous permettre de considérer le « système » comme une fin en soi. L'inachèvement est l'indice d'une puissance qui n'a pas pu ou n'a pas voulu se dépenser entièrement dans son explicitation. Le moi et ses fins idéales transcendent l'œuvre de toutes parts ; il se désigne comme origine et comme fin, indéfiniment capable de se reprendre à sa parole et à son « système » pour se satisfaire du seul plaisir d'*être soi*.

Il importe donc, pour respecter la vérité de Jean-Jacques, de ne pas combler les lacunes qu'il a pu laisser dans son système. Non sans avoir préalablement poussé fort loin l'élaboration de sa théorie, il s'est contenté d'en affirmer l'unité : il faut lui faire crédit, mais il ne nous en fournira pas la preuve détaillée. Lorsqu'il se livrera à un véritable travail de démonstration, lorsqu'il cherchera « *à bien développer partout les premières causes pour faire sentir l'enchaînement des effets* », ce sera en écrivant les *Confessions* : démonstration qui ne se situe plus au niveau de la philosophie et qui ne nous explique pas pourquoi Rousseau pense ce qu'il pense, mais pourquoi il est ce qu'il est. Il y a un rapport fondamental entre la discontinuité de l'œuvre théorique et l'obstination pathétique de la peinture du moi. Ce retour à soi, cette exploration du passé, cette mise en séquence narrative de l'expérience personnelle — exigés et stimulés par la nécessité de faire front à une persécution qui atteint Jean-Jacques en son visage même — ont, à l'égard de l'œuvre philosophique, la valeur d'un *éclairement par l'origine.* A partir de 1762, Rousseau va se raconter pour que l'on connaisse enfin son âme aimante et bienveillante : on y verra la source de ces écrits que les fourbes et leurs dupes décrivent comme l'œuvre d'un ennemi du genre humain.

Dès le début, reconnaissons-le, Rousseau avait ressenti les critiques de ses théories comme si elles visaient à diffamer son visage : il se sentait exposé en personne dans ses discours d'académie, qui tout ensemble exprimaient et compromettaient son caractère. Le moment de la riposte sera donc celui de l'apologétique personnelle, et, par-delà l'histoire de ses idées (telle qu'on peut la lire dans la *Lettre à Christophe de Beaumont*), c'est à l'histoire de sa vie qu'il en appellera en dernier recours. Il ne s'agit de rien de moins que de faire connaître l'*autorité intérieure* sur laquelle, dès le début, il a tout fondé. Il faut donc, par un mouvement rétrograde, en revenir à la conviction-source, et remonter plus haut encore : à une personnalité première, à une « nature », gardée secrète derrière toutes les théories, tous les concepts, tous les développements littéraires. L'auteur cède la parole à l'homme. Rousseau construit une seconde œuvre pour révéler ce que furent les sentiments, les passions, les désirs qui donnèrent naissance à l'œuvre première ; il nous demande de tenir son *intention* non seulement pour la justification de ses *idées*, mais pour une réalité plus essentielle que celles-ci. Rousseau, dès lors, va parler des *Discours* et du *Contrat* non pas comme d'un effort destiné à transformer le monde en le pensant, mais comme d'une effusion du sentiment en quête de son idéal : en refusant les mœurs corrompues de la société moderne, en décrivant la bonté naturelle, il exprimait ses chimères, et il traçait un premier autoportrait. Il s'est peut-être trompé dans son système, mais il s'y est peint lui-même au vif ; eût-il cent fois tort en ses spéculations, il n'a pas quitté un instant *sa* vérité ; et s'il tient encore à ce « triste et grand système », s'il ne le renie pas, c'est parce que l'âme de Jean-Jacques y est *authentiquement* présente. Ses premiers livres étaient des *Confessions* anticipées, des reflets du moi, que les *Confessions* aideront à interpréter dans leur vrai sens. Ainsi le sentiment résorbe l'œuvre (qui n'a jamais été pleinement une œuvre, c'est-à-dire une activité où le moi s'oublie en ce qu'il accomplit) et la comptabilise à son profit. Il lui retire son statut d'œuvre, c'est-à-dire son extériorité, sa transitivité. Rousseau, au sens strict, ne veut pas plus avoir d'œuvre qu'il n'a voulu avoir d'enfants. Il veut jouir de soi, il veut résider dans l'unité, goûter le bonheur muet de la présence, au sein d'une nature maternelle.

*

Le souci de l'origine joue déjà un rôle capital dans les œuvres qui constituent le « système ». Rousseau y décrit l'*état* primitif de l'homme, sa solitude oisive et heureuse, ses désirs accordés à ses besoins, ses appétits aussitôt satisfaits par la nature ; c'est là l'équilibre premier, antérieur à tout devenir ; c'est l'interminable *mesure pour rien* qui précède le commencement ; le temps ne s'écoule pas encore, il n'y a pas d'histoire, les eaux sont immobiles. D'où la nécessité d'imaginer ce qui a pu mettre fin à cette origine d'avant l'histoire ; la conjecture philosophique doit reconstruire l'événement décisif qui, rompant l'équilibre primordial et la plénitude fermée de l'état de nature, devint par là le commencement de l'histoire. L'homme, développant successivement toutes les ressources de sa perfectibilité, se livra à la servitude du temps ; dérivant sur les grandes eaux de l'histoire, il devint sociable et méchant, savant et esclave des apparences trompeuses, maître de la nature au prix de sa propre dénaturation. Rousseau recompose l'origine de la société, s'interroge sur l'origine des langues, remonte à l'expérience enfantine de l'individu. Il cherche, en tout, l'explication généalogique, qui déroule à partir d'un terme initial toute une chaîne d'effets et de conséquences bien liés. En quoi il s'accorde à l'esprit de son siècle. Mais tandis que cette recherche spéculative, ce déploiement d'une histoire reprise à sa source constitue le thème prépondérant de l'œuvre philosophique, nous constatons que l'œuvre ultérieure — l'autobiographie — a pour tâche essentielle de dévoiler l'origine subjective de l'œuvre antécédente. Il y a donc, dans la succession des écrits de Rousseau, un redoublement de la recherche des origines : aux œuvres où il est le discoureur qui parle objectivement des origines humaines succèdent des œuvres où il se montre lui-même comme l'origine de son précédent discours, et comme le modèle secret du portrait de l'homme de la nature. « *D'où le peintre et l'apologiste de la nature aujourd'hui si défigurée et si calomniée peut-il avoir tiré son modèle, si ce n'est de son propre cœur ? Il l'a décrite comme il se sentait lui-même. Les préjugés dont il n'était pas subjugué, les passions factices dont il n'était pas la proie n'offusquaient point à ses yeux comme à ceux des autres ces premiers traits si généralement oubliés ou méconnus* [1]. » La nature n'est pas le thème objectif que pose et explore une pensée discursive ; elle se confond avec la plus intime subjectivité du sujet parlant. Elle est le moi, et la tâche que s'assigne Rousseau n'est plus désormais de disputer avec les philosophes, les juristes et les théologiens sur la définition de la nature, mais de se raconter lui-même. Démarche qu'il faut bien nommer *régressive* (sans exclure le sens que les psychiatres donnent à ce terme). On y verra tour à tour, suivant la lumière ou l'ombre que ces textes portent en eux, la conquête d'une voix poétique encore inconnue dans la littérature française ; ou, au contraire, une conduite d'échec où l'être singulier se retranche dans un isolement qui va s'approfondissant, en face d'un univers humain que le délire interprétatif peuple d'automates haineux. Ce mouvement vers l'origine est un mouvement de retraite vers les positions *centrales* du moi, mais en une situation toujours plus *excentrique* et marginale par rapport au monde des vivants. Ainsi, selon Hegel, l'homme soumis à la loi du cœur s'achemine vers le « délire de la présomption ».

Si l'on appliquait à Rousseau une analyse attentive à définir les modalités de la communication et si l'on suivait le changement qui se manifeste dans la succession des grands textes, on y verrait progressivement décroître la fonction transitive de la parole. Dans les premiers *Discours*, dans la *Lettre sur les Spectacles*, dans le *Contrat* et l'*Émile*, l'auteur s'adresse ouvertement à un auditeur (l'Académie de Dijon, la République de Genève, d'Alembert, le Public, le genre humain). Remarquons qu'il s'agit déjà d'un destinataire beaucoup plus imaginé que perçu dans sa personnalité concrète ; en prenant la plume, Rousseau se délivre de l'embarras où le met, dans le tête-à-tête de la conversation, la présence trop réelle de l'interlocuteur. Il n'en reste pas moins que, dans les œuvres qui constituent le corps du système, la communication conserve un caractère pleinement transitif. Rousseau, à la face du monde, expose une conviction personnelle qui concerne l'intérêt universel des hommes. Bien sûr, le moi (derrière l'auteur) met en évidence sa singularité, il lui plaît d'être seul à penser ce qu'il pense, et il lui plaît de le faire savoir au public ; le moi s'engage passionnément dans l'exposé raisonné de sa certitude : il parle, toutefois, d'*autre chose* que de soi, et il s'adresse à *autrui*.

Peut-être y a-t-il, dès ces premières œuvres, un élément qui annonce déjà l'évolution future : dans la mesure où Rous-

1. *Dialogues*, III. *O. C.*, I, 936.

seau désire non seulement emporter l'assentiment intellectuel de l'auditeur, mais provoquer l'amour et l'admiration, c'est vers lui-même que, par le détour du regard universel, il oriente la visée dernière de sa parole. Ce n'est pas au-dehors, dans les lointains du monde, que le discours va se perdre ; la parole éloquente, en éveillant la passion du lecteur, en lui demandant de prendre Jean-Jacques pour objet de son enthousiasme, nous offre l'image d'un trajet circulaire, où la source et le terme ultime coïncident. La parole transitive est au service d'un désir qui se réfléchit sur soi-même.

Rousseau devient romancier précisément au moment où sa relation avec les autres commence à devenir plus compliquée. Le genre romanesque interpose un monde imaginaire entre l'auteur et son auditoire. La transitivité de la parole n'y est nullement perdue elle y est *retardée* (d'où une forme d'efficacité indirecte qui n'est possible que par ce retard, et par l'entremise du fantasme). *La Nouvelle Héloïse*, épanchement musical et rêve éveillé, est un modèle de communication oblique.

Dès 1762, dès les *Lettres à Malesherbes*, Rousseau se sent contraint de se justifier ; il lui faut dissiper les malentendus et les calomnies qui s'accumulent autour de lui : l'homme qui prend ici la parole se choisit lui-même pour thème de sa parole. Le moi se fait l'objet de son discours ; il va tendre, de plus en plus, à se saisir lui-même à la fois comme *celui qui parle* et comme *ce dont il est question* dans le mouvement de la communication. Mais, du même coup, et comme par la loi interne de cette évolution, la communication elle-même va devenir de plus en plus problématique. Jean-Jacques ne peut plus être entendu par ses contemporains : c'est à la fois la certitude intime du délire et l'effet très objectif des ordonnances de M. de Sartine, lieutenant de police. Des *Lettres à Malesherbes* aux *Confessions*, des *Confessions* aux *Dialogues*, la relation avec le « destinataire » se distend toujours davantage. Enfin, dans les *Rêveries*, où Rousseau se dit guéri de tout espoir et de toute inquiétude, le plaidoyer est devenu monologue ; le moi, « référent » exclusif, est également le seul destinataire possible dans l'immédiat. Certes, ces phrases parfaites, ce langage harmonieux appellent un témoin virtuel ; Rousseau ne désespère pas complètement : son monologue trouvera un jour des lecteurs impartiaux, que la ligue de ses persécuteurs n'aura pu prévenir contre lui. L'éloignement et le délai temporel, toutefois, apparaissent si considérables que Rousseau préfère tenir pour nulle la chance d'être entendu. Cette *chance annulée* crée un grand vide où peut désormais se déployer le lyrisme qui défie l'absence et qui projette sa certitude au-delà même du désespoir. L'on assiste ainsi au mouvement par lequel la parole — dont la fonction « normale » est d'unir le moi et l'autre dans le champ commun du sens — se réfléchit (ou se pervertit) pour n'être plus que la représentation du moi offerte au moi, en une souveraine transparence qui est aussi la suprême étrangeté. Rousseau croit trouver l'*appropriation* parfaite qui lui restitue la tranquillité perdue ; de ce bonheur résigné nous pouvons dire aussi que c'est l'*aliénation* consommée :

Écartons donc de mon esprit tous les pénibles objets dont je m'occuperais aussi douloureusement qu'inutilement. Seul pour le reste de ma vie, puisque je ne trouve qu'en moi la consolation, l'espérance et la paix je ne dois ni ne veux plus m'occuper que de moi. C'est dans cet état que je reprends la suite de l'examen sévère et sincère que j'appelai jadis mes *Confessions*. Je consacre mes derniers jours à m'étudier moi-même et à préparer d'avance le compte que je ne tarderai pas à rendre de moi. Livrons-nous tout entier à la douceur de converser avec mon âme puisqu'elle est la seule que les hommes ne puissent m'ôter... Je fais la même entreprise que Montaigne, mais avec un but tout contraire au sien : car il n'écrivait que pour les autres, et je n'écris mes rêveries que pour moi. Si dans mes plus vieux jours, aux approches du départ, je reste, comme je l'espère, dans la même disposition où je suis, leur lecture me rappellera la douceur que je goûte à les écrire, et faisant renaître ainsi pour moi le temps passé doublera pour ainsi dire mon existence. En dépit des hommes je saurai goûter encore le charme de la société et je vivrai décrépit avec moi dans un autre âge, comme je vivrais avec un moins vieux ami [1].

Le décalage du temps permet une pseudo-relation d'extériorité entre plusieurs moments du moi ; la page écrite aujourd'hui est destinée par avance à un moi futur qui cherchera sa trace. L'extériorisation de la parole se justifie ainsi par l'attente d'un moi à venir, que l'écrivain des *Rêveries* imagine affaibli, démuni, réduit à chercher appui dans le seul univers du souvenir, et auquel dès maintenant il ménage un refuge en accumulant les traces et les images de son existence. Ce qui est aujourd'hui présence de soi à soi, plénitude du sentiment, doit chercher forme dans le langage et se fixer pour l'avenir comme un horizon de mémoire anticipé. Il est nécessaire d'écrire, si Jean-Jacques veut être pourvu de portraits-souvenirs aux temps imminents de la grande sécheresse...

Dans cette revendication d'absolu où la conscience cherche à intérioriser, à résorber en soi toutes les transcendances,

1. *Rêveries*, première Promenade. *O. C.*, I, 999-1001. Texte analysé p. 421 sq.

écrire devient aussi le compte anticipé que le moi rend à son créateur. Le préambule des *Confessions* donne le ton : Rousseau imagine sa comparution au tribunal suprême et joue — en son *for* intérieur — la répétition générale du Jugement dernier. Ce n'est pas une simple image ; c'est une attitude fondamentale. Jean-Jacques veut prononcer lui-même la sentence, après avoir éclairé le tréfonds de son cœur : tâches que le simple fidèle abandonnait à Dieu en toute confiance, dans la « crainte et le tremblement ». Rousseau, certes, s'attend à comparaître après sa mort, mais il veut détenir dès maintenant le verdict. Pour accéder à la paix qui lui est nécessaire, à la certitude de son acquittement, il se met par avance à la place du Juge, et il imagine à lui tout seul, le Regard juste qui l'assure à jamais de son innocence.

Le Jugement *dernier* est comparution devant le *premier* Créateur : l'individu doit y rendre compte des actes de sa volonté qui ont transformé sa nature originelle. L'exacte pesée du Jugement confronte la fin et le commencement, compare l'état final de la créature avec l'image de ce qu'elle fut en sortant des mains du Créateur : elle sera jugée selon sa fidélité (ou son infidélité) à l'origine, s'il est vrai que l'origine est l'innocence. Or tout le plaidoyer personnel de Rousseau consiste à revendiquer pour lui (et pour lui seul) la plus constante permanence de la bonté première. Tous les vices qui pourraient lui être imputés ne sont, il s'acharne à le démontrer, que des accidents inessentiels : ils lui sont venus du dehors par la faute du « destin », des « circonstances », de la « société », etc. Il a pu faire le mal, mais le mal est advenu contre son gré. L'immuable nature intérieure est restée sauve, le fond du cœur est demeuré toujours pur.

La parole poétique a donc ici pour tâche de soutenir une double fiction : elle doit recourir aux pouvoirs extrêmes de l'imagination. D'une part, cette parole intransitive (qui découvre la transitivité problématique de la *poésie*) mime et intériorise le rôle du Juge suprême, dont le verdict met fin à l'histoire personnelle : cette parole s'arroge le privilège de la connaissance souveraine par laquelle le simple croyant se savait connu, mais selon laquelle il ne prétendait nullement se connaître : le regard autobiographique est la transposition laïcisée du Dieu qui sonde les reins et les cœurs, et Jean-Jacques souhaite que toute sa destinée s'immobilise dès maintenant dans une clarté sans devenir et sans résidu. En second lieu, cette clarté dernière se prétend identique à celle du commencement : le cœur de Jean-Jacques n'a pas changé, il est toujours consonant à son harmonie première.

La parole ne prend en charge le récit de l'existence entière que pour annuler ce qui, dans cette histoire, aurait pu être altération, chute, perdition. L'histoire, quant au cœur du cœur, est nulle et non avenue. Oui, Jean-Jacques a connu d'abord le paradis, pour tomber ensuite dans le malheur et la tribulation ; mais il n'a rien fait pour mériter ce sort. Il peut affirmer tranquillement la pérennité de l'innocence, la fidélité inaltérable à la lumière de l'origine. Devant la justice de la dernière heure, il présente un visage qui porte la pureté du commencement. Dans une phrase du préambule des *Confessions*, Rousseau évoque le moule unique dans lequel la nature l'a jeté, et, dans la phrase suivante, il appelle la trompette du Jugement. Fidèle à son origine, fidèle à son originalité : c'est tout un. Car si le moi intériorise le dernier Juge, il intériorise aussi le Créateur : le moi est à lui-même son origine, ou pour mieux dire, il garde la mémoire de son origine, et, dans ce souvenir, il coïncide avec elle. Et cette mémoire n'est jamais si parfaite que dans la rêverie qui *oublie* toutes choses. Il faut en croire Hegel : c'est le terme extrême d'une erreur. Mais c'est la grandeur de Rousseau de s'être avancé jusqu'à vouloir réunir en lui l'alpha et l'oméga.

LE DISCOURS SUR L'ORIGINE ET LES FONDEMENTS DE L'INÉGALITÉ *

Quatre ans après le *Discours sur les sciences et les arts*, une nouvelle question de l'Académie de Dijon fournit à Rousseau l'occasion de développer ses principes. Admirons, une fois de plus, la rencontre du génie et de la contrainte. Pour la genèse même de l'œuvre, la circonstance joue très exactement le rôle qu'à l'intérieur du système Rousseau lui assigne dans l'évolution de l'humanité : la perfectibilité, puissance latente, ne déploie ses effets qu'avec « l'aide des circonstances », lorsque l'obstacle et l'adversité obligent les hommes, pour survivre, à déployer toutes leurs forces et toutes leurs facultés.

Pour Rousseau, le coup de fouet du nouveau concours sera le prétexte (ou la cause occasionnelle) d'un progrès intellectuel décisif. Il ne s'agit pas, cette fois-ci, de briguer les suffrages des académiciens de Dijon — Rousseau est déjà connu, et peu lui chaut de plaire et d'emporter le prix — mais de se distinguer et de se distancer d'une autre façon : par l'ampleur, par la cohérence et tout ensemble par l'intransigeance de la doctrine. Alors que le premier *Discours* comportait quelques couplets destinés à attirer les bonnes grâces des juges, le second *Discours*, avec ce qu'il a d'abrupt et de pur, paraît dédaigner les précautions et les concessions qui pourraient lui valoir les applaudissements de l'Académie. Il dédaigne toutes les bienséances, et d'abord celle de la brièveté. Il avance une vérité difficile, il heurte de front les préjugés, mais il voudrait par ce défi même, communiquer l'exaltation d'une pensée qui reprend les grands problèmes à partir de l'origine. Ce qu'un pareil texte, à sa date, pouvait

* Texte d'introduction au *Discours sur l'Inégalité*, dans le tome III des *Œuvres complètes de Jean-Jacques Rousseau* (Paris, Pléiade, 1964).

avoir d'insoutenable, nous l'apprenons par la note du registre académique de Dijon, relatant la séance où la pièce de Rousseau a été examinée : « Elle n'a pas été achevée de lire à cause de sa longueur et de sa mauvaise tradition, etc. »[1].

La stimulation du concours survenant à point nommé, Rousseau allait pouvoir énoncer en clair, avec preuves à l'appui, une doctrine que les adversaires du premier *Discours* taxaient de paradoxe et de sophisme. L'œuvre nouvelle fera voir que la critique de la corruption sociale est l'aboutissement rigoureux d'une enquête conduite selon les règles strictes de la discussion philosophique (ou scientifique, puisque l'époque, en ces matières, distingue encore mal l'une de l'autre). Jean-Jacques entreprend de donner à sa passion l'organisation discursive qui lui avait manqué jusque-là : il *démontrera* le bien-fondé historique de l'intuition qui s'était imposée à lui sur la route de Vincennes. Tout ce que le premier *Discours* ne faisait qu'indiquer dans une brume chaleureuse, tout ce que Rousseau avait découvert ou entrevu au cours de la polémique sur les arts et les sciences, tout cela allait pouvoir s'expliciter complètement, s'énoncer avec l'appareil complet des faits, des témoignages, des raisonnements que le lecteur exigeant pouvait souhaiter. Ainsi le « musicien Rousseau » aura achevé sa mue, démontrant qu'il n'est pas seulement capable de s'élever jusqu'aux harmonies de l'éloquence moralisante, mais encore de rivaliser, sur leur propre terrain, avec Buffon et Condillac, avec les « philosophes » et les « hommes de lettres ».

La première source du mal est l'inégalité, avait-il écrit dans sa réponse à Stanislas[2]. Il sent maintenant la nécessité de remonter plus haut, de « creuser jusqu'à la racine » : cette inégalité d'où provient le mal, il s'agit maintenant de voir d'où elle procède elle-même. On ne peut démontrer la véritable origine du mal qu'en examinant l'origine de l'inégalité.

Plus tard, parlant du développement littéraire de sa destinée, Rousseau lui appliquera l'interprétation qui, dans le second *Discours*, éclaire le progrès des facultés humaines : ce fut là une évolution à la fois inéluctable et funeste, qu'un hasard plus favorable eût pu retarder, mais qu'il faut désormais affronter sans espoir de retour. Œuvre de circonstance et tout ensemble réalisation nécessaire d'une virtualité profonde, le *Discours sur l'origine de l'inégalité* expose, à

1. Roger Tisserand, *Les concurrents de Rousseau à l'Académie de Dijon* (Paris, 1936).
2. *O. C.*, III, 49.

l'échelle de l'histoire universelle, le péril et la fécondité de l'affrontement des circonstances. Le livre porte en lui-même l'image amplifiée de sa propre naissance, et comme une illustration du risque par lequel il existe.

Qu'avant d'écrire sur l'inégalité, Jean-Jacques ait commencé par la subir dans sa vie, c'est l'évidence même. Citoyen de Genève, mais quelque peu déclassé, devenu « citoyen du bas », rejeté dans la catégorie prétéritée, ayant reçu de son père, avec les leçons de fierté romaine, celles du ressentiment et de la revendication aigrie ; apprenti maltraité, laquais, précepteur, secrétaire, musicien incertain fourvoyé dans les salons des fermiers généraux : que de situations subalternes, que d'humiliations subies, quelle expérience accumulée! Auprès de Mme de Warens, il a vécu heureux, mais jamais il n'est parvenu à dissiper tout à fait le malaise de la dépendance matérielle. Lui qui se défendra contre les bienfaiteurs (tout en acceptant, parfois, les « retraites » qu'on lui offre obligeamment), il n'a pas la conscience nette à l'idée de tout devoir à sa « bienfaitrice » : son idéal est certes la dépendance sentimentale, mais dans l'indépendance pécuniaire. Aussi n'est-ce pas seulement par goût qu'il entreprend, à Chambéry, aux Charmettes, son apprentissage solitaire de musicien et d'homme de lettres ; il espère parvenir un jour à gagner honorablement sa vie, pour effacer sa dette. Il voudrait, une fois à l'aise, prouver à « maman » qu'elle n'avait pas eu tort de l'accueillir et de pourvoir à la dépense. Consultons les documents de sa jeunesse : très tôt, nous le trouvons soucieux de « vivre sans le secours d'autrui » [1]. Il ne peut sentir son infériorité sociale sans éprouver le besoin d'une riposte et d'une revanche compensatrices ; il refuse d'emblée les expédients louches dont beaucoup se satisfont et que la classe privilégiée, elle-même parasitaire, eût tolérés ; il se libérera par le travail sérieux et l'effort indépendant. Il a le sentiment de sa valeur (d'une valeur qui réside précisément dans le sentiment), et de la disparité entre ce qu'il est et ce que le sort a fait de lui. Il eût mérité mieux, mais selon une loi de proportion quasi mathématique, la fortune a soin de maintenir constant le produit de la richesse multipliée par le mérite. Jean-Jacques se console d'être pauvre en prenant conscience de sa sensibilité :

> Pourquoi, Madame, y a-t-il des cœurs sensibles au grand, au sublime, au pathétique, pendant que d'autres ne semblent faits que pour ramper

1. A son père. 1731, *Correspondance générale*, DP, I, 13 ; L, I, 13.

dans la bassesse de leurs sentiments? La fortune semble faire à cela une espèce de compensation ; à force d'élever ceux-ci, elle cherche à les mettre au niveau avec la grandeur des autres [1].

Cette consolation, toutefois, n'est que verbale, et ne conduit pas à l'acceptation résignée de l'ordre établi. Le ton du jeune Rousseau est plus fréquemment celui de la plainte, où la part de la révolte se distingue mal du désir romanesque de se rendre intéressant par le malheur : « Il est dur à un homme de sentiments, et qui pense comme je fais, d'être obligé, faute d'autre moyen, d'implorer des assistances et des secours [2]. »

Se réconcilierait-il avec son sort, s'il passait de l'autre côté de la barrière, du côté des nantis? Son parti a été assez vite pris : il a trop souffert de l'inégalité pour faire sa paix à l'occasion d'un coup de chance qui arrangerait ses affaires. Cette pauvreté dont il se plaint souvent dans sa jeunesse, il aura de plus en plus la conviction qu'elle le met *du bon côté*, et il s'en fera gloire. L'inégalité n'est pas une expérience que l'on fait seul et ne se réduit pas au sentiment d'infériorité : l'inégalité est un sort commun, elle s'éprouve solidairement. Rousseau a été définitivement « sensibilisé » par ce qu'il a vu de la misère paysanne et de la pauvreté des villes. Les pages fameuses du livre IV des *Confessions* trouvent confirmation dans des lettres qui datent de la jeunesse même de Jean-Jacques. A Montpellier, en 1737, il a vu ce que beaucoup de Français, à la même époque, ne savaient pas voir, il s'est étonné de ce qui n'étonnait presque personne :

> Ces rues sont bordées alternativement de superbes hôtels et de misérables chaumières pleines de boue et de fumier. Les habitants y sont moitié très riches et l'autre moitié misérables à l'excès ; mais ils sont tous également gueux par leur manière de vivre la plus vile et la plus crasseuse qu'on puisse imaginer [3].

Notons qu'en dénonçant cette *égale* gueuserie qui englobe riches et pauvres, Rousseau semble illustrer d'avance la conclusion du second *Discours* : quand l'inégalité devient extrême, les hommes se trouvent tous confondus, privilégiés et opprimés pêle-mêle, dans l'égalité du malheur et de la violence.

Lorsque M. de Francueil lui propose de devenir son caissier et

1. A Mme de Warens, 13 septembre 1737, *Correspondance générale*, DP, I, 58 ; L, I, 49.
2. *Mémoire au gouverneur de Savoie*, mars 1739. *O. C.*, I, 1217.
3. A J.-A. Charbonnel. 1737. *Correspondance générale*, DP, I, 70 ; L, I, 61.

qu'une carrière financière s'offre à lui, Rousseau, un instant hésitant, décide vigoureusement de refuser : il tombe malade, et tout se passe comme si son corps même protestait à la seule perspective de manipuler de l'argent et de devenir un bénéficiaire de l'inégalité. Ce principe, Rousseau l'avait formulé à dix-neuf ans, dans une lettre à son père :

> J'estime mieux une obscure liberté, qu'un esclavage brillant [1].

C'est là, sans doute, un lieu commun livresque à la Plutarque. Mais Rousseau aura la naïveté et le génie de s'y conformer très sérieusement : l'originalité n'est pas dans le principe lui-même, mais dans la fidélité au principe. Là-dessus, jamais il ne variera. Au moment de sa réforme, Rousseau utilise le succès littéraire pour afficher ostentatoirement son indépendance et sa pauvreté. Son but n'est pas seulement d'attirer l'attention sur sa personne : cette démonstration de vertu à la manière stoïcienne (ou cynique) revendique une signification et une portée générales. En se singularisant au vu de tous, en revêtant le rôle du pauvre, le moraliste solitaire cherche à donner une leçon universelle. Au mépris de toutes les pudeurs et de toutes les hypocrisies, son existence volontairement dénuée accuse l'inégalité sociale et la met en évidence de façon à alerter les consciences. Nombre de critiques, à partir des aveux des *Confessions*, ont montré l'aspect théâtral et forcé de cette conduite. Mais ce n'est pas là une simulation gratuite. C'est une « manifestation ». S'il y a du jeu en tout ceci, c'est celui que la psychologie peut déceler dans tout engagement sérieux et délibéré : la conscience se donne une conviction, s'arrache aux fluctuations de l'existence irrésolue, et devient incapable désormais de s'abandonner avec simplicité à l'insignifiance affairée de la vie « courante ». Tout choix est outrancier. Mais la voie choisie, ici, correspond à une exigence profonde : la fidélité de Jean-Jacques à son origine et à sa catégorie sociale. Au moment où sa condition pourrait changer, où il pourrait tirer de sa gloire le bénéfice d'un avancement mondain, il décide de préserver sa pauvreté, par défi. Sa vie de gagne-petit, il ne se contente pas de la subir : il la revendique, pour prouver à ses lecteurs fortunés qu'en l'état présent de la société une existence digne et moralement justifiée n'est possible qu'aux confins de l'indigence. Parce que Jean-Jacques offre l'exemple de la véritable norme, les grands et les riches se verront contraints de se connaître

1. A son père, 1731. *Correspondance générale*, DP, I, 13 ; L, I. 13.

eux-mêmes sous une lumière accusatrice : l'opulence et le pouvoir qui en découle sont usurpation. Cet homme célèbre qui choisit d'être copiste rend sensible ce que la richesse a d'abusif et d'infondé. Il proclame l'alliance permanente, le lien nécessaire de l'infériorité sociale et de la supériorité morale. L'inégalité est produite par le délire vaniteux du paraître ; lorsqu'on se délivre de cet envoûtement et qu'on ouvre les yeux, on l'aperçoit telle qu'elle est : un maléfice de l'irréel. Par l'aberration des hommes qu'elle dupe, l'irréalité vient corrompre la réalité quotidienne. Dans ses effets lointains, la chimère abstraite de l'apparence se traduit en souffrance et en crime. Dans la fameuse lettre chiffrée à Mme Dupin de Francueil, où Rousseau s'explique sur l'abandon de ses enfants, la faute est rejetée sur les institutions :

> C'est l'état des riches, c'est votre état, qui vole au mien le pain de mes enfants [1].

Rousseau ici se disculpe en accusant, non sans quelque mauvaise foi : le mal qu'on pourrait lui imputer, c'est celui qu'une société mauvaise a commis à travers lui, victime doublement humiliée puisqu'il doit subir à la fois le poids de l'inégalité et la blessure de la réprobation morale. Aussi Rousseau veut-il rester victime, pour garder le *bon droit* qui s'attache à la situation de victime ; sa condition défavorisée lui est une grâce d'état. Mais que d'efforts pour s'y maintenir! Que de refus ombrageux, que de brouilles pour sauver sa liberté. Rousseau refuse les cadeaux, les pensions, les gratifications, pour n'être pas contraint à la reconnaissance et ne pas voir s'établir, avec son bienfaiteur, l'une de ces amitiés louches où l'inégalité est hypocritement niée, mais secrètement sous-entendue de part et d'autre : recevoir, c'est s'avouer inférieur et se lier d'obligation avec ceux dont les prévenances ont pour but tout ensemble de notifier la distance sociale et d'y apporter un simulacre de réparation. Jean-Jacques se proclame ingrat : l'égalité qu'il revendique — la réciprocité des consciences libres — exclut toute dépendance, et d'abord celle que crée la sollicitude des bienfaisants. (Mais on notera qu'Émile et les époux Wolmar pratiquent précisément le genre d'assistance charitable auquel Rousseau se montre réfractaire.) Il a donc pris son parti de ne rien recevoir pour ne rien devoir. Pauvre, digne, exposé à la curiosité étonnée du public, il rend *visible* l'existence, jusqu'alors inaperçue, de l'artisan frugal, et il parvient même à la rendre

1. *Correspondance générale*, DP, I, 308 ; L, II, 143.

enviable. Quand Diogène abandonne jusqu'à son écuelle, le riche ne peut plus regarder sans honte le luxe superflu dont il s'environne. Il se sent malheureux, empêtré dans les rets dorés de l'ennui. Il voudrait passer de l'autre côté. C'est le moment où il est disposé à écouter le *Discours sur l'origine de l'inégalité.*

Inégalité des fortunes et des conditions, inégalité politique et juridique : en bonne logique, il faudrait distinguer. Mais en fait, tout se tient. Et Rousseau a plus qu'un autre le sens des corrélations effectives, qu'il éprouve dans leur simultanéité, quitte à faire plus tard l'effort analytique nécessaire.

L'extraordinaire travail de réflexion dont témoigne le second *Discours* ne vient pas seulement conférer l'organisation discursive et systématique à une longue révolte passionnée ; il utilise l'expérience personnelle pour la dépasser et la porter au niveau de l'universel. A une date antérieure, il est aisé de relever, sous la plume de Rousseau, des déclarations déjà fort significatives, mais dont la portée demeure limitée, soit parce que ces déclarations isolées ne font pas partie d'un *ensemble* théorique, soit parce qu'elles se rattachent trop étroitement aux mésaventures personnelles de Jean-Jacques.

Mais le second *Discours* est une œuvre qui, dans tous les sens, dépasse les intentions conscientes ou inconscientes que le biographe pourrait être tenté d'attribuer à Rousseau. Si son projet était de conquérir les suffrages de l'Académie de Dijon, il s'y prenait fort mal. Et si Rousseau n'avait pour but que de publier une profession de foi ostentatoire accompagnant son retour au bercail, l'œuvre encore une fois, allait beaucoup trop loin. Elle avait quelque chose d'excessif et par son excès même compromettait la réconciliation souhaitée. En faisant acte de citoyen et en s'adressant à la République, il appelait sur lui le regard de l'univers et l'invitait à admirer ce dialogue du fils prodigue et de sa patrie retrouvée. L'immense écho de cette parole, dans le temps et l'espace, se propagea bien au-dela de ce que Rousseau avait pu attendre. Il y avait en tout cas de quoi outrepasser dangereusement les conditions d'un parfait raccommodement avec Genève. Les Genevois aiment les manières tranquilles. Que Jean-Jacques, en plein tapage de gloire littéraire, fasse connaître pompeusement son retour à la citoyenneté, c'est déjà beaucoup d'immodestie, aux yeux de ceux qui se souviennent du petit apprenti chapardeur. Il y a pis : cette dédicace, qui leur présente une image flattée de leurs institutions, se mêle aussi de leur faire la leçon. Et elle est adressée à la République tout entière, alors qu'il eût été plus décent d'en faire hommage aux patriciens du Petit Conseil. Ce sont là, de la part de Rousseau, des maladresses voulues. Il avait résolu d'aimer Genève à sa manière, avec outrance, au risque de déplaire et de se mettre en faute (ou, ce qui revient au même, au risque de mettre les autres dans leur tort, de leur faire sentir, en comparaison de son patriotisme flamboyant, leur tiédeur et leur peu de vertu). S'il publie sa dédicace sans l'avoir soumise au préalable à ses destinataires, comme l'eût voulu l'étiquette, c'est qu'il n'est pas certain qu'on lui fasse un accueil sans réserves. Il le pressentait assez nettement pour prendre à l'avance, avec quelques-uns de ses correspondants genevois, le ton de la justification :

> Isolé par les hommes, ne tenant à rien dans la société, dépouillé de toute espèce de prétention, et ne cherchant mon bonheur même que dans celui des autres, je crois du moins être exempt de ces préjugés d'état qui font plier le jugement des plus sages aux maximes qui leur sont avantageuses [1].

Ainsi, quelques semaines après le séjour à Genève où il s'était livré à tout son « enthousiasme républicain », Rousseau a repris ses distances : il parle désormais du dehors. Si la page de titre ajoute fièrement au nom de Jean-Jacques Rousseau le titre de citoyen de Genève, la dédicace est datée de la ville savoyarde de Chambéry, précaution utile — disent les *Confessions* — pour « éviter toute chicane » en France ou à Genève. Telle est la singulière absence dont Rousseau a besoin : s'adressant aux Genevois, c'est du dehors qu'il leur parle ; mais, écouté par toute l'Europe, il s'exprime en citoyen de Genève. Il est donc doublement étranger. Partout il est l'homme qui parle d'ailleurs, et qu'aucune considération de respect ne retient ou n'intimide. Il ne fait cause commune avec personne sinon avec la vérité méconnue, avec la vertu exilée. Il appartient à un autre horizon, à une autre exigence, à une autre patrie : une patrie idéale qui n'est ni la France, ni la Genève réelles. Rousseau a eu clairement conscience de la faiblesse (et de la faute) que constituait cette séparation, cet éloignement dans la retraite solitaire ; mais il a senti aussi que la faiblesse se muait en une étrange force, et il l'a proclamé à plusieurs reprises, notamment dans la quatrième de ses lettres à Malesherbes :

> Vos gens de lettres ont beau crier qu'un homme seul est inutile à tout le monde et ne remplit pas ses devoirs dans la société... C'est quelque

1. A J. Perdriau, 28 novembre 1754. *Correspondance générale*, DP, II, 132 ; L, III, 57.

chose que de donner l'exemple aux hommes de la vie qu'ils devraient tous mener. C'est quelque chose quand on n'a plus ni force ni santé pour travailler de ses bras, d'oser de sa retraite faire entendre la voix de la vérité. C'est quelque chose d'avertir les hommes de la folie des opinions qui les rendent misérables... Si j'eusse vécu dans Genève je n'aurais pu ni publier l'épître dédicatoire du *Discours sur l'inégalité*, ni parler même contre l'établissement de la comédie du ton que je l'ai fait. Je serais beaucoup plus inutile à mes compatriotes, vivant au milieu d'eux que je ne puis l'être dans l'occasion, de ma retraite. Qu'importe en quel lieu j'habite si j'agis comme je dois agir [1] ?

Cet homme qui se rend étranger à toutes les sociétés instituées devient, dans le second *Discours*, le porte-parole des humiliés et des offensés, l'interprète de tous ceux que l'ordre social, tant à Genève qu'en France, condamne à vivre en situation d'étrangers. Non seulement, du fond de la forêt de Saint-Germain, il s'adresse à tous les hommes. Mais il est résolu à leur offrir, pas ses écrits et par son exemple, l'image de l'homme intégral. Il ne s'est séparé et singularisé que pour mieux désigner l'universel, l'indiquant à la fois dans l'ordre des faits et dans celui du *devoir*. Le voici hors de la communauté instituée, rompant tous les liens immédiats, mais pour penser les conditions d'existence d'une communauté plus juste et d'une immédiateté plus heureuse.

Rousseau a découvert sa grande manière. Admirons ici la maîtrise définitivement conquise, et qui déploie ostensiblement son envergure. Le génie sérieux de Rousseau a trouvé le ton qui lui convient. Dans une éloquence altière, qui situe son enjeu au plus haut, il y a place, tour à tour, pour l'élan rhétorique, pour le raisonnement serré, pour la polémique, pour une quantité considérable d'information érudite, et pour le libre essor de l'imagination. Tout est animé par une ferveur intellectuelle sans égale. Peu importe que Rousseau ait pris son bien chez les philosophes, chez les jurisconsultes, chez les naturalistes, chez les voyageurs : en intégrant à son œuvre le matériau que lui fournissent ses prédécesseurs, il les fait disparaître et nous dispense d'y recourir. Le *Discours sur l'inégalité* peut avoir autant de sources qu'il plaira aux érudits d'apercevoir ; cette œuvre est elle-même une œuvre-source, à partir de laquelle on peut faire commencer toute la réflexion moderne sur la nature de la société.

De toute évidence, Rousseau a résolu de donner au public le spectacle d'une pensée armée ; le second *Discours* est un

1. *O. C.*, I, 1143.

ouvrage fortifié. Le lecteur aura tôt fait de s'en apercevoir : les batteries sont disposées de tous côtés. Parmi les notes finales, certaines sont à très longue portée... Péremptoire, tranchant dans ses affirmations et ses négations, capable aussi de déployer des images douées d'une étrange puissance, le style de Rousseau en appelle ici à tous les moyens de persuasion. Ce n'est plus seulement un réquisitoire comme le premier *Discours* : c'est une *investigation* (le mot est un néologisme que Rousseau vient d'imposer). La passion se porte aux formules extrêmes, qui frappent et scandalisent ; mais le lecteur ne doit pas être inattentif aux restrictions et aux coups de barre qui rectifient le mouvement de la pensée. Accordons à Rousseau le droit de construire son œuvre « dialectiquement », par grandes oppositions, en déplaçant les accents. Les malentendus si nombreux auxquels le second *Discours* a donné lieu résultent d'une lecture fragmentaire, hâtive, où l'on a isolé des affirmations véhémentes que Rousseau lui-même annulait ou corrigeait quelques pages plus loin. On l'a attaqué, le plus souvent, sur un moment de sa démonstration, et non sur sa véritable philosophie.

Rousseau prélude avec solennité. Dédicace, préface, exorde constituent un triple portique où nous progressons lentement, comme si Rousseau avait voulu exprimer symboliquement la distance qui nous sépare du vrai commencement de l'homme. Quelques images nous guident dans ce cheminement : de la Genève contemporaine, l'on passe à l'évocation de Platon et du Lycée d'Athènes, puis enfin apparaît la forêt primitive, le lieu originaire à partir duquel toute l'histoire humaine se déploiera. Avant d'évoquer l'homme silencieux des premiers temps, Jean-Jacques s'est mis en scène dans l'attitude de l'orateur, et il a disposé autour de lui un auditoire. Par un mouvement d'expansion, qui va du réel à un universel imaginaire, il s'adresse successivement aux citoyens de Genève, aux grands Athéniens, puis enfin à l'humanité tout entière : « O homme, de quelque contrée que tu sois, quelles que soient tes opinions, écoute, voici ton histoire. » C'est le ton du myste qui révèle les secrets.

S'il est vrai que, de tous les écrits de Rousseau, celui-ci fait le moins de place à l'exposé des convictions chrétiennes de Rousseau, ce n'est pas seulement parce qu'il est marqué par l'esprit de l'*Encyclopédie* et par l'influence de Diderot ; c'est aussi parce que, formulé comme une révélation de l'humain, ce *Discours* est tout entier un acte religieux d'une sorte particulière, qui se substitue à l'histoire sainte. Rousseau recompose une *Genèse* philosophique où ne manquent ni le jardin d'Éden, ni la faute, ni la confusion des langues. Version laïcisée, « démythifiée » de l'histoire des origines, mais qui, en supplantant l'Écriture, la répète dans un autre langage. Ce langage est celui de la réflexion conjecturale, et toute surnature en est absente. La théologie chrétienne étant abrogée, ses schèmes constituent néanmoins les modèles structuraux selon lesquels la pensée de Rousseau s'organise. L'homme, dans sa condition première, émerge à peine de l'animalité ; il est heureux : cette condition primitive est un *paradis;* il ne sortira de l'animalité que lorsqu'il aura eu l'occasion d'exercer sa raison, mais avec la réflexion naissante survient la connaissance du bien et du mal, la conscience inquiète découvre le malheur de l'existence séparée : c'est donc une *chute.*

« Voici ton histoire! » Seulement l'histoire dont va nous entretenir Rousseau n'est pas celle dont s'occupent les historiens. Il ne parlera pas des empires ni de leur destin. Il prend du champ ; il a résolu de regarder les choses de plus loin. L'Académie de Dijon ayant proposé « une question de droit politique », Rousseau a voulu se « contenir dans les bornes d'une discussion générale et purement philosophique, sans personnalités et sans applications[1] ». De fait, cette discussion philosophique concerne moins les événements de l'histoire que le processus par lequel l'homme, étranger d'abord à l'histoire, est devenu progressivement un être historique.

Quelles sont les causes qui, modifiant une humanité tout animale, ont fait d'elle le sujet et l'agent de l'histoire ? Faute d'expérience, cette transformation ne peut être relatée que de façon conjecturale : on ne peut en retracer qu'une histoire hypothétique. Tous les documents dont nous disposons concernent les faits survenus dans une humanité déjà évoluée, et entraînée par le mouvement de l'histoire. Il faut remonter plus haut. Si, d'une part, l'on met entre parenthèses le témoignage de la Bible ; et si, d'autre part, l'on veut prendre pour point de départ l'image théorique d'un homme encore proche de la stupidité des bêtes, il faut résolument « écarter tous les faits ». Car les faits sont les traces historiques de l'homme, ils nous retiennent dans l'histoire ; dès lors, s'attacher aux faits serait s'empêtrer dans un domaine déjà éloigné de l'ori-

1. A Mme de Créqui, 8 septembre 1755. *Correspondance générale*, DP, II, 213 ; L, III, 170.

gine. Il faut sortir de l'histoire pour voir naître l'histoire humaine. Quel guide adopter ? Les récits des voyageurs qui ont vu vivre les sauvages. Certes, aucune des sociétés qu'ils décrivent ne nous montre l'homme de la nature dans son intégrité : aux yeux de Rousseau, les Caraïbes et les Hottentots sont déjà « dénaturés », différenciés par la culture ; mais ils sont si loin derrière nous, qu'en nous tournant vers eux nous regardons dans la direction de l'origine. Derrière ces hommes parés de plumes et d'ocre, le regard voit s'élever l'image d'un homme nu et solitaire. Soutenue et orientée par les faits ethnographiques, l'imagination peut extrapoler hardiment.

Jean-Jacques se fie encore à un autre guide : pour peindre la constitution originelle de l'homme, c'est vers son propre cœur qu'il se tourne. Il n'en doute pas, il est lui-même un « homme de la nature », ou tout au moins un homme en qui le souvenir de la nature ne s'est pas effacé. En quoi il fait exception, par un de ces privilèges exorbitants que Rousseau n'hésite pas à revendiquer : il est le seul « initié » (le terme apparaît dans le premier *Dialogue*). En composant le *Discours*, dans les bois de Saint-Germain, il peut donc librement consulter son imagination : même si l'image de l'homme primitif appartient au cercle rêvé des « créatures selon son cœur », Rousseau pourtant ne se sera pas égaré, puisque son cœur garde l'empreinte ineffaçable de la nature. La chimère ne ment pas. L'origine, qui est le point le plus éloigné dans le passé, est aussi, par chance, le point le plus profond dans la subjectivité de Jean-Jacques. Là où d'autres philosophes se contenteraient d'une sèche spéculation, Rousseau s'appuie sur l'intuition intime et poétique. L'originaire, pour lui, n'est pas le point de départ d'un jeu intellectuel, c'est une image rencontrée à la source même de l'existence consciente ; l'état de nature est d'abord une expérience vécue, un fantasme d'enfance perpétuée, et Rousseau en parle comme s'il en avait la vision directe : « D'où le peintre et l'apologiste de la nature aujourd'hui si défigurée et calomniée peut-il avoir tiré son modèle, si ce n'est de son propre cœur ? Il l'a décrite comme il se sentait lui-même[1] ». La conjecture fondamentale coïncide donc, pour Rousseau, avec une évidence intérieure. Une fois écartés les préjugés et les passions, une fois soustraits tout l'acquis et tout l'adventice, on voit s'éclairer la profondeur du temps, et l'on aperçoit un être presque purement sensitif qui ne se distingue de l'automate et de l'animal que par des

1. *Dialogues*, III. *O. C.*, I, 936.

facultés virtuelles et une liberté encore sans usage. Telle est la statue de Glaucus, lorsqu'on a retrouvé sa forme vraie sous les algues et le sel qui la défiguraient.

Hypothèse qui s'efforce de rejoindre l'origine par voie de soustraction et de négation. Locke, Condillac, Buffon avaient, eux aussi, effectué ce déshabillage de l'esprit, pour apercevoir une conscience encore vide, à l'instant de son premier éveil, dénuée des idées les plus simples, s'étonnant de percevoir les signaux dont la réflexion fera son butin. Tout commence dans la stupeur, mais Locke et Condillac, pressés de reconstruire et de nipper leur mannequin, le mettent à l'ouvrage pour combiner activement les matériaux sensibles. Ils ne se soucient guère de projeter leur hypothèse dans la profondeur temporelle de l'histoire humaine. Pour Locke, les enfants, les imbéciles et les sauvages sont des exemples équivalents de « table rase ». S'avise-t-on de leur parler et de les instruire ? Il suffit qu'ils soient capables de réflexion, et les voici bientôt tout semblables à de petits philosophes. Rousseau, lui, sans rien changer au fond de l'hypothèse, y ajoute deux aspects que ses prédécesseurs n'avaient pas assez considérés. D'abord la dimension collective : il ne suffit pas de remonter aux origines hypothétiques d'une conscience singulière, il faut remonter à l'enfance de l'humanité. Par voie de conséquence, en second lieu, il est impossible de reconstruire la suite naturelle des événements dans un temps abstrait : il n'y a d'explication valable de l'humanité contemporaine qu'en considérant la durée de l'histoire entière. Tenant compte à la fois des paramètres temporels et collectifs, écartant résolument les interprétations providentialistes, Rousseau crée avec éclat ce que l'on appellera plus tard la sociologie historique : on ne peut comprendre l'homme moderne si l'on ne connaît la société qui l'a éduqué, et l'on ne peut comprendre la société, si l'on ignore la façon dont elle s'est constituée. Pour Rousseau, le problème doit être repris au principe, c'est-à-dire au point hypothétique où les groupes se forment par la rencontre des individus isolés. Au prix de cette régression dans le plus lointain passé, nous dominons du regard la « multitude de siècles » où se sont progressivement modifiés les rapports de l'homme avec la nature et avec ses semblables. Remarquons-le en passant, il y a peut-être plus qu'une coïncidence entre la lente et aventureuse formation intellectuelle de Rousseau, et le fait qu'il ait jugé nécessaire d'insister sur l'immense laps de temps indispensable à la maturation de la raison. A travers les vicissitudes du devenir historique, l'homme actualise ses facultés virtuelles : il n'est pas d'emblée un animal raisonnable ; il devient raisonnable en cessant d'être animal.

Mais cesser d'être un animal, c'est perdre un certain nombre de prérogatives. Le *physique* de l'homme de la nature se définit par la santé ; le *moral* de l'homme de la nature, c'est la « vie immédiate », l'élan spontané de la sympathie et de l'amour de soi. Dans l'état de dispersion où Rousseau imagine l'humanité primitive, rien n'unit l'individu à son semblable, mais rien non plus ne l'asservit. N'éprouvant aucun désir de communication, il ne se sent pas séparé ; aucune distance métaphysique ne l'éloigne encore de l'objet extérieur. Sa relation avec le monde environnant s'établit dans l'équilibre parfait : l'individu fait partie du monde, et le monde fait partie de l'individu. Il y a corrélation, accord harmonisé entre le besoin, le désir, et le monde. Le désir, circonscrit dans la limite étroite de l'instant, n'outrepasse jamais la stricte mesure du besoin, et celui-ci, inspiré par la seule nature, est trop vite assouvi pour que s'élève la conscience d'un manque ; la forêt originelle pourvoit à tout. Cela compose la figure d'un bonheur. Seul, oisif, proche du sommeil, désirant peu, facilement comblé, l'homme primitif a pour royaume la grande *mesure pour rien* où l'histoire n'a pas encore cours. Évoquant ce paradis à l'instigation de sa propre nostalgie, Rousseau retrouve les thèmes d'une rêverie millénaire : partout, à toutes les époques, sachant que le temps les condamne à mort, les hommes ont imaginé un paradis situé avant le temps, et qui lui-même a été mis à mort par le temps.

Si cet équilibre élémentaire est le seul où l'homme puisse être heureux, tout ce qui transforme la constitution humaine, fût-ce apparemment une acquisition et un surcroît de pouvoir, devra être tenu pour responsable de l'irruption du malheur. La moindre brèche faite dans la plénitude fermée de l'état de nature laissera s'écouler les grandes eaux d'une histoire encore *contenue.* Une énorme énergie potentielle sera mise en œuvre par ce déséquilibre. Le progrès intellectuel ira de pair avec une dissymétrie croissante entre le désir et les objets, ce dont l'homme aura à pâtir. Lorsqu'il voudra imposer son ordre en violentant la nature, il suscitera désordre et guerre. Ainsi, de façon ambiguë, l'ascension technique et intellectuelle de l'humanité pourra être décrite comme l'équivalent de la chute dont parle la Genèse. Dans ce processus qui se définit littéralement comme une *dislocation*, l'homme, quittant sa première et brutale amoralité, ne devient moral que pour se croire bon et se rendre méchant. L'inégalité commence sitôt que le repos primitif fait place au devenir. Et chaque étape du progrès de la sociabilité correspondra à une dépravation plus marquée.

Le progrès est ambigu ; mais le retour à l'état de nature est impossible pour les sociétés qui s'en sont éloignées. La transformation est irréversible ; le chemin du retour n'est ouvert qu'aux rêveurs. Pour véhément qu'en soit le désir, il n'est pas permis de rétrograder. Tout ce qui est en notre pouvoir, c'est de réveiller et de garder vive la *mémoire* de l'état de nature. Car son image peut servir de « concept régulatif » (Éric Weil) : elle constitue le repère fixe, l'échelle sur laquelle l'on peut rapporter l'*écart* que représente chaque état de civilisation différenciée. La définition de l'humanité minimum permet la mesure exacte de nos excès et de nos perfectionnements. Tout ce qui diffère de la pauvreté idéale de l'état primitif doit être tenu pour invention humaine, fait de culture, modification de l'homme par lui-même. Ainsi pouvons-nous savoir où cesse l'homme de la nature, et où commence *l'homme de l'homme*. Ainsi, par un transfert de responsabilité dont on n'a peut-être pas assez souligné l'importance, Rousseau présente comme une *œuvre* humaine ce que la tradition définissait comme un don originel de la nature ou de Dieu. Création humaine, le perfectionnement du langage articulé ; création humaine, l'union durable du mâle et de la femelle ; création humaine, la société, la propriété, les règles formelles du droit ; création humaine, la morale, sitôt qu'elle se fonde en raison et outrepasse, dans ses prescriptions, le simple instinct de conservation et l'élan obscur de la sympathie. Tous ces développements, certes, supposent des facultés virtuelles, mais ils n'en sont pas l'inévitable réalisation ; il n'y a rien de *nécessaire*, aux yeux de Rousseau, dans le passage de la perfectibilité au perfectionnement ; l'homme est libre de le vouloir ou de le refuser, ou, à tout le moins, de l'accélérer ou de le ralentir.

L'état de nature, nous dit Rousseau, n'a peut-être jamais existé. Soit. Il faut néanmoins le poser par hypothèse, car on ne peut mesurer les distances en histoire qu'à la condition d'avoir préalablement déterminé un « degré zéro ». De plus, nous le savons, pour la rêverie de Rousseau, « il n'y a rien de beau que ce qui n'est pas », et la chimère prend une existence impérieuse du fait même de son impossibilité. Il faut bien remarquer que l'état de nature n'est pas un impératif moral ; il n'est pas une norme pratique, à laquelle nous serions invités à nous conformer : c'est un postulat théorique, mais qui reçoit une évidence presque concrète, par la vertu d'un langage qui sait donner à l'imaginaire tous les caractères de la présence. La description passionnée de l'état de nature a pu faire croire que Rousseau optait résolument pour l'existence sauvage. « Il prend envie de marcher à quatre pattes », écrira Voltaire. Mais l'option est impossible, et Rousseau le sait fort bien. Il ne donne tant d'attraits à l'image des premiers temps que pour aviver notre regret d'en être désormais éloignés sans retour. Rousseau, malgré sa nostalgie, n'est pas un « primitiviste »[1]. S'il eût été préférable, pour l'homme, de ne jamais quitter sa condition primitive, nous n'avons désormais plus le choix. Rousseau prendra soin de le répéter à plusieurs reprises. Dans l'*Émile*, nous lirons qu'*il faut employer beaucoup d'art pour empêcher l'homme social d'être tout à fait artificiel*[2]. C'est par le perfectionnement de la culture (donc par une dénaturation plus poussée) que l'accord avec la nature peut être retrouvé, et cette nature seconde, fruit de l'art, ne se définit plus comme un équilibre obscur et instinctif : elle est éclairée par la raison, soutenue par le sentiment moral, dont la brute primitive ne savait rien. L'antithèse de la nature et de la culture *peut* se résoudre en un mouvement progressif : telle est la philosophie que Kant lira dans Rousseau et reprendra à son propre compte.

Dans le second *Discours*, qui est le préambule du « système », Rousseau ne nous laisse guère entrevoir ces perspectives rassurantes. Son propos, ici, est de montrer comment l'homme s'est exclu de l'harmonie naturelle. Selon le style extrémiste qui est le sien, il conduit l'histoire humaine jusqu'à un terme catastrophique. Le rideau tombe sur une scène envahie par l'anarchie et le chaos : mais ce n'est que la fin du premier acte. Alors même qu'il ne subsisterait plus aucune chance de construire la société juste (telle que fut Sparte ou Genève), il est encore possible d'éduquer un individu qui acquerra assez de raison pour vivre en accord avec les exigences de la nature. Le pessimisme historique du *Discours* est contrebalancé par l'optimisme anthropologique qui est l'une des constantes de la pensée de Rousseau. « L'homme est naturellement bon. » La bonté naturelle est-elle à jamais perdue ? Oui, si l'on considère les sociétés. Non, si l'on considère l'homme singulier. Le mal ne réside pas dans la nature humaine, mais dans les structures sociales. « Si la différenciation est contingente par rapport à la nature originelle de l'homme,

1. Voir A. O. Lovejoy, *The supposed primitivism of Rousseau*, inclus dans : *Essays in the History of Ideas* (Baltimore, Johns Hopkins, 1948).
2. Livre IV, *O. C.*, IV, 640.

les maux qu'elle enfante ne sont pas sans remède » (René Hubert). On peut concevoir une éducation qui prévienne et contrecarre l'influence malfaisante d'une société corrompue. Seulement, pour qu'une éducation de cette sorte soit possible, il faut que l'éducateur connaisse la nature, ou qu'il soit lui-même, comme Rousseau, un « homme de la nature ». Il sera donc indispensable d'avoir sous les yeux non seulement l'image vivante de la nature primitive de l'homme, mais encore les causes exactes de sa dénaturation. Aux médecins des âmes et des sociétés, le *Discours* apporte les définitions préalables : voici la santé, que nous avons perdue, et voici le mécanisme du mal.

L'inégalité et le mal sont à peu près synonymes. Le second *Discours* est une théodicée. Dieu (ou la Nature) n'a pu vouloir que le mal existât. L'homme est-il coupable ? A-t-il péché ? S'il est naturellement bon, d'où vient qu'il soit devenu méchant ?

Il est devenu méchant parce qu'il s'est livré au devenir : c'est dans un même mouvement que l'homme devient méchant et qu'il devient un être historique. Comment cela ? En luttant activement contre la nature, en opposant son travail à l'adversité extérieure. En fait, il est devenu méchant sans avoir voulu le mal (de même, selon les *Confessions*, Rousseau a fait le mal en gardant un cœur pur). Quelque chose s'est mystérieusement faussé *entre* l'homme et le monde. Un décrochement (un « clinamen », écrit René Hubert) s'est produit. Le niveau n'est plus étale entre le besoin et sa satisfaction ; par conséquent, l'homme n'a pu continuer à vivre en relation immédiate avec le monde naturel. Cette disparité, qui deviendra un antagonisme, est à la fois source d'énergie et de malheur.

La provocation est venue du dehors. En certaines régions, il a rencontré « des années stériles, des hivers longs et rudes, des étés brûlants » ; il va devoir lutter contre les obstacles que lui oppose un milieu où il cesse de trouver une protection assurée. Jeté dans l'insécurité, obligé de donner toute sa mesure pour sauvegarder son existence, il est expulsé de son bonheur oisif : il est sevré, et il dépend désormais du *dehors*. Il recevait presque passivement les dons de la nature ; il va devoir tout conquérir. Il découvre qu'il est capable de vaincre l'adversité, au prix d'un effort soutenu.

Le travail implique une durée qui s'organise au contact de l'obstacle ; la réflexion est l'agent de cette organisation. Dans cette rencontre active où il affronte l'inertie des choses, l'homme prend conscience de sa différence. Il se compare avec l'autre, et cette comparaison est l'éveil même de la raison. Mais le pouvoir qu'il acquiert sur le monde, l'homme le paie en perdant le contact direct qui faisait son premier bonheur. Toutes ses relations deviennent médiates et instrumentales. L'outil s'interpose entre l'homme et la nature violentée ; de même, en prenant possession de son identité distincte, l'homme voit se fêler la sphère parfaite de la vie immédiate ; il perd l'unité close, la cohésion sans dedans et sans dehors de l'état primordial. Il ne peut plus appartenir tout entier au sentiment de son existence actuelle. En une même découverte, il se sait maintenant autre que ses semblables qu'il vient de rencontrer, autre que la nature qui menace son existence et résiste à ses désirs ; autre que ce qu'il fut et ce qu'il sera. La séparation, la différence, l'écoulement du temps, la mort possible, voilà ce qu'il aperçoit sitôt que l'effort réussi lui fait connaître son pouvoir sur le monde. Il ne conquiert la maîtrise que pour découvrir une dépendance. La même faculté de comparer (de réfléchir), qui fait la supériorité consciente de l'homme sur le monde, fait aussi qu'il se prévoit souffrant ou mourant. En quelques pages admirables, Rousseau nous montre comment, par le travail, l'homme sort de la condition animale et découvre le conflit des contraires : le dehors et le dedans, le moi et l'autre, l'être et le paraître, le bien et le mal, le pouvoir et la servitude. Si nous refusons à ce texte le mérite d'être *dialectique*, quelle autre philosophie nous en donnera l'exemple ? Car nous voyons ici les opposés s'appeler les uns les autres, se développer les uns par les autres ; nous assistons aux transformations qui affectent l'homme intérieur à mesure qu'il modifie sa relation avec le monde extérieur. Dans le devenir historique, les modifications morales et les acquisitions techniques sont interdépendantes. Il n'est point de changement dans les méthodes de subsistance et de production (c'est-à-dire dans l'économie) qui ne s'accompagne, corrélativement, d'une transformation de l'outillage mental et de la disposition passionnelle des hommes. Comment distinguer ce qui est cause et ce qui est effet dans ce processus ? Tout y est alternativement déterminant et déterminé.

Dès la querelle des arts et des sciences, Rousseau a su voir que la généalogie du mal est complexe, et qu'on ne peut simplement incriminer le savoir et les techniques. Le mal, c'est l'inquiétude d'esprit que dénonçaient les stoïciens, et c'est aussi ce que les modernes nomment aliénation : ne plus s'appartenir, sortir de soi, vivre pour l'opinion et pour le regard des autres, exiger davantage que la nécessaire *reconnaissance* de l'homme par l'homme. Le mal, qui est venu du dehors, est la passion du dehors. Sitôt que l'homme abandonne l'autarcie de l'état naturel, il se sent vulnérable dans son apparence, et il désire *paraître* pour s'assurer de sa propre existence. Le développement de certaines structures économiques, le luxe notamment, peut être interprété à partir de causes psychologiques : l'homme civilisé ne désire pas seulement la sécurité et l'assouvissement de ses besoins essentiels, il convoite le superflu, il désire le désir d'autrui, il veut fasciner par l'étalage de sa puissance ou de sa beauté. L'aliénation de l'argent et des relations monétaires ne fera que parachever l'aliénation primordiale des consciences, elle-même rendue possible par l'opposition instrumentale de l'homme et du monde...

Un intervalle immense, nous dit Rousseau, sépare la perte de l'état primitif et le passage à l'état civil. Rigoureusement, l'état de nature ne prendra fin qu'au moment où les hommes établiront des communautés politiques et se donneront un gouvernement. On verra donc, selon les termes mêmes de Rousseau, un « second état de nature », où l'homme est déjà dénaturé sans être encore socialisé. Il aura traversé une histoire avant d'être homme « civil ». Or cette histoire, pour être progressive, ne va pas sans crises. Elle se découpe en stades ; elle est rythmée par de grandes *révolutions*. Laissons-nous guider par Rousseau :

1° L'homme oisif de l'origine sous l'instigation des *circonstances* extérieures, découvre la nécessité et l'efficacité du travail. Les hommes n'ont pas encore renoncé à la dispersion primitive. Cependant, pressés par le besoin, il leur arrive de s'associer pour un effort commun : collaboration occasionnelle, où se constituent des hordes anarchiques sans permanence.

2° Survient ce que Rousseau nomme une première révolution. Elle résulte d'un progrès technique. L'homme sait édifier des abris, et les familles peuvent dorénavant rester groupées. L'humanité entre dans l'âge patriarcal. Des villages se construisent, mais le sol n'a pas encore de propriétaire. La cueillette et la chasse sont les principales activités qui pourvoient aux besoins du groupe. La description qu'en donne Rousseau, inspirée par les récits des voyageurs et par la Bible, peut être rapprochée de l'image que nous nous faisons de l'époque paléolithique. S'il est un âge d'or que nous devions regretter, c'est celui-là. Car il a réellement existé, et les nations sauvages sont la preuve que nous aurions pu demeurer à ce stade. Cette « véritable jeunesse du monde » est un lieu central dans la durée : au-delà c'est la décrépitude qui commence. Tandis que l'homme de la nature n'était qu'une hypothèse nécessaire, un fantasme du désir, les sociétés patriarcales et communistes sont une image concrète du bonheur que nous avons laissé échapper pour des biens illusoires. Si l'histoire avait été arrêtée au stade de la « société commencée », nous nous serions épargné des misères sans nombre. Ici, pour la dernière fois avant la conclusion du *Discours*, une grande image élégiaque s'élève, parée de toutes les séductions que Rousseau sait donner aux choses révolues. Le contraste sera plus déchirant avec la sombre destinée qui nous est désormais réservée.

3° De même que l'homme a perdu l'oisiveté paradisiaque pour tomber dans le travail et la réflexion, une nouvelle chute va lui faire perdre le bonheur patriarcal. Par un « funeste hasard », les hommes découvrent les avantages de la division du travail, qui leur permet de passer d'une économie de subsistance à une économie de production. (J'emploie à dessein les termes modernes que Rousseau ne connaissait pas : mais s'il ignore le mot, il décrit parfaitement la chose.) Les hommes sont maintenant voués à des tâches distinctes : les uns sont forgerons, les autres laboureurs. L'apparition de l'agriculture et de la métallurgie constitue, nous dit Rousseau, une *grande révolution*. A quelques détails près, c'est ce que nous nommons aujourd'hui la révolution néolithique. « Ce sont le fer et le blé qui ont civilisé les hommes et perdu le genre humain. » Pourquoi cette conséquence néfaste? Parce que les hommes, produisant au-delà de leurs besoins réels, se disputent la possession du superflu : ils ne veulent plus seulement jouir, mais posséder ; ils ne veulent plus seulement les biens actuels, mais les signes abstraits des biens possibles ou des possessions futures. Il y a, pour Rousseau, une étroite corrélation entre le fait que l'homme perd son unité en se livrant à une activité partielle, et la passion avec laquelle il cherche à compenser par l'avoir la perte de l'intégrité de l'être. Seulement cette compensation ne rétablit pas l'équilibre ; elle le compromet encore davantage. L'homme ne peut posséder qu'en délimitant et défendant la terre qu'il occupe. Les clôtures s'élèvent, car la possession implique l'exclusion des non-possesseurs. Les moins habiles ou les moins violents seront donc écartés et deviendront des pauvres.

4° Si le premier occupant peut se proclamer propriétaire du sol, il le possède encore sans droit. D'où la guerre. « La société naissante fit place au plus horrible état de guerre ». Ici,

Rousseau rejoint Hobbes. Il ne l'avait combattu que pour définir un premier état de nature où l'homme mène une existence trop dispersée pour avoir besoin d'exercer la violence contre ses semblables. Rousseau n'avait contredit Hobbes que pour pousser à l'extrême l'atomisme par lequel l'auteur du *De cive* définissait l'existence présociale de l'homme (Éric Weil). A pousser ainsi le hobbisme à la limite, Rousseau se donnait par hypothèse un homme naturellement bon (ou plutôt : amoral).

Nous voici dans la situation intenable où la guerre de tous contre tous rend nécessaire l'établissement d'un ordre civil. Ce qui met fin au second état de nature, c'est la lutte à mort que se livrent des hommes déjà dénaturés. L'honneur de l'homme naturel (et de la nature humaine) est donc sauf, dans une situation qui est exactement celle que Hobbes décrit comme le conflit des individus naturels.

Plutôt l'ordre que la violence ; plutôt un semblant de justice que l'anarchie : tel est le raisonnement qui va donner naissance à l'état civil. Menacés dans leur sécurité, les hommes vont achever de se socialiser. Mais la partie est mal engagée. Le *Discours* nous fait assister à la conclusion d'un contrat. C'est un contrat inique : au lieu de fonder la société juste, il parachève la « mauvaise socialisation » (Pierre Burgelin). Rousseau invente des personnages et leur fait jouer une scène symbolique. Survient un protagoniste « réfléchi » (donc méchant) : c'est le riche. Celui-ci s'adresse à une foule confuse de gens grossiers et faciles à duper. L'inégalité, aggravée par la tromperie, est rendue manifeste dans ce dialogue mystificateur entre un seul et tous. Stipulé dans l'inégalité, le contrat aura pour effet de consolider les avantages du riche, et de donner à l'inégalité valeur d'institution : sous couleur de droit et de paix, l'usurpation économique devient puissance politique ; le riche assure sa propriété par un droit qui n'existait pas auparavant, et il sera désormais le maître. Ce contrat abusif, caricature du vrai pacte social, n'a pas sa source dans la volonté spontanée du groupe en formation. Œuvre de ruse et de séduction, il est néanmoins à la base de notre société, il constitue une étape déterminante de notre histoire. Nous sommes aujourd'hui les héritiers de ce marché de dupes, où la violence ouverte de la guerre de tous contre tous a été remplacée par la violence hypocrite des conventions profitables au riche. Constatons, de surcroît, que les États se conduisent entre eux comme le faisaient les individus avant qu'ils ne fussent unis par le pacte social. Nous n'avons supprimé la guerre entre les individus que pour la retrouver, aggravée, entre les nations.

Dans ces pages véhémentes, Rousseau, suivant un penchant de la philosophie des lumières, explique par l'*imposture* l'origine des institutions abusives. Trompeurs et trompés ; beaux parleurs et dupes : telle est la « scène primitive » que la philosophie ne cesse de revivre. Le moment est venu où les victimes de l'ordre social, s'éveillant à la révolte, interprètent leur situation comme la conséquence d'un complot délibéré, ourdi dans le passé et perpétué par la complicité des puissants. L'intelligence philosophique se donne pour tâche de faire circuler le mot de passe d'un contre-complot, d'une conjuration libératrice : il faut dévoiler par l'analyse rationnelle l'origine tout humaine d'un ordre que les imposteurs prétendent sacré ; il faut « démystifier » les esprits, en mettant en lumière la mystification qui donna le pouvoir aux premiers oppresseurs. Notre révolte ne sera que l'éveil différé d'un mouvement de colère qui eût dû survenir dès le commencement.

Mais pour donner tout son poids à la critique des *faits* il faut pouvoir leur opposer l'exacte teneur du *droit.* En ce point du *Discours*, Rousseau a senti la nécessité d'abandonner le récit de la succession vraisemblable des événements pour établir rapidement les principes du droit politique. Il faut définir rigoureusement les normes de la justice, si l'on veut pouvoir dénoncer l'erreur dans laquelle s'est engagé le « cours du monde ». Rousseau va donc tenter de définir, dans l'abstrait, les conditions d'une vie civile légitime. Ce n'est plus l'historien qui parle ici, mais l'auteur des *Institutions politiques.* Cessant (pendant quelques pages) de reconstruire les *origines* et d'explorer les profondeurs du temps, il établit les *fondements* que toute société saine devrait reconnaître. C'est là ce que Rousseau appelle « creuser jusqu'à la racine ». Contrairement à beaucoup de ses prédécesseurs, Rousseau sait distinguer ce qui est commencement dans l'ordre chronologique, et ce qui est principe dans l'ordre idéal.

Tout nous le prouve, la raison qui édicte les principes idéaux n'est pas séparable, chez Rousseau, de l'activité critique qui s'en prend à un état de fait intolérable. Les principes du droit politique ont fonction d'antithèse. Les images de l'homme primitif et de la société patriarcale étaient déjà, elles aussi, des antithèses ; mais Rousseau les présentait tout ensemble comme réelles dans le passé, et irréalisables pour nous. La société juste, au contraire, est une possibilité extra-historique, et, n'eût-elle jamais été réalisée, elle est réalisable par hypothèse.

Dans la dicussion des notions fondamentales, la polémique joue un rôle considérable : l'autorité paternelle *n'est pas* le fondement du droit ; la soumission des vaincus *n'est pas* un titre légitime pour le vainqueur ; l'union des faibles *n'est pas* une hypothèse plus acceptable. Que peut-on admettre ? Un contrat. Non point ce pacte de sujétion dont le spectacle consternant vient de nous être offert. Le pacte que Rousseau préconise dans le *Discours* apparaît encore sous la figure classique du double contrat, mais il nous donne ici sa théorie pour provisoire : ses « recherches » sont inachevées. Grâce à l'énoncé du pacte idéal, nous pouvons mieux reconnaître ce que le pacte historique avait de mystificateur, et nous sommes dorénavant autorisés à « examiner les faits par le droit ». L'on pourra mesurer l'écart entre les exigences de l'équité et les servitudes d'un devenir qui s'est mal engagé. Il y a donc deux termes de référence dans le *Discours* : l'idée de *nature*, qui permet d'apprécier un écart historique ; et l'idée de *droit*, qui rend manifeste l'ampleur de nos infractions. Rousseau, on le voit, a dissocié la notion classique de *droit* naturel. La loi naturelle n'était pas un droit, mais elle était spontanément suivie par l'homme naturel (qui a disparu) ; loin d'être contraire à la loi naturelle, le droit civil idéal la rétablit sur d'autres bases. Seulement ce sont précisément d'autres bases : raison, réflexion, volonté éclairée. Parce que l'homme est naturellement bon, tout l'édifice du droit peut être construit sur la seule volonté humaine.

Cette partie du *Discours* contient donc en germe le *Contrat social*, et l'annonce expressément. A lire de près ces pages, à observer la place où Rousseau les insère, nous comprenons mieux la fonction du contrat *légitime* dans la pensée de Rousseau. Il établit une norme, dont les chances de réussite sont peut-être limitées (car il ne convient qu'aux nations jeunes et aux petits États), mais dont la validité normative est au contraire universelle. Tout système concret peut lui être confronté pour être jugé, et, le cas échéant, condamné à proportion de sa discordance avec le modèle idéal. De plus, l'attitude de l'écrivain devant la société de son temps aura trouvé sa justification. Les faits étant manifestement contraires au droit, la révolte de Rousseau ne pourra plus être tenue pour un mouvement passionnel, on ne pourra plus y voir seulement un accès de misanthropie : elle aura conquis sa double légitimation, scientifique et morale. Son refus est désormais fondé en raison.

La narration de l'histoire hypothétique, interrompue par les considérations de « droit politique », est reprise à un rythme précipité. Rousseau multiplie les entrées de ses divers thèmes, comme le font les contrapuntistes dans la *strette* finale d'une fugue. Cette histoire mal commencée, à laquelle il opposait l'idéal d'un vrai contrat, c'est la nôtre, et elle finit mal. Le devenir historique, d'abord lente altération, tourne à la catastrophe. Rousseau, inspiré sans doute par Machiavel et par Montesquieu, décrit la succession des divers types de gouvernement, l'institution de la noblesse héréditaire, l'arbitraire croissant du pouvoir monarchique. Bientôt, dans une accélération vertigineuse, Rousseau recourra à la prétérition : « Si c'était ici le lieu d'entrer en des détails, j'expliquerais comment... » Il a hâte de conclure et il ne dira qu'une faible partie de ce qu'il pourrait dire : il évoque un livre possible. Et toutes les misères d'un monde livré aux puissances corruptrices de l'argent et de l'opinion défilent sous nos yeux. Le lecteur a le sentiment du gouffre : l'histoire s'achève dans le sang et l'anarchie. La lutte universelle rétablit, dans l'abjection, une égalité qui fait penser à la « seconde barbarie » dont parle Vico ; « un nouvel état de nature » reparaît, où règne comme chez Hobbes la seule loi du plus fort. L'émeute et la révolte dénouent le lien social : il n'y a plus que des individus férocement dressés les uns contre les autres. Ils n'ont, hélas, aucune chance de retrouver la dispersion et la solitude du premier état de nature. L'homme désormais ne peut plus se passer de l'homme, fût-ce à titre d'ennemi mortel : les liens de la haine survivent à tous les autres.

Une éventualité, pourtant, reste ouverte. Que dans les convulsions de cette période catastrophique, au nadir de l'histoire, l'une de ces révolutions « rapproche » le gouvernement « de l'institution légitime ». C'est une possibilité, et non une nécessité. Car selon Rousseau l'homme ne cesse jamais d'être libre, pour le bien comme pour le mal. Dans un monde livré à la seconde barbarie, le retour à l'institution légitime (dont l'idée a peut-être été suggérée par Machiavel) est une chance sauvegardée, infime il est vrai, et trop aléatoire pour que nous ayons le droit de croire à un progrès automatique et à une grâce qui sauverait les sociétés sans qu'elles aient rien fait pour le mériter. La *négation de la négation* dont parle Engels à propos de la conclusion du *Discours* n'y apparaît nullement comme une loi de l'histoire, mais comme la récompense de ceux qui auraient eu assez de vertu pour échapper à la corruption et assez de force pour entraîner les hommes sur la voie du recommencement. En fait, Rousseau ne précise guère les conditions d'un salut. L'histoire, pour lui, est essentiellement dégradation. Le salut ne peut donc pas survenir dans ou par l'histoire, mais dans l'opposition au devenir destructeur. Exaltant l'exemple de Genève et se donnant lui-même en exemple, Jean-Jacques nous invite à croire que dans la corruption générale, il y a une exception pour les petites cités fidèles à leurs principes et pour les esprits courageux qui font sécession. Seuls sont indemnes ceux qui, comme lui et comme la Genève de son rêve, se refusent au vertige où se perdent les grandes nations civilisées. Ce n'est donc pas dans une théorie du progrès, mais par la conscience horrifiée du danger et de la fécondité simultanés de l'existence temporelle, que Rousseau est à son époque le témoin le plus important de la découverte de l'histoire et de la temporalité. L'on ajoutera seulement que la méfiance de sa pensée à l'égard de l'histoire n'a pas empêché qu'elle agisse sur le mouvement de l'histoire.

La conclusion du *Discours* est remarquable à un double titre. D'une part, Rousseau y glisse (un peu subrepticement) sa doctrine de l'égalité civile : il ne réclamera pas l'égalisation et le nivellement des conditions, il souhaite seulement que l'inégalité civile soit proportionnelle à l'inégalité naturelle des talents. D'autre part, en opposant antithétiquement l'image du sauvage et celle de l'homme corrompu, il place le lecteur devant deux impossibilités symétriques : la condition du sauvage ne peut plus être reconquise, et celle du « civilisé » est inacceptable. Le bonheur est derrière nous, mais l'on ne peut rétrograder ; la société actuelle ne nous réserve que des maux, et celui qui en prend conscience ne peut plus jouer le jeu. La figure mythique du sauvage et celle d'une société fondée sur le vrai Contrat servent de caution à la négativité critique, qui a besoin d'opposer à un monde mauvais la figure vraisemblable d'un monde ou d'un homme meilleurs. Et si le retour à la nature est impossible, si la société ne peut être corrigée, la solitude devient complète pour l'esprit clairvoyant. La seule activité qui soit encore possible, nous l'avons vu, c'est l'éducation d'Émile. Mais Émile sera lui-même un étranger parmi les hommes, un sauvage fait pour habiter les villes. Rousseau, significativement, prolonge l'histoire de cette éducation jusqu'au moment où Émile devient à son tour un solitaire comme Jean-Jacques. Entre le souvenir du bonheur perdu de l'enfance et l'adversité imméritée qui s'abat sur lui, il tentera de goûter, à l'imitation du sauvage, une succession d'instants présents. Il aura toutefois le pouvoir de méditer sa résolution et d'en exprimer le projet : or un projet, fût-il celui de vivre dans l'immédiat, c'est le contraire de l'instantanéité dont la conscience primitive avait le privilège. Rien de plus médiatisé que cet immédiat retrouvé, dont Rousseau tentera de se prévaloir à la fin de sa vie. Ce n'est pas le bonheur spontané, c'est le dédommagement réfléchi du malheur. L'existence naturelle est le modèle lointain vers lequel se tourne l'homme de la réflexion malheureuse. Rousseau ne peut pas ignorer qu'en *disant* le bonheur de l'existence naturelle, la parole attente au silence de l'existence naturelle et devient aussitôt ce qui nous en sépare. Le positif pur, l'existence naturelle, ne sont plus à notre portée : ils n'ont été évoqués que pour nous être aussitôt dérobés. Reste la négativité, le refus du monde contemporain : le refus que la conscience révoltée oppose à une société qui a trahi tout ensemble la loi naturelle et l'idéal civil.

ROUSSEAU ET L'ORIGINE DES LANGUES *

La réflexion sur le langage occupe chez Rousseau une place considérable. D'une part, la théorie du langage fait partie intégrante des écrits de doctrine, qu'il s'agisse des ouvrages qui concernent l'histoire de la société, ou de ceux qui intéressent l'éducation de l'homme moderne ; d'autre part, le problème de la communication, le choix des moyens d'expression préoccupe en Rousseau le musicien, l'artiste, le romancier et, au suprême degré, l'autobiographe. Rousseau a été le premier à conférer une importance pathétique à la théorie de la relation entre personnes humaines : nous n'avons donc pas lieu de nous étonner devant l'insistance avec laquelle il fait de la parole le thème de son propre discours. À bien des égards, nous tenons ici l'un des éléments qui assurent la cohésion interne d'une œuvre trop souvent accusée de manquer d'unité. Prêtons donc la plus grande attention à la théorie du langage, telle que Rousseau l'a élaborée, et, connaissant l'importance qu'il attribue à l'aspect génétique des institutions, tentons plus précisément de mettre en lumière ce qu'il a pensé de l'origine des langues.

Deux textes nous retiendront : le *Discours sur l'origine de l'inégalité* et l'*Essai sur l'origine des langues.* Textes complémentaires, parfois légèrement dissonants, mais qui proposent au lecteur une même histoire sous une double version : le *Discours sur l'inégalité* insère une histoire du langage à l'intérieur d'une histoire de la société ; inversement, l'*Essai sur l'origine des langues* introduit une histoire de la société à l'intérieur d'une histoire du langage.

* Texte publié dans *Europäische Aufklärung.* Festschrift für Herbert Dieckmann (Munich, W. Fink, 1966).

Pour Rousseau, l'homme n'est pas naturellement sociable, ou, tout au moins, il ne l'est pas dès l'origine. Il est *devenu* sociable, en vertu de sa perfectibilité. Rousseau considère toutefois la perfectibilité comme un apanage inné, comme un don de la nature. L'institution sociale n'est donc pas sans relation avec la nature : elle est la conséquence *différée* d'une disposition *primitive*, dont les effets se sont déployés très lentement, à distance de l'origine, sous l'influence de conditions exceptionnelles qui ont sollicité l'essor des facultés virtuelles. Ces causes favorisantes sont des obstacles externes, devant lesquels l'homme s'est trouvé arrêté accidentellement. Rousseau incrimine des « circonstances » physiques, qui auraient pu aussi bien ne pas survenir, mais qui, une fois présentes, font passer la perfectibilité sommeillante de la puissance à l'acte.

Dans le *Discours*, Rousseau suppose une humanité primitive en lente expansion ; certains individus, sortis de l'habitat tempéré, rencontrent des climats difficiles qui les obligeront à lutter contre la nature environnante. L'intelligence, la technique, l'histoire prennent naissance au contact de l'obstacle, quand l'homme quitte la tiédeur égale de la forêt primitive et se trouve exposé à des « étés brûlants » ou à des « hivers longs et rudes [1] ». Dans l'*Essai sur l'origine des langues*, la même idée se trouve exposée, mais de façon plus énigmatique, à travers le symbole cosmologique de l'inégalité des saisons : « Celui qui voulut que l'homme fût sociable toucha du doigt l'axe du globe et l'inclina sur l'axe de l'univers [2] ». Langage et société sont tellement liés — conformément à la tradition classique et à la doctrine de Hobbes — que si l'on admet que l'homme de non sociable est devenu sociable, il faut également conjecturer que l'homme, de non parlant, est devenu parlant. Car l'homme n'est pas originellement doué de parole. Le langage n'est pas une faculté que l'homme a su exercer d'emblée : c'est une acquisition, mais une acquisition rendue possible par des dispositions présentes dès l'origine et longtemps inexploitées. Entre toutes les créatures, l'homme est le seul qui ait *par nature* le pouvoir de sortir de son état primitif. Au même titre que l'institution sociale, le langage est un effet tardif d'une faculté primitive : il est le résultat d'un essor différé. Naturel dans son origine, il constitue une anti-nature dans ses aboutissements. Le dangereux privilège de l'homme, c'est d'avoir dans sa propre nature la

1. *O. C.*, III, 165.
2. *Essai sur l'origine des langues*, chap. IX. *O. C.*, III (Paris, Furne, 1835), 508.

source des pouvoirs par lesquels il s'opposera à sa nature et à la Nature.

« La parole étant la première institution sociale ne doit sa forme qu'à des causes naturelles [1]. » A longue échéance, l'institution sociale contredira la « loi naturelle » ; mais l'institution sociale est une anti-nature issue de la nature.

LA VOIX DE LA NATURE

La préface du *Discours sur l'inégalité* soulève une question de définition : pour savoir si l'inégalité est conforme à la loi naturelle, il faut d'abord savoir ce qu'est la loi naturelle. La question, aussitôt, se formule comme un problème de langage : comment *parle* la loi naturelle ? Comment est-elle perçue ?

Rousseau insiste d'abord sur un caractère négatif. La loi naturelle n'est pas un énoncé libellé dans la langue de la réflexion philosophique. Pour être écoutée et suivie, elle ne requiert aucun savoir. Elle ne suppose donc aucun langage préalable. Elle ne saurait être une règle convenue, un discours étayé d'arguments. Rousseau récuse l'idée d'une convention, d'un contrat, d'où dépendrait la teneur de la loi naturelle. C'est là pourtant ce que supposent, à tort, la plupart des philosophes, et Rousseau ne manque pas de s'en gausser : « On commence par rechercher les règles dont, pour l'utilité commune, il serait à propos que les hommes convinssent entre eux [2]... » Rousseau congédiera donc les constructions discursives que les philosophes substituent à la véritable loi naturelle sous prétexte de la définir. Il écarte les assertions trop doctes, trop cultivées, de ceux qui voudraient que la loi naturelle parlât comme parle la raison constituée. Rousseau nous invite à chercher en deçà du règne humain de la parole. Certes, il nous donne à lire un « discours », mais c'est pour faire apparaître une *voix* antérieure à tout discours.

Pour que cette *loi* soit naturelle, « il faut qu'elle parle immédiatement par la voix de la nature » [3]. Par définition, la voix de la nature doit parler avant toute parole. Tacite et impérieuse, cette voix nous dicte les mouvements spontanés de l'amour de soi et de la pitié, « principes antérieurs à la raison » [4]. Ne serait-ce pas une métaphore que d'évoquer ici une voix ? Cette dictée, peu s'en faut qu'elle n'équivale à

1. *Essai sur l'origine des langues (E. O. L.). O. C.*, III (Paris, Furne, 1835), 495.
2. *O. C.*, III, 125.
3. *O. C.*, III, 125.
4. *O. C.*, III, 126.

un automatisme, à un instinct, à une « empreinte » marquée une fois pour toutes. Rousseau y voit toutefois autre chose : c'est une injonction qui intéresse l'être moral, qui met au défi une liberté et une faculté de désobéir. « La Nature commande à tout animal, et la bête obéit. L'homme éprouve la même impression, mais il se reconnaît libre d'acquiescer ou de résister »[1]. Si l'homme naturel ne désobéit pas, c'est parce qu'il n'a pas encore pris entière possession de son vouloir propre, et parce qu'il n'a pas encore eu l'occasion d'exercer suffisamment sa liberté. La loi naturelle a donc pour l'homme le caractère ambigu d'un instinct qui perdrait son caractère mécanique pour devenir *intimation* ; avant même que l'homme primitif ne réfléchisse et ne parle, la nature cesse d'être pour lui un simple conditionnement physique : elle n'est plus une « impression » irrésistible, elle se fait langage interne. Il s'agit d'une parole que l'homme écoute parce qu'elle *se parle* en lui : le fait de la percevoir garantit une moralité première qui distingue déjà l'homme de la bête, quand bien même l'homme et la bête apparaîtraient identiques dans leur conduite. L'homme se définit d'abord non parce qu'il parle, mais parce qu'il *écoute*. Pour lui, la voix de la nature est une information qui ne s'inscrit pas directement dans la forme du comportement. Toutefois, cette voix qui n'emprunte aucun signe conventionnel n'a besoin d'aucun « décodage » pour être comprise. La voix de la nature est d'une telle proximité qu'elle paraît se confondre avec l'intimité personnelle. On ne peut donc la comparer à la transmission d'un message, où un énoncé formulé par un « émetteur » (ou destinateur) s'adresserait distinctement à un « récepteur » (ou destinataire). Tant qu'il reste l'homme *de* la nature, c'est en lui-même que l'homme perçoit la voix de la nature. La Nature parle *en lui* puisqu'il est lui-même *dans* la Nature. Le décalage de la liberté est encore virtuel.

Pour l'homme civilisé, cette voix deviendra une voix lointaine, une voix délaissée. Elle lui sera extérieure. Pis encore, il ne saura plus l'entendre et la reconnaître (exception faite des « initiés » que Rousseau mentionne dans ses *Dialogues*[2], et au nombre desquels il se compte). En sortant de la nature, en travaillant contre elle, en interposant le langage dont il est l'inventeur, l'homme se rend sourd à la voix qui lui parlait à l'origine. L'existence morale n'est plus régie par la loi naturelle : il faut énoncer des lois « positives »,

1. *O. C.*, III, 141-142.
2. *O. C.*, I, 668 sq.

des conventions, des contrats. Les discours raisonnés deviennent nécessaires, pour retrouver la voix de la nature à travers une sorte d'archéologie interprétative : il devient nécessaire de suppléer, par une élaboration factice, à la disparition de ces « mouvements immédiats » qui assuraient le respect de la vie d'autrui et la sauvegarde de l'existence personnelle. Les *fins* de la morale restent ce qu'elles étaient, mais ce sont désormais des règles explicites qui doivent les prescrire. Aussi pouvons-nous dire que, dans l'histoire, l'importance acquise progressivement par le langage discursif s'accroît en raison inverse de l'intensité de la voix de la nature : celle-ci s'efface en nous à mesure que le langage articulé se perfectionne. Alors le philosophe, en sa qualité d'*interprète* d'une voix devenue imperceptible aux autres hommes, devient nécessaire à la société. Dans son sentiment actuel, il découvre ce dont les autres hommes ont perdu le souvenir. Le *Discours* philosophique rappelle ce que fut l'autorité qui régnait avant tout discours.

L'HOMME SILENCIEUX

La première partie du *Discours* décrit l'homme naturel. Dénué de langage, cet homme communique à peine avec ses semblables.

Pourtant Rousseau insère dans cette partie du *Discours* un long développement sur la parole et sur le progrès du langage — développement qui appartient logiquement à la seconde partie, où se trouvera exposé le mouvement de l'histoire. Nous avons affaire ici à une curieuse sorte de métathèse. Rousseau anticipe, mais négativement : loin de chercher à faire entrevoir l'essor futur des facultés humaines, il s'applique à énumérer tous les facteurs qui immobilisent la condition de l'homme naturel. S'il évoque la question des langues, c'est pour exposer tout ce qui retient l'homme sauvage dans la situation de l'*infans*, tout ce qui contribue à le priver de parole.

Rousseau recourt ici délibérément au paradoxe. Il est paradoxal, en effet, de décrire sous l'aspect de l'impossibilité la genèse du langage, dont nous savons pourtant qu'elle a bien eu lieu, puisque nous parlons à l'heure qu'il est.

Rousseau est conscient de son procédé. Pour nous faire entendre que l'homme a parlé tard, il accumule de si grandes difficultés qu'il paraît soutenir que l'homme n'a jamais parlé. L'hyperbole est manifeste. Rousseau avance le plus pour prouver le moins. En énumérant les innombrables obstacles qui s'opposent à l'invention des langues, il nous contraint d'admettre à tout le moins une très grande distance, un immense laps de temps entre l'homme primitif et l'homme doué de langage. On pourra dès lors conjecturer que le premier état de nature, loin d'être une simple hypothèse, a duré très longtemps, et que l'homme, avant de parler, a vécu durant des milliers de siècles dans un vagabondage silencieux. Rousseau peut ainsi évoquer « l'espace immense qui dut se trouver entre le pur état de nature et le besoin des langues » [1]. Il peut nous imposer le sentiment de l'écart temporel : « Plus on médite sur ce sujet, plus la distance des pures sensations aux simples connaissances s'agrandit à nos regards [2]. »

Dans la première partie de son *Discours*, Rousseau s'applique à formuler une *anthropologie négative* : l'homme naturel se définit par l'absence de tout ce qui appartient spécifiquement à la condition de l'homme civilisé. La méthode de Rousseau consiste à dépouiller l'homme de tous les attributs « artificiels » dont celui-ci a pu prendre possession au cours de l'histoire. C'est donc par une sorte de « voie négative » qu'il cherche à tracer l'image de l'homme de la nature. Les négations, les formules privatives sont fortement mises en évidence dans la phrase qui récapitule toute la première partie du *Discours* : « Concluons qu'errant dans les forêts, *sans* industrie, *sans* parole, *sans* domicile, *sans* guerre et *sans* liaisons »... [3]. Tout le passage sur l'origine des langues prend place dans ce mouvement négatif : il s'agit moins de retracer l'essor du langage, les diverses étapes de sa formation, que d'en montrer les difficultés et les « embarras ». La considération de ces embarras sert à injecter de la durée — un temps immense — dans l'histoire humaine, au-delà des chronologies admises jusqu'alors. Tandis que pour Condillac l'histoire du langage se développe en quelques générations, Rousseau allègue les *peines inconcevables* de l'invention des langues : il rend ainsi plausible l'étalement de la préhistoire (l'état primitif de l'homme non modifié par le travail et la culture) à travers un temps indéfini. Il s'écoule « *des milliers de siècles* » où l'homme ne connaît ni besoins, ni passions, où il ne possède et ne cherche à transmettre aucune technique [4]. Besoins,

1. *O. C.*, III, 147.
2. *O. C.*, III, 144.
3. *O. C.*, III, 160.
4. Le long développement consacré au problème du langage prend appui sur une expression négative, mise en évidence en fin d'alinéa : *sans se parler* (*O. C.*, III, 146).

passions, techniques eussent pu rendre le langage nécessaire. Mais l'homme naturel n'éprouve pas le *manque* qui est au cœur du besoin et de la passion, et qui l'eût contraint à s'exprimer ; il est oisif, il ne *fait* rien, sans pour autant risquer de périr : il n'a donc pas l'occasion d'acquérir et de transmettre un *savoir-faire*... « *La première [difficulté] qui se présente* », écrit Rousseau, « *est d'imaginer comment les langues purent devenir nécessaires* ». Rousseau, pour mettre en évidence les difficultés, insiste jusqu'au paradoxe sur les problèmes logiques d'antécédence causale (du genre de celui de la poule et de l'œuf) ; il multiplie les cercles vicieux pour accroître notre embarras. Autant de freins qui ralentissent le départ de la « culture » et qui retiennent l'homme au sein de la nature [1].

Ainsi du reproche que Rousseau adresse à Condillac. Celui-ci, dans l'*Essai sur l'origine des connaissances humaines*, avait supposé deux enfants échappés au déluge, et qui auraient été les premiers inventeurs du langage humain. C'est là, objecte Rousseau, « une sorte de société déjà établie » [2]. L'hypothèse de Condillac est récusée pour vice de forme : elle repose sur un *hysteron proteron*. Rousseau, pour sa part, s'efforce de nous enfermer dans l'étau de deux négations qui se réfléchissent l'une l'autre : pour l'homme naturel, il ne peut y avoir de langage parce qu'il n'y a pas de société ; et il n'y a pas de société parce que l'homme est incapable de parler. A supposer qu'il y eût des idiomes improvisés par les mères et leurs enfants, durant la brève période de la dépendance, ce ne seraient tout au plus que des langues individuelles éphémères [3].

Supposons néanmoins les langues nécessaires, — postulat que Rousseau feint de considérer comme gratuit. Les problèmes d'antécédence apparaissent à nouveau, et Rousseau les formule de façon outrancière : « Si les hommes ont eu besoin de la parole pour apprendre à penser, ils ont eu bien plus besoin encore de savoir penser pour trouver l'art de la parole »... D'où il résulte que « la parole paraît avoir été fort nécessaire pour établir l'usage de la parole ». Rousseau « laisse à qui voudra l'entreprendre la discussion de ce difficile problème, lequel a été le plus nécessaire, de la société déjà liée, à l'institution des langues, ou des langues déjà inventées, à l'établissement de la société » [4]. Si Rousseau, à ce moment,

1. *O. C.*, III, 146.
2. *Ibid.*
3. *O. C.*, III, 147 : ... « ce qui multiplie autant les langues qu'il y a d'individus pour les parler ».
4. *O. C.*, III, 151.

laisse le champ libre à l'hypothèse traditionnelle d'une révélation divine de la parole, c'est moins pour accréditer cette idée que pour donner à l'impossiblité une profondeur supplémentaire...

Certes, sur bien des aspects du problème, Rousseau reprend les vues de Condillac, qui les avait lui-même élaborées à partir d'une tradition qui remonte à Platon. Comme Condillac, Rousseau voit le langage naître avec le « cri de la nature », passer par le geste (langage d'action) et aboutir lentement au langage d'institution. Comme Condillac, comme Maupertuis, Rousseau admet que les désignations concrètes et les onomatopées ont précédé les signes abstraits et les termes conventionnels : la communication s'est d'abord effectuée par les *symptômes* immédiats de l'émotion, avant de passer par le truchement d'un système de signes médiateurs. L'originalité de Rousseau apparaît d'une part dans la manière dont il multiplie les oppositions embarrassantes, là où Condillac ménage des transitions aisées[1] ; d'autre part, elle se remarque dans les corrélations et les implications très riches que Rousseau met en évidence. Les sensualistes ne cessent d'évoquer le rôle de l'expérience ; mais, telle qu'ils l'entendent, l'expérience n'est qu'une succession de moments abstraits : Rousseau en revanche temporalise l'expérience, l'étend à travers la durée et en fait une histoire en devenir. De plus, le langage à ses yeux ne se développe pas isolément. Son évolution induit et reflète tout ensemble les autres transformations de l'homme et de la société. Ainsi l'on s'aperçoit que pour Rousseau l'évolution du langage

1. Pour Condillac, par exemple, le problème de la pensée et du langage ne pose pas une embarrassante question de priorité ; Condillac insiste au contraire sur les influences réciproques : « L'usage des signes étendit peu à peu l'exercice des opérations de l'âme ; et à leur tour celles-ci, ayant plus d'exercice, perfectionnèrent les signes et en rendirent l'usage plus familier »(*Essai sur l'origine des connaissances humaines*, deuxième partie, section première, chap. I, § 4). De même, d'étape en étape, Condillac suggère des transitions progressives par voie d'association, entre le silence et le cri de la nature, entre le cri de la nature et le langage d'action, entre le langage d'action et les signes institués. Autant de paliers dont Rousseau fera des intervalles insurmontables. Pour mieux nous convaincre, il oppose abruptement la condition muette de l'homme qui n'a aucun besoin du langage, et l'état évolué qui paraît résulter d'une *convention linguistique* où certains sons de la voix correspondent arbitrairement à certaines idées. L'établissement d'un pareil « contrat » linguistique suppose un langage préalable, et ce langage, pour s'établir, appelle un autre langage, etc.

Toute « convention » exacte implique une langue antécédente définissant l'idée et le rapport du signe à l'idée. Nous voici au rouet. Mais — puisque *nous parlons* et que le langage est un *fait* — il faudra bien que Rousseau concède, à un autre moment, ce qu'il commence par refuser pour donner plus de poids à son argumentation.

n'est pas séparable de l'histoire du désir et de la sexualité, elle se confond avec les étapes de la socialisation ; elle entretient des rapports étroits avec les divers modes de subsistance et de production.

LA VAINE PAROLE

Rousseau marque avec netteté le point de départ et le point culminant de l'histoire du langage. D'une part, l'origine silencieuse ; d'autre part la fonction politique : « persuader des hommes assemblés »[1], solliciter leur commun consentement, « influer sur la société »[2]. La société du *Contrat* requiert le langage dans sa force la plus éloquente. Mais dès le moment où il pose ses repères, Rousseau nous incite à considérer la *perversion* possible de la parole, qui l'empêchera d'atteindre son apogée éloquente, ou qui, après une période de plénitude, l'entraînera dans la voie de la déchéance. Le langage dégénère, se corrompt, devient discours abusif, arme empoisonnée : l'homme, simultanément, s'égare, se comporte en trompeur et en méchant. De même que la naissance de la société correspond à l'émergence du langage, le déclin social correspond à une dépravation linguistique. Le risque d'un abus de la parole est constamment présent à l'esprit de Rousseau. Le *langage trompeur* est l'un des éléments principaux du fond obscur que Rousseau croit percevoir derrière chacun des abus du moment présent. La « présente constitution des choses » s'inscrit sur un fond ténébreux, et la tâche de l'histoire est de nous dire comment celui-ci a supplanté la lumière du monde naturel.

Les procédés littéraires de Rousseau, dans le *Discours sur l'inégalité*, sont particulièrement révélateurs. La seconde partie du discours — où nous verrons l'homme sortir de l'état de nature, quitter l'oisiveté, perdre l'égalité, s'élever au langage, s'engager dans les voies funestes de l'amour-propre, etc. — débute par l'irruption d'une parole qui est revendication possessive : « Le premier qui, ayant enclos un terrain, s'avisa de dire, *ceci est à moi* »[3]... (Rousseau recourt ici aux effets de la prosopopée ; il rapporte la parole supposée

1. *O. C.*, III, 148.
2. *O. C.*, III, 151.
3. *O. C.*, III, 164.

d'un personnage fictif.) Le premier homme parlant représenté par Rousseau est celui qui profère une *parole néfaste.* Rousseau lui oppose le discours possible d'un contradicteur qui, en fait, n'a pas osé prendre la parole. Une riposte, une résistance, un contre-discours auraient dû intervenir, mais n'ont pas eu lieu [1]. La situation se caractérise par le triomphe injuste de l'usurpateur, qui berne des « gens assez simples pour le croire ». Il en ira de même pour la proposition de contrat abusif que Rousseau mettra dans la bouche du Riche : le trompeur s'adresse à des « hommes faciles à séduire » [2]. La parole rusée exerce une violence dissimulée. Nous voyons ici le langage mis en œuvre dans sa fonction sociale, mais pour instituer la mauvaise socialisation, la société de l'inégalité.

D'ailleurs, à regarder de près tous les passages de la seconde partie du *Discours* où Rousseau met en scène des personnages qu'il fait parler, nous constatons que, dans leur grande majorité, ces passages apportent l'exemple d'un emploi pernicieux du langage : dissimulation, mensonge, bavardage... La parole est utilisée en vue d'un avantage inique, en vue du mal, ou en pure perte [3]. Avec quelle ironie Rousseau n'évoque-t-il pas les paroles du Prince qui s'adresse « au plus petit des hommes » pour lui dire : « Sois grand, toi et toute ta race! » La parole est ici imposture ; elle est mise au service des apparences illusoires. Par la vertu de la parole anoblissante du Prince, celui qu'il a désigné paraît aussitôt « grand à tout le monde, ainsi qu'à ses propres yeux » [4]. Parmi les maux de la société présente, Rousseau insistera sur la futile rumeur des hommes soucieux de « faire parler de soi » [5] ; sur la vaine parole, sans contrevaleur de réalité, qui est le véhicule de l'opinion et qui fait le malheur de l'homme civilisé. Un mal inéluctable pervertit la société et fait du langage cultivé l'agent infectant d'une duperie universelle. Nul alors (excepté par miracle Jean-Jacques Rousseau) ne peut rester indemne. Mensonge, fiction, illusion forment le milieu même où évoluent les sociétés policées. Brillante comme l'or, la parole, devenue elle aussi monnaie d'échange, rend l'homme étranger à lui-même.

1. « Que de crimes, de guerres, de meurtres, que de misères et d'horreurs, n'eût point épargnés au genre humain celui qui arrachant les pieux ou comblant le fossé, eût crié à ses semblables : Gardez-vous d'écouter cet imposteur »... (*Ibid.*)
2. *O. C.*, III, 177
3. Seules exceptions, les deux fortes paroles de Pline et de Brasidas (*O. C.*, III, 181. Mais ce sont des sentences, des *auctoritates* empruntées au dehors
4. *O. C.*, III, 188.
5. *O. C.*, III, 189

LE LANGAGE ÉLÉMENTAIRE ET LE LANGAGE PERFECTIONNÉ

Tel est le « fond » que laisse pressentir Rousseau : il y a, selon lui, une fin du langage comme il y a une fin de l'histoire, et toutes deux sont désastreuses. Les puissances du devenir sont des puissances corruptrices. Nous y reviendrons, l'histoire du langage, selon Rousseau, part, d'un *premier* silence pour aboutir à une vaine rumeur qui équivaut à un *dernier* silence.

Dans le début de ce que Rousseau nomme le « *second état de nature* » (et qui est le laps immense interposé entre le « *premier état de nature* » et l'institution de la société), les hommes rencontrent les premiers obstacles, ils s'entraident occasionnellement ; ils en arrivent à constituer des « *hordes* ». La langue de la horde est celle du *besoin* matériel : c'est le langage de l'appel à l aide. Il comporte un premier surgissement : le « cri de la nature », qui est encore inarticulé. Il est surtout *langage d'action*, composé de gestes indicatifs ou imitatifs · le langage vocal se développe pour se faire onomatopée (qui est la forme vocale du langage d'action) ; à quoi s'ajoutent de rares « articulations » et de rares éléments conventionnels. Cette langue est évidemment « grossière et imparfaite ». Elle est néanmoins une langue *universelle*..

Son universalité est le dernier écho de l'universalité de la « voix de la Nature ». En effet, dictée par une cause physique, elle est parlée de la même façon par tous les hommes — par l'universalité des hommes. Mais cette langue est dépourvue de moyens logiques ; elle ne contient pas de fonctions grammaticales distinctes ; elle ne se prête pas à l'abstraction : « *Ils donnèrent d'abord à chaque mot le sens d'une proposition entière* [1] ». Riche en désignations concrètes, ne possédant guère que des noms propres et des infinitifs, elle vise le particulier : l'objet nommé n'y est pas évoqué sous l'aspect de ses qualités universalisables, mais au contraire dans son individualité fugace, dans son « eccéité ». Ainsi l'universalité de la langue primitive reste en deçà du concept : elle intéresse les sujets parlants, non les objets signifiés. La langue primitive, commune à tous les hommes, est la possibilité *universellement répandue* de désigner le particulier par des moyens à peu près similaires. Il faut alors ajouter que le bénéfice

1 *O C*, III, 149

de cette universalité échappe sans cesse, puisque, à ce stade, les hommes ne se sont pas encore mutuellement reconnus et n'ont contracté que des formes très lâches d'association. Capables en principe de se comprendre en tous lieux par les mêmes moyens, les hommes sont encore très proches de leur état de dispersion originelle.

A ce stade, Rousseau en convient, la langue primitive n'est qu'un « mauvais instrument » ; mais il lui attribue une haute valeur expressive. Tandis qu'elle désigne imparfaitement les qualités universalisables du *signifié*, elle renvoie très fidèlement au sujet parlant et à ses émotions. En instaurant le rapport d'une conscience singulière et d'un objet singulier, elle parle pauvrement de l'objet, mais elle exprime fortement la présence de l'individu ; s'il est permis de forger un terme qui manque dans le vocabulaire de la linguistique (où il est question de *signifiant* et de *signifié*), nous dirions que la langue primitive est celle où prédomine l'existence du *signifieur* [1], — qu'elle est une *parole* qui anticipe la formation du système des conventions de la *langue*. D'une façon instantanément évidente, elle est capable d'indiquer la détresse ou le besoin qu'éprouve le sujet.

Une mutation importante affectera le langage quand l'humanité passera du stade de la horde à celui de la famille, — du nomadisme à la sédentarité. Les efforts conjugués concourent à mieux assurer la subsistance ; de petits groupes sociaux se constituent, où les relations deviennent plus étroites: l'empire du besoin (qui s'exprimait par une langue à prédominance gestuelle) peut céder la place à celui du désir et de la passion (qui se manifestera par les inflexions mélodieuses du langage articulé). Les familles une fois rassemblées (s'assembler, c'est, au sens latin, convenir, participer à une convention), les éléments conventionnels du discours vont se développer, se fixer et se stabiliser. Ainsi se formeront des idiomes particuliers. Rousseau, pour donner les raisons de la multiplicité des langues [2], allègue des causes physiques (catastrophes naturelles, tremblements de terre, inondations, climats arides), qui ont isolé certains groupes humains dans des îles, dans des vallées, autour des points d'eau. Ce qui doit nous retenir, dans les conjectures de Rousseau, c'est la manière dont la notion de *séparation* s'y trouve traitée. L'humanité primitive est d'abord une population éparse, composée d'individus solitaires, tous égaux : elle est caractérisée par

1. Terme que nous préférons ici à *émetteur*, *locuteur*, ou *destinateur*.
2. Problème fort ancien, dont l'histoire d'ensemble a été retracée par Arno Borst dans *Der Turmbau von Babel*, Stuttgart, 1957-1962, 6 vol.

une parfaite homogénéité dans la dispersion, et nous savons que la « voix de la Nature », puis le « cri de la Nature » et même le langage d'action, sont encore des langues universelles. Quittant la vie solitaire des commencements, les hommes se rapprochent les uns des autres, mais pour constituer des groupes *différents*, pour lesquels l'entente accrue au niveau *interne* se paiera par la perte de la ressemblance universelle qui caractérisait l'état de nature. Ayant développé leurs idiomes propres, leurs particularités culturelles, les groupes sont plus étrangers les uns aux autres que ne l'étaient entre eux les individus solitaires du commencement. La plus grande cohérence interne est contrebalancée par la séparation et bientôt par la rivalité belliqueuse entre tribus (ou nations). Tout se passe comme si, aux yeux de Rousseau, un certain *coefficient de séparation* tendait à demeurer constant. La socialisation, qui réduit la séparation dans un sens, ne peut éviter de la produire et de l'accroître dans un autre sens.

Tournant son attention vers la société « moderne », Rousseau n'y voit plus l'homme démuni du commencement, celui dont le langage était appel à l'aide : l'homme démuni est devenu l'homme habile qui subjugue et qui trompe. La séparation physique des premiers temps est devenue séparation morale, inégalité, « aliénation ».

Les hommes qu'une même langue cultivée paraît réunir dans Paris sont en fait des étrangers les uns pour les autres ; le pouvoir spontané de la sympathie et de la pitié s'est affaibli à l'extrême. C'est à peine si le peuple en préserve quelque trace. Les hommes ont beau pratiquer et écrire la même langue, ils n'en sont pas plus proches pour autant les uns des autres. Toutefois ce langage, incapable d'assurer une *communion* par l'expression, est devenu un moyen d'*action* remarquablement efficace. S'il ne permet pas aux individus de se rejoindre dans la présence partagée du sentiment, il est un outil d'une redoutable précision : il désigne médiatement l'universel abstrait. Certes, il lui resterait encore des progrès à accomplir pour satisfaire pleinement aux exigences de la logique. Mais d'ores et déjà il permet de formuler un nombre considérable d'idées générales. Nous voyons ainsi les qualités instrumentales l'emporter sur les valeurs expressives du langage. La parole ne renvoie plus à la vérité du sujet ; bien au contraire, elle entraîne celui-ci hors de lui-même pour le vouer à l'impersonnalité du concept. Dans l'écriture [1], qui caractérise nos sociétés, la parole ne fait plus corps avec la

1. *E. O. L.*, chap. v.

personne : le langage est devenu un produit étranger, il s'est détaché de l'être vivant. Simultanément, les hommes se sont rendus incapables d'éprouver de vraies passions, et le langage a perdu le pouvoir de les exprimer.

L'*Essai sur l'origine des langues*, comme le *Discours sur l'inégalité*, s'achève sur l'évocation d'un désastre final : le monde civilisé est envahi par la vaine parole, par la jactance, par le bavardage. Les idiomes contemporains, si fins et si déliés, ne servent plus à faire passer aucun contenu passionné et vivant. Le français est pour Rousseau une langue exténuée, dénuée de tout véritable accent, et rendue pour ainsi dire inaudible :

> [Nos langues] sont faites pour le bourdonnement des divans. Nos prédicateurs se tourmentent, se mettent en sueur dans les temples, sans qu'on sache rien de ce qu'ils ont dit [1].

Un maléfice envahit la voix, étouffe et paralyse la relation vécue. Dans les sociétés civilisées, le sujet est comme expulsé de la parole ; l'on y voit circuler en revanche un discours impersonnel, efficace *in absentia* : c'est l'expression de l'autorité tyrannique, laquelle commande sans appel :

> Les sociétés ont pris leur dernière forme : on n'y change plus rien qu'avec du canon et des écus ; et comme on n'a plus rien à dire au peuple, sinon, *donnez de l'argent*, on le dit avec des placards au coin des rues, ou des soldats dans les maisons. Il ne faut assembler personne pour cela ; au contraire, il faut tenir les sujets épars [2].

Ainsi la communication humaine est supplantée par les intimations de la violence arbitraire. Argent, placards et canons réduisent l'âme au silence. Ce qui s'échange, sous la contrainte, n'est plus que signe abstrait. De même que l'histoire humaine, telle que la retrace le *Discours sur l'inégalité*, débouche sur le désordre d'un « nouvel état de nature », « fruit d'un excès de corruption » [3], elle s'achève, dans l'*Essai sur l'origine des langues*, par un nouveau silence. La dispersion primitive de l'humanité se répète : « Il faut tenir les sujets épars »... Le sauvage ne connaissait que des instants (qui étaient des instants oisifs) ; les Parisiens eux aussi vivent dans une succession d'instants fugitifs (qui sont, cette fois, des instants affairés). La fin de l'histoire est la répétition parodique de son commencement. L'homme sauvage « se

1. *E. O. L.*, chap. XX.
2. *Ibid.*
3. *O. C.*, III, 191.

livre au seul sentiment de son existence actuelle »[1] ; les Français que Rousseau rencontre à Paris « ont le sentiment qu'ils vous témoignent ; mais ce sentiment s'en va comme il est venu. En vous parlant ils sont pleins de vous ; ne vous voient-ils plus, ils vous oublient. Rien n'est permanent dans leur cœur : tout est chez eux l'œuvre du moment »[2]. Pour l'histoire du langage comme pour celle de la société, il y a un « point extrême qui ferme le cercle et touche au point d'où nous sommes partis »[3].

LE BONHEUR A MI-CHEMIN

Nous avons évoqué les termes extrêmes et antithétiques : la langue qui privilégie le sujet, et celle qui privilégie les aspects universels de l'objet. Mais entre la langue grossière de la horde et la langue exténuée des civilisés, il y a celle du début de l'âge sédentaire, celle qui fut inventée par la société patriarcale. Nous avons déjà brièvement évoqué cette phase : il nous faut y revenir, car elle représente, dans l'histoire du langage comme dans tous les autres domaines, un point d'équidistance, d'équilibre et de bonheur. Dans le *Discours sur l'inégalité*, cette époque apparaît comme un âge d'or. C'est la « véritable jeunesse du monde »[4] ; c'est une île claire aperçue derrière nous dans le cours tragique de l'histoire. En d'autres continents, ou sur des îles enchantées, les explorateurs européens ont trouvé des peuples sauvages pour qui ce bonheur a été préservé.

La description de l'âge patriarcal, chez Rousseau, est l'un des plus beaux exemples de la coordination étroite qu'il fait intervenir entre l'évolution de la langue et le développement de la société. Rousseau en a la conviction : chaque moment de l'histoire sociale a le langage qui lui convient : « Les langues se forment naturellement sur les besoins des hommes, elles changent et s'altèrent selon les changements de ces mêmes besoins[5]. »

Nous le rappelions tout à l'heure, la sédentarisation correspond à une première victoire sur l'empire de la nécessité matérielle. Le travail en commun, le labeur partagé permettent de répondre aux exigences du besoin. Mieux assurés

1. *O. C.*, III, 144.
2. *Confessions*, liv. IV. *O. C.*, I, 160.
3. *O. C.*, III, 191.
4. *O. C.*, III, 171.
5. *E. O. L.*, chap. xx.

de subsister, les hommes connaissent l'alternance du travail et du loisir. Ils deviennent disponibles pour l'essor des passions. Rapprochés par la vie commune, ils se comparent, ils se préfèrent : les mouvements de la vanité ont plus d'occasions de naître et de se développer. Dans une situation exactement intermédiaire entre l'état de nature et l'état civil, les grandes familles patriarcales découvrent l'univers ambigu de la relation affective. Chacun est présent à autrui dans l'amour ou la rivalité. Moment important pour l'histoire de la sexualité : cette époque se trouve en effet à mi-distance entre deux âges de *dispersion* amoureuse. L'homme primitif n'avait qu'une sexualité instinctive, vagabonde, non passionnelle ; les civilisés ne connaîtront que la dissipation vaniteuse, la frivolité, la promiscuité sans conséquence. Encore une fois, la fin de l'histoire parodie son commencement : les amours volages des hommes « cultivés » sont analogues aux contacts fugitifs qui rapprochaient le mâle et la femelle dans la forêt primitive. De même que l'histoire, pour le langage, va d'un premier à un dernier silence, elle va, pour la sexualité, d'une première à une dernière facilité amoureuse. Dans l'intervalle, cependant, se situe un moment de plénitude, qui est à la fois plénitude du langage et plénitude du sentiment. L'amour n'y est plus libre : la prohibition de l'inceste est intervenue [1]. Le langage, lui aussi, est désormais *lié* par des conventions. Mais ces chaînes sont encore celles du bonheur. Et ces mêmes chaînes se manifestent comme l'enchaînement par lequel l'homme, sortant de la succession discontinue des instants qui caractérisait l'existence primitive, prend possession de la durée. Le langage, porté par ce mouvement, va devenir modulation enchaînée, *discours*...

Pour manifester adéquatement les besoins, le geste suffisait ; maintenant que le sentiment s'empare de l'âme, il faut faire appel aux inflexions et aux accents de la voix. L'instantanéité de la gesticulation suffit à qui veut indiquer sa faim ou sa soif ; mais pour capter l'intérêt amoureux, pour « émouvoir le cœur et enflammer les passions », il faut enchaîner des sons selon le cours d'un temps que la parole invente.

> L'impression *successive* du discours, qui frappe à coups redoublés, vous donne bien une autre émotion que la présence de l'objet même, où d'un coup d'œil vous avez tout vu. Supposez une situation de douleur parfaitement connue ; en voyant la personne affligée vous serez difficile-

1. *E. O. L.*, chap. IX. *Différer* l'assouvissement du désir, c'est entrer dans le règne de la *différence* et de l'inégalité. L'ordre social, veut que l'homme *diffère*, à la fois par le renoncement à l'immédiat, et par l'acceptation du rôle *différencié* que la loi attribue à chacun.

ment ému jusqu'à pleurer : mais laissez-lui *le temps* de vous dire tout ce qu'elle sent, et bientôt vous allez fondre en larmes. Ce n'est qu'ainsi que les scènes de tragédie font leur effet. La seule pantomime sans discours vous laissera presque tranquille ; le discours sans geste vous arrachera des pleurs. Les passions ont leurs gestes, mais elles ont aussi leurs accents [1].

Rousseau, on le voit, est loin d'ignorer les pouvoirs du geste ; il lui arrivera même de préférer le geste à la parole. Mais il reconnaît parfaitement la différence spécifique, d'ordre temporel, qui caractérise la parole. En quoi il anticipe les remarques de Ferdinand de Saussure : « Que les éléments qui forment un mot se *suivent*, c'est là une vérité qu'il vaudrait mieux ne pas considérer, en linguistique, comme une chose sans intérêt parce qu'évidente, mais qui donne d'avance au contraire le principe central de toute réflexion utile sur les mots [2] ».

Pour l'homme du premier état de nature, qui vivait dans l'immédiateté, l'absence de langage correspondait à l'absence d'une conscience de la durée. L'homme de la horde, à peine sorti de la sauvagerie primitive, n'effectue que des efforts discontinus ; son langage, où prédomine le geste d'appel à l'aide, ne prend pas encore possession du temps. Aussi n'est-ce pas vraiment une langue... L'éveil de l'homme à la conscience du temps coïncide avec l'éclosion du langage vocal (discours qui se développe dans le cours d'une durée liée), avec le choix d'une demeure permanente (la sédentarité supposant le choix d'un *lieu durable*), avec la prolongation des rapports affectifs (le couple, d'instantané qu'il était, s'astreignant à la fidélité et devenant la famille), enfin avec la continuité du travail destiné à accumuler la subsistance. L'homme entre dans le souci de la prévoyance. Le futur, qui jusqu'alors ne lui était pas apparu, l'inquiète par ses risques voilés. Incapable désormais de se contenir dans le pur instant, l'homme maintenant *s'approvisionne.* Les symboles du langage conventionnel s'emparent du temps et l'organisent. Eux aussi, ils sont approvisionnement. Ils sont les témoins d'un travail révolu et les agents d'une anticipation active.

Les premières langues sont dominées par le rythme et l'accent. Elles ne sont pas l'œuvre du besoin matériel, le produit de la raison travailleuse ; elles sont liées à l'impulsion du sentiment et à l'essor du désir. Rousseau ne les fait pas naître

1. *E. O. L.*, chap. I.
2. Cf. Jean Starobinski, « Les anagrammes de Ferdinand de Saussure », in *Mercure de France*, février 1964, 254.

au cours de l'activité productive, mais dans les moments de loisir et de dépense qui interrompent la vie active. L'originalité de Rousseau, comme l'a bien souligné Édouard Claparède [1], c'est de faire surgir le langage d'une source tout affective. Dans le suspens du travail (d'un travail qui n'est pas encore servitude), des fêtes s'improvisent. Le rythme et l'accent des premières langues sont inséparables d'une exaltation du corps :

Dans cet âge heureux où rien ne marquait les heures, rien n'obligeait à les compter, le temps n'avait d'autre mesure que l'amusement et l'ennui. Sous de vieux chênes, vainqueurs des ans, une ardente jeunesse oubliait par degrés sa férocité : on s'apprivoisait peu à peu les uns avec les autres ; en s'efforçant de se faire entendre, on apprit à s'expliquer. Là se firent les premières fêtes ; les pieds bondissaient de joie, le geste empressé ne suffisait plus, la voix l'accompagnait d'accents passionnés ; le plaisir et le désir, confondus ensemble, se faisaient sentir à la fois : là fut enfin le vrai berceau des peuples ; et du pur cristal des fontaines sortirent les premiers feux de l'amour [2].

A ce stade, la musique n'est pas « un art entièrement séparé de la parole ». Le langage associe étroitement, à son origine, accent, mélodie, poésie :

Comme les premiers motifs qui firent parler l'homme furent des passions, ses premières expressions furent des tropes. Le langage figuré fut le premier à naître ; le sens propre fut trouvé le dernier [3].

Les premières langues furent chantantes et passionnées avant d'être simples et méthodiques [4].

Afin de privilégier les langues primitives et les langues du Sud, Rousseau va s'ingénier à opposer les articulations (consonnes) et les accents (qui intéressent les sons vocaliques et les rythmes). La richesse en articulations appartient, selon lui, aux langues du Nord, qui sont les langues du besoin et du raisonnement. La passion, elle, recourt à l'inflexion mélodique et à l'accent. « L'on chanterait au lieu de parler [5]. » Le premier mot, alors, n'est pas *aidez-moi*, mais *aimez-moi* [6].

Certes, avant Rousseau, d'autres avaient affirmé la nature poétique des premières langues. Rousseau s'appuie expressé-

1. Édouard Claparède, « Rousseau et l'origine du langage », in *Annales de la Société Jean-Jacques Rousseau*, XXIV, 95-119.
2. *E. O. L.*, chap. IX.
3. *E. O. L.*, chap. III.
4. *E. O. L.*, chap. II. Voir également, dans le *Dictionnaire de Musique*, les articles *Musique, Accent, Mélodie.*
5. *E. O. L.*, chap. IV.
6. *E. O. L.*, chap. X.

ment sur l'autorité de Strabon. Il avait été précédé par Vico, par l'abbé Fleury, par Warburton, par Blackwell. Ici, une fois de plus, l'originalité de Rousseau ne consiste pas dans une affirmation isolée, mais dans la série des corrélations qu'il entrevoit ou qu'il rend manifestes.

Bien que la fête où s'épanouit le langage intervienne lors d'un suspens du travail, la parole qui s'y invente correspond étroitement à une situation technologique équilibrée. Avant l'apparition de la métallurgie et de l'agriculture, les hommes possèdent un équipement sommaire, qui n'exige encore aucune division du travail. Ils utilisent certes des instruments, mais ils ne sont pas encore « aliénés » par les conséquences de l'activité instrumentale : ils ne sont pas encore les esclaves de leurs *moyens*. Si l'inégalité s'est déjà insinuée dans cette société ébauchée, elle n'est ni économique (il n'y a riches ni pauvres), ni, à plus forte raison, politique (il n'y a pas de privilégiés ni d'opprimés). L'inégalité n'est encore qu'un premier déploiement de l'inégalité naturelle : on voit intervenir des préférences dues à la beauté. L'homme commence à prendre la funeste habitude de se comparer, mais il reste encore présent à lui-même et à autrui.

Le langage établit la relation entre les personnes. Les instruments instaurent une relation entre l'homme et la nature. On ne s'étonnera pas que le *style* de la relation soit le même dans les deux cas. L'homme de la société patriarcale a pris ses distances avec la nature, il s'est rapproché de l'homme, il est sorti de son premier mutisme, il ne s'en tient plus au cri instantané. Mais son langage, musical et poétique, n'est pas encore un agent de division. Il autorise la communication expressive du sentiment et la pleine compréhension réciproque. Bien qu'un tel langage permette déjà le déploiement des talents (et l'amplification de l'inégalité fondée sur les dispositions naturelles), bien que l'essor du langage rende déjà possible tout un jeu d'illusion et de prestige, la parole humaine n'est pas encore génératrice d'absence : elle reste au service de la présence. Le sujet n'est pas encore victime des moyens (des « médiations ») qu'il a développés, et qui, cessant de servir d'intermédiaires à la communication, font écran, s'interposent, jettent un voile entre les hommes civilisés. Dans la danse et le chant de la fête patriarcale, le langage reste inhérent au corps même du sujet passionné ; non seulement c'est un signe qui renvoie à la personne (au « signifieur »), mais c'est encore un geste qui adhère à lui, une conduite concrète. Nous sommes amenés à cette constatation importante : le langage patriarcal préserve le souvenir et le pouvoir des onomatopées archaïques, il a encore le don de persuasion immédiate du *cri de la nature*. Mais déjà il est autre chose en plus : il est capable de désigner, hors du sujet parlant, l'existence indépendante d'une réalité pensée... Quoique déjetés par l'histoire hors de l'immédiateté première, les hommes disposent d'un instrument (d'une médiation) capable de restituer l'immédiateté. Dans la parole chantante, le sujet se communique sans se quitter. Il sort de lui-même pour s'offrir à autrui dans la parole ; et il revient à lui-même dans la présence affective constante qui anime sa parole. Oui, nous avons dépassé le cri brutal des origines (sans articulation ni inflexion), mais nous sommes en revanche très éloignés du langage impersonnel de l'homme civilisé, langage qui s'absorbe dans la généralité du signifié, qui déserte le sujet parlant, langage tout entier entraîné par sa fonction instrumentale et ses fins extérieures, langage sans personne.

L'ÉLOQUENCE ET LES SIGNES

Tel est l'idéal linguistique qui correspond au bonheur de la « société ébauchée ». Seulement l'homme ne peut rétrograder. L'âge d'or où parole, musique, danse, poésie étaient confondues ne peut nous être rendu. Après avoir évoqué le surgissement de la première parole modulée, l'*Essai sur l'origine des langues* n'est plus que l'histoire d'une progressive et irréversible séparation. La parole ira perdant sa force, son accent et ses inflexions, elle deviendra logique, froide et monotone ; la musique, de son côté, ira son chemin, et la mélodie, expression de l'âme, verra sa suprématie menacée par les virtuosités harmoniques des musiciens modernes. Quant à la poésie, confiée à l'écriture, elle perdra le pouvoir souverain qui la caractérisait chez Homère et dans les grandes œuvres de la tradition orale. Tout l'apport du progrès n'est que l'envers d'une perte essentielle.

Tandis que la langue musicale et chantante correspond à l'âge d'or de la société ébauchée, il est une autre langue qui correspond à la société du Contrat : c'est l'*éloquence*, acte de présence du citoyen à la délibération commune. Ici encore, nous voyons une structure de la parole s'ajuster à un modèle social. Le grand style oratoire ne se laisse pas dissocier de l'idéal civique.

Mais la société du Contrat n'est pas une société révolue, comme l'est pour nous celle de l'âge patriarcal. Elle ne pose pas un problème d'origine historique, mais un problème de fondement idéal : c'est une société *possible*, dont le modèle intemporel plane, pour ainsi dire, au-dessus des sociétés réelles. Ce modèle n'a trouvé nulle part encore sa parfaite application : il définit une norme, et non pas un état de fait. La corruption des sociétés réelles peut ainsi s'évaluer par l'ampleur de l'écart qui les sépare de cette norme. Les grands États modernes, livrés au despotisme, n'offrent aucun terme d'équivalence avec la norme : ils lui sont entièrement infidèles. En revanche, pour la Genève ancestrale ou pour la Rome républicaine, l'écart est à son degré le plus limité, la coïncidence avec la norme a presque été réalisée. Aussi Rousseau peut-il s'en réclamer [1].

S'il existe une éloquence idéale, dans laquelle la norme de la vie politique s'énonce et se vit, il existe aussi une éloquence désespérée, une éloquence dénonciatrice, dans laquelle la pensée déplore l'oubli de la norme et met en évidence les causes et les effets de cet oubli. En écrivant le *Contrat*, Rousseau adopte le ton de l'éloquence légiférante. Dans les deux *Discours*, dans l'*Émile*, Rousseau recourra au pathos de l'indignation accusatrice : il rappellera la loi oubliée, il exposera les conséquences fatales de cette infidélité.

De même que la langue patriarcale, plus évoluée que la langue archaïque, reprenait et intégrait dans son *discours lié* les gestes et les cris instantanés du langage antérieur, de même l'éloquence de la société idéale reprend et intègre à la fois les gestes de la langue primitive et les valeurs mélodiques de la langue patriarcale. Le geste, le signe spectaculaire font partie de la véritable éloquence. Dans l'*Essai sur l'origine des langues*, Rousseau nous avait dit que la parole (qui se déroule dans le temps) éveille l'émotion mieux que « la présence de l'objet même ». Dans l'*Émile*, tout au contraire, Rousseau paraît donner la préférence à l'objet visible :

> Une des erreurs de notre âge est d'employer la raison trop nue, comme si les hommes n'étaient qu'esprit. En négligeant la langue des signes qui parlent à l'imagination l'on a perdu le plus énergique des langages. L'impression de la parole est toujours faible et l'on parle au cœur par les yeux bien mieux que par les oreilles. En voulant tout donner au raisonnement nous avons réduit en mots nos préceptes, nous n'avons rien mis dans les actions [...]
>
> J'observe que dans les siècles modernes les hommes n'ont plus de prise les uns sur les autres que par la force et par l'intérêt, au lieu que les anciens agissaient beaucoup plus par la persuasion, par les affections de l'âme, parce qu'ils ne négligeaient pas la langue des signes [...]

1. C'est au cinquième livre de l'*Émile* que Rousseau s'explique le plus clairement sur le rapport entre l'idéal du *Contrat* et les sociétés réelles.

Que d'attention chez les Romains à la langue des signes! Des vêtements divers selon les âges, selon les conditions ; des toges, des saies, des prétextes, des bulles, des laticlaves, des chaires, des licteurs, des faisceaux, des haches, des couronnes d'or, d'herbes, de feuilles, des ovations, des triomphes ; tout chez eux était appareil, représentation, cérémonie, et tout faisait impression sur les cœurs des citoyens [...] Les guerriers ne vantaient pas leurs exploits, ils montraient leurs blessures. A la mort de César j'imagine un de nos orateurs voulant émouvoir le peuple épuiser tous les lieux communs de l'art pour faire une pathétique description de ses plaies, de son sang, de son cadavre ; Antoine quoique éloquent ne dit point tout cela ; il fait apporter le corps. Quelle rhétorique [1] !

Rousseau, en fait, ne se contredit pas. Dans l'*Essai sur l'origine des langues*, il nous dit que le pouvoir expressif s'accroît quand le geste isolé *se dépasse* pour devenir discours lié ; dans le texte que nous venons de citer, il nous dit toute l'efficacité du discours qui sait *revenir* au geste et qui se souvient du prestige fascinant de l'objet présenté (ou représenté). Dans les deux cas, l'intention expressive est en quête d'une énergie supplémentaire. L'homme du signe doit inventer la parole. L'homme de la parole doit se souvenir du pouvoir des signes. Rousseau, en 1751, pose l'épée et vend sa montre.

D'une part, la pensée de Rousseau réinvente une *genèse* et imagine des acquisitions successives ; d'autre part, pivotant sur elle-même, elle se place dans la perspective de la *perte*, et elle évoque des pouvoirs révolus, des énergies dissipées, des vertus trahies. C'est le *pas encore* et le *jamais plus* qui sont les catégories favorites de cette pensée, quand elle évoque l'histoire humaine. L'*Émile* et l'*Essai sur l'origine des langues* s'accordent dans leurs conclusions : la véritable éloquence est perdue, le champ est libre pour la violence, la ruse et l'intérêt.

LA PAROLE DE JEAN-JACQUES

Jean-Jacques ne renonce pourtant pas à parler. Il parle dans une situation historique qu'il juge désespérée. « Les langues populaires nous sont devenues aussi parfaitement inutiles que l'éloquence [2]. » Quant à lui, il vient à nous comme celui qui tente un dernier effort ; il lance un dernier avertissement, à l'instant où la parole humaine est menacée de som-

1. *Émile*, liv. IV. *O. C.*, IV, 645-648.
2. *E. O. L.*, chap. XX.

brer dans l'insignifiance. Il est le dernier orateur, et il annonce la mort du langage. Après moi, le silence.

Dans la *Dédicace* du *Discours sur l'inégalité*, Rousseau se met lui-même en scène adressant la parole à ses concitoyens ; dans la *Préface* qui fait suite, il assemble autour de lui un auditoire de philosophes (le Lycée d'Athènes) qui s'amplifie bientôt aux dimensions du genre humain tout entier. Un homme solitaire s'adresse à l'humanité, pour réfuter la parole erronée des philosophes qui l'ont précédé. Situation merveilleusement héroïque, trop belle pour n'être pas chez Rousseau un rêve éveillé. C'est là une de ses *chimères*, l'une des situations idéales dans lesquelles son imagination le transportera encore à maintes reprises : s'exprimer soi-même, face au plus large auditoire possible, afin de manifester une vérité méconnue.

J'insisterai sur les implications de chacun des termes que je viens de formuler.

1. *S'exprimer soi-même* : la parole doit prendre en charge la singularité du sujet parlant. Singularité que la langue primitive, selon la théorie de Rousseau, garantissait, et dont il prétend conserver pour lui-même le privilège, dans la spontanéité de son cœur. Musicien et poète, il n'a pas oublié la langue de la *société commencée*, il est un « habitant du monde enchanté[1] » : il est Jean-Jacques.

2. *S'adresser au plus large auditoire possible.* Le Rousseau du second *Discours* souhaite être écouté de tous les hommes. Le *destinataire* de sa parole est une collectivité illimitée. Le Rousseau des *Dialogues* croit être enfermé par un mur de silence. C'est vivre de deux manières le désir de l'universel : comme possibilité, et comme impossibilité. L'idéal civique de la société du contrat exige la présence d'une place publique — d'un *forum* — au cœur de la cité. Rousseau s'y plante en imagination et rassemble un auditoire dont sa parole conquiert l'adhésion. Il légifère ; il parle la langue de la société du Contrat ; il est citoyen : il est Jean-Jacques Rousseau, citoyen de Genève. Mais si Genève le désavoue, si personne n'accepte d'écouter, il lui reste à devenir, dans la solitude, l'individu paradoxal qui fera de son isolement l'envers d'une communauté perdue.

3. *Manifester la vérité.* C'est formuler, sur l'homme, sur la conscience, sur la société, les sentences qui correspondent à la science *perfectionnée.* Rousseau argumente ; il met en œuvre toutes les acquisitions du savoir moderne ; il entend pouvoir recourir, quand il le juge nécessaire, à la langue

1. *Dialogue* I, *O. C.*, I, 672.

abstraite du raisonnement : il veut manier mieux que les autres cet instrument qui s'absorbe dans son objet et le désigne sous le jour de l'universel. Fût-ce pour dénoncer la société cultivée, il parle la langue de la société cultivée. Il est un écrivain français.

Rousseau a la conviction d'être le seul à pouvoir exprimer cette vérité universelle, qui concerne l'origine perdue. L'éloquence de Jean-Jacques Rousseau est celle d'un homme démuni, sans autre titre que son amour de la vérité, et qui se sent réduit aux seules ressources qu'il pourra trouver dans sa parole.

Il voudrait être écouté comme celui en qui — malgré la corruption générale — la voix de la nature, l'élan muet de l'amour de soi et de la sympathie ne se sont pas abolis. Il peut évoquer le langage du commencement parce qu'en lui ce langage initial ne s'est pas tu. Il est à la fois l'homme naturel taciturne, le musicien-poète de l'âge d'or, l'orateur républicain de la société vertueuse. Il récapitule en lui, dramatiquement, toute l'histoire du langage. Mais s'il sauvegarde et recueille chacune de ces langues archaïques, c'est pour se dresser en contradicteur de la société présente, en accusateur du vain discours, du « bourdonnement » et du bavardage futile de ses contemporains. Il rassemble en lui tous les langages révolus, il en connaît toutes les fonctions, pour donner naissance à la parole nouvelle de la protestation [1].

1. Depuis la publication de cette étude, la pensée linguistique de Rousseau a suscité de nouvelles recherches. On lira notamment : Jacques Derrida, *De la grammatologie* (Paris, Editions de Minuit, 1967), et : « La linguistique de Rousseau », dans la *Revue internationale de philosophie*, n° 82, 1967, fasc. 4. Dans ce même fascicule on trouvera des études de Geneviève Rodis-Lewis (sur Rousseau et Bernard Lamy), de Michèle Duchet et Michel Launay (sur l'*Essai sur l'origine des langues et le Second Discours*).

On possède une bonne édition critique de l'*Essai sur l'origine des langues*, procurée par Charles Porset (Bordeaux, 1968).

ROUSSEAU ET BUFFON *

Rousseau, dans le *Discours sur l'Inégalité*, et surtout dans les notes de ce texte, a emprunté très ouvertement à l'*Histoire naturelle*. Sur toutes les questions de science, c'est l'autorité de Buffon que le *Discours* allègue constamment, avec une admiration qui ne craint pas de s'avouer : « Dès mon premier pas je m'appuie avec confiance sur une de ces autorités respectables pour les philosophes, parce qu'elles viennent d'une raison solide et sublime qu'eux seuls savent trouver et sentir [1]. »

Assurément, rien n'est plus dissemblable à première vue que l'intention qui anime l'œuvre de Rousseau et celle de Buffon. Rousseau est l'esprit révolté qui se manifeste par le refus, par la négativité ; quand il parle de la nature, c'est pour l'opposer à la société policée de son temps : la notion de nature est une arme critique contre les valeurs admises par la société. Buffon, au contraire, pose la nature sans l'opposer dramatiquement à la culture. Il sait que l'art humain altère la nature, fait dégénérer les animaux, mais il y voit une confirmation des pouvoirs souverains de la raison. C'est la nature qui a fait l'homme raisonnable et qui l'incite à se civiliser. Il dirige son regard vers un monde infiniment varié, dont la diversité ne sera pas rebelle à la patience de l'observateur. L'univers offre un spectacle satisfaisant : point de faille ni de conflit. Pour vaste qu'il soit, le réel se laisse décrire ; l'intelligence saura discerner les nuances et les gradations à travers lesquelles l'échelle des êtres se développe des minéraux jusqu'à l'homme ; autour de la figure prépondérante de l'homme

* Exposé présenté au Colloque de Paris (octobre 1962)
1. *O. C.*, III, 195.

raisonnable, le langage déploiera dans l'ordre et la clarté un inventaire complet de la richesse du monde visible. Les tempéraments, les œuvres sont trop différents pour qu'on ait jugé opportun de confronter, sur le fond, la pensée de Jean-Jacques et celle de Buffon. La tâche en vaut cependant la peine [1], car Rousseau n'a pas seulement cherché dans l'*Histoire naturelle* tout un arsenal de faits et de preuves à l'appui de ses propres théories (sur l'importance du toucher, sur la longévité du cheval, sur la durée de la vie, sur l'alimentation, sur l'emmaillotement, etc.) ; il y a trouvé une image de l'homme ou, si l'on préfère, une anthropologie philosophique, qu'il a pu accepter en grande partie et qu'il a contredite en quelques points importants. L'essentiel est là, et c'est dans leurs vues sur la condition humaine qu'il faut comparer Rousseau et Buffon, pour relever les ressemblances et les divergences.

Il est impossible de s'y méprendre. Dès la première phrase de la préface, une note nous avertit que Rousseau a sous les yeux l'*Histoire naturelle de l'Homme.* On lit chez Rousseau :

> La plus utile et la moins avancée de toutes les connaissances humaines me paraît celle de l'homme [2].

La note nous renvoie à un assez long passage de Buffon :

> Quelque intérêt que nous ayons à nous connaître nous-mêmes, je ne sais si nous ne connaissons pas mieux tout ce qui n'est pas nous [3].

Le citoyen de Genève, au moment où il entreprend « l'étude historique de la morale », est heureux de trouver un répondant en la personne du grand naturaliste ; tous deux constatent que la science de l'homme fait encore défaut dans le système des connaissances exactes. Bien que Buffon s'arrête au seuil des problèmes de la vie sociale, l'*Histoire naturelle de l'Homme* constitue pour Rousseau un précédent particulièrement précieux. Il y trouve en effet une étude « naturaliste » de la condition humaine, d'où, par précaution de méthode, toute considération théologique est exclue; de plus, le long chapitre sur les *Variétés dans l'espèce humaine* élargit singulièrement l'hori-

1. Il faut savoir gré à Jean Morel (« Recherches sur les sources du Discours sur l'Inégalité », *Annales Jean-Jacques Rousseau*, V, 1909, 119-198), et surtout Otis Fellows (« Buffon and Rousseau : Aspects of relationship », *P M L A*, juin 1960, 184-196) d'avoir indiqué les points de rencontre les plus importants.
2. *O. C.*, III, 123.
3. *Ibid.* ; cf. Buffon, *Œuvres complètes* éd. Flourens, Paris, Garnier s. d., II, 1.

zon, et invite à interpréter historiquement la cause des différences physiques actuellement constatées :

Tout concourt... à prouver que le genre humain n'est pas composé d'espèces essentiellement différentes entre elles, qu'au contraire il n'y a eu originairement qu'une seule espèce d'hommes qui s'étant multipliée et répandue sur toute la surface de la terre, a subi différents changements par l'influence du climat, par la différence de la nourriture, par celle de la manière de vivre, par les maladies épidémiques, et aussi par le mélange varié à l'infini des individus plus ou moins ressemblants [1].

Voilà qui ne pouvait manquer d'être relevé par un esprit désireux de prouver que le système social des Européens civilisés n'est ni le seul, ni le meilleur, et qu'il est le produit d'une histoire corruptrice. Quand Rousseau parle de la difficulté que nous éprouvons à démêler l'originaire et le factice, il aura été précédé et guidé par Buffon :

L'homme sauvage est... de tous les animaux le plus singulier, le moins connu, et le plus difficile à décrire. Mais nous distinguons si peu ce que la Nature seule nous a donné de ce que l'éducation, l'art et l'exemple nous ont communiqué, ou nous le confondons si bien, qu'il ne serait pas étonnant que nous nous méconnussions totalement au portrait d'un sauvage, s'il nous était présenté avec les vraies couleurs et les seuls traits naturels qui doivent en faire le caractère. Un sauvage absolument sauvage... [serait] un spectacle curieux pour le philosophe, il pourrait en observant son sauvage évaluer au juste la force des appétits de la Nature, il y verrait l'âme à découvert, il en distinguerait tous les mouvements naturels, et peut-être y reconnaîtrait-il plus de douceur, de tranquillité et de calme que dans la sienne, peut-être verrait-il clairement que la vertu appartient à l'homme sauvage plus qu'à l'homme civilisé, et que le vice n'a pris naissance que dans la société [2].

C'est en raccourci la définition de l'homme de la nature selon Rousseau (qui substituerait toutefois l'idée de bonté à celle de vertu). Avec de tels précédents et avec pareille caution, comment ne pas aller hardiment de l'avant ? Rousseau a pu trouver dans l'impudeur scientifique de Buffon un encouragement à l'audace, de même que les hypothèses de la *Théorie de la Terre* l'encourageaient à recourir à son tour aux « raisonnements hypothétiques et conditionnels... semblables à ceux que font tous les jours nos physiciens sur la formation du monde [3] ». Si respecteueux que Buffon se

1. Buffon, *Œuvres complètes*, éd. Flourens, Paris, Garnier, s. d., II, 221. (Toutes les citations de Buffon renvoient à la même édition).
2. Buffon, II, 200-201.
3. *O. C.*, III 133.

soit voulu devant l'autorité des faits, il ne s'est pas privé d'élaborer des conjectures sur la constitution du système solaire et sur la nature de la vie ; on ne doit pas s'étonner que son nom ait été associé à celui de Rousseau, au titre d'homme à hypothèses. On lit en effet, en août 1756, sous la plume de Formey :

M. Rousseau est assez dans son genre ce que M. de Buffon est dans le sien ; il manie les hommes comme ce Philosophe manie la Nature et l'Univers ; il fait des hypothèses sur la Société comme l'Académicien en fait sur les Globes de l'Univers et l'origine des Planètes [1].

L'analogie entre la méthode de Rousseau et celle de Buffon réside surtout dans le parti qu'ils prennent l'un et l'autre de commencer par définir exhaustivement une forme élémentaire d'existence, afin de mieux apercevoir, par contraste, ce qui relève d'une faculté supérieure ou d'un développement ultérieur. Dans le *Discours sur la Nature des Animaux* (1753), selon un dualisme hérité de Descartes et peut-être maintenu pour la commodité de l'exposé, Buffon se propose de décrire au plus juste les opérations dont est capable la matière organisée, par la seule vertu des lois mécaniques de la nature. On sait que, pour Buffon comme pour Descartes, la vie ne comporte aucun privilège particulier : « Le vivant et l'animé, au lieu d'être un degré métaphysique des êtres, est une propriété physique de la matière [2]. » La grande frontière métaphysique intervient entre la mécanique matérielle du corps vivant et l'activité de l'âme raisonnable. Cette frontière passe en nous, puisque nous sommes tout ensemble corps et esprit, matière animée et substance pensante. Nous ne connaîtrons avec certitude ce qui fait l'humanité de l'homme qu'à la condition de savoir où s'arrêtent les pouvoirs liés à son animalité. D'où l'utilité d'une étude attentive de tout ce qui relève du « sens intime matériel » :

Voyons ce que ce sens intérieur matériel peut produire : lorsque nous aurons fixé l'étendue de la sphère de son activité, tout ce qui n'y sera pas compris dépendra nécessairement du sens spirituel : l'âme fera tout ce que ce sens matériel ne peut faire. Si nous établissons des limites certaines entre ces deux puissances, nous reconnaîtrons clairement ce qui appartient à chacune ; nous distinguerons aisément ce que les animaux ont de commun avec nous, et ce que nous avons au-dessus d'eux [3].

1. *Bibliothèque impartiale, pour les mois de juillet et août 1756*, XIV, première partie, Göttingue et Leyde, 1756, 62.
2. Buffon, I, 434.
3. Buffon, II, 327-328.

Qu'observerons-nous ? Que l'homme seul est capable de juger, c'est-à-dire de comparer ; qu'il est seul capable de prévoir et de se souvenir. Et, tandis que dans leurs activités les plus ingénieuses les animaux obéissent immuablement à leur instinct, répétant les mêmes actions sans être capables de les modifier, l'homme possède un pouvoir de perfectionnement et de progrès qui n'appartient qu'à lui seul :

Si [les animaux] étaient doués de la puissance de réfléchir, même au plus petit degré, ils seraient capables de quelque espèce de progrès, ils acquerraient plus d'industrie. Ils n'inventent rien, ils ne perfectionnent rien, ils ne réfléchissent par conséquent sur rien, ils ne font jamais que les mêmes choses de la même façon [1].

Il n'y a rien en tout ceci qui ne se retrouve dans le second *Discours* ou dans la *Profession de Foi.* Non certes que Rousseau ait tout emprunté à Buffon, mais là où Rousseau ne doit rien à Buffon, l'on constate que tous deux puisent aux mêmes sources et se rattachent au même cartésianisme modifié par Locke. Certaines nuances toutefois méritent d'être relevées, car elles ne sont pas sans conséquences : pour Buffon, la spiritualité de l'homme réside dans son *entendement* ; pour Rousseau, elle consiste essentiellement dans la *liberté.* Quoi qu'il en soit, quand Rousseau affirme que la « perfectibilité » est l'apanage de l'homme, il trouve des lecteurs que la lecture de Buffon a suffisamment avertis pour que ce néologisme ne les surprenne pas.

Buffon n'est pas transformiste ; s'il admet une certaine évolution, c'est sous la forme de la dégénérescence, et dans un cadre restreint, à l'intérieur de quelques espèces que la domestication modifie. Dans l'important chapitre sur *l'Ane*, Buffon a soulevé l'hypothèse d'une grande famille des êtres vivants où les espèces surgiraient les unes à partir des autres ; mais cette hypothèse est rejetée, et Buffon (par prudence peut-être) s'en tient à une image fixiste de la nature où les espèces coexistent de toute antiquité les unes à côté des autres. Les gradations, les nuances qu'il aperçoit partout ne découlent donc pas les unes des autres selon un ordre causal et successif ; elles sont toutes simultanées, et l'immense collectivité du monde vivant n'est pas entraînée par le devenir. De surcroît, entre le plus perfectionné des animaux et l'homme, il voit s'interrompre la continuité graduelle et insensible qui unissait toutes les espèces : on ne passe de l'animal à l'homme que par un saut qualitatif brusque. Qu'il y ait là une satisfaction donnée aux autorités religieuses, c'est probable, et

1. Buffon, II, 7 ; voir aussi II, 355 sq.

il n'est pas impossible que Buffon ait voulu se protéger contre le renouvellement des attaques qu'avait provoquées sa *Théorie de la Terre*. Rousseau, plus sincèrement sans doute, affirme aussi cette frontière métaphysique : l'animal n'est « qu'une machine ingénieuse » [1], tandis que l'homme est doué de liberté. Seulement cette frontière, Rousseau la situera plus bas dans l'échelle des êtres. En adversaire du matérialisme, il reconnaît une radicale différence d'essence entre le singe et l'homme, en quoi il s'oppose aux idées hardies de La Mettrie ; toutefois la question se pose pour lui de savoir si l'orang-outang et le mandrille sont effectivement des singes. Dans le doute, il préfère trancher par la négative : ce ne sont peut-être pas des animaux, mais des hommes tout à fait primitifs, comparables aux satyres des anciens et aux « hommes sylvestres » des savants de la Renaissance. Rousseau n'est d'ailleurs pas le seul en son temps à élargir ainsi les limites de l'humanité. Linné, lui aussi, rangeait dans l'espèce humaine certains anthropoïdes, auxquels il donnait le nom d'*homo nocturnus*.

Accueillant dans l'espèce humaine des créatures si différentes de l'homme civilisé, Rousseau fait intervenir un écart considérable entre l'homme primitif et l'Européen policé. Cet écart ne peut s'expliquer que par une histoire qui altère et transforme sinon la nature même de l'homme, du moins sa « constitution ». L'homme devient alors un exemple particulièrement éloquent du transformisme restreint, dont Buffon avait si bien décrit les étapes pour les espèces animales modifiées par l'art humain et qu'il n'avait pas hésité à attribuer aussi à l'espèce humaine. Les phrases initiales de l'*Émile* le montrent : Rousseau met sur le même plan les transformations que l'homme s'impose à lui-même et celles qu'il fait subir à des espèces naturelles telles que le chien et le cheval. Buffon, dans *Les Époques de la Nature*, insistera à son tour sur la simultanéité des actions que l'homme exerce sur la nature et sur lui-même ; il y verra un développement heureux ; la connaissance rationnelle, les techniques qui en découlent, éduquent et corrigent la nature pour le bien de l'humanité, permettant ainsi à l'homme de se perfectionner. Nous sommes loin de l'exclamation de Rousseau : « Tout dégénère entre les mains de l'homme. »

L'histoire, en effet, n'apparaît pas à Buffon comme une aventure libre et hasardeuse ; il y reconnaît la succession des étapes à travers lesquelles l'homme emploie toujours mieux ses pouvoirs natifs, jusqu'à disposer souverainement de toutes

1. *O. C.*, III, 141.

les richesses naturelles. La civilisation, pour Buffon, est donc l'épanouissement normal de l'humanité de l'homme. L'entendement, l'intelligence, la société, n'étant pas pour lui des acquisitions historiques, mais des propriétés essentielles de l'homme, elles appartiennent déjà au sauvage. Il n'y aura donc pas chez Buffon d'opposition frappante entre l'état de nature et l'état de civilisation.

Chez Rousseau, en revanche, l'écart entre ces deux états est presque aussi considérable qu'entre l'homme et l'animal. C'est pourquoi il s'autorise à déplacer le point d'application de l'analyse différentielle par laquelle Buffon assignait au « sens spirituel » tout ce qui ne pouvait être expliqué par les opérations du « sens intérieur matériel ». La méthode de Rousseau dans le second *Discours* consistera à peindre minutieusement l'homme de la nature, au physique et au moral, de façon à rendre plus nettement évidentes les acquisitions historiques, les adjonctions factices, les pouvoirs surnuméraires qui sont les produits de notre propre activité. La méthode de Rousseau est celle même de Buffon, sauf que la confrontation principale s'établit entre l'homme d'aujourd'hui et l'homme d'un passé immémorial (entre deux moments extrêmes de l'évolution humaine) et non plus entre l'homme et l'animal. « Il est nécessaire d'avoir des notions justes » de l'état originaire de l'homme, « pour bien juger de notre état présent »[1]. L'une des différences majeures apparaît ici : Buffon s'efforce de distinguer, hors de toute considération temporelle, les opérations qui appartiennent à la sphère du corps et celles qui sont du ressort de l'âme. Rousseau, pour sa part, tenant pour acquise la distinction de l'homme et de l'animal, ne fait plus intervenir un écart métaphysique, mais un écart historique entre les termes qu'il confronte : il oppose à l'homme moderne l'image d'un homme qui appartient au passé le plus profond. Ainsi s'introduit une tension historique que Buffon ne pressentait nullement.

Toute la première partie du *Discours sur l'Inégalité* s'applique à évoquer un être qui n'a encore exercé ses facultés ni pour vaincre les obstacles extérieurs ni pour se transformer lui-même. Ceci constaté, estime Rousseau, on saura mieux reconnaître ce qui en nous appartient à la nature et ce qui est « l'homme de l'homme ». Entre ce qu'était l'homme de la nature et ce que nous sommes devenus, un drame se joue dont Rousseau veut être l'historien.

Il vaut la peine de le remarquer : Rousseau, reprenant

1. *O. C.*, III, 123.

la méthode de Buffon pour s'en servir à sa guise, n'oublie rien de ce que Buffon a dit de la condition animale. Seulement Rousseau reporte sur l'homme de la nature le bonheur physique que Buffon attribue à l'animal. Il n'y a là, à première vue, aucune contradiction. Selon Buffon, tout ce que possède la bête, l'homme le possède aussi ; et, dans la première enfance ou dans l'état d'imbécillité, il ne possède guère que les facultés animales. L'homme sauvage, selon Rousseau, goûte la plénitude sans exercer les pouvoirs de l'entendement, dont Buffon faisait le caractère spécifique et distinctif de l'âme humaine. Le sauvage de Rousseau sera complètement homme en l'absence de toute activité intellectuelle ou technique. Le seul caractère qui le distingue de l'animal est sa liberté : encore reste-t-elle sans emploi, puisque l'homme n'est engagé dans aucune activité pratique. L'on pourra donc dire que Rousseau, pour peindre l'homme de la nature, animalise et « désintellectualise » l'homme qu'avait décrit Buffon ; l'on constatera en revanche qu'il humanise et idéalise un certain nombre de sentiments que Buffon reléguait dans le domaine obscur du « sens intérieur matériel ».

Comment l'homme, selon Buffon, prend-il conscience de son existence ? L'homme se sent exister d'autant plus vivement qu'il ajoute par la mémoire le souvenir de son existence passée au sentiment de son existence actuelle :

La conscience de son existence, ce sentiment intérieur qui constitue le moi, est composé chez nous de la sensation de notre existence actuelle et du souvenir de notre existence passée. Ce souvenir est une sensation tout aussi présente que la première, elle nous occupe même quelquefois plus fortement et nous affecte plus puissamment que les sensations actuelles, et comme ces deux espèces de sensations sont différentes et que notre âme a la faculté de les comparer et d'en former des idées, notre conscience d'existence est d'autant plus certaine et d'autant plus étendue, que nous nous représentons plus souvent et en plus grand nombre les choses passées... Il est évident que plus on a d'idées, plus on est sûr de son existence ; que plus on a d'esprit, plus on existe ; qu'enfin c'est par la puissance de réfléchir qu'a notre âme, et par cette seule puissance, que nous sommes certains de nos existences passées et que nous voyons nos existences futures [1].

Au contraire de ce qu'affirme ici Buffon, l'homme de la nature et Jean-Jacques lui-même n'ont pas besoin d'idées pour sentir leur existence ; à la vérité, ils la sentent d'autant mieux qu'ils ignorent ou qu'ils font taire l'activité de la réflexion : « Son âme, que rien n'agite, se livre au seul senti-

1. Buffon, II, 336-337.

ment de son existence actuelle, sans idée de l'avenir, quelque prochain qu'il puisse être [1]. » L'existence actuelle, la seule existence actuelle, c'est bien là pour Buffon ce que l'animal perçoit de lui-même, et c'est du même coup ce qui rend cette forme de conscience de soi imparfaite et bornée, en regard de la connaissance plus complète que l'homme prend de son existence :

> [Les animaux] ont... la conscience de leur existence actuelle, mais ils n'ont pas celle de leur existence passée... La puissance de réfléchir ayant été refusée aux animaux, il est donc certain qu'ils ne peuvent former d'idées et que par conséquent leur conscience d'existence est moins sûre et moins étendue que la nôtre ; car ils ne peuvent avoir aucune idée du temps, aucune connaissance du passé, aucune notion de l'avenir ; leur conscience d'existence est simple ; elle dépend uniquement des sensations qui les affectent actuellement et consiste dans le sentiment intérieur que ces sensations produisent... Ils ne savent point qu'ils existent, mais ils le sentent [2].

Par une singulière conséquence, Buffon compare « cette conscience d'existence dans les animaux » à « l'état où nous nous trouvons lorsque nous sommes fortement occupés d'un objet, ou violemment agités par une passion qui ne nous permet de faire aucune réflexion sur nous-mêmes. On exprime l'idée de cet état en disant qu'on est hors de soi, et l'on est en effet hors de soi dès que l'on n'est occupé que des sensations actuelles [3]. » La véritable intériorité, ou du moins la possession de soi, est liée pour Buffon à la mémoire active et volontaire qui nous rattache au passé ; elle implique également la prévision du futur. Pour Rousseau, bien au contraire, c'est le retour actif sur le passé et c'est surtout le souci de l'avenir, la prévoyance, qui nous arrachent à nous-mêmes et nous font vivre hors de nous : la réflexion, qui compare les objets, qui confronte les moments divers de notre expérience, nous invite aussi à nous opposer aux autres et à nous chercher dans les regards des autres. Elle nous aliène. Par conséquent, Rousseau affirme : « Le sauvage vit en lui-même ; l'homme sociable, toujours hors de lui, ne sait vivre que dans l'opinion des autres, et c'est, pour ainsi dire, de leur seul jugement qu'il tire le sentiment de sa propre existence [4]. » Si vivre dans le sentiment de l'existence actuelle est aussi vivre en soi-même, l'homme de la nature selon Rousseau réalise spontanément

1. *O. C.*, III, 144.
2. Buffon, II, 336-338.
3. Buffon, II, 338.
4. *O. C.*, III, 193.

un idéal d'indépendance que l'homme civilisé ne peut atteindre qu'au terme d'un long effort philosophique : « [L'homme de la nature] ne veut que vivre et rester oisif, et l'ataraxie même du stoïcien n'approche pas de sa profonde indifférence pour tout autre objet [1]. » Les effets néfastes de la passion, dès lors, n'apparaissent plus comme la turbulence de notre animalité, mais comme les conséquences d'une réflexion malheureuse qui convoite des satisfactions sans nul rapport avec les besoins naturels de l'individu. Rousseau peut, de la sorte, reprendre à son compte les fameuses considérations de Buffon sur l'amour : « Il n'y a que le physique de cette passion qui soit bon ; ... malgré ce qu'en peuvent dire les gens épris, le moral n'en vaut rien. Qu'est-ce en effet que le moral de l'amour ? la vanité [2] »... Rousseau peut surtout appliquer à l'homme de la nature la description que Buffon proposait de l'équilibre heureux du désir animal :

> Les animaux ne sont point sujets à toutes ces misères ; ils ne cherchent pas des plaisirs où il ne peut y en avoir : guidés par le sentiment seul, ils ne se trompent jamais dans leurs choix ; leurs désirs sont toujours proportionnés à la puissance de jouir, ils sentent autant qu'ils jouissent, et ne jouissent qu'autant qu'ils sentent. L'homme, au contraire, en voulant inventer des plaisirs, n'a fait que gâter la nature ; en voulant se forcer sur le sentiment, il ne fait qu'abuser de son être, et creuser dans son cœur un vide que rien ensuite n'est capable de remplir [3].

Constatons que le système de Rousseau, en l'occurrence, s'harmonise mieux avec ces lignes de Buffon que ne le fait, chez Buffon, le dualisme de façade. Car n'y a-t-il pas une inconséquence à affirmer que seul le physique de l'amour est bon, et, à quelques pages de distance, que le « principe spirituel » en nous est une lumière pure accompagnée par « le calme et la sérénité », tandis que le principe matériel « est une fausse lueur qui ne brille que par la tempête et dans l'obscurité, un torrent impétueux qui roule et entraîne à sa suite les passions et les erreurs [4] » ? Rousseau, faisant de la réflexion une puissance ambiguë qui perfectionne l'homme en l'aliénant, peut laisser à l'animalité du sauvage toute son innocence ; il attribuera la responsabilité du mal à « l'entendement en délire [5] ». Le tableau du malheur de l'homme policé que nous trouvons dans le *Discours sur la Nature des Animaux*

1. *O. C.*, III, 192.
2. Buffon, II, 352.
3. *Ibid.*
4. Buffon, II, 346.
5. *O. C.*, III, 122.

ne s'accorde guère avec l'allègre satisfaction que Buffon, dans le reste de son œuvre, manifeste toutes les fois qu'il évoque la domination de l'homme sur la nature ; ce constat de nos misères illustre mieux le pessimisme historique de Rousseau que l'optimisme rationaliste de Buffon. Il est plus cohérent, en effet, d'attribuer le malheur de l'homme aux facultés spécifiques de l'humanité que d'incriminer, sans en préciser l'origine, « le dérèglement de notre sens intérieur matériel [1] ». En déplaçant seulement la cause du mal, Rousseau peut tout reprendre des pages véhémentes de Buffon :

> Dans l'homme, le plaisir et la douleur physique ne sont que la moindre partie de ses peines et de ses plaisirs : son imagination, qui travaille continuellement, fait tout, ou plutôt ne fait rien que pour son malheur ; car elle ne présente à l'âme que des fantômes vains ou des images exagérées...
>
> Nous nous préparons donc des peines toutes les fois que nous cherchons des plaisirs. Nous sommes malheureux dès que nous désirons d'être plus heureux.
>
> Il y a dans le physique infiniment plus de bien que de mal : ce n'est pas la réalité, c'est la chimère qu'il nous faut craindre ; ce n'est ni la douleur du corps, ni les maladies, ni la mort, mais l'agitation de l'âme, les passions et l'ennui qui sont à redouter... Nous cherchons à nous détruire en cherchant à forcer la nature, nous ne savons pas trop ce qui nous convient ou ce qui nous est nuisible ; nous ne distinguons pas bien les effets de telle ou telle nourriture ; nous dédaignons les aliments simples, et nous leur préférons des mets composés, parce que nous avons corrompu notre goût, et que d'un sens de plaisir nous avons fait un organe de débauche qui n'est flatté que de ce qui l'irrite [2].

Ce que Jean-Jacques ne répétera pas, c'est l'explication donnée par Buffon : « Notre âme ne nous a été donnée que pour connaître, nous ne voudrions l'employer qu'à sentir [3]. » S'il y a dans le physique, comme l'a dit Buffon, infiniment plus de bien que de mal, comment le mal viendrait-il de notre désir de sentir, c'est-à-dire de nous confiner dans le physique ? Le projet d'une *morale sensitive* prouve bien que Rousseau conçoit la vie heureuse comme une immersion et une réintégration dans l'univers sensible, préalablement agencé et aménagé par une réflexion raisonnable qui aura su explorer l'empire du sensible. Buffon pose une contradiction que Rousseau tend à résoudre dialectiquement en faisant de la réflexion d'abord le trouble-fête, et l'instigatrice du mal,

1. Buffon, II, 335.
2. Buffon, II, 332-335.
3. Buffon, II, 333.

mais à un stade ultérieur, quand l'entendement devient raison éclairée, un pouvoir de réconciliation.

L'idée de l'unité, qui importe tant à Rousseau, a bien sa place chez Buffon, qui écrit : « L'homme sage est sans doute l'être le plus heureux de la nature, il joint aux plaisirs du corps, qui lui sont communs avec les animaux, les joies de l'esprit, qui n'appartiennent qu'à lui : il a deux moyens d'être heureux qui s'aident et se fortifient mutuellement [1]. » Mais Rousseau, qui, lui aussi, voit l'homme divisé, ne se contente pas de proclamer la nécessité d'une hégémonie de la raison : la sagesse, c'est-à-dire l'unité retrouvée, n'est réalisable qu'au terme d'un devenir, où la raison se conquiert et se transforme en s'efforçant de conserver intacte (ou de sauver du moins par le souvenir) l'image d'une nature et d'une quiétude perdues, qui seront restaurées sur le plan supérieur de la vie morale et de la vie sociale.

Buffon a répondu à Rousseau avant d'avoir connu l'*Émile*. Dans le préambule qui précède l'*Histoire naturelle des Carnassiers* (1758), il réfutera les hypothèses de Rousseau sur l'homme de la nature. En quoi il ne sera que fidèle à lui-même : dans le *Discours sur la Nature des Animaux*, il avait déjà affirmé que « l'homme n'est homme que parce qu'il a su se réunir à l'homme », et « que tout a concouru à rendre l'homme sociable [2] ». Il y avait ajouté les arguments traditionnels sur la nécessité d'une société minimum (la famille) pour que le nouveau-né survive jusqu'au moment de l'indépendance et pour qu'il puisse acquérir le langage. Or Rousseau dès le *Discours* s'était appliqué à combattre ces arguments, en empruntant parfois à Buffon d'autres faits illustratifs pour étayer l'hypothèse d'une humanité totalement dispersée. C'est là ce que Buffon refuse dans le préambule des *Animaux carnassiers* : il ne peut accepter ni le postulat de la solitude de l'homme naturel, ni davantage la vision évolutive de l'histoire humaine :

Nous avons sous les yeux, non l'état idéal, mais l'état réel de nature. Le sauvage habitant les déserts est-il un animal tranquille ? est-il un homme heureux ? car nous ne supposerons pas avec un philosophe, l'un des plus fiers censeurs de notre humanité, qu'il y a une plus grande distance de l'homme en pure nature au sauvage, que du sauvage à nous ; que les âges qui se sont écoulés avant l'invention de l'art de la parole

1. Buffon, II, 334.
2. Buffon, II, 359.

ont été bien plus longs que les siècles qu'il a fallu pour perfectionner le signes et les langues, parce qu'il me paraît que, lorsqu'on veut raisonner sur des faits, il faut éloigner les suppositions et se faire une loi de n'y remonter qu'après avoir épuisé tout ce que la nature nous offre [1]...

Buffon se rabat sur les faits actuellement constatables ; lui qui n'avait pas hésité à remonter par hypothèse dans le passé physique du globe terrestre, il répugne à hasarder la même démarche conjecturale pour reconstruire le passé de l'espèce humaine. La résistance d'un Buffon, mieux que tout autre document, donne parfaitement la mesure de l'audace spéculative du *Discours sur l'Inégalité.*

1. Buffon, II, 566 sq. Sur la pensée de Buffon, voir l'ouvrage de Jacques Roger, *Les sciences de la vie dans la pensée française du XVIIIe siècle*. Paris, 1963.

L'ÉCART ROMANESQUE *

L'ÉCRIVAIN ROMAND : UN DÉCALAGE FÉCOND

Quiconque entreprend de définir une « littérature de la Suisse romande » se voit entraîné fort rapidement dans le labyrinthe des distinctions. La Suisse romande, partie distincte du domaine linguistique français, est aussi une partie distincte du pays suisse. Voici donc une double appartenance, et une double différence. Il faudra nécessairement recourir à l'analyse, et séparer des plans divers : langage, culture, institutions politiques, particularités religieuses...

Sur le plan du langage, rien ne sépare la Suisse romande de la France — sinon certains provincialismes dont on trouvera les équivalents partout à l'intérieur de l'hexagone. Le domaine linguistique français s'est dessiné longtemps avant que les entités nationales aient pris consistance. Dans les territoires situés entre le Jura et les Alpes, la langue française est comme naturellement présente. Elle n'y est pas une langue d'emprunt. Elle ne s'accompagne d'aucun souvenir de conquête ou d'expansion : elle constitue un milieu immémorial. Quoi qu'ait pu dire Ramuz, qui plaidait pour son style personnel, les Romands n'ont pas eu trop de mal à se défaire d'une première langue, proche du franco-provençal, pour se plier aux règles du « bon français ». Ils sont situés, il est vrai, dans une partie marginale du territoire linguistique français ; il leur arrive de se sentir guettés par les germanismes, et de réagir en surveillant à l'excès la pureté de leur diction. La contrainte, le purisme livresque donnent alors à ce langage trop châtié un aspect factice, contre lequel la réaction inverse ne tarde pas.

* Texte publié pour servir de préface à *La Nouvelle Héloïse* (Lausanne, Rencontre, collection « La Suisse et l'Europe », 1970).

Mais il est difficile de définir avec précision ce que devrait être le parler naturel de ce pays. Les écrivains ont à cet égard toute latitude : c'est à eux qu'il incombe d'inventer des inflexions qui sonnent juste. Cela ne va peut-être pas sans quelque incertitude, le recours à la spontanéité instinctive ayant peu de chance d'être efficace.

Mais si embarrassante que soit la recherche d'un style « authentique », je crois qu'aucun écrivain, parmi ceux mêmes qui se veulent le plus fidèles à leur lieu d'origine, n'admettra que son œuvre soit tenue pour extérieure à la communauté littéraire française : la question ne se pose même pas. Et vice versa, les écrivains français ne sont pas lus à Genève ou à Lausanne comme des auteurs étrangers. Si les Romands revendiquent le droit d'être eux-mêmes, ils ne sont pas pour autant désireux d'interposer des frontières. Sur le plan du langage, ils participent trop étroitement à la vie littéraire française pour éprouver les sentiments qui ont cours entre personnes étrangères : la gratitude, la jalousie, la rivalité. Sitôt que l'on renonce aux simplifications qui réduisent une littérature à l'esprit de sa capitale, l'on parvient à percevoir les voix d'une polyphonie — où la Suisse romande tient assez dignement sa part (peut-être un peu trop dignement, mais c'est là une autre question). C'est pourquoi les Romands ne sont pas trop heureux, lorsqu'ils ouvrent les manuels et les histoires littéraires qui les rejettent, en appendice, dans le domaine mal cadastré de la littérature d'expression française, au voisinage de ceux pour qui le français reste un héritage de l'époque coloniale. Mais il ne sont pas plus heureux d'être trop parfaitement absorbés dans la réalité française, d'être annexés et traités à l'égal des écrivains provinciaux ou régionalistes. Ils réclament le droit d'être inclus de plein droit, tout en réservant le principe d'une *différence* essentielle, qui n'est pas celle d'un terroir parmi d'autres.

Est-ce trop exiger ? Est-ce revendiquer des avantages trop contradictoires pour qu'ils puissent être légitimement accordés ? A première vue, il paraîtra presque scandaleux que l'on refuse de se laisser annexer, tout en souhaitant n'être pas exclu. A trop demander (penseront certains), l'on n'obtient rien. Mais c'est de ce paradoxe que vit la littérature de la Suisse romande.

Un paradoxe ? Une analyse apte à démêler ce qui appartient à des niveaux distincts montrera que tout ne tient pas au seul idiome : il y a encore l'histoire et les institutions. Le romantisme nationaliste avait construit de belles théories pour identifier l'âme d'une nation et l'esprit de sa langue.

C'est un truisme aujourd'hui de rappeler que la géographie politique et la géographie linguistique peuvent dessiner — sans la moindre absurdité — des tracés non superposables. Jusqu'au XVIIIe siècle, les frontières religieuses ont eu plus d'importance que les frontières linguistiques. Au XIXe siècle, au moment de leur rattachement, les Genevois, les Vaudois, les Neuchâtelois ne se sont jamais sentis en présence d'une alternative : ils étaient trop attachés à leurs libertés locales pour ne pas voir tout ce qu'ils gagnaient en s'associant à une Confédération dont les principes, longuement éprouvés, garantissaient à la commune, au canton (à l'Université), une autonomie qui n'eût pas été aussi bien respectée dans un grand État centralisé. Ainsi les écrivains romands ont-ils pu nouer des attaches diverses, des fidélités multiples, où la part du choix personnel contrebalance celle des appartenances obligées et des « enracinements ». Pour qui sait le penser et le vivre avec vigueur, ce pluralisme n'est pas un affaiblissement ni un morcellement de la personnalité : c'est au contraire une ouverture offerte à l'exercice de la liberté. Que dans le domaine civique, un homme se sente attaché à sa commune (à sa ville) ; dans le domaine politique, à la Suisse, mais au surplus à tel courant d'idées de portée universelle ; dans le domaine littéraire, à la langue française ; dans le domaine religieux, à une communauté nécessairement supranationale : il n'y a point là d'inconséquence, à la condition que l'on sache se délivrer du préjugé des vocations indivises et des allégeances massives.

*

L'interposition d'une frontière politique ne reste toutefois pas sans conséquence dans l'ordre littéraire. Les écrivains de France, dont je viens d'affirmer qu'ils ne sont pas des étrangers en terre romande, il leur est arrivé, dans leur vie et dans leurs œuvres, de répondre à des événements qui intéressaient au premier chef la collectivité politique française ; ils sont intervenus dans les moments d'épreuve de leur pays ; ils ont pris position dans des « affaires » qui concernaient principalement la vie intérieure de leur nation ; bref, ils ont écrit dans des circonstances politiques et sociales qui n'étaient pas directement celles de la Suisse romande. L'attention ni l'imitation ne leur ont manqué de la part des Suisses : ceux-ci n'ont pas hésité, bien souvent, à prendre parti et à prolonger chez eux le débat. En ce siècle, Barrès et Maurras ont trouvé des admirateurs et des disciples. Mais aussi Breton et Sartre...

Il n'empêche que, si vives que soient les passions répercutées, elles manquent de véritable substance, ce sont des échos. Il est difficile aux Romands de se sentir tout à fait « dans le coup » : nous sommes au spectacle. Certes, nul n'a la naïveté de croire que nous vivons dans un autre monde, hors d'atteinte, preservés des éclaboussures de l'histoire ; les événements intérieurs français sont souvent trop chargés de valeur exemplaire pour que nous refusions d'en tirer pour nous-mêmes des leçons. Nous nous situons néanmoins *en retrait* : nous avons parcouru l'histoire d'un autre pas ; nous n'avons traversé ni ces jours de gloire ni ces agonies. Nous avons vécu paisiblement et nous avons trait notre vache. Notre prudence nous a tenus en dehors des catastrophes et des victoires. Certains, chez nous, l'ont éprouvé comme une frustration ; ils regrettent le risque qui leur a été épargné, les conflits où ils eussent pu dépenser plus héroïquement leur énergie et mieux donner leur mesure. Quelques-uns, lassés d'une sagesse qui les avait tenus à l'écart pour prix de la sécurité, se sont précipités hors des frontières, en quête de vie intense, d'aventure, et parfois de gloire.

Un écart, malgré tout, persiste. Je le crois fécond, comme tout écart. Car toute différence appelle une réaction : il faut ou l'abolir, ou l'exalter, et dans l'un et l'autre cas il faut se mettre résolument à l'ouvrage. Nous éprouvons, envers la France, un décalage « moral », alors même que la communauté de langue maintient une continuité sans faille. Décalage à la fois évident et insaisissable, dont l'écrivain romand peut tour à tour se féliciter ou se plaindre, car c'est tout ensemble — selon l'usage qu'on en fait — un privilège et un désavantage. Le décalage, à certains égards, a pu prendre l'aspect d'un retard historique ; un exemple suffira : nous n'avons pas de très grandes villes, et les phénomènes sociaux, littéraires, artistiques liés à l'essor urbain ont mis du temps à nous atteindre. Mais le décalage n'est pas seulement chronologique : il peut revêtir, en quelque sorte, une valeur épistémologique. L'extériorité, l'indépendance, le relatif « désintéressement » sont des conditions favorables à l'activité du jugement, à la compréhension, à la *théorie*. Jakob Burckhardt voyait à juste titre, dans le petit pays, le lieu favorable d'une *expérience* de la pratique et de la réflexion politique. Face aux puissances qui « font l'histoire », c'est là sa justification. Nous sommes placés en position d'observateurs, et nous avons vue simultanément sur plusieurs cultures. Ainsi échappons-nous à ce qu'on a pu appeler le « narcissisme monoglotte » des Français, et il s'est mainte fois trouvé que nous ayons été plus tôt avertis de ce qui paraissait dans les domaines italiens, allemands ou même anglais.

De fait, le décalage que j'évoque peut recevoir, selon le choix ou le tempérament, un sens et une fonction fort variables. Nous pouvons pour ainsi dire jouer de cette situation. Nos grands écrivains, si l'on y regarde de près, n'en ont pas seulement pris leur parti, ils en ont tiré parti. Et l'on ne s'étonnera pas que leur choix puisse se décrire, schématiquement, comme les variantes réflexives ou poétiques d'une mise en œuvre de la différence. Deux tentations extrêmes ont été assez constamment présentes : la vigilance critique, le repli lyrique sur l'expérience intime.

JEAN-JACQUES ROUSSEAU L'ANNONCIATEUR

Rousseau a été le premier à vivre pleinement la condition de l'écrivain « romand » dans son rapport avec la France, et, du premier coup, il a porté le problème à sa dimension entière et à ses conséquences les plus importantes : la vocation critique ne se dessine-t-elle pas avec une netteté exemplaire, la solitude lyrique ne va-t-elle pas jusqu'aux limites ? Jean-Jacques Rousseau, écrivain complet, semble nous proposer, dans sa vie et dans son œuvre, une préfiguration globale des possibilités offertes et des contraintes imposées aux écrivains de Suisse romande. En même temps (et c'est là son vrai mérite) il fait voir que ces attitudes, loin de rester liées à une situation particulière et provinciale, peuvent revêtir une portée universelle, une valeur symbolique, et contribuer à manifester le sens d'une époque entière. Pour le dire plus nettement, le génie de Rousseau a su élever à la hauteur de l'emblème le conflit entre l'individu révolté et la loi collective, loi imposée sous l'aspect d'un style social, d'une culture : en l'occurrence, la monarchie française et la société d'Ancien Régime.

Certes, chez Rousseau, le décalage national a été providentiellement agrandi et multiplié par la singularité du tempérament. Il n'en reste pas moins que l'opposition, chez lui, prend appui sur la différence nationale. Citoyen de Genève, et le faisant savoir sur la page de titre de ses livres, Rousseau a fièrement arboré sa qualité d'étranger, et sans doute l'a-t-il fait moins par vraie fidélité à sa petite « patrie » que pour justifier le défi qu'il lançait aux grandes nations corrompues. Sa qualité de républicain lui était précieuse : elle lui permettait de se faire juge et accusateur, de parler en témoin d'un monde politique plus pur. Il veut qu'on sache qu'il est d'un autre *état*, que ses attaches, ses devoirs, ses plaisirs sont ailleurs. Dès lors qu'il se réclamait de Genève, sa vocation d'opposant pouvait s'autoriser d'une identité politique clairement définie. Du moins est-ce le cas pour les œuvres qui marquent le début de la carrière littéraire de Rousseau, pour celles où s'inscrit la critique « socio-culturelle ». Car à la fin, porté par la passion du refus et par la logique de l'opposition, il sera devenu un étranger pour son propre pays. L'homme de Môtiers, le rêveur du lac de Bienne s'enfonce dans l'exil sur les lieux mêmes où il s'attendait à trouver un « asile ». Après la publication de l'*Émile* (1762), décrété de prise de corps par les Genevois qui ont cru bon d'imiter Paris, Rousseau en arrivera à renoncer à la nationalité dont il s'était si longtemps prévalu : il ne veut appartenir désormais qu'à la vérité. Sa devise depuis plusieurs années le proclamait : *Vitam impendere vero*. Vérité qui n'est d'aucun lieu, d'aucune cité terrestre ; vérité qui vit dans le cœur de l'homme sensible, et dont nulle puissance ne peut le déposséder. Étranger à son pays même, mais cherchant dans les profondeurs de sa conscience une patrie à la fois plus étroite et plus vaste, Rousseau s'établit poétiquement, rêveusement en des sites où la persécution ne peut plus l'atteindre : dans son passé, ou dans l'espace infini du grand Tout.

La période où Rousseau se réclame ouvertement de sa patrie genevoise s'inscrit, en fait, entre deux ruptures : la rupture inaugurale, où l'adolescent s'est jeté dans la vie errante et dans l'apostasie ; la rupture sans retour, où l'écrivain vieillissant s'est détourné des hommes pour chercher refuge dans l'espace intérieur. De la rupture initiale qui lui ouvre le monde, à la rupture finale qui le voue à la solitude, on ne peut dire que Rousseau ait vécu en paix avec sa patrie. Contradicteur de la société parisienne, il a presque aussitôt formulé des exigences absolues, que la Genève réelle n'était pas en mesure de satisfaire. Il s'est donc trouvé doublement opposant : le mythe genevois qu'il opposait à la France devenait un motif d'insatisfaction en face de l'état de choses qui prévalait à Genève. La révolte de Rousseau n'a pas tardé à se couper toute retraite — à l'exception de la ressource interne du sentiment et du langage, à l'exception de la littérature. En quoi, une fois de plus, il préfigure un aspect important du destin des écrivains romands.

L'APPEL DU ROMAN

On sait qu'il y eut, dans l'enfance de Rousseau, deux grands moments dominés par les lectures romanesques. Un premier éveil à l'univers de la fiction coïncide avec l'éveil même de la conscience :

J'ignore ce que je fis jusqu'à cinq ou six ans ; je ne sais comment j'appris à lire ; je ne me souviens que de mes premières lectures et de leur effet sur moi : c'est le temps d'où je date sans interruption la conscience de moi-même. Ma mère avait laissé des romans. Nous nous mîmes à les lire après souper mon père et moi [1].

C'est ainsi que, par une « dangereuse méthode », Jean-Jacques fait l'apprentissage non du monde, non des choses, mais des ressources infinies du sentiment, de l'espace fictif où se meuvent librement les élans du cœur. Le recours au possible, à l'imaginaire, définit un territoire idéal que Rousseau s'emploiera à maintenir intact et toujours disponible. Il s'y réfugiera à nouveau lorsque pèsera sur lui la servitude de l'apprentissage. Cette fois, au contraire des lectures nocturnes autorisées par la complicité du père, lire devient une activité clandestine, un divertissement honteux et réprouvé. Aux yeux de l'employeur de Rousseau, la lecture est du temps perdu, du temps volé. Car Rousseau, trop passionné pour réserver à la lecture le seul moment du loisir autorisé, lit au lieu de travailler. Le monde imaginaire prend ici toute sa valeur subversive, toute sa valeur d'opposition à l'univers du travail et de l'honorabilité sociale :

Je m'ennuyais des amusements de mes camarades, et quand la trop grande gêne m'eut aussi rebuté du travail je m'ennuyai de tout. Cela me rendit le goût de la lecture que j'avais perdu depuis longtemps. Ces lectures, prises sur mon travail, devinrent un nouveau crime, qui m'attira de nouveaux châtiments. Ce goût irrité par la contrainte devint passion, bientôt fureur. La Tribu, fameuse loueuse de livres m'en fournissait de toute espèce [2].

A nouveau, la lecture se substitue au monde réel : Rousseau en refuse tout ensemble les asservissements et les tentations. Au lieu d'aller à la rencontre des filles, au lieu d'aimer des êtres de chair, Jean-Jacques dépensera son exaltation parmi les chimères issues des pages de ses livres. L'interdit

1. *Confessions*, liv. Ier. *O. C.*, I, 8.
2. *Op. cit.*, 39.

violent qui pèse sur l'assouvissement du désir favorise la sublimation de l'élan passionnel dans un univers d'images mentales :

> Mes sens émus depuis longtemps me demandaient une jouissance dont je ne savais pas même imaginer l'objet. J'étais aussi loin du véritable que si je n'avais point eu de sexe, et déjà pubère et sensible, je pensais quelquefois à mes folies, mais je ne voyais rien au-delà. Dans cette étrange situation mon inquiète imagination prit un parti qui me sauva de moi-même et calma ma naissante sensualité. Ce fut de se nourrir des situations qui m'avaient intéressé dans mes lectures, de les rappeler, de les varier, de les combiner, de me les approprier tellement que je devinsse un des personnages que j'imaginais, que je me visse toujours dans les positions les plus agréables selon mon goût, afin que l'état fictif où je venais à bout de me mettre me fît oublier mon état réel dont j'étais si mécontent. Cet amour des objets imaginaires et cette facilité de m'en occuper achevèrent de me dégoûter de tout ce qui m'entourait, et déterminèrent ce goût pour la solitude, qui m'est toujours resté depuis ce temps-là [1].

Singulier essor du rêve éveillé, où Rousseau perd son identité, mais goûte à plein (il nous le dit ailleurs) le bonheur d'être soi! Loin d'être coupable, ce dégoût du réel nous est présenté ici comme une voie de salut : Rousseau voit là une méthode légitime (il la préconisera même expressément dans l'*Émile*) pour prévenir les dangers d'une découverte trop précoce des plaisirs de la « sensualité ». Rousseau semble ici considérer la sexualité comme une périlleuse servitude, et l'imagination intervient à point nommé comme un mécanisme d'affranchissement. On peut aujourd'hui en juger autrement. Dans les termes de la psychologie de notre siècle, nous pouvons dire que l'imagination romanesque, qui libère l'apprenti d'une situation de contrainte sociale intolérable, est en même temps au service d'un refoulement répressif qui frappe la libre satisfaction amoureuse. Le monde romanesque apparaît donc comme l'expression d'une révolte incomplète, comme une formation de compromis entre le *refus* des contraintes de l'apprentissage, et l'*acceptation*, sinon même le renforcement, d'une censure morale qui interdit l'amour charnel. Si les romans détournent l'adolescent de son établi, ils le détournent aussi de l'impureté. Ainsi le monde romanesque est tout ensemble un monde *coupable* (tenue pour un « crime », la lecture défie la loi du travail réglé et substitue le libre jeu du désir au principe de réalité) et un monde innocent (puisqu'en cherchant des assouvissements fictifs le rêveur se soustrait à la souillure

1. *Op. cit.*, 41.

du contact féminin). Le roman, tel que Rousseau le vit, est essentiellement ambigu : il correspond à un essor illicite du désir, mais il implique une dérivation, un suspens, une retenue indéfinis de ce même désir dans la région des images. La morale du travail et de l'effort discipliné est mise au défi, mais la morale sexuelle peut y retrouver son compte, non sans concéder dans l'imaginaire ce qu'elle n'eût pas autorisé dans la réalité, non sans payer un large tribut à l'auto-érotisme.

Dans le récit des *Confessions*, la fuite de Genève nous est narrée sur le ton ironique du *Quichotte* et du roman picaresque : l'on y voit un adolescent, intoxiqué de lectures romanesques, de bergeries galantes, s'avancer dans une contrée inconnue, avec l'espoir d'y trouver des châteaux, des demoiselles, des aventures. Son avenir, il ne peut le concevoir qu'au travers des images issues de ses lectures. Son attente s'énonce dans la langue du roman : elle construit des chimères inépuisables. Or le privilège inouï de Rousseau, c'est d'avoir rencontré en Mme de Warens l'être que son désir romanesque espérait. Ceci compense largement les désillusions de Turin. Au reste, en toutes circonstances, l'espoir chez le jeune Rousseau est prompt à renaître de ses déceptions — l'espoir, avec son cortège de fictions charmantes, ses sociétés d'élite, ses joies inexhaustibles. Le rêve diurne est pour lui la nébuleuse primitive, le milieu originel, où s'ébauchent les constellations de l'existence future. Car l'incertitude délicieuse de la rêverie juvénile, pour Rousseau, tolère toutes les confusions entre ce qui *se donne* dans un présent fictif, et ce qui *s'annonce* comme la préfiguration d'un futur réalisable. L'aventure imaginaire est à la fois une satisfaction actuelle et un destin possible, un projet à remplir : la fiction, délicieuse déjà en sa seule qualité de fiction, se propose à la répétition, au redoublement dans un avenir qui la verrait « passer dans les faits ». L'élan désirant, qui fomente le rêve romanesque, n'y trouve encore pas le repos : il exige la réalisation du rêve, il aspire à « changer la vie ». Ce qui, dans la songerie, n'était d'abord que simple compensation — substitut ou « supplément » d'une réalité insatisfaisante — devient un espoir actif et suscite une nouvelle réalité. La chimère qui ne voulait que « donner le change », se fait, par surcroît d'énergie, l'agent d'un plus profond changement. Tout l'épisode des Charmettes, avec sa fin si attristante, mais aussi avec ses lointains prolongements dans la gloire parisienne, est la preuve de la fécondité du romanesque, de son aptitude à trouver une issue dans la « vie réelle », fût-ce au prix d'une conversion et d'une mutation disciplinée de la visée du désir.

Au comble de la gloire périlleuse où l'aura conduit l'effervescence de l'imaginaire, écrivant les *Confessions*, Rousseau se retourne sur ses traces : il rêve à ce qu'eût été son destin s'il était resté à Genève, si ses rêves ne l'avaient pas entraîné hors des murs, s'il était devenu un paisible artisan. A la fin du premier livre des *Confessions*, il recompose, dans un élan d'imagination rétrospective, le tableau d'une vie modeste partagée entre le travail régulier et les caprices innocents de la rêverie :

> Rien n'était plus convenable à mon humeur ni plus propre à me rendre heureux, que l'état tranquille et obscur d'un bon artisan, dans certaines classes surtout, telles qu'est à Genève celle des graveurs. Cet état, assez lucratif pour donner une subsistance aisée, et pas assez pour mener à la fortune, eût borné mon ambition pour le reste de mes jours, et me laissant un loisir honnête pour cultiver des goûts modérés, il m'eût contenu dans ma sphère sans m'offrir aucun moyen d'en sortir. Ayant une imagination assez riche pour orner de ses chimères tous les états, assez puissante pour me transporter, pour ainsi dire, à mon gré de l'un à l'autre, il m'importait peu dans lequel je fusse en effet. Il ne pouvait y avoir si loin du lieu où j'étais au premier château en Espagne, qu'il ne me fût aisé de m'y établir [1]...

N'est-ce pas réconcilier chimériquement les inconciliables ? Les rêves romanesques de la jeunesse de Jean-Jacques étaient incompatibles avec les limites exiguës d'une petite cité, d'un métier, d'une famille : fût-il tombé, comme il le souhaite, « dans les mains d'un meilleur maître », l'impétuosité de son désir ne l'en eût pas moins entraîné. Son imagination commandait le refus, la fuite, l'aventure, les espoirs exorbitants. La rêverie désirante n'a, pour ainsi dire, pas pu se soustraire à sa propre puissance d'élan et d'excès. Plus tard, avec le recul des années, l'image de la vie stable et bornée devient attirante par son impossibilité même. Le retour au pays natal devient de la sorte une direction nouvelle de la fantaisie romanesque. Ainsi surgit un horizon de regret émerveillé, qui offre l'image du bonheur dans une vie qui n'a pas été vécue. La perspective du regret, avec les années, s'accentuera toujours plus. Le rêve se reportera sur le temps perdu, sur les possibilités enfuies, sur les visages du passé. La mémoire tend à supplanter l'espoir. Mais pendant les années de la maturité, chez Rousseau, une sorte d'équilibre réserve des droits égaux à l'anticipation exaltée et à la rétrospection attendrie. Moments où l'existence, riche du butin

1. *Op. cit.*, 43.

de toute une vie déjà vécue, projette toujours son espoir vers un avenir ouvert.

La Nouvelle Héloïse prend naissance, me semble-t-il, au point où la rêverie espérante et la rêverie regrettante se font équilibre ; elle prend naissance au point où les appels de l'anticipation chimérique possèdent encore le pouvoir de prolonger les images de la mémoire.

Les *Confessions* nous aident à identifier les divers moments et les motivations multiples qui ont présidé à la construction du roman. Il importe — puisque Rousseau lui-même en marque nettement la chronologie — de suivre les phases de cette genèse, non par simple curiosité érudite, mais parce que c'est là un moyen de reconnaître les puissances de désir qui ont été mises en œuvre.

Tout commence par la douloureuse perception du manque, du vide sentimental, de l'insuffisance, de la défection ou de l'indignité des êtres les plus proches.

Il faut que ce vide soit comblé : il faut un dédommagement, un « supplément ». L'imagination, protégée par la solitude et par les frondaisons de la forêt de Montmorency, va y pourvoir. C'est le regret qui donne l'impulsion initiale :

> ... Au milieu des biens que j'avais le plus convoités, ne trouvant point de pure jouissance, je revenais par élans aux jours sereins de ma jeunesse, et je m'écriais quelquefois en soupirant : Ah ! ce ne sont pas encore ici les Charmettes [1].

L'insatisfaction, le sentiment de n'avoir jamais trouvé un « objet déterminé » digne de son cœur, l'idée d'avoir à quitter le monde « sans avoir vécu », tout l'incite à chercher consolation dans une rêverie nécromancienne, qui réveille le souvenir des occasions perdues, des amours inachevées, des brèves rencontres. Ces figures féminines, dans la vie de Rousseau, étaient apparues autrefois à l'appel du désir romanesque ; elles avaient été auréolées d'attente et de rêve ; Jean-Jacques s'était élancé vers elles en croyant reconnaître les héroïnes de la fiction ; il avait « projeté » sur elles des sentiments puisés dans l'*Astrée* et dans le roman pastoral. Voici que ces images reparaissent à nouveau, inscrites dans son propre passé, et parées du charme poignant de ce qui fut presque possédé, et qui demeure à jamais insaisissable. Ces créatures réelles, qu'il ne sut qu'effleurer, ne sont plus que des images, aussi libres aussi vaines, aussi disponibles que celles d'un roman : Rousseau se laisse reconduire par elles dans l'état fluide de la

1. *Confessions*, liv. IX, *O. C.*, I, 425.

rêverie ; elles, en qui un instant l'idéal romanesque avait semblé devenir réalité, les voici, fantômes obsédants, séductrices insistantes, qui aident Jean-Jacques à fuir la réalité décevante en direction d'un pays d'illusion. Elles le ramènent à l'état d'effervescence confuse : il redevient « berger extravagant » (le terme qu'il utilise appartient à l'univers du roman de l'âge baroque). Et, inventant des êtres parfaits, il peut se jeter à corps perdu dans un paradis exaltant.

L'impossibilité d'atteindre aux êtres réels me jeta dans le pays des chimères, et ne voyant rien d'existant qui fût digne de mon délire, je le nourris dans un monde idéal que mon imagination créatrice eut bientôt peuplé d'êtres selon mon cœur. Jamais cette ressource ne vint plus à propos et ne se trouva si féconde. Dans mes continuelles extases je m'enivrais à torrents des plus délicieux sentiments qui jamais soient entrés dans un cœur d'homme. Oubliant tout à fait la race humaine, je me fis des sociétés de créatures parfaites aussi célestes par leurs vertus que par leurs beautés, d'amis sûrs, tendres, fidèles, tels que je n'en trouvai jamais ici bas [1].

Une fabulation effrénée, qui maintenant n'a plus rien de rétrospectif, entraîne Jean-Jacques vers un « empyrée » situé hors des limites de la condition humaine. Mais ces éblouissantes visions ne sont pas transcrites ; elles ne peuvent sans doute l'être ; elles ne sont qu'un prétexte pour des effusions internes, qui demeurent aussi confuses qu'enivrantes. Dans une phase ultérieure, Rousseau redescendra sur terre et acclimatera son rêve aux conditions du monde social contemporain. Un épisode « littéraire » s'est interposé, dont le thème n'est pas sans importance : Rousseau, éprouvant la nécessité de répondre au poème de Voltaire *Sur le Désastre de Lisbonne*, a médité sur le mal physique et moral. Voltaire avait déclaré que l'homme n'est pas heureux : Rousseau répondait que c'était la faute de l'homme, non celle de Dieu. La question du malheur a sans doute contribué à lester la rêverie de Rousseau, à la circonscrire dans des bornes plus étroites, à introduire en elle le manque et la souffrance dont elle ne voulait être d'abord que la négation éperdue :

... Mes idées un peu moins exaltées restèrent cette fois sur la terre, mais avec un choix si exquis de tout ce qui pouvait s'y trouver d'aimable en tout genre, que cette élite n'était guère moins chimérique que le monde imaginaire que j'avais abandonné [2].

1. *Op. cit.*, 427-428.
2. *Op. cit.*, 430.

Des images plus nettes se dessinent — et d'abord celles des « deux charmantes amies » — bien que le plan reste encore « vague ». Un site se précise :

Pour placer mes personnages dans un séjour qui leur convînt, je passai successivement en revue les plus beaux lieux que j'eusse vus dans mes voyages, mais je ne trouvai point de bocage assez frais, point de paysage assez touchant à mon gré. Les vallées de la Thessalie m'auraient pu contenter si je les avais vues ; mais mon imagination fatiguée à inventer voulait quelque lieu réel qui pût lui servir de point d'appui, et me faire illusion sur la réalité des habitants que j'y voulais mettre. Je songeai longtemps aux îles Borromée dont l'aspect délicieux m'a ait transporté, mais j'y trouvai trop d'ornement et d'art pour mes personnages. Il me fallait cependant un lac, et je finis par choisir celui autour duquel mon cœur n'a jamais cessé d'errer. Je me fixai sur la partie des bords de ce lac à laquelle depuis longtemps mes vœux ont placé ma résidence dans le bonheur imaginaire auquel le sort m'a borné. Le lieu natal de ma pauvre maman avait encore pour moi un attrait de prédilection. Le contraste des positions, la richesse et la variété des sites, la magnificence, la majesté de l'ensemble qui ravit les sens, émeut le cœur, élève l'âme, achevèrent de me déterminer, et j'établis à Vevey mes jeunes pupilles [1].

C'est ainsi que dans le reflux d'un essor qui s'était d'abord porté vers des lieux irréels, la fiction prend consistance en cherchant dans le monde réel un « appui » qui ne tardera pas à revêtir une importance considérable. Alors seulement l'écriture devient possible. Des lettres s'ébauchent, des effusions s'inscrivent sur la page, dictées par le sentiment, en sorte que Rousseau puisse n'être pas tout à fait de mauvaise foi lorsqu'il feindra de n'en être que le transcripteur, l'éditeur. Le roman trouve l'incitation de son progrès, semble-t-il, dès l'instant où l'auteur consent à s'éloigner des régions mentales où règne une perfection trop continue de nature ou d'art : il aura fallu qu'il s'établisse dans un lieu plus déterminé, plus lié à la mémoire des vagabondages du passé, moins protégé des atteintes du mal, mais en un lieu qui portât néanmoins en lui comme un reflet persistant du paradis auquel il a été substitué. On doit attacher une grande signification à ce choix de l'imagination qui, apparemment par « fatigue », renonce à se transporter dans une Thessalie de pure fiction où n'aurait pu s'élever qu'un écho démodé du roman pastoral de l'âge précédent. Optant pour Vevey et Clarens, demandant le secours de la mémoire, Rousseau revient ainsi à la « race humaine » dont son premier élan l'avait détourné. Mais pour

1. *Op. cit.*, 430-431.

être plus proche et plus réel, Vevey n'en appelle pas moins une intense projection rêveuse. Non seulement, pour l'hôte de l'Ermitage, Vevey exerce la séduction des lieux éloignés dans le temps et l'espace, mais, « lieu natal de ma pauvre maman », cette localité invite à imaginer l'adolescence de celle qui devint plus tard Mme de Warens, les premiers émois, l'éveil innocent d'un cœur qu'il n'a pu connaître qu'altéré par les tristes leçons du monde. La fiction veveysanne permet à Jean-Jacques de se substituer en imagination à celui qui fut le premier amant de Louise-Eleonor de la Tour... De surcroît, cette fantaisie rétrospective s'implante dans un décor capable de satisfaire l'exigence de réalité quotidienne, dont le public, instruit par Richardson, a pris désormais le goût. Une conciliation est possible entre ce qui persiste du rêve paradisiaque et l'illusion réaliste... La rencontre avec Mme de Warens, suscitée autrefois par le rêve romanesque, devient le prétexte, après bien des années, d'une réquisition du réel par le désir nostalgique. La passion, la déception, la mémoire, l'écriture, sont les relais complexes qui s'interposent entre le monde romanesque où avait baigné l'enfance de Jean-Jacques, et le roman qu'il entreprend de composer. La continuité n'est pas rompue, mais l'on voit ici comment le retentissement prolongé du roman d'un âge antérieur conduit Rousseau à inventer un type de roman entièrement nouveau. C'est l'exemple d'une mutation décisive issue d'une fidélité passionnée ; sa jeunesse, toute grisée d'*anciens romans*, devient le matériau d'un *nouveau roman.* L'invention est inséparable du désir de la répétition. Un exemple suffira : adolescent, Rousseau cherchait dans les rencontres de la vie réelle, la confirmation des aventures que lui avaient offertes en image le livre et le rêve ; romancier, il voudra trouver les répondants réels de ses propres fictions, et il croira reconnaître en Sophie d'Houdetot les perfections dont il avait paré la figure de Julie. Ayant conquis les pouvoirs de l'écriture, Rousseau tente, à trente ans de distance, de ressusciter par son propre ouvrage l'ivresse qu'il avait jadis puisée dans les livres des autres ; il veut, puisqu'il en a découvert la puissance, devenir son propre lecteur, se lire lui-même, et vivre dans sa passion pour Sophie le redoublement réel de ses émois imaginaires. L'amour de Rousseau pour Sophie d'Houdetot n'aurait eu à nos yeux qu'un médiocre intérêt anecdotique, s'il ne révélait l'appétit irréductible d'abolir la différence du romanesque et du réel, de faire en sorte que l'idéalité du roman devînt le ferment de la vie. Comment ce mouvement est-il encore possible en 1757 ? Le *Don Quichotte* de Cervantès n'a-t-il pas, une fois pour toutes, dénoncé la chimère de toutes les tentatives qui, à un moment neuf de l'histoire, prétendent revivre la fiction d'un âge antécédent ? Rousseau lui-même, dans son adolescence agitée, n'a-t-il pas connu l'échec dans presque toutes ses espérances romanesques ? N'a-t-il pas vu le Lignon, au lieu d'arroser les prairies de l'*Astrée*, traverser une triste région de forges ? De tout cela, Rousseau n'a pas perdu le souvenir, et c'est la raison pour laquelle, en composant *La Nouvelle Héloïse*, il aménage le monde romanesque en éliminant tout ce qui, dans l'ancien roman, accroissait l'*écart* entre le monde imaginaire et la réalité quotidienne : les aventures extraordinaires, le site légendaire, les cultes fabuleux, etc. Le monde de *La Nouvelle Héloïse* a été conçu — de l'aveu même de Rousseau — de façon à ne garder du roman traditionnel que sa quintessence émotive, son élan sentimental. Le dépouillement va plus loin encore, puisque, dans l'univers du sentiment, Rousseau s'interdit de prêter la parole aux passions haineuses, à la voix de la méchanceté. Rien n'est plus révélateur que la façon dont Rousseau réduit la distance entre le lieu du roman et le lieu de la vie : il s'agit de ménager les voies de communication du roman à la vie, et d'abord à la vie personnelle. Mais rien n'est plus révélateur, en même temps, que la façon dont Rousseau persiste à maintenir un certain écart entre le domaine de l'imaginaire et la vie réelle. Vevey n'est pas la Thessalie, mais ce n'est pas non plus la France, ni surtout Paris : c'est en quelque sorte un moyen terme entre un *ailleurs* de pure fantaisie, et un *ici* décevant. La distance a été mesurée avec un très sûr instinct : le site des îles Borromées, auquel Rousseau a songé un instant, eût revêtu un aspect trop orné et trop exotique ; de plus, il eût rendu peu vraisemblables des lettres écrites en français. Mieux valait, comme l'a fait finalement Rousseau, choisir un cadre situé à l'extrême périphérie du domaine linguistique français : c'était, pour lui, non seulement rejoindre en imagination un foyer intérieur et l'un des sanctuaires de son propre passé, mais offrir au lecteur parisien le tableau d'une vie tout ensemble « extraordinaire » et réalisable au prix d'un dépaysement relativement limité. Le site de l'existence admirable est à quelques étapes de Paris ! L'on pourrait découvrir sa lumière, si l'on consentait à en faire l'effort ! De même, tout en s'entourant de mystère, les personnages semblent à portée d'identification, au prix d'une sorte de révolution intérieure pour le lecteur : non seulement Rousseau a prolongé dans son existence le rôle de Saint-Preux pour le vivre à l'égard de Mme d'Houdetot, mais un nombre considérable de lecteurs se sont sentis attirés par la destinée des personnages du roman ; deux nobles lectrices ont voulu mimer les « deux charmantes amies » et attirer Rousseau dans leur jeu. Et tant de voyages en Suisse prendront le sens d'un pèlerinage vers la terre où Julie aima, fut aimée, et mourut. L'on reconnaît ici le succès d'une opération de séduction. Mais comme toute opération de séduction, celle-ci ne rapproche un visage attirant qu'en le rendant insaisissable, elle ne s'offre qu'en insinuant un refus. A cet égard, il n'est pas indifférent que toutes les citations poétiques dont s'orne la prose de *La Nouvelle Héloïse* soient italiennes (Pétrarque, Métastase, Le Tasse) et qu'ainsi les moments d'exaltation lyrique recourent au prestige du chant d'une *langue étrangère.* L'éloignement veveysan se double d'un second éloignement qui nous renvoie aux lointains de la parole et de la musique italiennes : elles tendent un fond de tendresse bleutée, de plénitude mélodieuse et de pureté platonique. Si proche qu'il soit, le monde de *La Nouvelle Héloïse* est encore un monde absent : ainsi se trouve préservée la dualité de la fiction et de la réalité empirique — du romanesque et de la vie quotidienne.

L'EXPLOITATION DE LA DIFFÉRENCE

En conférant le plus possible de vraisemblance réaliste à la « petite ville au pied des Alpes » et à ses habitants, Rousseau écrit un roman contemporain, un roman bourgeois ; et en dressant ce décor vaudois, il pense aux gens du monde, aux Parisiens qui liront son livre, et il leur fait entrevoir la beauté troublante d'un monde qui n'est pas le leur. Oui, le « monde différent » requis par l'essor de la fiction reste préservé, mais il n'apparaît plus comme une scène fabuleuse : il ne contredit la réalité ni par des perfections surhumaines, ni par des aventures prodigieuses. Il prend la valeur d'une démonstration de la vérité du cœur, de l'ardeur de la passion, de la vertu authentique, telles qu'elles peuvent se rencontrer à distance des grandes villes. Dès lors, faut-il ajouter, l'écart entre Vevey et Paris ne mesure pas seulement un certain degré de fiction mais, avant tout, un certain degré de critique implicite (que les préfaces et les lettres sur Paris, dans la deuxième partie du roman, se chargeront d'expliciter). Le contraste traditionnel de la fiction et de la réalité est ici mis en œuvre de façon à s'inverser : ce sont les gens du monde, les Parisiens, qui vivent dans l'illusion, dans le mensonge, dans la vaine apparence. La fiction romanesque, au contraire, prétend figurer un univers de la vérité : une société plus étroite, régie par des vertus sincères, et capable de connaître les grandes évidences du sentiment... La fonction du paysage vaudois se conjugue ici avec la qualité résolument *étrangère* de la parole de Rousseau, et permet ainsi de manifester, dans les termes les plus forts sur le plan symbolique, une opposition radicale, un contraste essentiel. Ces jeunes gens qui — si l'on en croit Rousseau — écrivent mal et sentent juste, sont l'exact contraire des gens du monde qui s'expriment élégamment et n'éprouvent que des sentiments factices. La lettre, élément constitutif du roman, devient l'indice d'une subjectivité passionnée qui souffre des distances et des obstacles interposés, et qui travaille à les abolir ; mais elle prend du même coup une valeur polémique implicite : elle figure une profondeur morale, un sérieux éthique, dont la possession est interdite aux gens du « grand monde » ; elle révèle des facultés qui se sont étiolées dans la société des riches. Parce qu'elle est l'acte d'une conscience émue qui ne craint pas de s'exposer elle-même, la lettre peut opposer le témoignage des « belles âmes » à la vanité d'un monde composé de cercles brillants où l'on oublie son âme, où « nul homme ne peut plus être lui-même », et où les « marionnettes » mondaines n'accordent plus au sentiment qu'une valeur de prétexte pour des « maximes » quintessenciées. Ainsi l'écart entre le monde de Vevey et celui de Paris équivaut à un défi ; l'idée d'une « contestation » nous est signifiée à travers la différence qui sépare l'éloquence parfois incorrecte des deux amants, et le « jargon », le « vain formulaire » imputés par Saint-Preux et par Rousseau aux conversations parisiennes.

Au reste, il faut accorder la plus grande importance au projet d'une connaissance et d'une critique des sociétés à partir de leurs caractères différentiels, tel qu'il est formulé dans la lettre XVI de la deuxième partie :

Le caractère des nations ne peut se déterminer que par leurs différences... Si je voulais étudier un peuple, c'est dans les provinces reculées où les habitants ont encore leurs inclinations naturelles que j'irais les observer. Je parcourrais lentement et avec soin plusieurs de ces provinces, les plus éloignées les unes des autres ; toutes les différences que j'observerais entre elles me donneraient le génie particulier de chacune ; tout ce qu'elles auraient de commun, et que n'auraient pas les autres peuples, formerait le génie national, et ce qui se trouverait partout, appartiendrait en général à l'homme... Mon objet est de connaître l'homme, et ma méthode de l'étudier dans ses diverses relations. Je ne l'ai vu jusqu'ici qu'en petites sociétés, épars et presque isolé sur la terre. Je vais maintenant le considérer entassé par multitudes dans les mêmes

lieux, et je commencerai à juger par là des vrais effets de la société ; car s'il est constant qu'elle rende les hommes meilleurs, plus elle est nombreuse, et rapprochée, mieux ils doivent valoir, et les mœurs, par exemple, seront beaucoup plus pures à Paris que dans le Valais ; que si l'on trouvait le contraire, il faudrait tirer une conséquence opposée.
Cette méthode pourrait, j'en conviens, me mener encore à la connaissance des peuples, mais par une voie si longue et si détournée que je ne serais peut-être de ma vie en état de prononcer sur aucun d'eux. Il faut que je commence par tout observer dans le premier où je me trouve ; que j'assigne ensuite les différences, à mesure que je parcourrai les autres pays ; que je compare la France à chacun d'eux, comme on décrit l'olivier sur un saule ou le palmier sur un sapin, et que j'attende à juger du premier peuple observé que j'aie observé tous les autres.

Cette méthode comparative, qui est celle de la taxinomie des sciences naturelles contemporaines de Rousseau, préfigure le principe du structuralisme de notre siècle. Saint-Preux fera le tour du monde, et tout nous engage à croire qu'il a su pousser fort loin son enquête. L'essentiel reste néanmoins le rapport différentiel du milieu veveysan et de Paris, dont les lettres sur Paris nous montrent qu'il révèle un contraste multiple : différence dans l'organisation économique, dans les sources du pouvoir, dans les manières, les divertissements ; contraste dans la façon d'aimer, et, résumant toutes les oppositions, antithèse des langages. Ainsi l'originalité brûlante de la parole amoureuse, avant même que ne s'y ajoutent les éléments d'une philosophie avouée, comporte une signification culturelle et sociale : elle marque une aptitude à *sentir*, dont l'homme de la grande ville doit savoir reconnaître qu'il a perdu le secret. L'écart stylistique, avec son lyrisme, son pathos, ses rythmes musicaux, sa « diction », est ici non seulement l'indice d'une expérience psychologique d'une intensité peu commune, mais encore le révélateur d'une supériorité sociale et morale, tantôt tacitement, tantôt ouvertement affirmée.

Or cette opposition à Paris, Rousseau s'est ingénié à la rendre lisible aux Parisiens eux-mêmes. L'attrait du site étranger, pour être efficace, doit atteindre ceux-là mêmes auxquels il apporte la réprobation et la contradiction. Il faut donc maintenir une connivence secrète avec ceux qui vivent dans le mensonge : il faut continuer, d'une certaine manière, à parler leur langue. Saint-Preux, à Paris, s'en avise très lucidement : il s'alarme à l'idée d'avoir été, presque à son insu, contaminé par l'esprit de la capitale. Sa critique de Paris, il le craint, s'en trouverait curieusement gauchie : « Ne suis-je pas à présent moi-même un habitant de Paris ?

Peut-être sans le savoir ai-je déjà contribué pour ma part au désordre que j'y remarque... Insensiblement je juge et raisonne comme j'entends juger et raisonner tout le monde. » Une complicité singulière reste sous-entendue entre Rousseau et le monde auquel il s'oppose. Si la « vraie vie » est à Vevey, c'est toujours aux Parisiens qu'il le déclare, et dans le langage qui peut les émouvoir. Rousseau a beau dire, dans la préface de son roman, que l'œuvre ne sera goûtée que par des provinciaux : son succès fut surtout parisien, et il est impossible de croire que telle n'ait pas été la visée de l'auteur. Les *Confessions* nous font connaître l'accueil réservé à l'ouvrage, et l'attribue, de façon pénétrante, au sentiment du manque, à la représentation éloquente des biens dont le cœur du lecteur se sentait frustré :

> Tout au contraire de mon attente son moindre succès fut en Suisse et son plus grand à Paris. L'amitié, l'amour, la vertu règnent-ils donc à Paris plus qu'ailleurs ? Non sans doute ; mais il y règne encore ce sens exquis qui transporte le cœur à leur image, et qui nous fait chérir dans les autres les sentiments purs, tendres, honnêtes que nous n'avons plus [1].

La remarque que fait ici Rousseau est particulièrement importante : son livre a été reçu comme l'expression d'une vertu et d'un bonheur absents. Et qu'il ait pu être ainsi compris, voilà qui prouve qu'il a su exaspérer le manque, le rendre sensible, lui donner une voix, en développer une image « touchante » et atteindre profondément ceux mêmes dont l'existence lui paraît être captive des pires illusions. En écrivant un roman, n'a-t-il pas consenti à jouer le jeu des puissances maléfiques, ne s'est-il pas livré aux artifices du paraître ? Rousseau le reconnaît sans hésiter. Il s'est compromis ; il a pactisé avec le mal, mais il y a été contraint, parce qu'il faut guérir le mal par le mal, parce qu'il faut parler leur propre langue à ceux qui se sont laissé égarer dans l'univers aliéné de la représentation. Si *La Nouvelle Héloïse* tente de séduire les Parisiens, ce n'est pas pour leur procurer le plaisir pernicieux de la fiction, mais pour les guérir de ce qu'ils sont, pour insinuer dans le plaisir de la lecture une sorte de remède héroïque, de thérapeutique désespérée :

> Les romans sont peut-être la dernière instruction qu'il reste à donner à un peuple assez corrompu pour que toute autre lui soit inutile [2].

1. *Confessions*, liv. XI. *O. C*, I, 545-546.
2. *La Nouvelle Héloïse*, partie II, lettre XXI. *O. C.*, II, 277

Ce propos de Saint-Preux est directement applicable au roman dont il est le héros : nous en retiendrons que le roman ne veut pas seulement inclure un acte de connaissance polémique, il revendique de surcroît une valeur d'action morale. A première vue, cela n'est rien d'autre qu'un recours au principe classique de l'utile (de l'édifiant) : point d'œuvre en ce siècle, et parmi les plus gratuites ou les plus perverses, qui ne se justifie par l'instruction qu'elle apporte... Chez Rousseau l'ambition est plus sincère. Nous ne refusons pas de le croire, lorsqu'il déclare qu'il a voulu, par son roman, servir « *un objet de mœurs et d'honnêteté conjugale, qui tient radicalement à tout l'ordre social* », et lorsqu'il assure qu'il s'est proposé un but « *plus secret de concorde et de paix publique* [1] » : ainsi le roman, de sa fonction critique, s'élève à un rôle conciliateur, et prétend superbement intervenir dans l'histoire de l'époque. Qu'une jeune fille coupable et faible puisse devenir une épouse irréprochable, qu'un athée vertueux puisse avoir sa place à la tête d'une société d'âmes sensibles et de croyants : tout cela, porté par la durée romanesque, s'accomplit à Clarens, et propose à Paris un modèle intense et fascinant : c'est le mirage d'une possibilité de salut, la promesse d'une régénération. Ainsi ce grand roman de la transformation des cœurs poursuit, à travers sa dimension critique, un but *utopique* de transformation du monde. En lisant tant de pages qui, pour notre goût, pèchent par un excès de moralisme, il faut savoir discerner un effort généreux pour dénoncer les contradictions du monde contemporain, et finalement pour les résoudre en image, dans la concorde où parviennent à vivre des personnages qui tous représentent une tendance ou une tentation de leur auteur.

LE PARCOURS DU ROMAN

La Nouvelle Héloïse décrit, dans la durée, une admirable trajectoire, dont les forces directrices sont le désir, le refus, et la réunion de ce que le refus a séparé.

Le livre, dès ses premières pages, est soulevé par l'élan du désir. Mais aussitôt que le désir trouve son assouvissement charnel, il vient buter contre l'interdit social, contre le préjugé nobiliaire, qui lui refuse la possibilité de persister légalement et de s'inscrire dans un *ordre réel*. Cette passion, si légitime en son essence, est en effet tenue pour un désordre par la société, elle est criminelle au tribunal de ce juge absolu qu'est le

1. *Confessions*, liv. IX. *O. C.*, I, 435.

« père de famille », le baron d'Étanges. L'obstacle social, s'il a été un moment défié, ne sera pas brisé : la cause de l'ordre reçoit satisfaction, Julie consent à épouser l'homme que lui a destiné son père, et elle sera une épouse fidèle. Est-ce là toutefois un triomphe de la moralité conventionnelle, une consécration de la société existante ? Nullement. En intériorisant le refus, en sacrifiant volontairement leur bonheur immédiat, les amants ne cessent pas de s'aimer : ils accroissent leur passion. Le refus, d'abord imposé par l'ordre social, est pris en charge par la passion elle-même, et devient ainsi le gage d'un retour, le prix d'une réunion. Une vie nouvelle — née du refoulement, dirions-nous aujourd'hui — est possible pour l'amour : une société neuve, un ordre supérieur prennent alors naissance. Si la société conventionnelle s'était montrée plus forte que la passion libre, voici que la passion régénérée devient à son tour plus forte que la société conventionnelle, et qu'elle parvient à fonder, sur le sol de Clarens, une sorte de république privilégiée, supérieure par ses institutions au monde qui la précédait et qui l'encercle. Cette république n'est que l'expansion « politique » des *belles âmes* qui ont résolu de mettre leurs destins en commun. L'ordre nouveau de Clarens (à vrai dire plus paternaliste que démocratique, et nullement égalitaire) ne contredit nullement le désir : il en est le fruit tardif, après taille et sublimation. De façon analogue, la « fausse sagesse » du monde, que la passion avait niée, fait place à une sagesse supérieure, issue de la passion même et clarifiée par la discipline « répressive » difficilement consentie. Julie amoureuse et vertueuse est aussi bien une nouvelle Diotime qu'une nouvelle Héloïse (ou une nouvelle Laure). Ainsi naissent une philosophie, une théologie, une pédagogie, qui ne veulent plus être la vaine science des livres, mais qui, après avoir combattu la morale conventionnelle, la restaurent sur une nouvelle base : pensée qui, pour avoir passé par l'épreuve du sentiment, porte le sceau de l'authenticité ; philosophie qui n'est plus le stérile murmure de l'école, mais qui a sa source dans des consciences d'élite ; théologie dont les certitudes naissent d'un élan d'amour.

Toutefois, le bonheur de Clarens, synthèse et guérison imaginaire des conflits du monde, porte encore en lui trop d'élan passionnel, trop d'insatisfaction pour ne pas briser les institutions formelles où il risque de s'immobiliser. Il reste trop menacé par le retour désastreux du désir charnel, pour ne pas chercher un refuge qui soit tout ensemble la plus irrévocable séparation et la chance de la suprême union : ce refuge est la mort, et celle-ci peut aussi bien signifier le parfait accomplissement de la passion que l'échec de toute tentative d'aménagement politique d'un ordre terrestre. La trajectoire du roman s'achève en vue d'un terme ultime qui se dérobe à notre raison : parti des profondeurs troubles de la convoitise (que Rousseau ne nous laisse pas ignorer, en deçà de l'expression épurée de la rhétorique amoureuse), l'élan ascensionnel se porte, de sacrifice en sacrifice, vers l'au-delà. Un roman religieux ? Oui, mais dans la mesure seulement où la foi et l'adoration sont des avatars de l'énergie désirante, où elles sont des métamorphoses de l'éros dont tous les stades et tous les visages ont eu successivement leur moment d'épanouissement dans la lente durée du livre. Certes, à travers tout le roman, le langage religieux est constamment *exploité* pour donner à l'effervescence du sentiment son expression anoblie. On n'a pas manqué de dénoncer, dans ce recours aux vocables de la langue sacrée, un travestissement hypocrite des intérêts les plus égoïstes de la passion. Mais Rousseau a raison de nous inviter à considérer son roman comme un tout, et à ne pas séparer la « faiblesse » de Julie de son rachat. Aussi peut-on dire que le langage religieux, au moment de la convoitise charnelle la plus ardente, loin de donner aux appétits une légitimation frauduleuse, en annonce d'emblée la transfiguration possible. C'est pour avoir parlé le langage du sacré au sein même des voluptés que Julie et Saint-Preux s'orientent vers l'espoir religieux, quand la séparation sera intervenue : ils peuvent changer de conduite sans changer de langage. Le vocabulaire sacralisé de la passion contenait d'avance tous les éléments (d'accent souvent masochiste) du sacrifice vertueux : il entraîne les cœurs et dicte leurs révolutions. Il en va de même pour la valeur symbolique de quelques sites : c'est par la réminiscence du mythe de la plénitude et de la transparence paradisiaque que le paysage du Valais, le Bosquet, le Chalet, l'Élysée de Julie, la fête des Vendanges se chargent de toute leur puissance de séduction. Ce sont des reflets de l'Unité, des lieux où sont miraculeusement réunis tous les contraires que la dure histoire des hommes sépare : l'amour et l'innocence ; l'art et la nature ; la solitude et la communauté... Immodestement, obéissant aux exigences de son désir, Rousseau a projeté sur les paysages de Suisse romande une préfiguration du ciel, un souvenir de l'origine. Il greffe, sur les lieux qu'il a traversés, une signification eschatologique : il utilise le symbole religieux pour édifier son mythe personnel. Qui s'en étonnera ? Tout prédispose un mythe personnel, ainsi élaboré, à se muer en mythe collectif pour la génération suivante.

RÊVERIE ET TRANSMUTATION *

> Les *Rêveries du Promeneur Solitaire* contiennent peu de rêveries proprement dites ; elles ne sont pas un journal intime, un « informe journal ». On ne rompt pas si facilement avec des siècles de discours rhétorique.
>
> MARCEL RAYMOND[1].

Pour qui Rousseau écrit-il ses *Rêveries* ? Pour lui-même, pour lui seul. De quoi s'entretient-il dans cette œuvre ultime ? De sa destinée. L'auteur, qui s'est pris pour destinataire, se prend aussi lui-même pour thème de son discours. La parole ne poursuit plus aucune fin externe, elle décline toute référence à un auditoire possible. Rousseau s'est convaincu que le monde est désormais sourd à sa voix, et il en prend son parti. En désespoir de cause, la parole parcourra un circuit interne ; elle se réfléchira et s'absorbera en son auteur ; la conscience personnelle, dédoublée en une conscience discourante et une conscience réceptrice, s'alimentera de sa propre substance. Attitude singulière, dont la solitude radicale ne trouve en Montaigne et dans les soliloques des mystiques qu'une préfiguration lointaine et incomplète. Aussi Rousseau éprouve-t-il le besoin de légitimer ce que son entreprise a de neuf et de monstrueux : la situation monstrueuse qu'on lui a faite, dont l'histoire ne connaît aucun précédent, l'oblige à recourir à une ressource elle-même sans précédent. Tout au long des *Rêveries*, le développement de la relation interne s'accompagne d'une justification raisonnée du rapport exclusif de soi à soi, justification qui en vient même à supplanter l'entretien intime dont elle annonce l'avènement. (Tant de pages des *Rêveries* ne sont en fait que des déclarations d'intention, de longs apprêts, concernant l'entreprise de rêver. Tel est le

* Texte publié dans : *De Ronsard à Breton. Hommages à Marcel Raymond* (Paris, Corti, 1967).

1. Marcel Raymond, *Jean-Jacques Rousseau. La Quête de soi et la Rêverie.* (Paris, Corti, 1962), 197.

cas de la première *Promenade*, qui a fonction de préambule. Mais de longs passages de la deuxième et de la septième *Promenade* pourraient être également sous-titrés : pourquoi j'ai pris la résolution d'écrire mes rêveries.)

Est-ce là rêver ? On en douterait. La pure rêverie est interne et muette, absorbée dans une fascination fuyante. S'extérioriser, pour la conscience rêveuse, c'est déjà sortir de la rêverie. Le demi-regret qu'à plus d'une reprise Rousseau manifeste de n'avoir noté les idées et les images surgies le long du chemin, prouve précisément que la rêverie était assez absorbante pour ne laisser derrière elle aucun sillage verbal [1]. (Ainsi en va-t-il de nos rêves, dont les plus merveilleux sont toujours perdus pour le langage : il faut se résigner à en façonner au réveil un équivalent approximatif.) Accordons néanmoins qu'il existe un langage rêveur, des paroles apparemment déroulées au fil d'un rêve et comme proférées en songe. En va-t-il ainsi des *Rêveries* ? On y rencontre une conscience en état vigile. Le lecteur est fondé à se demander s'il est en présence d'une rêverie ou d'un libre discours sur le bonheur de rêver. Il s'étonnera même que ce libre discours existe dans la forme de l'écriture, puisqu'il est censé représenter l'acte même dans lequel la conscience s'assure de son inhérence à soi : le rapport de soi à soi aurait dû demeurer tacite, il aurait dû se limiter à l'évidence ineffable du sentiment. Écrire, fût-ce pour s'adresser à soi seul, c'est se condamner à l'extériorité, c'est en appeler à la lecture possible d'un tiers, et c'est surtout se confier à ces signes de convention que Rousseau (dans l'*Essai sur l'Origine des Langues*) considère comme irrémédiablement étrangers à la vérité vivante du sentiment : quiconque recourt à l'écriture tombe dans le monde malheureux des objets et des moyens opaques.

La prose des *Rêveries* semble au premier abord condamnée à une paradoxale extériorité. Extériorité d'abord par rapport au *moment* de la rêverie ; une distance fatale l'écarte de l'instant favorisé dont elle parle : l'extase de la seconde *Promenade* est rappelée à quelques semaines d'intervalle ; la félicité de l'île Saint-Pierre est retracée après un laps de douze ans ; et plus souvent encore, Rousseau déplore le tarissement actuel de la faculté de rêver. Extériorité, encore une fois, par rapport à la certitude interne et à la conviction muette. Le discours de Rousseau paraît voué à se déployer à l'écart de ce qu'il désigne comme l'état le plus précieux. Pour justifier la rêverie, il doit accepter de n'être plus ou de n'être pas encore la rêverie ;

1. « En voulant me rappeler tant de douces rêveries, au lieu de les décrire j'y retombais » (*Rêveries*, deuxième Promenade. *O. C.*, I, 1003).

pour proclamer l'inviolabilité de la certitude interne, il se déroule en dehors de l'intériorité. Dans tous les cas, la parole de l'écrivain, par son inadéquation inévitable, nous renvoie à un terme qui se dérobe, à une sorte de transcendance intime constituée par l'écart temporel ou par la différence qualitative : qu'il s'agisse du bonheur révolu ou du sentiment actuel, la parole tombe en une région qui leur est étrangère. La rêverie enfuie, l'émotion profonde sont hors d'atteinte. Et c'est d'eux pourtant que Rousseau se réclame. Rousseau ne serait-il pas condamné à l'inauthenticité, pour avoir voulu désigner ce qui ne se laisse pas désigner ?

Tel est le jugement qu'un lecteur sévère serait tenté de porter sur les *Rêveries.* Mais c'est précisément ce jugement que la méditation de Rousseau s'efforce de rendre inopérant. Elle soutient qu'écrire n'est pas seulement un acte de réflexion, une remémoration à distance, mais une reviviscence. Écrire, c'est revivre. Et s'il est vrai d'abord qu'écrire, ce n'est pas rêver, tout l'effort de Rousseau vise à supprimer la *différence* entre la parole et ce qu'elle exprime. Effort de nature poétique, même s'il ne prend que rarement et par intermittence l'allure de la prose poétique. Une sorte d'activation magique de la parole se produit, aux fins d'une reconquête de l'essence évasive du passé et de l'ineffable. Rousseau met tout en œuvre pour que la transcendance intime et la « distance intérieure » s'annulent et se résorbent au sein d'une immanence retrouvée.

Rousseau dit qu'il « écrit ses rêveries ». Croyons-le. Il dit qu'il entend les « fixer par l'écriture », qu'il est résolu à en tenir le « journal » ou le « registre ». La parole ne sera pas la rêverie originelle, mais son écho différé. Elle en sera le double : le rêve d'un rêve. Non point, comme Rousseau l'assure parfois, sa réplique fidèle, mais une voix qui, émue par le souvenir d'une rêverie première (par l'impossibilité de retrouver l'inspiration de la rêverie première), se laisse emporter et dériver, au fil de sa réflexion descriptive, dans une rêverie seconde. La mémoire de la rêverie devient ainsi une rêverie doublée, promise encore à d'infinis redoublements lors des lectures ultérieures que Rousseau projette d'en faire. « Leur lecture me rappellera la douceur que je goûte à les écrire, et faisant renaître ainsi pour moi le passé, doublera pour ainsi dire mon existence. » Le redoublement par l'écriture aura, de la sorte, précédé et conditionné le redoublement par la lecture...

« J'appliquerai le baromètre à mon âme [1]. » C'est là, comme

1. *Rêveries,* première Promenade. *O. C.,* I, 1000-1001.

l'a si bien montré Marcel Raymond, laisser entendre que les variations de l'âme rêveuse sont à la fois aussi imprévisibles et aussi strictement soumises aux lois physiques de l'univers que le sont les variations atmosphériques : elles échappent à la volonté humaine. C'est également laisser entendre que la description de la rêverie aura l'exacte fidélité d'une mesure dont les résultats — une fois donnée la graduation de l'instrument — se marquent d'eux-mêmes, de façon automatique, sans qu'intervienne la main ou le calcul. Si l'âme subit passivement ses modifications, le baromètre de son côté est un enregistreur passif. Mais les mouvements du baromètre ne *sont* pas les variations de la pression atmosphérique : ils leur sont symboliquement proportionnels. Au reste, Rousseau ne demeurera pas fidèle à son idéal barométrique : comment maintenir un rapport constant entre la rêverie première et la rêverie seconde ? Dans le cours de la rêverie seconde, les fluctuations de la rêverie première ne sont pas seulement transcrites : elles sont interprétées et modifiées. La quatrième *Rêverie*, qui revendique le droit à la fiction (laquelle est innocente, et ne peut être assimilée au mensonge tant qu'elle ne porte aucun tort à notre prochain) a valeur d'indice et d'aveu. Rousseau y réclame, pour la mémoire redoublante, le privilège sans doute exorbitant d'être créatrice sans cesser d'être véridique. On appliquera sans peine aux *Rêveries* elles-mêmes ce que Rousseau nous dit de ses *Confessions* : « Je les écrivais de mémoire ; cette mémoire me manquait souvent ou ne me fournissait que des souvenirs imparfaits et j'en remplissais les lacunes par des détails que j'imaginais en supplément de ces souvenirs, mais qui ne leur étaient jamais contraires [1]... » Ainsi, au lieu de reconnaître, dans la distance entre le sentiment actuel et le sentiment révolu, le signe de leur irrévocable différence, au lieu de voir s'annoncer l'échec dans l'hétérogénéité de l'écriture et de son objet élusif, Rousseau se prévaut d'une double réussite : le passé (exploré à partir du présent) ne sera pas trahi, et le présent (vivifié par le souvenir) sera exprimé dans sa vérité. « En me livrant à la fois au souvenir de l'impression reçue et au sentiment présent, je peindrai doublement l'état de mon âme, savoir au moment où l'événement est arrivé et au moment où je l'ai décrit [2]. » Par le privilège singulier qu'il lui confère (privilège qui, à nos yeux, est celui de la « littérature », ou mieux, de la poésie) la parole écrite, au lieu d'être condamnée à demeurer inadéquate, va se montrer doublement adéquate. La conscience

1. *Rêveries*, quatrième Promenade. *O. C.*, I, 1035.
2. *Ébauches des Confessions*. *O. C.*, I, 1154

s'arroge ainsi le droit de s'inventer, sans jamais sortir de sa vérité. Rousseau en a la conviction, l'imagination peut s'emporter jusqu'au délire sans jamais se rendre expressément coupable de mensonge. Elle se met plutôt, selon lui, au bénéfice d'une véracité multipliée.

*

Lire les rêveries, c'est donc s'engager dans le courant quasi continu d'une rêverie *seconde*. Celle-ci nous renvoie à une succession d'événements assez disparates, diversement situés dans le paysage du passé : ils constituent son matériau, son appui objectif. Tantôt la rêverie seconde se développe comme la surface parfaitement lisse où vient se réfléchir l'image d'une rêverie première dont l'essor a touché aux dernières limites (cinquième *Promenade*) ; tantôt elle décrit sur le ton de l'ironie une rêverie trop vite interrompue (herborisation sur la Robaila et découverte inattendue d'une fabrique de bas) ; tantôt elle énumère les activités substitutives qui suppléent au tarissement de la rêverie fabulatrice et de la fantaisie affective ; tantôt, en évoquant un événement qui a eu pour conséquence de retarder la rédaction des *Rêveries*, Rousseau retrace inoubliablement une extase accidentelle, subie dans la passivité défaillante d'un éveil (deuxième *Promenade*) ; et, sans relâche, la rêverie seconde revient aux circonstances qui la contraignent à chercher en dehors du monde humain un air qui lui soit respirable : elle retrace, pour les conjurer, les machinations de la ligue universelle, le grand complot qui a pour dessein d'enlacer Jean-Jacques. On le voit, le travail de la rêverie seconde consiste à ressaisir et à maîtriser des éléments aussi peu commensurables, aussi peu homogènes que possible, pour les reprendre, les dissoudre et les emporter dans son propre flux, au rythme égal d'une pensée qui se dégage des maléfices et qui s'assure de son invulnérabilité. La fonction de la rêverie seconde consiste donc à résorber la multiplicité et la discontinuité de l'expérience vécue, en inventant un discours unifiant au sein duquel tout viendrait se compenser et s'égaliser. L'unité ainsi reconquise peut dès lors se projeter rétrospectivement sur l'existence entière, au point que, pour la mémoire créatrice, le passé se restructure de façon à ressembler à l'œuvre entreprise, à en recevoir le rythme égal, la continuité tranquille marquée par l'alternance régulière des promenades : « Ma vie entière n'a été qu'une longue rêverie divisée en chapitres par mes promenades de chaque jour.

Cette simplification, ce passage à l'unité ne sont possibles qu'au prix d'un effort de transmutation. Il faut que la conscience transforme ses alentours et son horizon en se transformant elle-même. Au vrai, si la rêverie, sous sa forme de fantaisie fabulatrice, est une transmutation d'*images* dirigées par les exigences du désir, elle peut aussi, en une sorte d'ascèse ou d'appauvrissement, se passer d'images et se déployer comme une pure transmutation du *sentiment*; sous une forme plus abstraite encore, dans le ton de la réflexion ou de la méditation, elle partira de l'*idée* de la situation subie (elle-même œuvre de l'imagination) pour ne faire rien d'autre que transmuer progressivement le sens et la valeur de cette situation. Dans tous les cas, la transmutation reste le mobile essentiel qui entraîne la conscience rêveuse.

Mais il ne suffit pas de parler de transmutation : le goût de la métamorphose est le partage commun de tous les rêveurs. Il faut définir plus précisément le caractère spécifique de la rêverie selon Rousseau : c'est une transmutation *clarifiante*. Qu'il prenne pour objet des figures imaginaires, des sentiments, des idées, le *moi* y est toujours protagoniste, et le travail psychique de la rêverie consiste toujours à passer d'un état de trouble et de conflit à un état de simplicité limpide. Nous tenons ici l'élément invariable, le dénominateur commun des formes les plus diverses de la rêverie. Sous cet aspect, la rêverie seconde vaut la rêverie première ; elle ne lui est pas inférieure, à cette différence près que la rêverie première opère à chaud, dans l'instant *présent*, tandis que la seconde opère à froid, dans l'univers des « secondes intentions », c'est-à-dire dans le *souvenir* ou le regret des images aimées, dans la représentation différée des sentiments. Cette distinction n'est d'ailleurs pas absolue, car la rêverie première, dans ses transports les plus intenses, recourt constamment à la réflexion pour prendre du champ par rapport aux étapes inférieures de l'aventure mentale; il faut abolir et refouler dans le passé les images et les sentiments au-dessus desquels la pensée s'élève pour accéder à la transparence : il faut donc continuer à penser ce qui fut, pour mieux goûter par contraste l'extase présente. En revanche, la rêverie seconde ne se développerait pas si elle n'avait à son origine un sentiment *actuel* (de malaise, d'angoisse, d'incertitude, etc.) qui l'incite à chercher secours dans une réalité distante : le passé hors d'atteinte, les extases révolues, les délices impossibles, le fantôme des émotions, l'ancien projet d'écrire. Elle ne se développerait pas si elle n'avait pour but de créer *ici-même*, dans les mots qu'elle enchaîne, la conviction douce-amère de la sérénité reconquise.

*

Un long alinéa de la première *Promenade* — où Rousseau cherche à définir l'intention qui l'anime — nous fournira à la fois un exemple accompli de rêverie seconde et de transmutation clarifiante.

Tout ce qui m'est extérieur m'est étranger désormais. Je n'ai plus en ce monde ni prochain, ni semblables, ni frères. Je suis sur la terre comme dans une planète étrangère où je serais tombé de celle que j'habitais. Si je reconnais autour de moi quelque chose ce ne sont que des objets affligeants et déchirants pour mon cœur, et je ne peux jeter les yeux sur ce qui me touche et m'entoure sans y trouver toujours quelque sujet de dédain qui m'indigne ou de douleur qui m'afflige. Écartons donc de mon esprit tous les pénibles objets dont je m'occuperais aussi douloureusement qu'inutilement. Seul pour le reste de ma vie, puisque je ne trouve qu'en moi la consolation, l'espérance et la paix je ne dois ni ne veux plus m'occuper que de moi. C'est dans cet état que je reprends la suite de l'examen sévère et sincère que j'appelai jadis mes *Confessions*. Je consacre mes derniers jours à m'étudier moi-même et à préparer d'avance le compte que je ne tarderai pas à rendre de moi. Livrons-nous tout entier à la douceur de converser avec mon âme puisqu'elle est la seule que les hommes ne puissent m'ôter. Si à force de réfléchir sur mes dispositions intérieures je parviens à les mettre en meilleur ordre et à corriger le mal qui peut y rester mes méditations ne seront pas entièrement inutiles, et quoique je ne sois plus bon à rien sur la terre, je n'aurai pas tout à fait perdu mes derniers jours. Les loisirs de mes promenades journalières ont souvent été remplis de contemplations charmantes dont j'ai regret d'avoir perdu le souvenir. Je fixerai par l'écriture celles qui pourront me venir encore ; chaque fois que je les relirai m'en rendra la jouissance. J'oublierai mes malheurs, mes persécuteurs, mes opprobres, en songeant au prix qu'avait mérité mon cœur [1].

Cet alinéa reproduit en abrégé le mouvement général de la première *Promenade* : celle-ci, rappelons-le, commence par : *Me voici donc seul sur la terre...* et s'achève sur l'espoir « *de jouir de mon innocence et d'achever mes jours en paix malgre eux* ». D'autres alinéas, d'ailleurs, se développent entre une même constatation originaire et un même point d'arrivée, partant de l'évocation de la solitude et du déni de justice pour aboutir à la promesse de la paix intérieure. Le flux de la rêverie se compose de vagues successives, qui se dirigent toutes dans le même sens, et qui répètent presque toutes l'acte magique de la transmutation clarifiante. La partie, ici, est l'image en raccourci du tout.

1. *O. C.*, I, 999.

A bien des égards, dans la première *Promenade*, les préceptes traditionnels de la rhétorique classique restent valides. Celle-ci prescrit d'envisager l'état (*status*, *stasis*) d'une question définie ; elle recommande de considérer la personne de l'orateur, puis la personne *en cause*, et enfin la personne de l'auditeur (juge, peuple, public en général). Qui suis-je pour parler d'un tel sujet à un tel auditoire ? C'est la question de principe dont Rousseau avait fait le préambule du *Discours de l'Inégalité*. La question est maintenant reprise, mais au niveau de l'audience interne qui est celle de la rêverie. Rousseau définit sa situation, puis expose les motifs pour lesquels il sera tout ensemble l'auteur, la personne en cause, et le destinataire de sa parole. Mais une gradation particulière se dessine en cours de route : de l'extériorité vers l'intériorité, de l'étrangeté vers l'intimité, de l'opacité vers la transparence, du malaise vers l'euphorie. Ce long monologue délibératif n'annonce pas un discours orienté vers le monde, mais une parole réfléchie sur le moi, et, dans l'acte même d'annoncer cette parole sans auditoire externe, il la réalise devant nous, qui constituons l'audience récusée.

La première phrase de l'alinéa établit calmement la différence hyperbolique du moi et du monde extérieur. Elle reprend, en l'infléchissant pathétiquement, le grand thème stoïcien de l'*adiaphoria*. L'être se circonscrit ; il ne mentionne la totalité des objets extérieurs que pour l'annuler par décret. Car l'expression *m'est étranger* n'exprime pas la pure constatation : la succession des attributs (« ...m'est *extérieur* m'est *étranger* ») nous fait assister à une transmutation négative. C'est la conscience qui, dans l'acte prédicatif, décide de ce passage du sens spatial (extériorité) au sens moral (absence de relation). Du sujet (*tout ce qui m'est extérieur*) au prédicat (*étranger*), l'attribut a pris un sens aggravé, mais soutenu par le même verbe *est* et par le même pronom personnel au datif (*m*'est), où se marque la subjectivité *concernée* et la persistance du pouvoir de réflexion interprétative. L'adverbe *désormais* achève de donner à la phrase sa dimension subjective, mais sans dissiper l'ambiguïté de l'objectif et du subjectif qui hante la phrase entière. Il ne s'agit, en apparence, que de prendre acte d'une situation irrévocable. Par une valeur de connotation qui lui vient d'un de ses emplois les plus fréquents, *désormais* implique un acte de volonté, une décision qui prend appui sur le présent pour en faire la ligne de démarcation entre une conduite passée et une nouvelle époque de l'existence. La décision n'apparaît pas dans le verbe, elle se dissimule dans sa modification adverbiale. Ainsi la constatation se prolonge en prévision vague et en volonté sourde, si bien que la valeur objective de la constatation se trouve minée et paraît moins correspondre à un véritable état de fait qu'à une opération décrétée par la conscience. Rousseau n'*est* pas seul, il s'isole, il crée sa solitude ; la résignation accablée suscite la situation d'étrangeté. Le sentiment dispose secrètement des faits. Toutefois Rousseau ne s'avoue pas responsable, et c'est pourquoi il donne la préférence aux formes objectives, dans lesquelles la situation s'énonce comme situation *subie* et non voulue.

Les phrases suivantes explicitent cette situation de fait. On y remarque des expressions comme *en ce monde* et *sur la terre*, manifestement empruntées au langage de la spiritualité et qui, par leur signification d'exil, renforcent l'idée de séparation en la spécifiant. Ainsi défini selon les normes de la topologie religieuse, l'espace environnant semble se dépeupler progressivement pour ne comporter plus que des présences inhumaines chargées d'hostilité. L'on passe de l'évocation (négative) du *prochain* à celle des *objets affligeants*. L'image de la *planète étrangère*, chemin faisant, nous propose une expression hyperbolique de la « dislocation » spatiale. Les alentours concrets — l'horizon terrestre — sont objet de stupeur. L'idée de la chute (« *...où je serais tombé* ») suscite une impression de soudaineté et d'irréversibilité. Sur une planète étrangère, les objets n'ont plus le sens familier et rassurant qui leur vient d'un passé vécu en commun. Une rupture subite s'est produite. Désormais, tout ce qui survient du dehors (« *ce qui me touche et m'entoure* ») n'est pas seulement étranger, mais suscite une douleur.

De la première à la quatrième phrase l'on a passé du ton de la résignation à celui de la plainte. Conjointement, chaque phrase a pris plus d'ampleur que la précédente. Une souffrance toujours plus véhémente envahit l'âme, un crescendo se développe, et la quatrième phrase culmine sur les voyelles aiguës qui éclatent dans « affl*i*geants » et « déch*i*rants », pour retomber, en une sorte de soupir, dans les relatives brèves (« de dédain qui m'ind*i*gne ou de douleur qui m'affl*i*ge ») qui reprennent et prolongent en écho non seulement l'un des vocables (*affligeants*, *afflige*), mais encore les *i* aigus du sommet de la période. L'âme émue s'est laissé emporter par un élan d'humeur sombre. Le sentiment de chagrin s'est éveillé, s'est enflé, comme induit par la parole résignée et par le constat de solitude : Rousseau s'est attendri au son de sa propre plainte.

Mais ce point de désespoir atteint, le travail verbal de

la rêverie clarifiante va pouvoir intervenir en sens inverse. Entre la quatrième et la cinquième phrase, un revirement se produit. La rêverie morose cède la place à un mouvement psychique qui vise à restaurer l'intégrité menacée de l'existence personnelle. Le premier geste en ce sens consiste à rejeter activement le monde hostile « Écartons donc de mon esprit tous les pénibles objets »... L'impératif marque ici le caractère quasi magique du décret de la volonté. Le monde ne comptera pour rien. Plus exactement, la conscience exerce souverainement l'un de ses pouvoirs fondamentaux : la faculté de l'écart... Des deux termes en conflit — le monde et le moi — l'un (le monde) va s'anéantir sous l'action de l'autre (le moi), qui restera seul en scène. Le conflit n'est plus qu'un souvenir. Mais comme le conflit constitue la condition nécessaire de la rêverie réparatrice, comme il est le point de départ obscur dont a besoin la transmutation clarifiante, il reste évident que le trouble conflictuel persiste sourdement à l'arrière-plan. De fait, lors même que Rousseau se promet d' « oublier ses malheurs », il persiste à les mentionner. Le projet d'oublier n'est pas le véritable oubli. Et lorsque, dans la phrase finale de la première *Promenade*, Rousseau parlera de la paix dans laquelle il achèvera sa vie, il ne pourra s'empêcher de contraster cette béatitude avec les efforts impuissants de ses ennemis : ... « en paix *malgré eux* ». Les « pénibles objets » ne disparaissent donc pas : l'effort qui les écarte les abolit moins qu'il ne les dénie. Ceux-ci ne perdent pas leur charge d'hostilité, mais ils l'épuisent à distance. Rousseau désarme leur pointe agressive en décrétant qu'il se met dorénavant hors de leur portée. La conscience découvre qu'elle échappe au monde hostile dès qu'elle cesse de *s'occuper* de lui. C'est en effet par la répétition du verbe *s'occuper* [*a*) « les pénibles objets dont je *m'occuperais* aussi douloureusement qu'inutilement » ; *b*) « je ne dois ni ne veux plus *m'occuper* que de moi »] que se marque la conversion décisive où la pensée pivote de l'extraversion douloureuse à l'introversion heureuse.

De même que la topologie religieuse contribuait à constituer le sens de l'espace extérieur (défini comme l'ici-bas de la « terre », de « ce monde »), les notions religieuses de la « consolation », de « l'espérance » et de « la paix » interviennent maintenant pour légitimer l'attention à soi. Est-il besoin d'insister sur le détournement que Rousseau opère en sa faveur, quand il reporte sur son propre moi une source de grâces que le croyant ne trouve qu'en Dieu ? Est-il également besoin de souligner l'effet de ralentissement qu'opèrent ces trois substantifs juxtaposés au même niveau syntaxique ?

Ils confèrent à la phrase de Rousseau sa calme abondance (qui n'est pas redondance); ils font contraste, par leur signification de béatitude, avec les autres triades qui apparaissent dans la deuxième et dans la dernière phrase de l'alinéa : *a*) « Je n'ai plus en ce monde *ni prochain*, *ni semblables*, *ni frères* » ; *b*) « J'oublierai *mes malheurs*, *mes persécuteurs*, *mes opprobres*. » Il est encore plus important de remarquer que la triade de la *consolation*, de *l'espérance* et de *la paix* marque la conciliation de l'âme avec les trois dimensions du temps : le passé (par la consolation), l'avenir (par l'espérance) et le présent (dans la paix) redeviennent habitables.

Si la rêverie se développe ici dans le resserrement spatial, si le moi se soustrait au monde, il s'octroie en compensation un libre pouvoir d'expansion temporelle. Il renoue avec son passé, il anticipe son avenir. En deux phrases successives, Rousseau marque d'abord le désir de donner une suite à l'entreprise *antérieure* d'autobiographie, puis l'*attente* de la comparution prochaine devant le tribunal de Dieu. S'occuper de soi, ce sera au premier chef rétablir la continuité interne. L'un des déplacements capitaux opérés par la transmutation clarifiante consiste à s'arracher à l'espace hostile, où l'être est attaqué de toutes parts, pour chercher refuge dans une temporalité personnelle dont le cours pourra être tour à tour remonté et descendu sans obstacle par la pensée. A partir de ce moment, un *nouvel espace* pourra se déployer : un espace temporalisé, centré par le moi, animé et peuplé par l'expansion du sentiment. Tel est l'espace de la promenade... Pour l'instant, au moment où Rousseau écrit la page que nous lisons, la continuité interne n'est pas encore effectivement rétablie : ce n'est qu'un projet qui se dessine au sein de la rêverie, et qui tend à prendre force de réalité, de même que peu auparavant l'image de l'aliénation totale avait pris force de réalité pour la conviction intime.

S'occuper de soi. La rêverie s'empare de cette idée pour la développer et l'éclairer de diverses façons. Elle va, pour ainsi dire, en essayer les diverses acceptions. La pensée rêveuse, dans la seconde partie de l'alinéa, va envisager les multiples finalités que peut s'assigner la conversation avec soi-même. D'abord, la connaissance de soi : s'examiner, s'étudier. Mais la connaissance de soi est aussitôt subordonnée à une eschatologie personnelle : elle va permettre d'établir plus fidèlement le compte exigé par le juge suprême. La rêverie s'arrêtera-t-elle ici ? Rousseau va esquisser d'autres intentions. Une finalité morale plus prochaine : s'amender, corriger ses dispositions intérieures. Toutefois l'idée de n'être « plus bon à rien sur la terre » désamorce presque aussitôt la finalité morale. Tout se passe comme si, dans son parcours, la rêverie abandonnait successivement les fins qu'elle vient d'assigner à son activité future. Elle les évoque à tour de rôle pour s'avancer plus loin. C'est qu'elle veut accéder à un point qui se situe au-delà du règne des fins, et se dérober à ce qui, en toute fin, subordonne l'être à une instance externe. S'offrir au regard de Dieu, ou s'amender, c'est encore demeurer soumis à l'exigence d'un Autre, ou à l'exigence morale, qui régit l'action parmi les autres ; la connaissance de soi, elle-même, quand elle s'élabore comme un *savoir*, suppose la différence interne séparant la conscience connaissante et l'être connu. La rêverie de Rousseau travaille à effacer cette extériorité, à résorber cette différence. Converser avec soi-même ne sera pas un moyen en vue d'une fin ultérieure et lointaine : ce sera la fin suprême, le but indépassable. Et l'écriture qui *fixe* la rêverie sera le support de cette rencontre du même avec le même. Le terme ultime atteint par la transmutation clarifiante consiste dans la perspective d'une *jouissance* indéfiniment répétée par la lecture. On aura remarqué, chemin faisant, la gradation des termes qui marquent le progressif ensoleillement de l'âme au cours de ce train de pensées : « *douceur* de converser »; « *contemplations charmantes* » ; « m'en rendra *la jouissance* »... Manifestement, la vague heureuse atteint son sommet au moment où la conscience s'attend à se retourner vers son image fixée pour se reconnaître en elle. Le redoublement, la répétition indéfinie qu'il attend de cette relecture ouvrent à la conscience la possibilité d'une pure possession de soi, soustraite tout ensemble à l'altération du changement et à l'agression du monde hostile. Le travail psychique de la rêverie annonce à la fois le règne du souvenir avivé, et de l'oubli facile ; il prophétise utopiquement la fin de tout travail, un retour de l'âge d'or personnel, fait d'abandon absolu, de passivité, de relâchement des énergies intérieures. Sans effort, Jean-Jacques goûtera la présence perpétuée des contemplations révolues ; sans effort, il s'absentera de ses malheurs, il échappera à la malice de ses persécuteurs. Ce suspens du temps, ce présent sauvegardé par-delà toute durée, c'est la *paix* dont Rousseau parlait quelques lignes plus haut, après avoir nommé l'espérance (orientée vers le futur) et la consolation (au visage tourné vers le passé). Plénitude de la présence interne, distance infranchissable à l'égard du mal extérieur : ces privilèges, Rousseau se les promet. Il ne les possède pas encore, et c'est la raison pour laquelle la rêverie travaille à les conquérir dans l'élan désirant où elle se les annonce.

De fait, aucune des neuf *Rêveries* suivantes ne nous offrira la pure image, fixée sur le vif, d'une « contemplation charmante » survenue au cours d'une promenade récente. Aucune d'entre elles ne se déploie d'un bout à l'autre dans un climat de bonheur continu. Les instants heureux, comme des coups de lumière, se détachent toujours sur fond sombre, selon l'exemple que vient de nous donner la première *Promenade*. Tout se passe comme si, dans son premier temps, la rêverie avait toujours besoin d'un affrontement avec le monde hostile et les « pénibles objets ». Rousseau le dit très clairement dans le préambule de la huitième *Promenade :*

> Les divers intervalles de mes courtes prospérités ne m'ont laissé presque aucun souvenir de la manière intime et permanente dont elles m'ont affecté, et au contraire dans toutes les misères de ma vie je me sentais constamment rempli de sentiments tendres, touchants, délicieux qui versant un baume salutaire sur les blessures de mon cœur navré semblaient en convertir la douleur en volupté [1]...

Convertir la douleur en volupté : telle est assurément la formule la plus exacte qui puisse définir cette alchimie du désir à laquelle nous avons donné le nom de transmutation clarifiante. L'ombre et la douleur en sont la *materia prima*. La rêverie ne s'exalte, ne s'accentue et ne devient mémorable que dans son contraste avec un donné oppressif dont elle travaille à se délivrer. L'instabilité « atmosphérique », qui fait succéder dans l'âme de Jean-Jacques les ténèbres et les éclaircies, ne tient pas seulement à la labilité du sentiment et à la fragilité d'un bonheur que son acuité même rend éphémère : elle provient aussi du fait que ce bonheur trouve sa nourriture et plonge ses racines dans le tréfonds d'un sentiment de malheur. Rousseau a besoin de se replonger dans la douleur pour élaborer activement, voluptueusement, son affranchissement de la douleur.

Aucune des dix *Promenades* n'apporte le témoignage d'un plein oubli du mal et d'un apaisement total ; en les relisant, Rousseau n'aura sans doute jamais éprouvé la jouissance parfaite qu'il s'était promise. Le mal y fait partout irruption, dans la fonction ambiguë d'un trouble qui vient offusquer le bonheur et d'un prétexte nécessaire à l'opération d'exorcisme de la rêverie clarifiante. Au reste, on remarquera que les *Rêveries*, qui sont peut-être des « promenades » par le trajet même de leur écriture, ne sont toutefois en rien un procès-

1. *O. C.*, I, 1074.

verbal pris sur le vif, un « journal [1] » (fût-il « informe ») rendant compte sur-le-champ de l'événement du jour. Si l'interprétation, et l'émoi né de l'interprétation, occupent actuellement l'âme de Jean-Jacques au moment de la rédaction, l'événement ou la sensation interprétés sont rarement ceux des heures antécédentes. Ils appartiennent à un passé plus éloigné. La pensée interprétative de Rousseau a besoin d'un certain recul par rapport aux faits dont elle dégage le sens. Il l'a maintes fois répété : c'est dans la réminiscence que l'événement revêt sa signification (signification retouchée, voire même librement créée par Jean-Jacques). L'événement le plus récent que Rousseau mentionne expressément dans l'une de ses *Rêveries*, est la lecture de l'*Éloge de Mme Geoffrin*, survenue trois jours avant la rédaction de la neuvième *Promenade*. Rousseau, dans l'intervalle, a mis en ordre tous les détails de la circonstance, il les a soumis à son exégèse... La seule fois où Rousseau dise avec précision *aujourd'hui*, c'est au début de la dixième *Rêverie* pour situer exactement la date de sa rédaction par rapport à l'événement capital survenu cinquante ans auparavant : la rencontre de Mme de Warens. La dernière *Rêverie* s'alimente au souvenir de l'entrevue miraculeuse par quoi s'acheva la fuite de Genève, promenade inaugurale de l'existence de Jean-Jacques. Le décalage est extrême entre le fait vécu et son écho méditatif.

La page que nous venons de lire annonce donc un projet qui ne sera qu'imparfaitement réalisé. Le suspens du temps, l'existence doublée dans son reflet intemporel, le bonheur fixé dans l'image écrite du bonheur : ce sont les postulats du désir, les visées que la rêverie projette au-delà du trouble et de l'imperfection du moment présent, et qu'elle n'en finit jamais de vouloir rejoindre. Il est significatif que l'état suprême « où le temps ne soit rien » pour l'âme, soit évoqué dans la cinquième *Rêverie* par un homme situé dans un temps oppressif et qui se retourne nostalgiquement vers son passé. Il utilise l'imparfait, le passé composé : « Tel est l'état où *je me suis trouvé* »... Au moment où il écrit cette phrase, l'auteur des *Rêveries* se trouve, à l'égard du contemplateur extatique de l'île Saint-Pierre, dans le même rapport de désir et de séparation qu'Orphée, regardant derrière lui pour apercevoir Eurydice qui le suit et qui se dérobe à tout jamais.

Ces remarques auront peut-être contribué à définir le trajet de la transmutation clarifiante. D'un fond obscur, fait d'angoisse et d'agressivité malheureuse, la rêverie pro-

1. Première Promenade. *O. C.* I, 1000.

duit et déploie simultanément la chaîne des raisonnements, des images et des sentiments, mais pour épuiser et annuler tous les raisonnements, toutes les images, tous les sentiments, à l'exception d'un seul : le sentiment d'une présence inaltérable et limpide.

Sentiment de l'existence, grand Être, parfaite suffisance du moi... Ces notions, certes, ne s'équivalent pas dans leur signification rigoureuse : mais si Rousseau peut en faire des termes interchangeables, c'est parce qu'ils désignent tous le point où cesse le mouvement de la transmutation. Ils désignent tous l'*intransmuable* : ce qui ne peut désormais se modifier dans le cours du devenir et dans le travail de la pensée ; ce qui, dans la profondeur de la conscience ou dans le tréfonds du monde, est à la fois la source de tout pouvoir et ce qui subsiste après l'abdication de tout pouvoir.

De même que la réflexion, chez Rousseau, travaille à surmonter le dédoublement réflexif, pour atteindre un lieu ultime où la conscience se possède et s'abandonne au sein de l'immédiateté irréfléchie, la transmutation clarifiante développe ses métamorphoses en vue de l'immuable dont le désir l'oriente et l'anime. Mais « tout est dans un flux continuel sur la terre ». Appeler si intensément la paix, la transparence, le repos, c'est vouer l'être à l'effort infini de la pacification, au mouvement infatigable vers l'impossible non-mouvement : la passion de l'immuable exige le perpétuel recommencement de la rêverie.

SUR LA MALADIE DE ROUSSEAU *

J'étais né presque mourant ; on espérait peu de me conserver. J'apportai le germe d'une incommodité que les ans ont renforcée, et qui maintenant ne me donne quelquefois des relâches que pour me laisser souffrir plus cruellement d'une autre façon. Une sœur de mon père, fille aimable et sage, prit si grand soin de moi qu'elle me sauva [1].

Mais l'auteur de l'*Émile* montre moins de sollicitude à l'égard des enfants débiles :

Celui qui se charge d'un élève infirme et valétudinaire change sa fonction de gouverneur en celle de garde-malade ; il perd à soigner une vie inutile le temps qu'il destinait à en augmenter le prix... Je ne me chargerais pas d'un enfant maladif et cacochyme, dût-il vivre quatre-vingts ans [2].

Dans le second *Discours*, la rudesse à l'égard des faibles est la même : énonçant les grandes normes de l'état de nature, Rousseau nous dit, sans l'ombre d'un regret, que « la nature en use » avec les enfants « comme la loi de Sparte avec les enfants des citoyens ; elle rend forts et robustes ceux qui sont bien constitués, et fait périr tous les autres [3] ».

L'opposition entre ces textes est saisissante. Rousseau nous parle tour à tour comme un valétudinaire-né, et comme l'apôtre d'une impitoyable sélection naturelle. Là, il n'est vivant que par miracle, et toute son existence n'est qu'un précaire ajournement de la mort. Ici, il accepte avec une tranquille indifférence (ou plutôt avec une sorte d'admiration

* Texte publié dans le n° 28 (1962) de ***Yale French Studies.***

1. *Confessions*, liv. Ier, *O. C.*, I, 7-8.
2. *Émile*, I. *O. C.*, IV, 268.
3. *Discours sur l'Inégalité*. *O. C.*, III, 135

approbative) de voir sacrifier les infirmes, comme s'il ignorait qu'il eût été lui-même au nombre des victimes.

Mais à force de symétrie, ces deux aspects antithétiques de Rousseau finissent par s'ordonner dans le champ d'un seul et même problème vécu : c'est la double expression d'un unique tourment. En recourant, pour la commodité, au langage de la psychanalyse, nous parlerions de structure sado-masochiste : la plainte endolorie du malade s'inverse, selon une parfaite complémentarité, pour devenir froide et cruelle sévérité envers les moins aptes. Le mépris pour la débilité devient un motif supplémentaire de déplorer une existence marquée par la maladie dès son origine. Mais s'il y a chez Rousseau une complaisance évidente à se sentir et à se proclamer souffrant, il n'en est pas moins sincère lorsqu'il se fait l'annonciateur d'une santé absolue (au prix du retranchement des faibles). En dehors même de la trouble jouissance que Rousseau pouvait éprouver à être blessé ou blessant, nous pouvons admettre que sa fragilité physique l'incitait à rêver un idéal de santé qui fût à la mesure même du manque ressenti. Voici un homme qui, vivant dans la crainte perpétuelle de la *rechute*, n'a longtemps pu se passer de sondes ; sa gouvernante lui était le plus souvent une garde-malade ; expérience faite, il a fini par congédier tous les médecins, mais son refus définitif de la médecine n'est que l'image inversée de l'empressement anxieux avec lequel il cherchait auparavant le secours des hommes de l'art (qu'on songe seulement au voyage de Montpellier) : comment n'aurait-il pas formulé, par devers soi, le vœu d'une plénitude intacte ? Comment n'aurait-il pas rêvé d'un état simple où les forces spontanées de l'homme et celles de la nature environnante, complices et miraculeusement accordées, eussent suffi à maintenir le corps dispos, sans que la jouissance de la santé fût altérée par le souci de la conserver et la conscience de sa précarité. Qu'à lui seul, sans nul correctif emprunté à l'art, l'organisme pourvût à sa conservation et au simple plaisir d'exister, c'était là, pour Rousseau, chose suffisamment rare pour qu'elles figurât parmi les privilèges irrécupérables de l'état de nature : un aspect de ce rude mais verdoyant paradis perdu, où l'être ignore la crainte de la mort parce qu'il ne s'est pas encore livré au vertige de la réflexion. Dès que l'homme a dépassé ce bonheur animal et renié cette insouciance stupide, il a su prévoir, il s'est prévu mourant, et la mort s'est mêlée à sa conscience pour ne plus la quitter. Du même coup, nous avons appris à imaginer, mais en voulant satisfaire nos besoins imaginaires, nous avons perdu l'équilibre primitif : tous les besoins factices sont source de maladie. Et c'est ainsi que l'imaginaire, qui pourrait n'être qu'une innocente anticipation de la vie, devient en fait une anticipation de la mort...

Vivre comme l'animal, dans l'instant et dans la discontinuité des instants successifs, c'est habiter la santé essentielle, c'est ignorer, en bloc, le souci de l'amour-propre, le souci du regard d'autrui, le souci du travail et de l'accumulation pour le lendemain, bref, tout le *superflu* dont se compose à la longue la conscience de notre destinée mortelle. On n'a pas assez remarqué que c'est au nom d'une exigence de santé que Rousseau prononce la fameuse condamnation de la réflexion :

Si la nature nous a destinés à être sains, j'ose presque affirmer que l'état de réflexion est un état contre nature, et que l'homme qui médite est un animal dépravé.

Qu'entend-il démontrer ? Je crois qu'il tient moins à lancer une condamnation sans appel contre la réflexion (puissance ambiguë, dont ailleurs il fait l'un des garants de la spiritualité de l'âme) qu'à faire valoir les chances vitales de l'homme naturel, encore incapable d'exercer sa raison. Puisque, en même temps que leurs bienfaits, la réflexion et l'imagination nous font éprouver leurs propriétés toxiques, on n'a pas lieu de craindre leur absence. L'homme de la nature ne manque de rien. Si démuni qu'il soit de technique et d'instruments, il peut subsister nonchalamment, dans un juste équilibre où la conscience ne s'arrache à la volupté du sommeil que le temps de désirer et de cueillir aussitôt les fruits offerts en abondance par la forêt primitive. A ce désir qui ne connaît pas l'excès correspond un bien-être que rien n'altère. Aucune puissance morale, aucune honte ne refrène la spontanéité du désir ; mais en revanche le désir n'excède pas les limites compatibles avec la permanence d'un bonheur toujours renouvelé. Bonheur borné, et qui eût pu être éternel si l'homme n'avait outrepassé les bornes. De même que la santé primitive n'a de soi qu'une conscience obscure et confuse, elle n'a pas d'histoire. L'homme de la nature est resté le même pendant des milliers d'années, jusqu'à ce que les « circonstances » soient venu solliciter la perfectibilité endormie. Alors commence l'aventure de la réflexion, de l'imagination et du travail humains : l'histoire est un état de maladie. Mais comment se guérir de l'histoire ? En tout cas pas en refusant l'histoire. La réponse se trouve dans l'*Émile* et dans le

Contrat social, œuvres où l'homme (individu, ou communauté) est voué à un devenir régi par l'*art*.

*

Dans le mythe qui s'est construit autour de la personne de Rousseau, les éléments que nous venons d'évoquer sont très certainement intervenus de façon déterminante. La conscience collective, en Occident, et au-delà, entoure d'un respect singulier la figure du *guérisseur souffrant*. L'image du Christ, dont le livre de P. M. Masson nous rappelle qu'elle fut souvent évoquée à propos de Rousseau (lecteur de l'*Imitation*) [1], n'est à cet égard qu'une des multiples expressions d'un archétype universel. Une humanité tourmentée par l'angoisse et par la maladie souhaite que la parole salutaire et le message libérateur lui soient adressés par un homme que la douleur a stigmatisé et séparé. Un puissant charisme s'attache à l'extrême séparation, et la profondeur de la souffrance favorise cette consécration. C'est l'un des aspects de Dionysos ; et c'est peut-être là ce qui, en Rousseau, a séduit Hölderlin, poète de Dionysos. Au fond du mythe du guérisseur souffrant, il y a la conviction que la plus douloureuse séparation est le prix payé pour conquérir la plus forte présence, la proximité efficace. On sait que les chamans ne deviennent guérisseurs qu'après avoir traversé, dans la solitude, la maladie-initiation qui dure parfois des années. L'étonnant prestige conquis par Mary Baker Eddy tient pour une large part à l'épreuve préalable de la paralysie. Mais les exemples sont légion... Que Rousseau ait consciemment cherché à imposer cette image de lui-même, nul ne saurait le prétendre sans outrecuidance. Cette forme de prestige ne se calcule pas ; il se construit dans une sorte d'aveugle connivence avec l'attente du public. Un vague espoir anonyme, vécu dans le tissu dense de l'expérience collective, éprouvé comme l'espoir des autres et tout ensemble comme un appel personnel, hante par avance celui qui peu à peu lui donnera réponse en incarnant de façon toujours plus visible et plus nette le modèle idéal du sauveur stigmatisé [2]. Il est en tout cas certain que Rousseau a été regardé et aimé comme un homme de douleurs par une très large partie de ses admirateurs. Du fond

1. P. M. Masson, *La religion de J.-J. Rousseau* (Paris, Hachette, 1913, 3 vol.).

2. L'attitude se trouve déjà nettement tracée dans la lettre au pasteur Jean Perdriau, du 28 novembre 1754 : « Si le détachement d'un cœur qui ne tient ni à la gloire ni à la fortune, ni même à la vie peut le rendre digne d'annoncer la vérité, j'ose me croire appelé à cette vocation sublime. » *Correspondance générale*, DP, II, 135 ; L, III, 59.

de sa faiblesse et de ses défaillances, il est celui qui annonce tout ensemble la punition d'une société coupable et la « guérison des maladies » ; tout ce qui vient frapper sa chair se mue en une étrange et rayonnante souveraineté ; et inversement, comme dans l'extase de la route de Vincennes, les intuitions intellectuelles les plus éclatantes imposent au corps une sombre défaite, dans les larmes, le trouble et l'étourdissement.

*

Mais l'historien veut en savoir davantage sur la maladie de Rousseau. Entreprise hasardeuse, qui n'a de sens que si l'on se résigne d'avance à la possibilité de l'échec ou du suspens. Si l'on prétend que les documents nous répondent par oui ou par non, nous leur ferons dire ce que nous voudrons et nous n'en serons guère plus avancés.

J'avoue n'aimer guère la curiosité que l'on témoigne si souvent pour les maladies des hommes illustres. Ils étaient hommes, ils avaient un corps, ils sont morts : par quoi ils sont du commun. Peut-être ont-ils voulu n'être qu'art et parole, se dissimuler dans l'œuvre parfaite. Vaine prétention : la mort les a bien rejoints. Il nous est toujours loisible de les considérer du point de vue de la mort, et c'est ce que nous faisons en scrutant leurs maux : leurs dents se cariaient, ils digéraient mal, ils toussaient, le spirochète les pourrissait. La postérité, sournoisement, prend sa revanche, retrouve l'obscène présence du viscère, et se penche sur ces misères. Assez admiré, assez répandu d'encens, il faut comprendre, disent des hommes sérieux, protégés par leurs tabliers. Et ils vous poussent ces cadavres sur la table d'autopsie, comme s'ils s'apprêtaient à découvrir dans quelque parenchyme lésé le ressort secret des œuvres qui furent un jour accomplies par des hommes vivants et libres. Certains « pathographes » ont eu cette naïveté : Baudelaire, pour eux, s'explique par la syphilis, Chopin par la tuberculose, Greco par l'astigmatisme. Beau nivellement. Une question vient tout naturellement à l'esprit : pourquoi tous les malades n'ont-ils pas du génie ? L'artiste laisse toujours une dépouille ; mais nous n'atteindrons jamais son art dans sa dépouille.

*

Que de controverses autour de la maladie de Rousseau ! C'est qu'il n'y va pas seulement du point d'honneur qu'on met à poser un diagnostic rétrospectif. Par raccroc, selon la portée qu'on donne à ce diagnostic, on modifie une pièce capitale au dossier du procès permanent que l'histoire intente à Jean-Jacques. S'il est vrai, comme l'ont répété à satiété les auteurs bien-pensants de la fin du XIXe siècle, que Rousseau est un « dégénéré », qu'il porte en lui le stigmate congénital de la « constitution névropathique », voire de l'insanité morale, alors l'affaire est entendue : toute sa personne est déconsidérée, c'est un « génie morbide », son œuvre est viciée de part en part, corrompue dans sa source même. On veut bien qu'elle soit intéressante à titre de symptôme, mais elle est indigne d'être écoutée et suivie. Cela donne bonne mine à Robespierre, qui s'est réclamé de Rousseau... Voici l'autre plaidoyer : la maladie, chez lui, n'occupe pas cette position centrale et première : elle est une plaie surajoutée, une ombre accidentelle, une calamité venue du dehors. On est alors invité à départager les rôles respectifs du Rousseau authentique, et d'un autre homme que l'urémie progressive affole et assombrit. L'admirable écrivain, le réformateur social et le pédagogue, c'est le vrai Rousseau ; le persécuté, l'obsédé, c'est l'infecté urinaire que la néphrite ascendante intoxique ; les folies de sa jeunesse ne sont que les conséquences psychologiques d'une malformation urétrale ; il y a certes du délire en certains moments de la vie de Rousseau, mais de ce délire il n'est pas responsable. Diagnostic : délire toxique à forme interprétative. Pour le docteur S. Elosu [1], c'est une certitude absolue. L'hypothèse a été accueillie avec empressement par tous ceux qui désiraient disculper Rousseau.

Le souci de plaider fausse décidément les choses. Faut-il qu'après examen médical l'on doive nécessairement trancher : coupable ? non coupable ? Bien sûr, cette alternative, Rousseau lui-même a tenté de nous l'imposer. C'est lui qui en a appelé au verdict d'un tribunal posthume. Et les médecins de bonne volonté se sentent saisis d'une joie grave à l'idée de jouer le rôle d'expert auprès du tribunal. S'il y a de la passion en cette affaire, le prévenu lui-même en a donné le ton. Au risque d'être infidèle à Rousseau, mieux vaut échapper à ce piège.

Les diagnostics opposés que nous venons d'évoquer pèchent l'un et l'autre par une erreur fondamentale : ils confèrent à la maladie une essence massive, ils en font un être indépendant. Ils ne sont en désaccord que sur la place à lui attribuer. Les uns la voient au cœur de la personnalité, comme une altération centrale, les autres la considèrent comme

1. S. Elosu, *La Maladie de Rousseau* (Paris, Fischbacher, 1929).

quelque chose de radicalement étranger, qui se serait surajouté à la façon d'un parasite que l'organisme doit subir bon gré mal gré. C'est oublier que le *nom* de la maladie n'est qu'un être de raison, et que la seule réalité concrète est le comportement de l'homme malade. On croit formuler un verdict scientifique, et l'on ne fait que plaquer un concept nosologique « moderne » sur une réalité trouble qui élude toute définition de ce genre. Le « moderne », en l'occurrence, est ce qu'il y a de plus instable. Voyez la liste, assez bouffonne, des diagnostics qui ont prétendu prononcer le verdict sans appel sur le cas Rousseau, tant en ce qui concerne ses troubles urinaires que son « état mental » : de son vivant même, Rousseau se défendait contre l'imputation de mélancolie, au sens médical du terme [1] ; l'on a cru mieux dire en parlant de lypémanie, ou de monomanie triste [2] ; sitôt que les termes de névrose et de dégénérescence furent à la mode, ils furent appliqués à Rousseau [3] ; puis vinrent les notions de délire d'interprétation et de paranoïa [4] ; Pierre Janet voit en Rousseau un psychasthénique exemplaire [5] ; lorsque la clinique se plaira à panacher ses diagnostics, l'on entendra parler de « neurasthénie spasmodique obsédante, artériosclérose et atrophie cérébrale progressive sur base de neuro-arthritisme[6] »; le concept de schizophrénie était assez vague et assez accueillant pour que l'on prétendît y inclure les symptômes de Jean-Jacques [7] ; pour le psychanalyste René Laforgue, Rousseau se caractérise par l'homosexualité latente, avec obsessions et réactions hystériformes [8] ; on incriminera l'in-

1. « Vous me supposez malheureux et consumé de mélancolie. Oh! Monsieur combien vous vous trompez! C'est à Paris que je l'étais ; c'est à Paris qu'une bile noire rongeait mon cœur »... Première lettre à M. de Malesherbes. *O. C.*, I, 1131.

2. E. Esquirol. *Des Maladies mentales*. Bruxelles, 1838, 2 vol. T. I, p. 212. Le diagnostic de mélancolie s'applique conjointement à Mahomet, Luther, Le Tasse, Caton, Pascal, Chatterton, Alfieri, Gilbert. On trouve déjà Pascal dans la galerie des mélancoliques de Pinel.

3. C. Lombroso, *L'Homme de génie*. Trad. fr., Paris, 1889.

4. P. J. Möbius, *Rousseaus Krankheitsgeschichte*. Leipzig, 1889. L'auteur spécifie : il s'agit de la forme combinatoire du délire d'interprétation. C'est également l'opinion du docteur Chatelain : *La folie de J.-J. Rousseau*, Neuchâtel, 1890. Rousseau illustrera la « variété résignée du délire d'interprétation », dans le livre de P. Sérieux et J. Capgras, *Les folies raisonnantes. Le délire d'interprétation*. Paris, 1909. Nous avions nous-même recouru à la notion de paranoïa dans la précédente édition de ce livre.

5. Pierre Janet, *De l'angoisse à l'extase*. Paris, 1928. 2 vol. *passim*.

6. E. Régis, « Étude médicale sur J.-J. Rousseau », *Chronique médicale*, 1900, nos 1, 2, 3, 5, 7, 12, 13.

« La phase de présénilité chez J.-J. Rousseau », *L'Encéphale*, août 1907.

7. V. Demole, « Analyse psychiatrique des Confessions de J.-J. Rousseau. » *Schweizer Archiv für Neurologie und Psychiatrie*, II, 2, p. 270-304. Zürich, 1918.

8. R. Laforgue, « Étude sur J.-J. Rousseau ». *Revue française de Psychanalyse*, novembre 1927. Repris dans : *Psychopathologie de l'échec*, Paris, 1944.

toxication urémique et Mme Elosu, nous l'avons vu, s'arrêtera au diagnostic de délire toxique à forme interprétative [1] ; de plus récents experts penchent pour le « délire sensitif de relation », tel qu'il a été défini par E. Kretschmer [2]. Et la maladie urinaire ? Nombreux sont ceux qui croient à la réalité organique du rétrécissement, cause de la rétention. Encore faut-il savoir où situer la malformation. S'agit-il d'un phimosis serré ? D'un rétrécissement de l'urètre prostatique ? D'une malformation valvulaire au niveau de l'orifice vésical de l'urètre ? Pour Poncet et Leriche, dont la communication [3] sert de base au livre de S. Elosu, « le rétrécissement devait siéger au niveau de la région bulbo-membraneuse, qui est un des lieux d'élection de ce vice de conformation ». Autant de possibilités, que les textes laissent entrevoir, mais qui échappent à toute vérification. De plus hardis commentateurs vont jusqu'à affirmer que Rousseau était hypospade [4] : aucun des cinq enfants qu'il fit déposer à l'assistance publique n'était de lui, et peut-être Thérèse a-t-elle seulement simulé ses grossesses pour mieux s'attacher Jean-Jacques... Mais la thèse du spasme fonctionnel ne manque pas de défenseurs ; dès le XVIIIe siècle, on a suspecté que les troubles de la miction, chez Rousseau, étaient purement « nerveux » : névropathie urinaire, dira Régis ; quant aux psychiatres qui adoptent la thèse de la paranoïa, les plaintes de Rousseau leur révèlent, pour l'essentiel, la phase d'hypocondrie qui précède généralement l'éclosion du délire de persécution : dès l'instant, en effet, où les idées délirantes prennent le dessus, où la conviction du complot devient obsédante, on entend moins parler de mictions difficiles et de sondages répétés [5].

Tant d'opinions et de diagnostics divers pourraient fort bien nous instruire sur l'évolution des idées médicales de 1800 à 1970 ; en revanche notre intelligence de Rousseau ne s'en trouve guère plus avancée. On voit, comme il faut s'y attendre, les partisans de la somatogenèse s'opposer aux tenants de la psychogenèse : on les voit même, pour prévenir les objections inévitables, multiplier les concessions et rapprocher leurs points de vue. Les troubles urinaires sont d'origine malformative, disent les uns, mais n'excluons pas une forte « surcharge corticale » ; ils sont d'origine psychique,

1. S. Elosu, *La maladie de Rousseau*. Paris, 1929.
2. E. Kretschmer, *Der sensitive Beziehungswahn*. Berlin, 1918.
3. A. Poncet et R. Leriche. « La maladie de Jean-Jacques Rousseau ». *Bulletin de l'Académie de Médecine* (séance du 31 décembre 1907).
4. F. MacDonald, *La légende de J.-J. Rousseau*. Paris, 1909.
5. Le balancement psychosomatique aboutit, en dernier ressort, au délire.

répliquent les autres, mais un homme qui se sonde quotidiennement, quand bien même il n'aurait aucune lésion organique, finit par infecter ses voies urinaires...

*

Revenons aux textes. Mais non pas pour tenter de formuler un plus heureux diagnostic. Nous ne ferons pas mieux que tant d'excellents médecins. Ce qu'il faut commencer par admettre, c'est que le dossier médical de Rousseau, pour riche qu'il soit, ne contient guère que les déclarations du patient. Toute vérification nous est interdite. Le meilleur « flair clinique » ne vaut rien quand le recours aux faits est impossible : sur les contumaces, on ne peut construire que des hypothèses.

Mais que pouvons-nous faire? D'abord, nous demander ce que la maladie fut pour la conscience même de Rousseau. Ce n'est pas assez de connaître avec précision les maladies dont un homme a souffert. L'important est de savoir comment il les a supportées, s'il a fait bon ou mauvais ménage avec la souffrance, s'il s'y est complu ou s'il a prétendu l'ignorer. A défaut d'un diagnostic exact, on peut toujours se demander comment Rousseau a vécu sa maladie, comment celle-ci a infléchi son existence, son écriture.

Voici une première constatation : en ce qui touche son état mental, nous le trouvons pratiquement anosognosique : c'est à peine si on le voit, une fois ou l'autre, au début de son évolution « persécutée », revenir sur certaines de ses idées délirantes et accuser son imagination effarouchée. Pour l'essentiel, le Rousseau des dernières années manifeste les convictions les plus aberrantes sans soupçonner un seul instant leur nature pathologique. Il en va tout autrement pour sa maladie urinaire : c'est un mal minutieusement observé, maintes fois décrit, exhibé à tout venant, presque choyé. D'où vient tant d'attention au mal, et surtout tant d'empressement à nous le faire connaître? D'autres, après tout, ont subi les mêmes tourments en les dissimulant : l'urètre de Boileau fut plus certainement lésé que celui de Rousseau ; un témoignage indirect nous l'apprend : mais pas un mot dans l'œuvre elle-même. Rousseau, lui, se raconte. Pourquoi ? Par lubie exhibitionniste ? Pour imiter Montaigne, qui ne nous a rien caché de sa gravelle? Le précédent littéraire n'est peut-être pas sans importance. Ce n'est pourtant qu'un motif assez superficiel. Voici qui paraît mieux fondé : en avouant tout de go ses misères les plus intimes, Jean-

Jacques donne des gages de sa sincérité. S'il a le courage cynique de découvrir ainsi ses plaies, s'il raconte crûment ses folies et ses mauvaises actions (le ruban volé, ses goûts masochistes, les enfants abandonnés), alors nous n'avons aucune raison de le suspecter sur les détails moins compromettants : nous pouvons d'autant mieux lui faire confiance lorsqu'il nous parle de ses intentions toujours pures, de ses sentiments bienveillants et tendres. Les aveux difficiles donnent la mesure de la véracité de tout le reste. S'il avait eu d'autres « crimes » ou d'autres hontes sur la conscience, quelle pudeur ou quelle hypocrisie l'eût retenu ? Il va si loin dans l'indécence qu'on peut être assuré qu'il s'est peint tout entier, *intus et in cute*. Or c'est de cela qu'il veut nous persuader : les *Confessions* sont le plaidoyer d'un homme aux abois qui sent, à tort *et* à raison, de terribles accusations peser sur lui. L'ouvrage doit rétablir, pour la postérité, l'image du vrai Jean-Jacques, momentanément supplantée par l'image monstrueuse que les hommes du complot cherchent à imposer à l'univers entier.

Que disent les accusateurs ? Reportons-nous au libelle anonyme que Voltaire fit circuler contre Rousseau, au *Sentiment des Citoyens* :

> Nous avouons avec douleur et en rougissant que c'est un homme qui porte encore les marques funestes de ses débauches, et qui déguisé en saltimbanque traîne avec lui de Village en Village, et de Montagne en Montagne, la malheureuse dont il fit mourir la mère, et dont il a exposé les enfants à la porte d'un hôpital...

On le voit, la calomnie et la dénonciation sont bien réelles ; seulement l'imagination de Rousseau les amplifiera jusqu'à en faire une clameur universelle dirigée contre lui. A cela, une seule réponse : révéler, dans ses moindres détails, la nature exacte de sa maladie, la raison pour laquelle il emporte partout sa provision de sondes, les motifs pour lesquels il lui a fallu revêtir l'habit arménien. Rousseau fait publier par son éditeur, à Paris, le pamphlet injurieux (qu'il attribue à tort au pasteur Jacob Vernes de Genève) en y ajoutant des notes rectificatives :

> Je veux faire avec simplicité la déclaration que semble exiger de moi cet article. Jamais aucune maladie de celles dont parle ici l'Auteur, ni petite ni grande, n'a souillé mon corps. Celle dont je suis affligé n'y a pas le moindre rapport ; elle est née avec moi, comme le savent les personnes encore vivantes qui ont pris soin de mon enfance. Cette maladie est connue de Messieurs Malouin, Morand, Thyerri, Daran, le

frère Côme ; s'il s'y trouve la moindre marque de débauche, je les prie de me confondre [1]...

Déjà, dans son testament de 1763, écrit avant le *Sentiment des Citoyens*, Rousseau avait pris soin de repousser, avec force détails, l'imputation de maladie vénérienne. Il vaut la peine de citer de larges fragments de ce singulier document :

L'étrange maladie qui me consume depuis trente ans et qui selon toute apparence terminera mes jours est si différente de toutes les autres maladies du même genre et avec lesquelles les médecins et chirurgiens l'ont toujours confondue que je crois qu'il importe à l'utilité publique qu'elle soit examinée après ma mort dans son siège même. C'est pourquoi je souhaite que mon corps soit ouvert par d'habiles gens s'il est possible et qu'on observe avec soin l'état du siège de la maladie, dont je joins ici la note pour l'instruction des chirurgiens. Les parties malades doivent être affectées d'une manière bien extraordinaire puisque depuis vingt ans tout ce qu'ont fait les plus habiles et savants artistes pour soulager mes maux n'a fait constamment que les irriter. Je déclare au surplus n'avoir jamais eu aucune des maladies qui souvent donnent lieu à celles de cette espèce, en quoi j'avoue n'avoir à me vanter que de mon bonheur ; ce que je dis là est certain et j'insiste sur cette affirmation parce que des médecins et chirurgiens ont sur ce point refusé de me croire et ils ont eu tort. Il importe qu'ils ne cherchent pas la cause du mal où elle n'est point [...] Il y a vingt ans que je suis tourmenté d'une rétention d'urine dont j'ai même eu des atteintes dès mon enfance et que j'ai longtemps attribuée à la pierre. M. Morand ni les plus habiles chirurgiens n'ayant jamais pu me sonder, je suis resté incertain sur cette cause jusqu'à ce qu'enfin le frère Côme est venu à bout d'introduire un algali très menu avec lequel il s'est assuré qu'il n'y avait point de pierre.

(Interrompons un instant notre lecture : le lecteur notera que si la plupart des médecins ne parviennent pas à pousser la sonde jusque dans la vessie, les autosondages de Rousseau n'ont jamais dû, eux non plus, être complets.)

Mes rétentions ne sont point par accès comme celles de ceux qui ont la pierre, qui urinent à plein canal et tantôt n'urinent point du tout. Mon mal est un état habituel. Je n'urine jamais à plein canal et jamais aussi l'urine n'est totalement supprimée mais le cours en est seulement plus ou moins embarrassé sans être jamais entièrement libre de sorte que j'éprouve une inquiétude, un besoin presque continuel que je ne puis jamais bien satisfaire. Je remarque pourtant dans ces inégalités un progrès constant par lequel le fil de l'urine diminue d'année en année ce qui me fait juger qu'il finira tôt ou tard par être tout à fait arrêté.

Il m'a semblé que l'obstacle... s'enfonçait toujours plus dans la vessie

1. *Correspondance générale*, D. P., XII, 366 sq.

de sorte qu'il a fallu d'année en année employer des bougies plus longues et dans les derniers temps n'en trouvant pas qui le fussent assez je me suis avisé de les allonger.

Les bains, les diurétiques, tout ce qui apporte ordinairement du soulagement à ces sortes de maux n'a jamais fait qu'augmenter les miens, et jamais la saignée ne m'a procuré le moindre soulagement. Les médecins et chirurgiens n'ont jamais fait sur mon mal que des raisonnements vagues par lesquels ils cherchaient bien plus à me consoler qu'à m'instruire ; faute de savoir guérir le corps ils ont voulu se mêler de guérir l'esprit. Leurs soins n'ont pas plus profité à l'un qu'à l'autre ; j'ai vécu beaucoup plus tranquille depuis que je me suis passé d'eux.

Le frère Côme dit avoir trouvé la prostate fort grosse et fort dure et comme squirreuse ; c'est donc là qu'il faut porter ses observations. Le siège du mal est certainement dans la prostate ou dans le col de la vessie ou dans le canal de l'urètre et probablement dans tous les trois. C'est là qu'examinant l'état des parties on pourra trouver la cause du mal.

Il ne faut point chercher cette cause dans l'effet de quelque ancienne maladie vénérienne. Car je déclare n'en avoir jamais eu de cette espèce. Je l'ai dit aux artistes qui m'ont soigné. J'ai jugé que plusieurs d'entre eux ne m'en croyaient pas. Ils ont eu tort [1].

En tout, Rousseau veut être une exception. Sa maladie est sans exemple, comme son caractère, comme sa destinée. La nature a brisé le moule. Mais surtout qu'on n'aille pas insinuer qu'il est un débauché : à cette accusation, qui visiblement l'obsède, il répondra en faisant dans les *Confessions* le compte minutieux de ses amours et de ses aventures : on verra qu'il ne peut guère se vanter de ses conquêtes. Alors que d'autres mémorialistes vantent leurs victoires, Rousseau travaille plutôt à la défense et illustration de sa timidité. En racontant sans honte ses pratiques auto-érotiques et ses échecs auprès des femmes (son comportement étrange, à Venise, auprès de la charmante Zulietta), il prouve qu'il n'a guère risqué la souillure. A-t-il, une seule fois, approché une autre courtisane avec plus de succès, il se croit aussitôt contaminé et court consulter le chirurgien, qui le rassure en lui déclarant qu'il est « conformé d'une façon particulière, à ne pouvoir pas aisément être infecté [2] ». Le défaut congénital qui le singularise et le condamne aux longues souffrances, l'aide à repousser les accusations infamantes. Contre ceux qui le déclarent « pourri de vérole », Rousseau se fait un allié de sa maladie. Le démenti qu'il oppose à ses ennemis va jusqu'à un secret consentement à l'impuissance et à l'infirmité.

Mais il y a plus. On ne l'accuse pas seulement d'être syphi-

1. *O. C.*, I, 1223-1225.
2. *Confessions*, liv.VII. *O. C.*, I, 317.

litique ; il a la conviction (voyez les *Dialogues*) qu'on le décrit partout comme un satyre qui viole les femmes tombées en son pouvoir ; il est persuadé qu'on lui reproche une virilité agressive et brutale. Si violente qu'ait été l'animosité des adversaires de Rousseau, ce grief n'a jamais été élevé contre lui : il le forge de toutes pièces, pour le réfuter longuement et consciencieusement. Je pense qu'il trahit de la sorte l'angoisse qui s'attache pour lui à toutes les manifestations de l'assouvissement sexuel direct. D'où lui vient cette angoisse ? Elle date sans doute de son enfance genevoise : on lui a appris, avant toutes choses, que l'amour physique est une chose répugnante :

> Non seulement je n'eus jusqu'à mon adolescence aucune idée distincte de l'union des sexes ; mais jamais cette idée confuse ne s'offrit à moi que sous une image odieuse et dégoûtante. J'avais pour les filles publiques une horreur qui ne s'est jamais effacée ; je ne pouvais voir un débauché sans dédain, sans effroi même : car mon aversion pour la débauche allait jusque-là, depuis qu'allant un jour au petit Sacconex par un chemin creux je vis des deux côtés des cavités dans la terre où l'on me dit que ces gens-là faisaient leurs accouplements. Ce que j'avais vu de ceux des chiennes me revenait aussi toujours à l'esprit, et le cœur me soulevait à ce seul souvenir [1].

Un interdit sévère condamne par avance le désir et son accomplissement charnel : toute satisfaction des sens est illégitime et coupable. Que faire ? Entre l'obéissance chaste à la loi rigoureuse, et le cynisme de la transgression, il y a des solutions intermédiaires, plus ou moins conscientes d'être des pis-aller : les amours imaginaires, les conduites perverses, les satisfactions « partielles », la conversion du désir, l'agressivité retournée contre soi-même. D'où la passivité, l'onanisme, les fugues, l'exhibitionnisme ; d'où aussi ces traits « féminins » qui ont fait conclure à une « homosexualité latente ». L'âme sensible, qui rêve et qui subit plus qu'elle n'agit, trouve dans la maladie une excellente excuse à son isolement et à son introversion. On est allé jusqu'à dire que les sondages répétés révélaient un « érotisme urétral réceptif » : hypothèse qu'il ne faut pas se hâter de tenir pour ridicule [2]. A tout le moins, Rousseau exhibe une infirmité — physique autant que psychologique — qui lui assure un alibi à l'égard des actes coupables qu'il aurait pu commettre. Plutôt que d'être soup-

1. *Confessions*, liv. Ier. *O. C.*, I, 16.
2. Sur les troubles urinaires de Rousseau, le lecteur désireux de connaître le point de vue psychanalytique s'adressera à l'ouvrage de Hans Christoffel, *Trieb und Kultur* (Bâle, Benno Schwabe, 1944).

çonné d'avoir fait le mal, il préfère se mutiler symboliquement, ou se faire passer pour un piètre amant. Il s'offre par avance — cadavre consentant — au scalpel qui décèlera son vice de conformation. Il veut subir l'agression, l'ouverture.

On le voit, quand bien même la maladie urinaire aurait eu, au départ, une cause organique, Rousseau l'utilise pour exprimer son refus et son angoisse. Il désire battre en retraite devant la sexualité « normale », et la maladie, providentiellement, l'y oblige. On l'a noté : c'est dans le « monde », et surtout en présence des femmes que sa pollakiurie le fait le plus souffrir.

> Cette infirmité était la principale cause qui me tenait écarté des cercles, et qui m'empêchait d'aller m'enfermer chez des femmes. L'idée seule de l'état où ce besoin pouvait me mettre était capable de me le donner au point de m'en trouver mal à moins d'un esclandre auquel j'aurais préféré la mort [1].

La maladie apparaît décidément comme l'expression somatique d'une négation hautaine et angoissée. On remarquera, au surplus, que les accès aigus, chez Rousseau, surviennent presque toujours lorsqu'il entre ou risque d'entrer dans une situation de dépendance sociale : au commencement de son séjour à Venise, où il doit obéir aux ordres d'un ambassadeur capricieux et tyrannique ; lorsque M. de Francueil, receveur général, lui propose de devenir son caissier ; lorsqu'il s'agit d'être présenté au roi pour en recevoir une pension : chaque fois, Rousseau, qui n'accepte aucun compromis, aucune servitude, dit non avec tout son corps. On aperçoit ici que la maladie est beaucoup plus qu'un prétexte : elle est une conduite. La miction impérieuse et le refus d'une dépendance intolérable ne font qu'un. Presque toujours, chez Rousseau, le corps parle le premier. Relisons ces lignes extraordinaires, que Rousseau projetait d'envoyer au marquis de Mirabeau :

> Je frémis encore à m'imaginer dans un cercle de femmes, forcé d'attendre qu'un beau diseur ait fini sa phrase, n'osant sortir sans qu'on me demande si je m'en vais, trouvant dans un escalier bien éclairé d'autres belles dames qui me retardent, une cour pleine de carrosses toujours en mouvement, prêts à m'écraser, des femmes de chambre qui me regardent, Messieurs les laquais qui bordent les murs et se moquent de moi ; ne trouvant pas une muraille, une voûte, un malheureux petit coin qui me convienne ; ne pouvant en un mot pisser qu'en grand spectacle et sur quelque noble jambe à bas blancs [2].

1. *Confessions*, liv. VIII. *O. C.*, I, 379.
2. *Correspondance générale*. DP, XVII, 3-4.

*

L'usage qu'un homme a fait de sa maladie, aucune pièce anatomique ne peut nous l'apprendre. L'autopsie de Rousseau dans sa décevante insuffisance, est l'une des plus instructives qui soient. A Ermenonville, le 3 juillet 1778, au lendemain de la mort de Rousseau, les médecins procèdent à l'ouverture du cadavre. Que trouvent-ils d'anormal ?

Une quantité très considérable (plus de huit onces) de sérosité épanchée entre la substance du cerveau et les membranes qui la recouvrent.

Rousseau, ils n'en doutent pas, est mort d'une « apoplexie séreuse » : ce diagnostic, depuis longtemps, a disparu de nos manuels. Et l'arbre urinaire ? Voici le protocole :

Nous n'avons pu trouver ni dans les reins, ni dans la vessie, les uretères et l'urètre, non plus que dans les organes et canaux séminifères, aucune partie, aucun point qui fût maladif ou contre nature ; le volume, la capacité, la consistance de toutes les parties internes du bas-ventre étaient parfaitement sains... Aussi, il y a lieu de croire que les douleurs dans la région de la vessie et les difficultés d'uriner que M. Rousseau avait éprouvées, surtout dans les premières années de sa vie, venaient d'un état spasmodique des parties voisines du col de la vessie ou du col même, ou d'une augmentation de volume de la prostate, qui se sont dissipés en même temps que le corps se sera affaibli et maigri en vieillissant [1].

Certes, la technique employée a dû être rudimentaire. « Toute l'histoire pathologique de Rousseau proteste contre un protocole nécropsique aussi négatif », s'exclament Poncet et Leriche. Mais toute l'histoire affective et morale de Jean-Jacques admet cette incertitude. Un être unique fait toujours un mort banal [2].

1. Le Bègue de Presle. *Relation ou notice des derniers jours de Monsieur Jean-Jacques Rousseau*. Londres, 1778, p. 18-19.

2. Les circonstances de la mort de Rousseau ont suscité tout un délire d'interprétation ; la thèse du suicide et celle du meurtre (par Thérèse) ont eu leurs défenseurs obstinés. Un homme comme Rousseau ne peut pas mourir sans appeler sur lui les *projections* les plus contradictoires : il était difficile d'admettre que « l'homme de la nature » pût mourir de mort naturelle.

BIBLIOGRAPHIE

ŒUVRES DE ROUSSEAU

Œuvres complètes. Édition publiée sous la direction de Bernard Gagnebin et Marcel Raymond. Paris, Bibliothèque de la Pléiade, 1959 —. Quatre volumes parus (sur cinq).

Les œuvres qui ne figurent pas encore dans l'édition de la Pléiade sont citées d'après :

Œuvres complètes. Paris, Furne, 1835, 4 volumes.

Première rédaction des « Confessions », publiée par Théophile Dufour. Annales J.-J. Rousseau, IV, 1908.

Institutions chimiques, publiées et annotées par Maurice Gautier. Annales J.-J. Rousseau, XII (1918-1919) et XIII (1920-1921).

Essai sur l'origine des langues. Texte établi et annoté par Charles Porset. Bordeaux, 1968.

Lettre à M. d'Alembert sur les spectacles, édition critique par M. Fuchs. Genève, 1948.

Correspondance générale de J.-J. Rousseau, annotée et commentée par Théophile Dufour, éditée par Pierre-Paul Plan (DP). Paris,1924-1934, 20 volumes.

Pierre-Paul Plan. *Table de la correspondance générale de J.-J. Rousseau*, avec une introduction et des lettres inédites publiées par Bernard Gagnebin. Genève, 1953.

Correspondance complète de Jean-Jacques Rousseau, édition critique établie et annotée par R. A. Leigh (L). Genève, Institut et Musée Voltaire, 1965. — (12 vol. parus).

AUTEURS CONSULTÉS

H.-F. Amiel, *Fragments d'un journal intime*, édité par B. Bouvier. Genève, 1922, 3 vol.

— *Caractéristique générale de J.-J. Rousseau*, dans : *J.-J. Rousseau jugé par les Genevois d'aujourd'hui.* Genève, 1879.

The philosophical Lectures of Samuel Taylor Coleridge, édité par K. Coburn. Londres, 1949.

E. de Condillac, *Œuvres.* Corpus des philosophes français. Paris, 1947, 3 vol.

D. Diderot, *Œuvres complètes*, éditées par J. Assézat et M. Tourneux. Paris, 1875-1877, 20 vol.

F. Engels, *Anti-Dühring*, Zürich, 1886.

J. W. Gœthe, *Werke*. Stuttgart, 1863, 6 vol.
G.-W.-F. Hegel, *Phänomenologie des Geistes*, édité par G. Lasson. Leipzig, 1911.
La phénoménologie de l'esprit, traduction de J. Hyppolite. Paris, 1949, 2 vol.
F. Hölderlin, *Sämtliche Werke*, éditées par F. Beissner. Stuttgart, 1944-1959, 6 vol.
J. Joubert, *Carnets*, édités par A. Beaunier. Paris, 1938, 2 vol.
I. Kant, *Gesammelte Schriften*. Berlin, 1902-1955, 23 vol.
S. Kierkegaard, *Journal* (*extraits*), traduction par K. Ferlov et J.-G. Gateau. Paris, 1941-1961, 6 vol.
J. Locke, *Essai philosophique concernant l'entendement humain*, traduction par Pierre Coste. Amsterdam, 1700.
N. Malebranche, *Œuvres complètes*, éditées par A. Robinet. Paris, 1958-1970, 19 vol.
Platon, *Œuvres complètes*. Paris, Les Belles-Lettres, 1920-1956.
Œuvres complètes, traduction et notes par L. Robin et J. Moreau. Paris, 1940-1942, 2 vol.
B. de Saint-Pierre, *La vie et les ouvrages de J.-J. Rousseau*, édité par M. Souriau. Paris, 1907.
F. Schiller, *Sämtliche Werke*. Munich, 1962-1969, 5 vol.
Mme de Staël, *Lettres sur les ouvrages et le caractère de Jean-Jacques Rousseau*. s. l., 1788.

ÉTUDES CONSULTÉES

I. — BIBLIOGRAPHIE DE « LA TRANSPARENCE ET L'OBSTACLE » (1957)

Annales de la Société Jean-Jacques Rousseau, Genève, 1905 — se continue.
A. Aulard, *Les orateurs de la Révolution*. Paris, 1906-1907, 2 vol.
G. Bachelard, *L'eau et les rêves*. Paris, 1942.
V. Basch, *La poétique de Schiller*. Paris, 1902.
Y. Belaval, *Le souci de sincérité*. Paris, 1944.
— « La crise de la géométrisation de l'univers dans la philosophie des lumières ». *Rev. Int. Philos.*, XXI, fasc. 3, 1952.
J.-L. Bellenot, « L'amour dans la Nouvelle Héloïse. » *Annales J.-J. Rousseau*, XXXIII, 1953-1955.
P. Bénichou, « J.-J. Rousseau, de la personne à la doctrine. » *Rev. de Métaph. et de Mor.*, juillet-septembre 1954.
I. Benrubi, *L'idéal moral chez Rousseau, Mme de Staël et Amiel*. Genève, 1940.
F. Bouchardy, « Une définition de la conscience par J.-J. Rousseau. » *Annales J.-J. Rousseau*, XXXII, 1950-1952.
E. Boutroux, « Remarques sur la philosophie de Rousseau. » *Rev. de Métaph. et de Mor.*, 1912.
B. Bouvier, *J.-J. Rousseau*. Genève, 1912.
L. Brédif, *Du caractère intellectuel et moral de J.-J. Rousseau*. Paris, 1906.
E. Bréhier, *Histoire de la philosophie*, II, 2. Paris, 1930.
L. Brunschvicg, *Le progrès de la conscience dans la philosophie occidentale*. Paris, 1927, 2 vol.
P. Burgelin, *La philosophie de l'existence de J.-J. Rousseau*. Paris, 1952.
J.-B. Bury, *The Idea of Progress*. New York, 1955.

E. CASSIRER, *Die Philosophie der Aufklärung*. Tübingen, 1932.
— *Die Philosophie der symbolischen Formen*. Oxford. 1954.
— « Das Problem J.-J. Rousseau. » *Arch. für Gesch. der Philosophie*, 1932.
J.-J. COURTOIS, *Chronologie critique de la vie et des œuvres de J.-J. Rousseau*. Annales J.-J. Rousseau, XV, 1923.
G. DAVY, *Thomas Hobbes et J.-J. Rousseau*. Oxford, 1953.
V. DELBOS, « Rousseau et Kant. » *Rev. de Métaph. et de Mor.*, 1912.
R. DERATHÉ, *Le rationalisme de J.-J. Rousseau*. Paris, 1948. — *Rousseau et la science politique de son temps*. Paris, 1950.
M.-B. ELLIS, *Julie or « La Nouvelle Héloïse », a Synthesis of Rousseau's Thought*, 1749-1759. Toronto, 1949.
E. FAGUET, *Rousseau artiste*. Paris, 1912.
— *Rousseau penseur*. Paris, 1912.
A. FRANÇOIS, « Rousseau, les Dupin, Montesquieu. » *Annales J.-J. Rousseau*, XXX, 1943-1945.
E. GILLIARD, *De Rousseau à Jean-Jacques*. Lausanne, 1950.
E. GILSON, *Les idées et les lettres*. Paris, 1932.
H. GOUHIER, « Nature et histoire chez Rousseau. » *Annales J.-J. Rousseau*, XXXIII, 1953-1955.
F.-C. GREEN, *J.-J. Rousseau*. Cambridge, 1955.
B. GRŒTHUYSEN, *J.-J. Rousseau*. Paris, 1949.
— *Philosophie de la Révolution française*. Paris, 1956.
J. GUÉHENNO, *Jean-Jacques*. Paris, 1948-1952, 3 vol.
— « La dernière confession de Jean-Jacques. » *N. R. F.*, novembre 1955.
H. GUILLEMIN, *Cette affaire infernale*. Paris, Plon, 1942.
— *Un homme, deux ombres*. Genève, 1943.
— « L'homme selon Rousseau. » *Annales J.-J. Rousseau*, XXX, 1943-1945.
G.-R. HAVENS, « La théorie de la bonté naturelle de l'homme chez Rousseau. » *Rev. Hist. Litt.*, 1924-1925.
P. HAZARD, *La pensée européenne au XVIIIe siècle, de Montesquieu à Lessing*. Paris, 1946, 3 vol.
G.-W. HENDEL, *J.-J. Rousseau moralist*. Londres, 1934, 2 vol., rééd. en 1 vol., New York, 1962.
A. HESNARD, *L'univers morbide de la faute*. Paris, 1949.
H. HÖFFDING, *J.-J. Rousseau et sa philosophie*, trad. J. de Coussange. Paris, 1912.
R. HUBERT, *Rousseau et l'Encyclopédie*. Paris, 1928.
— « L'amour, la nature et la société chez J.-J. Rousseau. » *Rev. d'Hist. de la Philosophie*. Paris, 1939.
J. HYPPOLITE, *Genèse et structure de la Phénoménologie de l'Esprit de Hegel*. Paris, 1946.
E. KRETSCHMER, *Der sensitive Beziehungswahn*. Berlin, 1918.
J. LACAN, *De la psychose paranoïaque dans ses rapports avec la personnalité*. Paris, 1932.
R. LAFORGUE, « Étude sur J.-J. Rousseau. » *Rev. fr. Psychan.*, novembre 1927.
G. LANSON, « L'unité de la pensée de Rousseau. » *Annales J.-J. Rousseau*, VIII, 1912.
G. LAPASSADE, « L'œuvre de J.-J. Rousseau. » *Rev. de Métaph. et de Mor.* juillet-décembre 1956.
J. LEMAÎTRE, *J.-J. Rousseau*. Paris, 1907.
M. LEROY, *Histoire des idées sociales en France*, I. Paris, 1946.
K. LÖWITH, *Von Hegel zu Nietzsche*. Zürich, 1950.
A.-O. LOVEJOY, *Essays in the History of Ideas*. Baltimore, 1948.

P.-M. MASSON, *La religion de J.-J. Rousseau.* Paris, 1916, 3 vol.
M. MERLEAU-PONTY, *Phénoménologie de la perception.* Paris, 1945.
A. MONGLOND, *Histoire intérieure du préromantisme français.* Grenoble, 1929, 2 vol.
— *Vies préromantiques.* Paris, 1925.
J. MOREL, « Recherches sur les sources du Discours de J.-J. Rousseau sur l'origine et les fondements de l'inégalité parmi les hommes. » *Annales J.-J. Rousseau,* V, 1909.
D. MORNET, *Le sentiment de la nature en France de J.-J. Rousseau à Bernardin de Saint-Pierre.* Paris, 1907.
B. MUNTEANO, « La solitude de J.-J. Rousseau. » *Annales J.-J. Rousseau,* XXXI, 1946-1949.
R. OSMONT, « Contribution à l'étude psychologique des Rêveries. » *Annales J.-J. Rousseau,* XXIII, 1934.
— « Remarques sur la genèse et la composition de la Nouvelle Héloïse. » *Annales J.-J. Rousseau,* XXXIII, 1953-1955.
G. PIRE, « L'influence de Sénèque sur Rousseau. » *Annales J.-J. Rousseau,* XXXIII, 1953-1955.
G. POULET, *Études sur le temps humain* (I). Paris, 1950.
A. RAVIER, *L'éducation de l'homme moderne.* Issoudun, 1941, 2 vol.
M. RAYMOND, « J.-J. Rousseau. Deux aspects de sa vie intérieure. » *Annales J.-J. Rousseau,* XXIX, 1941-1942.
— « Rousseau et la figure de l'amour. » *Lettres.* Genève, 2, 1943.
— *Introduction aux « Rêveries du promeneur solitaire.* » Genève, 1948.
D. de ROUGEMONT, *L'amour et l'occident.* Paris, 1939.
J.-P. SARTRE, *Esquisse d'une théorie des émotions.* Paris, 1939.
A. SCHINZ, *La pensée de J.-J. Rousseau.* Paris, 1929.
— *État présent des travaux sur J.-J. Rousseau.* Paris, 1948.
L. STRAUSS, *Natural Right and History.* Chicago, 1953.
— *Droit natural et histoire.* Trad. par M. Nathan et E. de Dampierre. Paris, 1954.
— « On the intention of Rousseau. » *Social Research,* XIV, 1947.
P. TRAHARD, *Les maîtres de la sensibilité française au XVIII*e *siècle.* Paris, 1931-1933, 4 vol.
E. VERMEIL, « Goethe et Rousseau. » *Annales J.-J. Rousseau,* XXXI, 1946-1949.
J. WAHL, *Tableau de la philosophie française.* Paris, 1946.
— *Traité de métaphysique.* Paris, 1953.
— « La bipolarité de Rousseau. » *Annales J.-J. Rousseau,* XXXIII, 1953-1955.
E. WEIL, *Logique de la philosophie.* Paris, 1950.
— « J.-J. Rousseau et sa politique. » *Critique,* Paris, 56, janvier 1952.

II. — BIBLIOGRAPHIE SUCCINCTE DES OUVRAGES PUBLIÉS DEPUIS 1956

(a) *Colloques, numéros spéciaux, recueils d'études.*

Europe, numéro spécial sur Jean-Jacques Rousseau. Paris, novembre-décembre 1961.
Le Contrat social, numéros spéciaux. Paris, mai-juin 1962 et novembre-décembre 1962.
Cahiers du Sud, « Rêver avec Jean-Jacques ». Quarante-neuvième année, nº 367. Marseille, juillet-août 1962.
La Table Ronde, « Jean-Jacques Rousseau ». Paris, septembre 1962.
Yale French Studies, « Jean-Jacques Rousseau », nº 28. New Haven, 1962.

Jean-Jacques Rousseau, Conférences publiées par l'Université ouvrière et la Faculté des Lettres de l'Université de Genève. Neuchâtel, 1962.
Annales J.-J. Rousseau, t. XXXV, 1959-1962. « Entretiens sur Jean-Jacques Rousseau, Genève 1962. » Genève, Jullien, 1963.
Jean-Jacques Rousseau. Pour le 250e anniversaire de sa naissance. Paris-Gap, Société des études robespierristes, 1963.
Jean-Jacques Rousseau et son œuvre. Problèmes et recherches. Commémoration et colloque de Paris (16-20 octobre 1962). Paris, 1964.
Études sur le « Contrat Social » de Jean-Jacques Rousseau. Actes des journées d'étude organisées à Dijon pour la commémoration du 200e anniversaire du « Contrat Social ». Paris, 1964.
Jean-Jacques Rousseau et l'homme moderne. Commission de la République Française pour l'UNESCO. Colloque du 28 juin au 3 juillet 1962. Paris, 1965.
Rousseau et la philosophie politique. N° 5 des Annales de philosophie politique, rédigées par l'Institut International de Philosophie Politique. Paris, 1965.
Cahiers pour l'Analyse. Travaux du cercle d'épistémologie de l'École Normale Supérieure. N° 4 « Lévi-Strauss dans le XVIIIe siècle » ; N° 8 « L'impensé de Jean-Jacques Rousseau », troisième trimestre 1967. Paris.
Equality. Nomos IX. Yearbook of the American Society for Political and Legal Philosophy. Ed. by Roland Pennock and John W. Chapman. New York, 1967.
Revue internationale de philosophie, N° 82, 1967, fascicule 4, « La philosophie du langage. Les précurseurs au XVIIIe siècle ». Bruxelles.

(b) *Livres.*

B. BACZKO, *Rousseau : Samotność i wspólnota*. Varsovie, 1964.
W. H. BLANCHARD, *Rousseau and the Spirit of Revolt*. Ann Arbor, 1967.
M. BLANCHOT, *Le livre à venir*. Paris, 1959.
B. BÖSCHENSTEIN, *Hölderlins Rheinhymne*. Zürich, 1959.
J.-H. BROOME, *Rousseau. A Study of his Thought*. Londres, 1963.
P. BURGELIN, *Jean-Jacques Rousseau et la religion de Genève*. Genève, 1962.
M. BUTOR, *Répertoire III*. Paris, 1968.
A. COBBAN, *Rousseau and the Modern State*. Londres, 1964.
H. COULET, *Le roman jusqu'à la révolution*. T. I : *Histoire du roman en France*. Paris, 1967.
L.-G. CROCKER, *Jean-Jacques Rousseau*, T. I : 1712-1758. New York, 1968.
— *Rousseau's « Social Contract ». An interpretive Essay*. Cleveland. 1968.
J. DERRIDA, *De la grammatologie*. Paris, 1967.
J. EHRARD, *L'idée de nature en France dans la première moitié du XVIIIe siècle*. Paris, 1963.
M. EIGELDINGER, *Jean-Jacques Rousseau et la réalité de l'imaginaire*. Neuchâtel, 1962.
M. EINAUDI, *The early Rousseau*. Ithaca (N. Y.), 1967.
J. FABRE, *Lumières et Romantisme. Énergie et nostalgie de Rousseau à Mickiewicz*. Paris, 1963.
I. FETSCHER, *Rousseaus politische Philosophie*. Neuwied, 1960.
M. FOUCAULT, Présentation de : *Rousseau juge de Jean-Jacques*. Paris, 1962.
B. GAGNEBIN, *A la rencontre de Jean-Jacques. Textes et documents*, fig. Genève, 1962

P. GAY, *The Enlightenment: an Interpretation. The Rise of modern Paganism.* Londres, 1967.
— *The Party of Humanity. Studies in the French Enlightenment.* New York, 1964.
F. GLUM, *Jean-Jacques Rousseau. Religion und Staat.* Stuttgart, 1956.
H. GOUHIER, *Les méditations métaphysiques de Jean-Jacques Rousseau.* Paris, 1970.
R. GRIMSLEY, *Jean-Jacques Rousseau. A Study in Self-Awareness.* Cardiff, 1961.
— *Sören Kierkegaard and French Literature.* Cardiff, 1966.
— *Rousseau and the religious Quest.* Oxford, 1968.
P. GROSCLAUDE, *J.-J. Rousseau et Malesherbes. Documents inédits.* Paris, 1960.
C. GUYOT, *Plaidoyer pour Thérèse Levasseur.* Neuchâtel, 1962.
— *De Rousseau à Marcel Proust.* Neuchâtel, 1968.
K.-D. HAEGI, *Die politische Freiheit im Werk von Jean-Jacques Rousseau.* Winterthur, 1963.
P.-D. JIMACK, *La genèse et la rédaction de l'« Émile » de J.-J. Rousseau. Étude sur l'histoire de l'ouvrage jusqu'à sa parution.* Genève, 1960.
R. KEMPF, *Sur le corps romanesque.* Paris, 1968.
O. KRAFFT, *La politique de Jean-Jacques Rousseau: aspects méconnus.* Paris, 1958.
R. de LACHARRIÈRE, *Études sur la théorie démocratique: Spinoza, Rousseau, Hegel, Marx.* Paris, 1963.
F. VAN LAERE, *Rousseau: du phantasme à l'écriture. Les révélations du « Lévite d'Éphraïm ».* Paris, 1967.
— *Une lecture du temps dans « La Nouvelle Héloïse ».* Neuchâtel, 1968.
S. A. LAKOFF, *Equality in political Philosophy.* Cambridge, Mass. 1964.
M. LAUNAY, *Rousseau.* Paris, 1968.
— et coll., *Jean-Jacques Rousseau et son temps.* Paris, 1969.
— Index général des œuvres de Rousseau (en cours).
J.-L. LECERCLE, *Rousseau et l'art du roman.* Paris, 1969.
J. MACDONALD, *Rousseau and the French Revolution* : 1762-1791. Londres, 1965.
R.-D. MASTERS, *The political Philosophy of Rousseau.* Princeton, 1968.
R. MAUZI, *L'idée du bonheur dans la littérature et la pensée française au XVIIIe siècle.* Paris, 1960.
G. MAY, *Rousseau par lui-même.* Paris, 1961.
L. MILLET, *La pensée de Jean-Jacques Rousseau.* Paris, 1966.
G. POULET, *Les métamorphoses du cercle.* Paris, 1961.
J. PROUST, *Diderot et l'Encyclopédie.* Paris, 1962.
M. RANG, *Rousseaus Lehre vom Menschen.* Göttingen, 1959.
M. RAYMOND. *Jean-Jacques Rousseau. La quête de soi et la rêverie* Paris, 1962.
R. RICATTE, *Réflexions sur les « Rêveries ».* Paris, 1960.
J. ROGER, *Les sciences de la vie dans la pensée française du XVIIIe siècle.* Paris, 1963.
H. RÖHRS, *Jean-Jacques Rousseau: Vision und Wirklichkeit.* Heidelberg, 1957.
C. SALOMON-BAYET, *J.-J. Rousseau ou l'impossible unité.* Paris, 1968.
H. SCHLÜTER, *Das Pygmalion-Symbol bei Rousseau, Hamann, Schiller.* Zürich, 1968.
J.-N. SHKLAR, *Men and Citizens. A Study of Rousseau's social Theory.* Londres, Cambridge, 1969.
L. SOZZI, « Interprétations de Rousseau pendant la Révolution. » *Studies on Voltaire and the eighteenth Century,* LXIV, 1968, p. 187-223.

J.-L. Talmon, *The Origins of totalitarian Democracy*. New York, 1960.
J.-F. Thomas, *Le pélagianisme de J.-J. Rousseau*. Paris, 1956.
J. Voisine, *J.-J. Rousseau en Angleterre à l'époque romantique : les écrits autobiographiques et la légende*. Paris, 1956.
O. Vossler, *Rousseaus Freiheitslehre*. Göttingen, 1963.
E. Weil, *Essais et conférences*. Paris, 1970, 2 vol.

INDEX

JEAN-JACQUES ROUSSEAU
LA TRANSPARENCE ET L'OBSTACLE

SEPT ESSAIS SUR ROUSSEAU

DU MÊME AUTEUR

Aux Éditions Gallimard

L'ŒIL VIVANT, *essai.*

L'ŒIL VIVANT, II : LA RELATION CRITIQUE, *essai.*

J.-J. ROUSSEAU. LA TRANSPARENCE ET L'OBSTACLE *suivi de* SEPT ESSAIS SUR ROUSSEAU, Tel n° 6.

LES MOTS SOUS LES MOTS. LES ANAGRAMMES DE FERDINAND DE SAUSSURE, *essai.*

TROIS FUREURS, *essais.*

MONTAIGNE EN MOUVEMENT (coll. Folio Essais, n° 217).

LE REMÈDE DANS LE MAL. CRITIQUE ET LÉGITIMATION DE L'ARTIFICE À L'ÂGE DES LUMIÈRES.

Chez d'autres éditeurs

MONTESQUIEU, Seuil.

L'INVENTION DE LA LIBERTÉ, Skira.

PORTRAIT DE L'ARTISTE EN SALTIMBANQUE, Skira (et Flammarion, coll. « Champs »).

1789 : LES EMBLÈMES DE LA RAISON, Flammarion.

CLAUDE GARACHE, Flammarion.

DIDEROT DANS L'ESPACE DES PEINTRES. LE SACRIFICE EN RÊVE, Musées Nationaux.

LA MÉLANCOLIE AU MIROIR. TROIS LECTURES DE BAUDELAIRE, Julliard.

TABLE D'ORIENTATION. L'AUTEUR ET SON AUTORITÉ, L'Âge d'homme.

Ouvrage reproduit
par procédé photomécanique.
Impression Bussière Camedan Imprimeries
à Saint-Amand (Cher), le 21 août 1997.
Dépôt légal : août 1997.
1er dépôt légal : septembre 1976.
Numéro d'imprimeur : 1/2153.
ISBN 2-07-029473-0./Imprimé en France.

83988